N T I C

**Seit Jahrzehnten
weltweite Gastlichkeit
in historischem
Ambiente.**

ROMANTISCHES FLAIR STATT UNPERSÖNLICHER NÜCHTERNHEIT; GEWACHSENE NOSTALGIE, DIE ZUM VERWEILEN EINLÄDT; AUF SCHRITT UND TRITT DEN GEIST DER TRADITION ERLEBEN UND DEN KOMFORT DER MODERNE SPÜREN. DIESE WOHLTUENDE ALTERNATIVE ZUM ÜBLICHEN IST EINE PHILOSOPHIE, DER SICH MEHR UND MEHR MENSCHEN VERSCHREIBEN. MENSCHEN, DIE DIESE NEUE QUALITÄT INDIVIDUELLER GASTLICHKEIT ZU SCHÄTZEN WISSEN. SEIT JAHRZEHNTEN PRÄGT DIESE PHILOSOPHIE DEN CHARAKTER JEDES EINZELNEN HAUSES DER ROMANTIK HOTELS & RESTAURANTS. ALLE ROMANTIK HOTELS &

RESTAURANTS HABEN IHREN EIGENEN STIL. EIN STÜCK TRADITIONELLER KULTUR, DEREN ROMANTISCHER ZAUBER DIE GESAMTATMOSPHÄRE PRÄGT. MENSCHEN, DIE AM PULS DER ZEIT LEBEN, KÖNNEN LÄNGST VERLOREN GEGLAUBTE LEBENSQUALITÄTEN WIEDER NEU FÜR SICH ENTDECKEN.

**For over two decades,
world-wide hospitality
in an atmosphere
of history.**

ROMANTIC FLAIR INSTEAD OF IMPERSONALITY. INVITING YOU TO STAY; EXPERIENCE THE SPIRIT OF TRADITIONAL HOSPITALITY AND FEEL THE COMFORT OF MODERN TIMES. THIS ALTERNATIVE TO NORMALITY IS A PHILOSOPHY TO WHICH MORE AND MORE PEOPLE ARE TURNING.

PEOPLE WHO ARE ABLE TO APPRECIATE THE UNIQUENESS OF INDIVIDUAL HOSPITALITY. FOR DECADES, THIS PHILOSOPHY HAS HAD A DECISIVE INFLUENCE ON THE CHARACTER OF EACH HOTEL IN THE ROMANTIK FAMILY OF HOTELS & RESTAURANTS. ALL ROMANTIK HOTELS & RESTAURANTS HAVE THEIR OWN PERSONALITY, A PIECE OF TRADITIONAL CULTURE, THE ROMANCE AND MAGIC OF WHICH DEFINES THE ENTIRE ATMOSPHERE. PEOPLE WHO HAVE THEIR FINGERS ON THE PULSE OF TIME CAN RE-DISCOVER QUALITIES OF LIFE WHICH THEY BELIEVED HAD BEEN GONE FOR A LONG TIME.

**ROMANTIK HOTELS
& RESTAURANTS**

I N T E R N A T I O N A L

E S !

Ihre Behaglichkeit ist unser Anspruch...

*D*ER NAME IST PROGRAMM ZUGLEICH: ROMANTIK HOTELS & RESTAURANTS BÜRGEN DANK IHRER GEWACHSENEN GESCHICHTE FÜR EINEN AUFENTHALT, DER DURCH NATÜRLICHE BEHAGLICHKEIT MIT REGIONALEN AKZENTEN GEPRÄGT WIRD. DENN AUF UNIFORMIERTE HOTELS UND ANONYMITÄT LEGEN WIR BEI ROMANTIK KEINEN WERT. FÜR UNSERE GÄSTE BEDEUTET DAS: ANKOMMEN UND SICH WOHLFÜHLEN. VERWEILEN UND ALL DIE KLEINEN AUFMERKSAMKEITEN GENIESSEN, DIE DAS LEBEN LEBENSWERT MACHEN. ADIEU SAGEN UND DIE VERTRAUTHEIT DES ORTES MITNEHMEN UND NOCH LANGE SPÜREN.

*T*HE NAME IS TRUELY A DISTINCTION: THROUGHOUT THEIR HISTORY, ROMANTIK HOTELS & RESTAURANTS HAVE SYMBOLIZED A STAY WHICH IS MARKED BY NATURAL COMFORT WITH REGIONAL ACCENTS. WE AT ROMANTIK PLACE NO VALUE ON STANDARDIZED HOTELS AND ANONYMITY. FOR OUR GUESTS, THIS MEANS: ARRIVE AND FEEL AT HOME. RELAX AND ENJOY ALL THE SMALL PLEASURES WHICH MAKE LIFE WORTH LIVING. SAY ADIEU AND TAKE THE FAMILIARITY OF A PLACE WITH YOU AND KEEP IT FOR A LONG TIME.

your comfort is our motivation

e sorgfältige Auswahl
nserer Hotels
nd Restaurants ist
e Garantie für ein hohes
astronomisches Niveau.

ÄNGST NICHT JEDES
 HOTEL ODER RESTAURANT
ARF UNSER GÜTESIEGEL
AGEN. DENN DER NAME
NSERER INTERNATIONAL
RTRETENEN GRUPPE
URGT FÜR DEN ANSPRUCH,
T TRADITIONELLEN
ERTEN DEN GAST VON
UTE ZU UMSORGEN.
S FÄNGT MIT DEM
RMONISCHEN, UR-
RÜNGLICHEN ERSCHEI-
UNGSBILD AN. MAN ÖFFNET
E TÜR UND STEHT ZUM
ISPIEL AUF JAHRHUN-
ERTEALTEN EICHENDIELEN,
E EIN STÜCK GEWACH-
NER GESCHICHTE SIND.
E UNVERFÄLSCHTE HERZ-
CHKEIT DER MENSCHEN,
E BEHAGLICH-KOMFOR-
BLEN ZIMMER UND DER

INDIVIDUELLE SERVICE SIND
EIN WOHLTUENDER KON-
TRAST ZU DER HEKTISCHEN
BETRIEBSAMKEIT UNSERER
ZEIT. DIESE GEBORGENHEIT
WÄRE OHNE DIE SORGFALT
UND DAS PERSÖNLICHE
ENGAGEMENT EINES JEDEN
INHABERS UNSERER HOTELS
UND RESTAURANTS WOHL
NICHT VORSTELLBAR. SELBST-
VERSTÄNDLICH SPIEGELT
AUCH DIE GASTRONOMISCHE
KULTUR DEN GEIST DES
HAUSES WIDER. KÜCHE UND
KELLER VERWÖHNEN
DEN GAST; OB REGIONALE
SPEZIALITÄTEN ODER
INTERNATIONALE CUISINE –
EIN GENUSS, DER ALLE SINNE
ANSPRICHT UND INSPIRIERT.

GUARANTEES THE AIM OF
LOOKING AFTER MODERN
GUESTS WITH TRADITIONAL
VALUES.
THE UNFALSIFIED COR-
DIALITY OF THE PEOPLE,
THE COZY AND COM-
FORTABLE ROOMS AND THE
INDIVIDUAL SERVICE
ARE A PLEASING CONTRAST
TO THE HECTIC BUSTLE
OF OUR PRESENT AGE. THIS
COMFORT WOULD NOT BE
IMAGINABLE WITHOUT THE
CARE AND THE PERSONAL
COMMITMENT OF EACH OF
THE OWNERS OF OUR
HOTELS AND RESTAURANTS.
NATURALLY, THE GAS-
TRONOMIC CULTURE ALSO
REFLECTS THE SPIRIT
OF THE HOUSE.
THE KITCHEN
AND THE
WINE CELLAR
SPOIL THE
GUEST; WHETHER
IT IS REGIONAL SPECIAL-
ITIES OR INTERNATIONAL
CUISINE – A PLEASURE
WHICH ACTIVATES AND
INSPIRES ALL THE SENSES.

**ROMANTIK HOTELS
& RESTAURANTS**
I N T E R N A T I O N A L

**The careful selection of
our hotels and restaurants
is the guarantee of a
wonderful gastronomic
experience.**

*N*OT ANY HOTEL OR
RESTAURANT CAN BEAR
OUR MARK. THE NAME OF
OUR INTERNATIONAL GROUP

Wir wollen daß Sie sich bei uns mehr als wohlfühlen...

Anne M. Paltzer
Geschäftsführerin
Managing Director

UND DASS SIE DIES IN UNSEREN 177 ROMANTIK HOTELS UND RESTAURANTS IN 15 LÄNDERN AUCH KÖNNEN, IST DURCH DEN ERFOLG UNSERER HOTELGRUPPE ÜBER DIE LETZTEN 20 JAHRE DOKUMENTIERT.

AUF DIESEM ERFOLG RUHEN WIR UNS JEDOCH NICHT AUS. WIR ARBEITEN STÄNDIG DARAN, DASS SIE WEITERHIN EIN GUTES PREIS-/LEISTUNGSVERHÄLTNIS VORFINDEN UND DASS IHR QUALITÄTSANSPRUCH VON UNS ERFÜLLT WIRD.

WIR HABEN UNS FÜR 1993 DEM GEDANKEN DER QUALITÄTSERHALTUNG UND DEREN STEIGERUNG VERSCHRIEBEN.

IHR WOHLBEFINDEN ALS UNSER GAST WURDE UNS ZUR VERPFLICHTUNG, DER WIR GERNE ENGAGIERT NACHKOMMEN.

DENN WIR WOLLEN IHNEN IN ALLEN ROMANTIK HOTELS UND RESTAURANTS INTERNATIONAL STUNDEN VOLLER LEBENSQUALITÄT BIETEN, DIE IHREN AUFENTHALT ZU EINEM UNVERWECHSELBAREN ERLEBNIS MACHEN.

We want you to really feel at home...

WHICH YOU CAN DO IN OUR 177 ROMANTIK HOTELS & RESTAURANTS IN 15 COUNTRIES. THE SUCCESS OF OUR HOTEL GROUP OVER THE PAST 20 YEARS PROVES YOU CAN.

BUT WE HAVE NO INTENTION OF RESTING ON OUR SUCCESS. WE WANT TO CONTINUE TO MAKE SURE THAT YOU GET GOOD VALUE FOR YOUR MONEY AND THAT YOUR EVERY EXPECTATION IS MET TO THE FULLEST.

FOR US, THE YEAR 1993 WILL MEAN DEVOTING OURSELVES TO MAINTAINING OUR HIGH STANDARDS AND, WHEREVER POSSIBLE, IMPROVING THEM.

WE ARE DEEPLY COMMITED TO ENSURING YOUR WELL – BEING AS OUR GUEST.

WE WANT TO OFFER YOU HOURS FULL OF PLEASURE AT ALL ROMANTIK HOTELS & RESTAURANTS, HOURS THAT WILL TURN YOUR STAY INTO AN INCOMPARABLE EXPERIENCE.

Hertz

Deutschland ganz romantisch

Gültig vom 1. Juni 1992
bis 31. März 1993

Inklusive Spezialraten in den Romantik Hotels

Entdecken Sie Deutschland
auf eine ganz neue Art und
Weise! Mit Hertz und den
Romantik Hotels.

Fordern Sie unsere Broschüre
an. Tel.: 0 61 88/60 05-6

Enthält 3 Tourenvorschläge durch Deutschland

Hotelverzeichnis / Contents / Sommaire

Ihr Leben ist voller Ideen. Die Alte Leipziger auch.

Manche Leute haben
einfach das Talent, aus
jeder Situation das Beste
zu machen. Klar, daß
sie denken, das müßten
andere auch können. Wir
von der Alten Leipziger
finden, das ist nicht
zuviel verlangt.

Sie wollen eine Versiche-
rung gegen Berufsunfähig-
keit? Bitte sehr.

Alte LEIPZIGER AL

Aber die Beiträge sollen
gleichzeitig Kapital
ansparen? Kein Problem.
Und als Lebensversiche-
rung zählen? Auch das.
Mit Gewinnbeteiligung
und Schlußanteil?
Natürlich. Geht in
Ordnung. Wir sind für
alles zu haben.

Alte Leipziger:
Versicherungen, Kapital-
anlagen, Bausparen.

Krankenversicherung
im Unternehmens-
verbund mit der
Halleschen-Nationalen.

Reden Sie mit uns. Sicherheitshalber.

Hotelverzeichnis /Contents /Sommaire

3

Sein Erfolg ist der Geschmack. Feine Zungen haben längst herausgefunden, daß die Natur diesem Mineralwas etwas Besonderes mitgegeben hat: den besonders gut Geschmack. Wer es kennt, bleibt dabei. Kein Wunder, de Wasser ist nicht gleich Wasser.

Gerolstein
Sprudel

Hotelverzeichnis /Contents /Sommaire

EINE AUSSERGEWÖHNLICHE GESCHENKIDEE...

...Harmonie für Auge und Gaumen

Gutscheine für ein Romantik Hotel

GUTSCHEINE FÜR EIN ROMANTIK HOTEL & RESTAURANT BEGEISTERN DIE FAMILIE UND LIEBE FREUNDE GENAUSO WIE GESCHÄFTSPARTNER. UND ES BEDARF NICHT IMMER EINES BESONDEREN ANLASSES, MIT EINEM GESCHENK, DAS ALLE SINNE ANSPRICHT UND INSPIRIERT, ZU VERWÖHNEN.

Romantik Geschenk-Gutschein

ROMANTIK GESCHENK-GUTSCHEINE GIBT ES IN DEN DREI WERT-KATEGORIEN

DM 50,-
DM 75,-
DM 100,-

SIE KÖNNEN IN ALLEN ROMANTIK HOTELS & RESTAURANTS INTERNATIONAL EINGELÖST WERDEN.

Romantik Diner-Gutschein

SEIN WERT: **DM 230,-**

DER BESCHENKTE DARF SICH NACH EINEM BEGRÜSSUNGS-APERITIF AUF EIN HERVORRAGENDES MENUE MIT MEHREREN GÄNGEN, EINEM ERLESENEN WEIN UND KAFFEE ODER TEE NACH DEM DINER FREUEN. DIESER DINER-GUTSCHEIN GILT FÜR **ZWEI PERSONEN** IN ALLEN DEUTSCHEN ROMANTIK HOTELS & RESTAURANTS.

Romantik Schlemmer-Gutschein

SEIN WERT: **DM 440,-**

MIT DIESEM GUTSCHEIN KOMMEN **ZWEI PERSONEN** NACH EINEM APERITIF IN DEN GENUSS EINES EXZELLENTEN MENUES UND EINER ÜBERNACHTUNG IM DOPPELZIMMER MIT ROMANTIK-FRÜHSTÜCK. DIESER SCHLEMMER-GUTSCHEIN GILT FÜR ZWEI PERSONEN IN ALLEN DEUTSCHEN ROMANTIK HOTELS & RESTAURANTS.

Romantik Verwöhn-Gutschein

SEIN WERT: **DM 880,-**

2 ÜBERNACHTUNGEN IM DZ MIT ROMANTIK-FRÜHSTÜCK, 2 MITTAGESSEN MIT DAZU HARMONISCH ABGESTIMMTEN GETRÄNKEN, 1 ABENDESSEN MIT REGIONALEN SPEZIALITÄTEN, 1 GOURMET-MENUE MIT FÜR SIE AUSGEWÄHLTEN WEINEN, APERITIF UND ANSCHLIESSENDEM KAFFEE – SO DÜRFEN SICH **ZWEI PERSONEN** MIT DIESEM GUTSCHEIN VERWÖHNEN LASSEN! DIESER VERWÖHN-GUTSCHEIN GILT FÜR ZWEI PERSONEN IN ALLEN DEUTSCHEN ROMANTIK HOTELS & RESTAURANTS.

DIESE GUTSCHEINE BESTELLEN SIE BITTE BEI:

ROMANTIK
HOTELS & RESTAURANTS
INTERNATIONAL
HÖRSTEINER STRASSE 34
8757 KARLSTEIN/MAIN
TELEFON (0 61 88) 50 20 / 60 05 / 60 06
TELEFAX (0 61 88) 60 07

Hotelverzeichnis /Contents /Sommaire

Wir stellen vor/we introduce:

Auftritt.

ARIENHELLER GEHÖRT DAZU

Es liegt im Charakter des Besonderen. Wer Ansprüche stellt, sucht Erfüllung in allem. Auch bei der Wahl des Mineralwassers: ARIENHELLER Premium Mineralwasser – wenn es um hohe Ansprüche geht.
Zartperlend still oder feinperlend frisch – ARIENHELLER Premium Mineralwasser wird dort serviert, wo gastronomischer Service Zeichen setzt.

ARIENHELLER
PREMIUM MINERALWASSER

*Feinperlende
Frische für
Feinschmecker*

Artus Mineralquellen GmbH & Co. KG · D-5462 Bad Hönningen

Diese Häuser repräsentieren das Herz der Romantik Hotels & Restaurants. Sie werden sehr persönlich von ihren Inhabern geführt, sind durchweg gemütlich eingerichtet und stehen - auch mit ihrer überdurchschnittlich guten Küchenleistung - in der Tradition ihrer Region. Der Gast ist in diesen Häusern, die mit dem heute üblichen Komfort eingerichtet sind, keiner Etikette unterworfen.

They represent the heart of Romantik Hotels & Restaurants. All are cosy and without any fomality. Thea offer very good hospitaly and a very personal service by the owners. A charming place to stay. It's like staying with friends.

Qui cherche les hôtels et restaurants romantiques chaleureux, particulièrement agréables mais sans étiquette stricte, choisit une maison verte. L'atmosphère y est très personnelle.

Chi particolarmente ci tiene ad Alberghi e Ristoranti Romantik pieni die cordialità ed estremanmente accoglienti, nei quali non si è obbligati a rigide forme cerimoniali, dovrebbe scegliere il color verde. Si tratta die Albergi e Ristoranti a conduzione prettamente familiare.

De mest genuina Romantik Hotellen och Romantik Restaurangerna. Trivsamma restauranger med go och vällagad mat och med nära anknytning till trakten. Trevliga och familjära hotell. De erbjuder en fantastisk gästfrihet, oftast direkt genom värdparet. Det är som att bo hos nära vänner.

Diese Häuser sind typische Romantik Hotels & Restaurants. Sie werden sehr persönlich geführt, haben eine gemütliche Atmosphäre, sind aber zumeist etwas größer als die grünen Häuser und bieten im Hotelbereich einen hohen Komfort. Küchenleistung und Service stehen auf hohem Niveau.

They are the typical Romantik Hotels & Restaurants. Nice atmosphere, high standard in rooms and in the restaurant and with friendly service. A nice place to stay.

Qui cherche les hôtels et restaurants romantiques typiques, les restaurants les plus divers et un hôtel aux services complets, choisit une maison bleue. Elles sont très bien dirigées.

Chi cerca dei tipici Alberghi e Ristoranti Romantik, eventualmente con piu ristoranti ed un'ampia offerta die servizi e prestazioni, dovrà preferibilmente decidersi per il colore blu. Si tratta die alberghi e ristoranti ottimamente condotti.

De typiska Romantik Hotellen och Romantik Restaurangerna. Trevlig atmosfär, hög standard på såväl rum och restaurang som allmänna utrymmen. Förstklassigt kök med svenskt och internationellt utbud och bra vinlista. Vänlig och kunnig service.

Diese Häuser dürfen als die Spitzenbetriebe der Romantik Hotels & Restaurants gelten. Sie bieten im Hotelbereich eine gehobene Ausstattung und eine breite Dienstleistungspalette. Im Restaurant erwarten den Gast eine erstklassige Küche und ein herausragender Service.

They are the top of Romantik Hotel & Restaurants. All offer a very high Hotel - and Restaurant-standard, everything should be excellent. Kings, Queens and presidents like to stay here.

Qui cherche les hôtels et restaurants romantiques parfaits, un service d'hôtel complet et une gastronomie de haut niveau, choisit une maison jaune. Elles sont parfaitement menées.

Chi ama i livelli die assoluta perfezione ed esige i servizi albergieri e gastronomici più ampi ed elevati possibili, potrà senz'Altro decidersi per un Albergho o Ristorante Romantik contraddistinto del colore giallo. Si tratta di alberghi e ristoranti condotti nella maniera più impeccabile ed eccelente.

Dessa Romantik Hotell och Romantik Restauranger utgör eliten, och är fá till antalet. Der är en upplevelse i såväl komfort som i gastronomi. Allt är verkligen utsökt. Höga priser men alltid valuta för pengarna. Platsen för Kungar, Drottningar och Presidenter. Färgerna är ingen betygsättning utan endast en vägledning och hjälp till att finna sitt passanda „ställe".

hervorragende Küche
excellente cuisine
cuisine eccellente
cucina eccelente
speciellt berömt kök

Stauder Pils.
Die kleine
Persönlichkeit...

Wer sein Bier zu genießen
weiß, zeigt Lebensart. Wer
sein Bier in Ruhe reifen läßt,
beweist seinen Sinn für Qualität.
Und wer sich zu dem Grundsatz
»lieber kleiner, aber feiner«
bekennt, der hat das richtige
Verständnis für Exclusivität.

Erläuterungen der Symbole
Key to Symbols
Explications des Symbols
Symbolförklaring
Significato dei simboli

Ruhetag
Rest day
Jour de Fermeture
Stänguingsdag
giorno die riposo

Betriebsferien
Closed for holidays
Fermeture annuelle
Helgstängt
chiusura annuale

Anzahl der Betten
Number of beds
Nombre de lits
Antal Bädder
numero dei posti letto

Zimmer mit Dusche/Bad
Rooms with shower/bath
Chambres avec douche/bain
Rums med Dusch/Bad
camere con bagno/doccia

Zimmer ohne Dusche/Bad
Rooms without shower/bath
Chambres sans douche/bain
Rums utan Dusch/Bad
camere senza bagno/doccia

Preis für Standard-Einzelzimmer
incl. Frühstück in Landeswährung
Price for standard single room
incl. breakfast, in national currency
Prix par standard chambre à un lit-petit
déjeuner inclus, en monnaie nationale
Pris för normalt Enkelrum
i inhemsk Valuta
prezzo per camera singola standard,
compresa prima colazione
in valuta locale

Preis für Standard-Doppelzimmer
inc. Frühstück in Landeswährung
Price for standard double room
incl. breakfast, in national currency
Prix par standard chambre à deux
lits-petit déjeuner inclus, en monnaie nationale
Pris för normalt Dubbelrum
i inhemsk Valuta
prezzo per camera doppia, standard,
compresa prima colazione
in valuta locale

Appartement/Suiten
Appartements/Suites
Lägenhet/Svit
Appartementi/Suites

Zentrale Lage
Centrally situated
Emplacement central
Centralt Läge
posizione centrale

Ruhige Lage
Quiet Location
Site tranquille
Lugnt Läge
posizione tranquilla

Konferenzen
Conferences
Conférences
Konferenser
conferenze

Für Körperbehinderte geeignet
Suitable for disabled
Accessible aux handicapés physiques
Handikappvänligt
accessibile per handicappati

Keine Hunde
No dogs allowed
Accés interdit aux chiens
Inga Hundar
non sono ammessi i cani

Eigene Garage
Own garages
Avec garage
Privat Garage
garage proprio

Eigene Parkplätze
Own parking places
Avec parking
Privat Parkeringsplats
percheggio proprio

Eigener Garten
Garden
Avec jardin
Egen Trädgård
giardino proprio

Terrasse
Terrace
Terrass
terrazza

Fahrstuhl
Lift
Ascenseur
Hiss
ascensore

Schwimmbad
Outdoor swimming-pool
Piscine en plein ar
Utomhuspool
piscina

Hallenbad
Indoor swimming-pool
Piscine couverte
Inomhuspool
piscina coperta

Sauna
Bastu
sauna

Trimm-Dich-Raum
Keep-fit-room
Salle de Sport
Motionsrum
palestra

Reitplatz am Ort
Riding facilities nearby
Terrain d'quitation dans la localité
Ridmöjligheter på området
cicolo ippico in loco

Erläuterungen der Symbole
Key to Symbols
Explications des Symbols
Symbolförklaring
Significato dei simboli

 Tennis
tennis

 Kegelbahn
Bowling
bowling

 Wintersport
Wintersports
Sports d'hiver
Vintersport
sport invernali

 Golf

Beachten Sie bitte, daß unsere Restaurants normalerweise von 12.00 bis 14.00/14.30 Uhr und 18.00 bis 21.00/21.30 Uhr geöffnet sind.

Please note that our restaurants are normally opened from 12.00 to 2.00/2.30 p.m. and from 6.00 till 9.00/9.30 p.m.

Veuillez noter que nos restaurants sont ouvert normalement de 12.00 à 14.00/14.30 et de 18.00 à 21.00/21.30.

Preisänderungen vorbehalten.
Preise zur Unterbringung in Luxuszimmern oder Suiten auf Anfrage beim jeweiligen Hotel.

Rates are subject to change without notice.
Rates for lodging in luxury rooms or suites on inquiry at the respective hotel.

Relèvement de Prix sans publication.
Prix pour héberger dans une chambre luxueux ou une suite sur demand dans le respectif hôtel.

Förbehåll för prisändringar.
Prisuppgift för lyxrum resp. svit vid förfrågan hos respektive hotell.

I prezzi possono variare.
Per informazioni sui prezzi delle camere di lusso o suite rivolgersi all' albergo desiderato.

Prijswizigingen voorbehouden.
Prijzen voor logies in luxe kamers of suites zijn op aanvraag in desbetreffende hotels verkrijgbaar.

 Bahnstation
Railwaystation
Gare
Järnvägsstation

 Eurocard

 Diners

 Amexco

 Visa

Vänligen beakta att restauranterna som regel är öppna enligt följande 12.00-14.00/14.30 samt 18.00-21.00/21.30.

Vogliate cortesemente prendere buona nota che i nostri ristoranti solitamente fanno servizio dalle ore 12 alle 14.00/14.30 e dalle ore 18.00 alle 21.00/21.30.

1	Montag Monday Lundi Måndag lunedi	2	Dienstag Tuesday Mardi Tisdag martedi
3	Mittwoch Wednesday Mercredi Onsdag mercoledi	4	Donnerstag Thursday Jeudi Torsdag giovedi
5	Freitag Friday Vendredi Fredag venerdi	6	Samstag Saturday Samedi Lördag sabato
7	Sonntag Sunday Dimanche Söndag domenica		Restaurant geschlossen Restaurant closed Restaurant fermé Restaurangen stängd Ristorante chiuso

Für etwaige Druckfehler – die nicht auf Vorsatz oder grober Fahrlässigkeit beruhen – wird keine Haftung übernommen.

Liability for any misprints which are not based on intentions or rough negligence has to be dismissed.

Romantik Hotels & Restaurants
GmbH & Co KG

Postfach 11 44
8757 Karlstein/Main
Tel.: 0 61 88 / 50 20 + 60 05-6
Telex 41 84 214
Btx *Romantik #
Telefax 0 61 88 / 60 07

Produktion:
Verlag und Druckerei
Main-Echo, Kirsch GmbH & Co.
8750 Aschaffenburg

13. Auflage 1993   Printed in Germany

Wer eines kennt, möchte alle kennenlernen.

Romantik Hotels und Restaurants sind durch den freiwilligen Zusammenschluß sehr sorgfältig ausgesuchter historischer Hotels und Restaurants entstanden, um durch diesen Verbund ein Markenzeichen und einen Qualitätsbegriff zu schaffen, der dem reisenden Gast die sichere Gewähr dafür gibt, ein sehr gut geführtes Hotel oder Restraurant in einem historischen Gebäude vorzufinden.

Alle Häuser, die das Romantik-Emblem am Hause führen, müssen über folgende Merkmale verfügen:

- historisch gewachsene Gebäude
- persönlich geführt
- sehr gute Küche
- freundlicher Service
- gemütliche Atmosphäre

Die Romantik Hotels und Restaurants besitzen ein hohes gastronomisches Niveau, sollten jedoch keine Luxusbetriebe sein, damit sich der Gast als Mensch wohlfühlen kann und keiner besonderen Etikette unterworfen ist.

Sie haben durch ihre gewachsene Tradition und enge Verbundenheit mit der jeweiligen Region den Kontakt zum einheimischen Bürger bewahren können, so daß auch er sich nach wie vor im Romantik Hotel bzw. Romantik Restaurant wohlfühlt.

Wir wissen, daß man in einem Hotel das „Zuhause" nicht ersetzen kann, doch wir wollen versuchen, daß sich unsere Gäste wie bei Freunden zu Besuch fühlen. Dies ist zwar ein hohes Ziel, das nicht immer erreicht werden kann, doch es ist ein Ziel, das alle Romantik Hotels und Restaurants anstreben.

Wir möchten daher Gäste bei uns beherbergen und bewirten, die gerne als Gast kommen und die wir entsprechend betreuen können. Zusammen mit unseren Mitarbeitern, die wir als unsere „stellvertretenden Gastgeber" betrachten, wollen wir uns bemühen, unsere Gäste zufriedenzustellen, damit sie gerne wiederkommen mögen.

Herzlich willkommen!
Ihre ROMANTIK HOTELS & RESTAURANTS

If you know one, you want to know them all.

Romantik Hotels and Restaurants came into being through the voluntary linking up of very carefully chosen historic hotels and restaurants, so that through this association a hallmark and standard should be set which gives the guest an absolute guarantee of finding a very well-run hotel or restaurant in an historic building.

All houses bearing the Romantik sign must meet the following standards:

- building with an historic background
- under personal management of the owner
- first-class cuisine
- friendly service
- pleasant, comfortable atmosphere

The Romantik Hotels and Restaurants maintain high gastronomic standards, although they do not have to be luxury establishments, so that the guest may feel like a person and not a mere cipher.

Through their growing tradition and contact with theri own specific regions, they have been able to keep in close touch with the local people, so that they, too, feel at home in the Romantik hotel or restaurant, as hitherto.

We know that one cannot replace „home" by an hotel, but we like to try to make our guests feel as though they are visiting friends. That is a high aim which cannot always be achieved, but it is an aim for which all Romantik Hotels and Restaurants strive.

We want to accomodate and entertain those who come gladly as guests and whom we can look after accordingly. Together with our colleagues, whom we regard as „deputy hosts", we endeavour to please our guests, so that they will happily come again.

Welcome!
Your ROMANTIK HOTELS & RESTAURANTS

Romantik Hotels & Restaurants

Qui connait le premier; voudrait les connaitre tous.

Les HOTELS ET RESTAURANTS ROMANTIK sont nés d'une association volontaire d'hôtels et de restaurants historique soigneusement sélectionnés. Notre but était de créer par cette union une marque distinctive, synonyme de qualité pour des maisons historiques, afin que les clients aient la garantie de toujours trouver sous l'emblème ROMANTIK des hôtels et restaurants très bien gérés. Nous croyons y être parvenus.

Tous les établissements qui portent l'emblème ROMANTIK doivent répondre aux caractéristiques suivantes:
- établissement au passé historique
- gestion assurée sur les lieux par le propriétaire
- cuisine de première qualité
- service amical
- atmosphère accueillante et agréable.

Les HOTELS ET RESTAURANTS ROMANTIK ne sont pas des établissements de grand luxe; ils peuvent toutefois s'enorgueillir de respecter les meilleurs standards de la gastronomie et de mettre à l'aise leurs clients sans leur imposer le exigences d'une étiquette particulière.

Par leur respect des traditions et grâce à leurs liens étroits avec leurs régions respectives, les HOTELS ET RESTAURANTS ROMANTIK ont su conserver la clinetèle de la population locale qui, elle aussi, s'y sent toujours bien reçue. Un hôtel, nous le savons, ne peut remplacer le chez-soi; nous voulons cependant que nos hôtes se sentent aussi bien dans nos établissements que s'ils étaient en visite chez des amis. C'est un but ambitieux, qui ne peut toujours être atteint, mais c'est un but que tous les HOTELS ET RESTAURANTS ROMANTIK s'efforcent d'atteindre.

C'est pourquoi nous voulons offrir gîte et bonne cuisine aux personnes qui aiment revenir chez nous et nous les accueillons en conséquence. Nos collaborateurs, qui vous reçoivent en notre nom, et nous-mêmes voulons vous donner la plus entière satisfaction. Nous vous souhaitons cordialement la bienvenue!

Toujours vôtre,
Les HOTELS & RESTAURANTS ROMANTIK.

Wie er één kent, wil ze alle kennen

De vereniging „Romantik Hotels und Restaurants" is ontstaan door de vrijwillige samenwerking van geselecteerde historische hotels en restaurants. Ze willen een kwaliteitsbegrip scheppen dat de reiziger de garantie geeft zich in een goed hotel/restaurant te bevinden.

Alle huizen die het Romantik-embleem op hun gevel bevestigd hebben moeten voldoen aan de volgende voorwaarden:
- historisch gebouw
- persoonlijke bedrijfsvoering door de eigenaar
- vriendelijke bediening en service
- gemoedelijke atmosfeer
De Romantik Hotels en Restaurants hebben een keuken van hoog culinair niveau, ze zijn geen uitgesproken luxe-bedrijven, zodat de gast zich als mens op zijn gemak kan voelen en niet onderworpen is aan een speciale etiquette.

Ze hebben door hun traditie en verbondenheid met de directe omgeving het contact met de plaatselijke bevolking bewaard, zodat ook deze mensen graag naar een „Romantik Hotel en Restaurant" gaan. Een hotel kan nooit een thuis vervangen maar de „Romantik Hotels en Restaurants" ontvangen hun gasten als vrienden die op bezoek zijn. Ze willen ze verzorgen en verwennen.

De „Romantik Hotels en Restaurants" doen al wat ze kunnen om hun gasten tevreden te stellen zodat deze „graag" terugkomen.

Van harte welkom!

Uw Romantik Hotels en Restaurants.

Romantik Hotels & Restaurants

Quien conoce uno, desea conocerlos todos.

Los Romantik Hoteles & Restaurantes son una asociación que agrupa libremente a hoteles y restaurantes, cuidadosamente seleccionados, y que a través de esta agrupación han alcanzado una marca de calidad que le da la seguridad al viajero de encontrar un hotel o restaurante de alta calidad en un edificio histórico.

Todos los establecimientos que ostenten el símbolo de Romantik, deben cumplir los siguientes requisitos:
- edificio histórico
- dirección por el mismo proprietario
- muy buena cocina
- servicio amable
- ambiente acogedor

Los Romantik Hoteles & Restaurantes deben tener un alto nivel de gastronomia, pero sin ser establecimientos de lujo para que el huésped se sienta a gusto y sin necesidad de una etiqueta especial.

Saben cuidar su larga tradición, su compenetración con la región correspondiente y sus habitantes, para que tambien ellos se sientan a gusto en los Hoteles y Restaurantes Romantik.

Sabemos que un hotel no puede sustituir el propio hogar, pero a pesar de esto intentamos que nuestros huéspedes se sientan como de visita en casa de unos amigos. Esto ya es una meta dificil de alcanzar y que no siempre puede lograrse, pero es una meta a la que aspiran los Romantik Hoteles & Restaurantes.

Por ello deseamos tener y atender a personas a quienes gusta ser huésped y a quienes podemos servir como tales. Junto con nuestros colaboradores, que se consideran nuestros representantes, deseamos complacer a nuestros huéspedes para que ellos vuelvan con gusto.

Las damos una cordial bienvenida!
ROMANTIK HOTELES & RESTAURANTES

Se ne conosci uno, vorresti conoscere tutti.

La catena dei Romantik Hotels & Restaurant è nata come unione volontaria tra una serie de alberghi e ristoranti di interesse storico, adeguatamente selezionati e riuniti sotto un emblema di qualità che garantisce al cliente in viaggio die affidarsi ad un albergo o ristorante ottimamente gestio e con ambiente estremamente accoglienti.

L'emblema dei Romantik Hotels & Restaurants esposto all'entrata Vi garantisce di trovare
– casa storica
– una conduzione individuale
– un'ottima cucina
– un servizio impeccabile
– un'atmosfera accogliente

Tutti Romantik Hotels & Restaurants offrono la garanzia di un livello gastronomico molto elevato, senza però la pretesa di voler essere dei locali di lusso esclusivi, permettendo cioè al cliente di trovarsi a suo agio e di non dover badare ad una particolare etichetta.

Essendo degli ambiente formatisi nelle tradizioni locali, essi hanno mantenuto quel giusto contatto con la gente e la vita del posto che caratterizza la raccomandabilità di ogni inidirizzo gastronomico o alberghiero.

Sappiamo bene che un ambiente pubblico non potrà mai sostituire l'atmosfera di casa propria, ma proprio per questo nei Romantik Hotels & Restaurants si fa die tutto per fornire al cliente la sensatzione di essere trattato come gradito ospite in casa di amici. .

Vorremmo pertanto ospitare non semplicemente dei clienti, ma gente che vuol essere veramente ospite e che volentieri verrà a ritrovarci.

Cordialmente benvenuti
nei ROMANTIK HOTELS & RESTAURANTS

Romantik Hotels & Restaurants

S

Om man lärt känna en; vill man lära känna alla.

Romantik Hotels & Restaurants är en samarbetsform mellan frivillig anslutna och noggrant utvalda historiska hotell och restauranter. Romantikemblement är vårt varumärke och ett kvalitetsbegrepp som garanterar gästen ett välskött hotell och restaurant i en historisk byggnad.

Romantikemblemet betyder:

- byggnad med historisk tradition
- personlig omsorg av innehaveren
- välrenommerat kök
- god service och trivsam miljö

Vår målsättingär att erbjuda våragäster personliga, välskötta hotell och restauranger i historisk och traditionsrik miljö, oftast i vacker och naturskön omgivning, samt att bevara och ha näre samhörighet med traktens tradition..

Så vill vi och våra medarbetare ta hand om våra gäster och bemöda oss om att de trivs på ett sådant sätt att de gärna kommer tillbaka.

Hjärtligt välkommen!
Önskar ROMANTIK HOTELS & RESTAURANTS

J

ぜひ一度お試し下さい。

ロマンティック・ホテル＆レストランとは慎重に選びぬかれた歴史的ホテルとレストランが任意に集まって組織している団体で、お客様がご利用される場合、この歴史的建造物にあるホテルおよびレストランでは確実なサービスが受けられる、という品質保証のマークとなっております。ロマンティックと記したマークをつけたホテルやレストランは次の条件を満たしております。
　　　　　　－歴史的建造物であること
　　　　　　－オーナー自ら経営していること
　　　　　　－料理が一流であること
　　　　　　－温かい接客サービスを行っていること
　　　　　　－よい雰囲気があること
ホテルおよびレストランの料理は最高の水準を誇っておりますが、デラックスというわけではなく、お客様が気持よくすごし、単なるブランド志向ではなく内容に重点を置いております。どの店も独自の伝統を有し、その土地と密に結びついておりますので、お客様には土地の人々とのふれあいが可能になります。ですからどこでも素晴しい雰囲気にひたることができます。ホテル滞在はもちろん家庭に代えられるものではありませんが、友人訪問ぐらいの雰囲気を提供できるよう努めております。いつも達成できるとはかぎらない高い目標ではありますが、加盟店はすべてこの目標に向って最大限の努力をしております。
ぜひ一度、ロマンティック・ホテルにお泊りいただきレストランでお食事を楽しんでいただきたくお待ち申しあげております。私共は従業員ともども必ずや再びお越しいただけるような満足ゆくサービスを提供いたします。

Apollinaris

Man ist, was man trinkt.

Classic · Medium · Lemon - *Apollinaris. Aus dieser Quelle trinkt die Welt.*

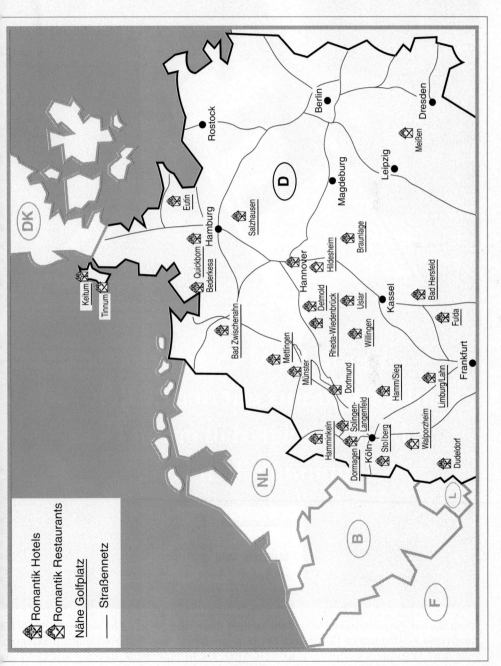

Romantik Hotels

Romantik Restaurants

Nähe Golfplatz

—— Straßennetz

Wer in ROMANTIK Hotels
und Restaurants mit der EUROCARD
bezahlt, zeigt, daß er mit Geld
gut umgehen kann.

Wenn Sie auf Reisen höchste Ansprüche stellen, dann sind Sie in mehr als 180 ROMANTIK
Hotels und Restaurants in 15 Ländern ein gern gesehener Gast. Selbstverständlich akzeptiert
man dort besonders gerne Ihre EUROCARD. Denn man weiß, daß Sie mit Geld gut
umgehen können. ROMANTIK Hotels & EUROCARD: Service ist unser Geschäft.

EUROCARD. Für Leute, die auch sonst gute Karten haben.

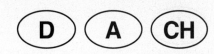

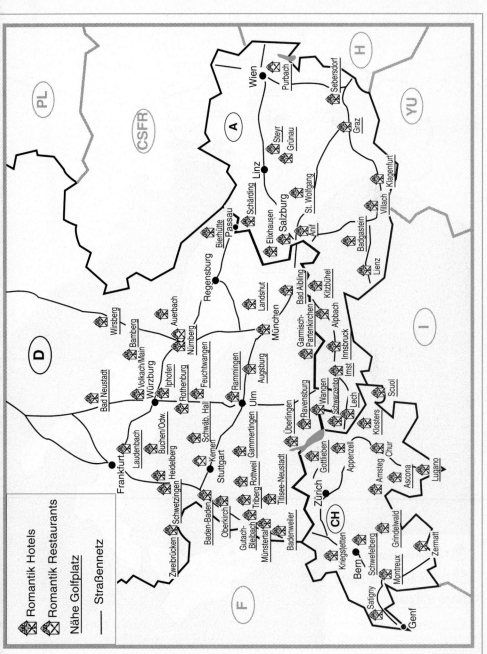

Romantik Hotels
Romantik Restaurants
Nähe Golfplatz
—— Straßennetz

21

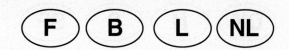

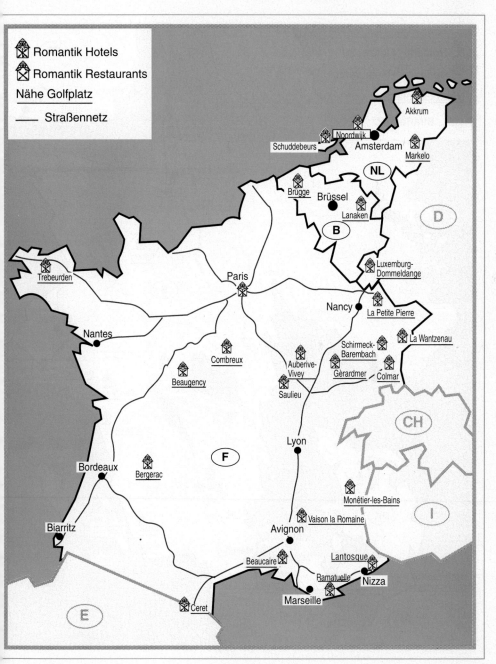

F B L NL

Romantik Hotels
Romantik Restaurants
Nähe Golfplatz
—— Straßennetz

Akkrum

Schuddebeurs
Noordwijk
Amsterdam
Markelo

NL

Brügge
Brüssel
Lanaken

B

D

Trebeurden

Luxemburg-
Dommeldange

Paris

Nancy
La Petite Pierre

La Wantzenau

Nantes

Schirmeck-
Barembach
Auberive-
Vivey
Gèrardmer
Colmar

Combreux

Beaugency

Saulieu

CH

Lyon

Bordeaux
Bergerac

F

Monêtier-les-Bains

I

Biarritz

Vaison la Romaine

Avignon

Lantosque

Beaucaire

Ramatuelle
Nizza

Ceret

Marseille

E

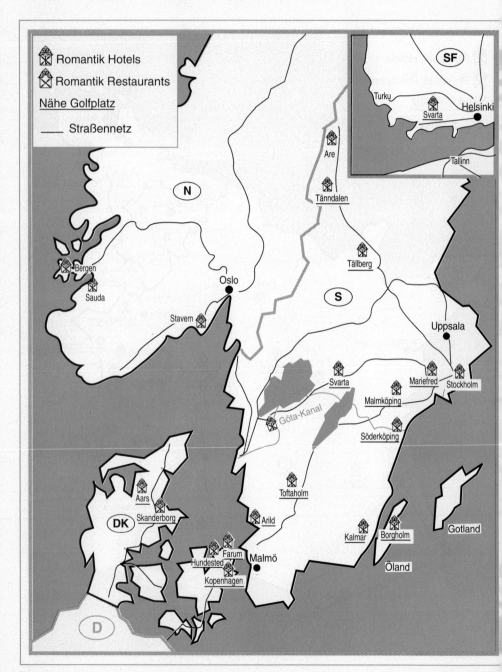

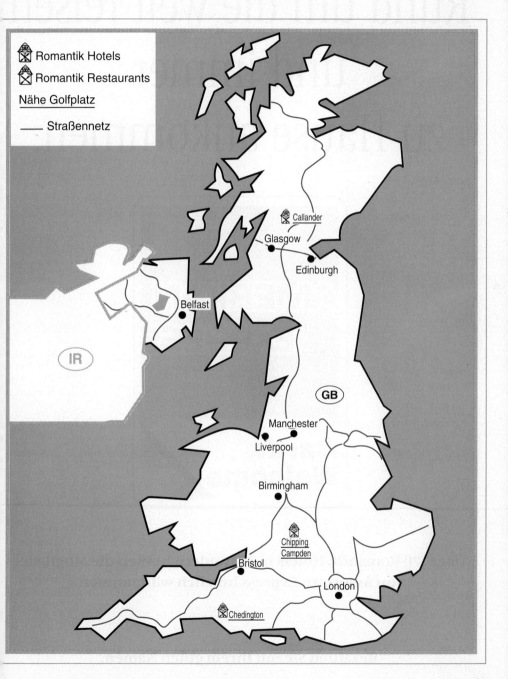

Romantik Hotels
Romantik Restaurants
Nähe Golfplatz
_____ Straßennetz

Callander
Glasgow
Edinburgh
Belfast
IR
GB
Manchester
Liverpool
Birmingham
Chipping Campden
Bristol
London
Chedington

Rund um die Welt reisen und immer zu Hause ankommen.

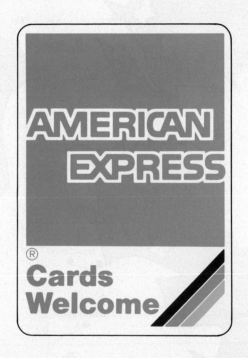

Über 170 Romantik Hotels in 15 Ländern heißen die Mitglieder von American Express herzlich willkommen.

Bezahlen Sie mit Ihrem guten Namen.

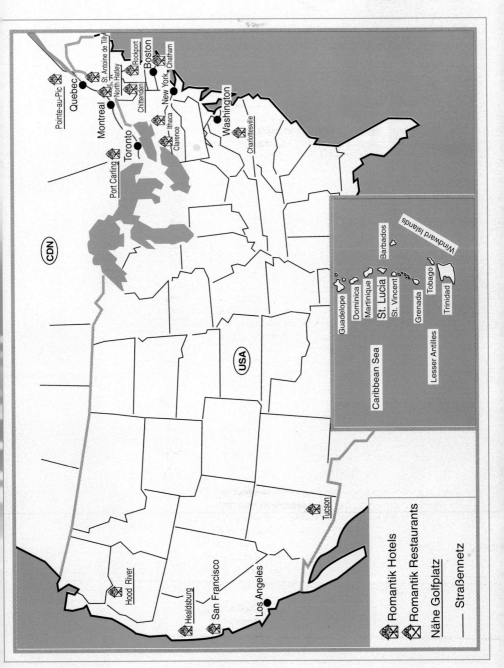

CDN USA

Pointe-au-Pic
Quebec
Montreal
St. Antoine de Tilly
North Hatley
Chittenden
Rockport
Boston
Chatham
New York
Ithaca
Clarence
Toronto
Port Carling
Washington
Charlottesville

CDN

Windward Islands
Barbados
Guadelope
Dominica
Martinique
St. Lucia
St. Vincent
Grenada
Tobago
Trinidad
Caribbean Sea
Lesser Antilles

USA

Tucson
Hood River
Healdsburg
San Francisco
Los Angeles

Romantik Hotels
Romantik Restaurants
Nähe Golfplatz
Straßennetz

27

Österreich
Austria

Romantik Hotel „Schloßwirt"   Anif b. Salzburg

Die „Historische Gaststätte" liegt am südlichen Stadtrand von Salzburg und ist mit dem Auto leicht zu erreichen. Das Romantik Hotel „Schloßwirt" war seit 1607 das Gasthaus von Schloß Anif und ist ganz im Biedermeier-Stil der frühen viktorianischen Zeit eingerichtet. Heimo Graf ist die Art Gastwirt, die man sich wünscht und dies ist schon ein Grund, daß so viele bekannte Leute zum „Schloßwirt" kommen und zwar nicht nur während der Salzburger Festspiele. Salzburg selbst ist eine wunderschöne Stadt, als Mozarts Geburtsort berühmt, und ein Zentrum der Kunst und Musik. Es ist besonders außerhalb der Festspielzeit interessant, denn dann haben sie viel mehr Muse, die Sehenswürdigkeiten dieser schönen Stadt und ihrer Umgebung zu bewundern. Der Schloßwirt ist immer bestrebt, altösterreichische Spezialitäten auf der Speisekarte zu haben. Probieren Sie sie, damit Ihnen Salzburg und der Schloßwirt in Erinnerung bleiben.

Anif lies just south of Salzburg and is easily reached by car. The Romantik Hotel „Schloßwirt" was the guest house of Anif Castle as long ago as 1607. It is furnished entirely in Biedermeier style of the early Victorian period. Heima Graf is the sort of landlord yu would wish for and this is why so many wellknown people visiti the „Schloßwirt", not only during the Salzburg Festival. Salzburg itself is a beautiful city, famous as Mozart's birthplace and a centre of music art. It is particulary attractive outside the Festival season as then you can admire the sights of this wonderful city and its surroundings at your leisure.

Anif se trouve à la périphere Sud de Salzburg, facilement accessible par voiture. L'Hôtel romantique "Schloßwirt" qui a conservé son véritable style Biedermeier est, depuis 1607, l'auberge du château d'Anif. Heimo Graf par son intelligence, son audace et son talent a su faire de cette auberge un restaurant de qualité n'attirant plus seulement les touristes pendant les festivals, mais des notabilités viennent périodiequement se laisser choyer. Salzbourg, ville fascinante, connue mondialement en tant que ville de Mozart, est le lieu de rencontre des musiciens célèbres et des mélomanes. Pourtant, c'est peut-être hors des festivals que la ville retrouve tout son romantisme car le touriste a alors le loisir de se laisser séduire par toutes ses beautés.

Questa locanda storica si trova alla periferia meridionale di Salisburgo ed è raggiungibile senza problemi in macchina.
L'albergo Romantik "Schloßwirt" fin dal 1607 à la locanda del castello di Anif. L'arrendamento è totalmente in stile Biedermeier del primo periodo vittoriano. Heimo Graf è un oste simpatico perfetto, per cui facilmente si spiega perché questo luogo sia tanto frequentato da gen-

te nota et importante, e non solo durante il periodo del Festival die Salisburgo, questa splendida città mozartiana e centro di primissiomo rango che vale molto più che non sola breve vacanza. Di grande suggestione sono anche i paesini i paesini e i paesaggi nei dintorni. E poi c'è la cucina dell'abargo Romantik "Schloßwirt" che sempe offre lu più squisite specialità della tradizionale gastronomica austriaca. Proventale, e avrete un ricordo indimenticbile di Salisburgo e dello "Schloßwirt" di Anif.

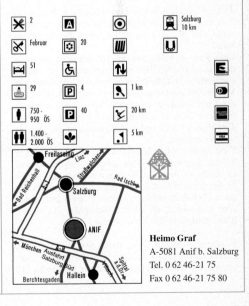

Heimo Graf
A-5081 Anif b. Salzburg
Tel. 0 62 46-21 75
Fax 0 62 46-21 75 80

Romantik Hotel „Böglerhof"

Der Böglerhof, 1470 erbaut, früher das Haus eines Bogenmachers, dann Gerichtsstube und Herberge der Bergknappen, ist ein Haus in dem eine große Vergangenheit in die Gegenwart einwirkt.

Heute gibt es 88 Betten, vom gemütlichen Wohnschlafzimmer mit Balkon, Durchwahltelefon bis zum luxuriösen Appartement mit 2 Schlafz. und Kachelofen.

Große Aufenthaltsräume, getäfelte Stuben, Freibad, Hallenbad, Sauna, Solarium, Tennisplatz. Viel grüne Wiesen, eigene Landwirtschaft - mitten im Ort, viele Wandermöglichkeiten, traumhaft schneesichere Skigebiete - 20 Skilifte und seit 1988 eine Gondelbahn.

The Böglerhof, built in 1470 and originaly the house of a bow-maker, served as a minder's court and lodging house in the Middle Ages when silver and copper was mined in the region. Today the hotel has 88 beds, from comfortable bed-sitting-rooms all with balcony, to luxurius apartments, some with TV and tiled stoves. All rooms have telephones and radio. Spacious, wood panelled reception rooms provide a cozy and comfortable atmosphere.

The hotel has an in-door and an open-air swimming pool, sauna, solarium and tennis court (free for guests). The Böglerhof is situated in the center of the village (- altitude 1000 m -) surrounded by meadows with walking paths starting at the back door. In the winter Alpbach offers excellent skiing with over 20 lifts, one directly behind the hotel.

Juste ce qu'il faut de luxe dans la simplicité, le calme et la beauté; c'est le Böglerhof où la tradition tyrolienne veille à ce que l'on accueille les clients comme des invités.

Blotti dans une vallée tranquille qui debouche dans celle de l'Inn. Alpbach (1000 m) renommé pour ses chalets traditionells en admirablement préservés fut fondé aus Moyen-Age par les homme qui travaillant dans les mines d'argent et de cuivre des montagnes environnantes.

Edifié en 1470, le Böglerhof fut à l'origine la maison d'un charcher, puis une salle de Justice et une auberge pour les mineurs.

C'est aujourd'hui un hotel de 88 lits en studios et à 1 et 2-4 lits, au centre du village, alliant le confort moderne au charme du passé. Le Böglerhof est un hotgel unique en son genre offrant de luxe discret pour ceux recherchent à la fois des vacances sportives (tennis gratuit, piscine, randonnées, ski ...) et l'atmosphère chaleureuse d'une authentique maison tyrolienne.

L'albergo Romantik „Böglerhof", construito nel 1470, è una casa con grandi tradizioni e queste tradizioni continuano a vivere ancora oggi. L'attuale albergo ha 110 posti letto de le camera vanno dall'accogliente stanzasalotto con balcone et telefono a selezione diretta fino al lussuoso appartment con whirlpool e stufa di majolica. Spaziosi ambiente comunik, salette rivestite in legno, piscina all'aperto e coperta, sauna, solarium, campoda da tennis, tanto verde intorno alla fattoriapropria, infinite possibilità de passeggiate e gite e tante spendide piste da sci servite da 20 skilift. Il "Böglerhof" è un luogo d'incorno, dove la signora Karin riesce a far convivere armoniosamente una grande tradizione con la più confortevole ospitalità.

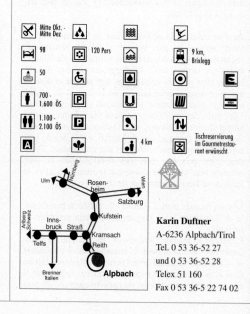

Karin Duftner

A-6236 Alpbach/Tirol

Tel. 0 53 36-52 27

und 0 53 36-52 28

Telex 51 160

Fax 0 53 36-5 22 74 02

Romantik Hotel „Böglerhof"

Alpbach-Tirol 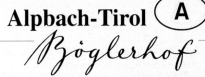 (A)

Ferien besonderer Art,
in einem Haus besonderer Art,
in einem Ort besonderer Art!

Alpbach, auf 1.000 m Seehöhe in einem besonders günstigen Seitental des Inntales gelegen, entstand im Mittelalter durch die Fugger, die hier Silber abbauen ließen. Aus der einstigen Knappensiedlung ist heute ein phantastischer Ferienort geworden, der zu den schönsten in ganz Österreich zählt. Daran ist Karin Duftner's Vater sehr verdienstvoll beteiligt gewesen. Er hat es als langjähriger Bürgermeister von Alpbach verstanden, gegen erheblichen Widerstand den alten Dorfcharakter zu erhalten. Es gibt keine Hochhäuser und Betonbauten, sondern das ganze Dorf hat seine alte Holzbauweise erhalten.

In unserem schönen Ort Urlaub zu machen, ist daher nicht nur erholsam, sondern auch eine Augenfreude. Im Sommer wie auch im Winter ist Alpbach zum Wandern oder Skilaufen ideal. Grillabende im Freien gehören im Sommer ebenso zur Gästeunterhaltung, wie Romantik-Gourmet-Abende mit Weinprobe bei Kerzenschein. Winter- wie Sommer-Romantik u. Erlebnis, Sport u. Spiel. Tradition u. Atmosphäre bei bestem Essen, Trinken und Wohnen ist unser Prinzip.

Auf Ihren Besuch freuen wir uns: Karin Duftner und alle Mitarbeiter.

Eine Woche Sommerurlaub mit 7 Übernachtungen, Frühstücksbuffet und Abendmenü. Hallenbad, Freibad, Sauna, Tennis kostet pro Person im DZ in der stillen Saison ab ÖS 6.020,-, Hochsaison ab ÖS 6.720,-, im Winter ab ÖS 6.720,-, Einzelzimmer-Zuschlag von ÖS 200,- bis 350,- je Zimmerart und Tag.

Für Ihren Kurzurlaub bieten wir Ihnen 2 Übernachtungen, ein regionales Menü am Tag der Anreise, ein Gourmet-Menü am zweiten Abend in der stillen Saison ÖS 1.850,- und Hochsaison 2.050,- pro Person im komfortablen DZ, Bad/Dusche/WC in den Monaten März bis Oktober an.

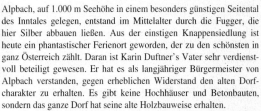

Alpbach, schönstes Dorf Österreichs. Berühmt durch seinen einheitlichen Holzbaustil und die Tagungen des österreichischen College seit 1945.

A Badgastein

Romantik Hoteldorf „Grüner Baum"

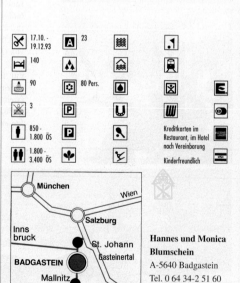

Romantik Kurhotel „Grüner Baum" ist ein Hoteldorf, bestehend aus 5 Häusern im Salzburger Stil und liegt mitten im Naturschutzgebiet von Badgastein, 2 km vom Ortszentrum entfernt.
Früher ein Jagdgasthof, um die Jahrhundertwende ein beliebtes Ausflugsziel der kaiserlichen und königlichen Kurgäste. Heute bietet es seinen Gästen ein Thermal-Hallenschwimmbad. 32° mit einer Kurabteilung, Thermalbädern, ein geheiztes Freischwimmbad. 24°, Shiseido Beautyfarm, Friseur, Bocciabahn, Tennisplätze, Miniclub, Eisstockbahn, Ski-Übungslift, Ski-Kindergarten, Langlaufloipe, wöchentliches Unterhaltungsprogramm, Golfplatz und Reitclub in 5 Minuten Entfernung, Busservice zu den Bergbahnen.
Die Besonderheit der Küche liegt in der Pflege der österreichischen Mehlspeisen wie Apfelstrudel, Topfenstrudel, Powidtascherl, aber auch der berühmte „Tafelspitz" ein Gasteiner Hirschsteak oder die Forelle aus dem eigenen Fischwasser sind konkurrenzlos gut.

The Romantik Hotel „Grüner Baum" consists of 5 Salzburg-style houses and is situated at an altitude of 1063 meters, only 2 km from Badgastein. It was originally an old hunting lodge, but today it offers modern accomodation and even a spa with a thermal swimming pool, Shiseido Beautyfarm, hairdresser, boccia, tennis. Golf and riding nearby. In winter cross country ski track, ski lift, children's ski school. The specialties of the kitchen include „Tafelspitz", fresh mountain trout, vension and various other Austria dishes, as well as exquiste pastries, such as apple strudel and apricot dumplings.

L'Hôtel Romantik „Grüner Baum" est un village hôtel composé de 5 bâtiments construits dans le style typique de Salzbourg au coeur du Parc Naturel de Badgastein, à 2 km du centre.
Jadis pavillon de chasse, il attiraet à l'orée du siècle un grand nombre d'hôtes de l'Empire-Monarchie qui y venaient en excursion pendant leur séjour en ville de cure. Aujourd'hui, l'établissement offre à ses hôtes une piscine thermale couverte à une température de 32°, Shiseido Beautyfarm, coiffeur, des bains du cure, piscine en plein air à 24°, pistes de pétanque, courts de tennis, miniclub, pistes de curling, remonte-pente pour initation au ski, école de ski pour les jeunes enfants, pistes de ski de fond, programme hebdomadaire de distraction, terrains de golf et club hippique à 5 minutes, navette aux téléphériques.
Parmi les spécialités culinaires typiquement autrichiennes servies au „Grüner Baum", on compte l'apfelstrudel, Topfenstrudel, Powidtatscherl, le fameux „Tafelspitz", de même, le médaillon de cerf à la Badgastein et la truite des rivières de l'Hôtel sont d'une qualité qui défie toute concurrence.

Il complesso alberghiero Romantik „Grüner Baum" è un insieme di cinque case di stile salisburghese si trova, in mezzo d'un parco naturale protetto, a due chilometri dal centro di Badgastein. All'origine fu un albergo di caccia, metà preferita di degli ospiti della nobiltà imperiale. Agli ospiti di oggi offre una piscina termale coperta a 32 gradi, un reparto cure, una piscina all'aperto riscaldata a 24 gradi, Shiseido Beautyfarm, parrucchiere, piste de boccia, campi da tennis, Miniclub, brilli da ghiaccio, skilift da allenamento, skigarden per bambini, pista da fondo, golf ed equitazione a cinque minuti, servizio pulmino per le funivie e nei dintori.
Le specialità della cucina fanno soprattutto riferimento alla gastronomia austriaca. E senza si piò affermare che il cervo, la trota provenienti dalle nostre riserve sono di una bontà insuperabile.

17.10.-19.12.93	A 23		
140			
90	80 Pers.		
3			
850-1.800 ÖS			
1.800-3.400 ÖS			Kreditkarten im Restaurant, im Hotel nach Vereinbarung Kinderfreundlich

München
Wien
Salzburg
Innsbruck
St. Johann
Gasteinertal
BADGASTEIN
Mallnitz
Lienz
Villach

Hannes und Monica Blumschein
A-5640 Badgastein
Tel. 0 64 34-2 51 60
Telex 67 516
Fax 0 64 34-25 16 25

32

Romantik Hotel „Gmachl"

Salzburg-Elixhausen Ⓐ

Nur 8 km vom Stadtzentrum Salzburg entfernt liegt im kleinen Ort Elixhausen der prächtige Landgasthof Gmachl, der das ganze Ortsbild beherrscht. Er besteht schon seit 1334 und war damals die Taverne des Benediktinerordens vom Kloster Nonnberg. Seit 1583 befindet er sich im Besitz der Familie Gmachl.
Heute ist das „Gmachl" ein 4-Sterne-Hotel mit reizvollen Zimmern und gemütlichen Restauranträumen, die noch den schönen alten Wirtshaus-Charakter behalten haben.
Die Küche hat sich auf gehobene regionale Spezialitäten konzentriert, die durch eine hauseigene Metzgerei die besten Voraussetzungen mitbringt.
Zu den Annehmlichkeiten des Hauses zählen die eigene Tennishalle und -freiplätze, ein Reitstall mit Reitschule und ein Freischwimmbad.

The splendid Country Inn Gmachl dominates the small town of Elixhausen only 8 km (5 miles) away from the city of Salzburg.
Originating in 1334 as a tavern for the Benediktine monks of Monastery Nonnberg, it has been in the Gmachl family since 1583. Today the "Gmachl" is a 4-star-hotel with very attractive rooms, yet keeping the charm of a true country inn. The cuisine is regional, specializing in the best this part of the country has to offer. The in-house butcher-shop of course adds to the high reputation this house has established. The amenities of the Gmachl are their own courts (in part covered) riding stable and school and an outdoor swimming pool.

A Elixhausen, une petite localité à seulement 8 km du centre ville de Salzburg, se trouve le superbe hôtel campagnard. Gmachl, qui donne son caractère à tout le pays.
Il existe déjà depuis 1334 et était alors la taverne du cloître benedictin de Nonneberg. ll se trouve depuis 1583 dans les mains de la famille Gmachl.
L'hôtel Gmachl possède aujourd'hui 4 étoiles, des chambres charmantes et des salles de restaurant ayant conservé leur caratère d'ancienne auberge où il fait bon séjourner.
La cuisine propose des spécialités régionales raffinées, aidée en cela par sa propre charcuterie. L'agrément de cette maison est accentué par des tennisen plein air et couverts, un manège et une piscine en plein air.

A soli otto km dal centre di Saliburgo è situato, nel piccolo borgo di Elixhausen, il magnifico albergo rustico Gmachl, il cui edificio caratterizza l'immagine dell'intero paese. Esiste fin dal lontano 1334, quando fu locando di proprietà dei frati benedettini del convento di Nonnberg, e dal 1583 appartiene alla famiglia Gmachl, Oggi, il Gmachl è un albergo a 4 stelle con graziose camere ad ambienti oltremodo accoglienti che preservano tuttora il caratteristico fascino dell'antica locanda. La cuisine è specializzata in piatti della più elevata arte

culinaria regionale e la propria macellaria ne fornisce la miglior garanzia.
El l'albergo Gmachl offre anche una vasta scelta di svaghi ed attività sportive: dai campi da tennis sia all'aperto che al coperto, ad una scuderia con propria scuola di equitazione fino alla splendida piscina all'aperto.

Über spezielle Wochen- und Wochenendangebote informiert Sie gerne unsere Frau Hutzinger.

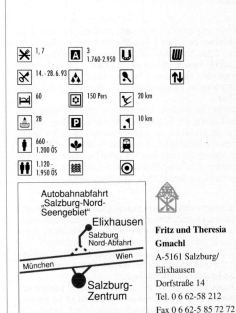

✖ 1,7	Ⓐ 3 1.760-2.950	Ⓤ
✖ 14. - 28.6.93	♠	✎
🛏 60	✿ 150 Pers	⚐ 20 km
🚿 28	Ⓟ	📶 10 km
🧍 660 - 1.200 ÖS	♣	🚋
🧍🧍 1.120 - 1.950 ÖS	≋	◎

Autobahnabfahrt „Salzburg-Nord-Seengebiet"

Elixhausen
Salzburg Nord-Abfahrt
München
Wien
Salzburg-Zentrum

Fritz und Theresia Gmachl
A-5161 Salzburg/
Elixhausen
Dorfstraße 14
Tel. 0 6 62-58 212
Fax 0 6 62-5 85 72 72

Romantik „Parkhotel Graz"

Im Herzen der Steiermark, im Süden Österreichs, liegt die steirische Landeshauptstadt Graz. Eine Stadt voll Romantik. Die berühmte Grazer Altstadt - die größte bewohnte Mitteleuropas - war einstmals Kaisersitz. Graz - die Stadt mit Geist und der gemütlichen Atmosphäre des Parkhotel Graz.
Trotz zentraler Lage, in der Nähe des Stadtparks, der Oper, des Schauspielhauses und der Universitäten gibt es nie Parkplatzsorgen. Und die schönen Zimmer, mit jeglichem Komfort, sind angenehm ruhig. Zu den Vorzügen des seit 1574 bestehenden Hauses zählen die ausgezeichnete Küche, die gemütlichen Stuben und der romantische Biedermeier-Gastgarten.

The romantic city of Graz, the capital of Styria, is located in southern Austria. The old part of town looks back in history when is was residence of the emperor. Graz, the city with heart and spirit, and the cosy atmosphere of the Parkhotel Graz.
Despite its central location, near the city park, the opera, the theatre, and the universities one need never worry about parking space. The beautiful rooms, equipped with every comfort possible are preasantly quiet. Since 1574 the hotel has been renowned for its excellent cuisine, comfortable rooms with „Gemütlichkeit" and it's very romantic „Biedermeier" guestgarden.

Graz, capitale du Steiermark, est située au coeur de sa province au sud de l'Autriche. Une vile au charme romantique. Sa vieille ville célèbre - la plus importante encore habitée d'Europe centrale - fut jadis ville impériale. Graz une ville où souffle l'Esprit, une ville de coeur, et l'atmosphère chaleureuse du »Parkhotel Graz«.
Malgré sa situation centrale - près du Parc municipal, de l'opèra, du théatre et des Universités il ne se pose pas de problème de stationnement. Les belles chambres confortabled sont agréablement tranquilles. Cette maison qui date du 1574 offre les avantages d'une cuisine excellente, des salons accueillants, un jardin romantique dans le style du 19ième siècle.

Nel cuore dell'Austria meridionale Vi attende la città capoluogo della Stiria: Graz, un luogo colmo di fascino romantico, con la sua celebre città vecchia - il più grande centro storico abitato dell'Europa centrale - che fu anche seda della residenza imperiale. Graz, and città che possiede un'anima, un cuore e l'accogliente atmosfera del Parkhotel Graz.
Nonostante la posizione centrale vicino al parco communale, all'opera, al teatro di recita ed all'universita, non vi sono mai problemi di parcheggio. E le belle ca-

mere, arredate con ogni sorta di comfort, sono gradevolmente tranquille. Altre caratteristiche dell'albergo esistente fin dal lontano 1574 sno la rinomata ed eccelente cucina, le „stuben" tipiche e piene di storia ed il romantico giardino in stile Biedermeier.

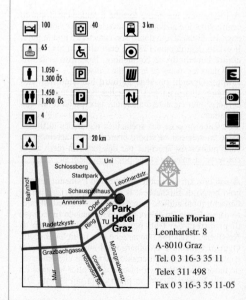

Familie Florian
Leonhardstr. 8
A-8010 Graz
Tel. 0 3 16-3 35 11
Telex 311 498
Fax 0 3 16-3 35 11-05

Romantik Hotel „Almtalhof"

Grünau im Almtal   Ⓐ

Das Almtal in Oberösterreich ist eines der wenigen Täler, das noch nicht vom Massentourismus entdeckt worden ist. Im Süden begrenzt von den Nordwänden des Toten Gebirges, mit dem idyllisch gelegenen Almsee, ist es mit seinen ausgedehnten Wäldern ein ideales Wandergebiet zu jeder Jahreszeit. Grünau bietet alles, was ein verwöhnter Gast im Urlaub erwartet.
Besonderheiten wie z. B. der Cumberland-Wildpark, in dem man alle Bergtiere einschließlich den Braunbären finden kann, oder das Kriminalmuseum im nachbarlichen Schloß Scharnstein, das einzige in seiner Art, laden zum Besuch ein. Im idyllischen Almtal in Oberösterreich, am Fuße des „Toten Gebirges", umgeben von viel Wald und Naturseen, liegt das Romantik Hotel „Almtalhof", eines der reizendsten und komfortabelsten Hotels, das man sich vorstellen kann. Die Zimmer sind alle sehr sorgfältig und mit gutem Geschmack eingerichtet, so daß es sehr leicht ist, sich auf den ersten Blick in dieses wunderschöne Hotel zu verlieben.

The Almtal in Upper Austria is one of the few valleys which have not yet been „discoverd" by mass tourism. Bordered to the south by the north wall of the „Toten Gebirge" and with the idyllically situated Lake Alm is the ideal hiking area in all seasons with its vast forests. Grünau offers everythng a pamered guest could want on holiday. Special features such as for instance the Cumberland Wildlife-Park, in which all mountains animals, including the brown bear, may be found, or the criminal museum in the near-by Scharnstein Castle, the only one of its kind, invite a visit.
In the idyllic Almtal in Upper Austria, at the foot of the „Toten Gebirge", surrounded by woods and lakes lies the Romantik Hotel Almtalhof, one of the most charming and comfortable hotels imaginable. The rooms are all carefully furnished and in good taste, so that it is quite easy to fall in love with this beautiful hotel at first sight.

La vallée de l'Alm en Haute-Autriche fait partie des quelques vallées autrichiennes encore privilégiées et inconnues du tourisme de masse. Blotti au sud contre le versant nord des Totes Gebirge, près de l'idyllic lac de Alm, cet hôtel entouré de vastes se situe dans une région de promenade idéale, quelle que soit la saison. Grünau offre au vacancier comblé tout ce qu'il peut attendre des vacances.
Les curiosités locales que sont le parc Cumberland, regroupant tous les animaux sauvages y compris l'ours brun, ou le musée de criminologie unique dans le proche château de Scharnstein n'attendent que votre visite.
Dans l'idyllique vallée de l'Amtal en Haute-Autriche, au pied du Massif »Totes Gebirge«, entouré de profondes forêts et de lacs naturels, vous trouvez l'Hôtel Romantik »Almtalhof«, établissement aussi ravissant et aussi confortable qu'on puisse l'imaginer. Les chambres, toutes aménagées avec grand soin, sont de bon goût. Rien de plus facile donc que d'avoir le coup de foundre pour ce merveilleux hôtel.

Nell'idilliaca valle Almtal nell'Austria Superiore, alle falde delle »montagne morte«, circondato da boschi e lagheti, é situato l'albergo Romantik »Almtalhof«, un ambiente tra i più incantevoli ed anche più confortevoli che si possano immaginare. Le camere sono spaiose e arredate con grande gusto e stile. In poche parole, è uno di quegli alberghi di cui ci si innamora facilmente alla prima vista.

Familie Leithner
A-4645 Grünau
im Almtal
Tel. 0 76 16-82 04
Fax 0 76 16-82 04 66

Imst / Tirol

Romantik Hotel „Post"

Im heutigen ROMANTIK HOTEL POST - dem aus dem Jahre 1450 stammenden SCHLOSS „SPRENGEN-STEIN" - verbinden sich gewachsene Werte, Stil und Tradition mit der Neuzeit und dem Modernen auf einmalige Weise.
Sie genießen ECHTE TIROLER GASTLICHKEIT, persönliche Betreuung und unsere bekannt gute Küche in gemütlichen Stuben, unter alten Gewölben und auf unserer romantischen, blumengeschmückten Veranda. Sie entspannen sich in unserem schönen OZON-HALLEN-BAD und dem großen Garten.
IMST - ein Gebirgsstädtchen im Westen TIROLS - liegt auf einer Sonnenterrasse über dem Inn - bietet Alpin- und Wanderschule, Mountainbiking, abenteuerliches Schlauchbootfahren in der Imster Innenschlucht. 3 Gletscherskigebiete in nächster Nähe, Tiroler Skischule, Skilifte, beleuchtete Rodelbahn.

In the present day Romantik Hotel POST - which originates from SPRENGENSTEIN CASTLE dating from 1450 - have developed value, style and tradition, uniquely combining past and present.
Here you can enjoy GENUINE TYROLEAN HOSPITALITY, personal attention und our wellknown good cuisine in pleasant surroundings beneath vaulted ceilings and on our romantic, flower-bedecked veranda.
You can relax in our attractive OZONE INDOOR POOL and the large garden.
IMST - al little mountain village in West Tyrol - lies an a sunny ledge above the River INN and can offer alpine and walking schools, mountain biking, exciting inflatable boat trips through the Imst Corge, 3 glacier ski areas nearby, Tyrolean ski schools, skilifts and a floodlit toboggan run.

Relax in abbondanza lo troverete nella nostra bella piscina coperta all'ozono e nel nostro ampio giradino-parco. Imst - una cittadina trai monti di ponente del Tirolo, situata su un soleggiato terrazo sopra l'Inn. Vi offre una scuola per alpins ed escursionisti mountainbiking, l'avventuroso rafting nelle gole dell'Inn, tre vicini centri sciistici su ghiacciaio con scuole sci, impianti di risalta, pista da slittino illuminata.

L'actuel Romantik Hotel Post, dans les murs du château »SPRENGENSTEIN«, datant de 1450, fait d'une façon unique la synthèse de valeurs établies, style et tradition et de valeurs modernes.
Vous y apprecierez LA VRAIE HOSPITALITE TIRO-LIENNE, un service personnel et notre cuisine reputée servie dans des sallons accueillants sous d'ancien voûtes et sur notre veranda romantique décorée de fleurs. Vous vous détendez dans notre PISCINE COUVERTE A L'OZONE et dans notre grand jardin.
IMST - une petite ville montagnarde du Tirol ouest - est située sur un plateau ensoleillé au dessus de l'Inn et propose une école de rendonnée alpine, des pistes pour mountain bikes, des parcours sportifs en bateaux pneumatiques dans les gorges de l'Inn Inmsteroise, trois zône proches de ski de glaciers, l'école tirolienne de ski, des remontées et une piste du luge illuminée.

Nell'odierno Albergo Romantik Post, ospitato dall'antico Castel Sprengenstein che risale al 1450, lo stile e la tradizione di un tempo armonizzano in maniera splendida con ogni tipo di agio della vita moderna.
Vi attende la più squisita ospitalitá tirolese, un servizio estremamente personalizzato la nostra rinomatissima cucina in un ambiente caratterizzato da accogliente »stube«, antiche volte ed una romantica veranda ornata di fiori.

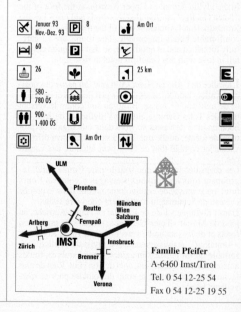

Januar 93 Nov.-Dez. 93	P 8	Am Ort
60	P	
26		25 km
580 - 780 ÖS		
900 - 1.400 ÖS		
	Am Ort	

ULM
Pfronten
Reutte
München
Wien
Salzburg
Arlberg
Fernpaß
IMST
Zürich
Innsbruck
Brenner
Verona

Familie Pfeifer
A-6460 Imst/Tirol
Tel. 0 54 12-25 54
Fax 0 54 12-25 19 55

EIN GANZ BESONDERER REISEBEGLEITER...

UM DIE PERSÖNLICHE GASTLICHKEIT IN HISTORISCHEN HÄUSERN GENIESSEN ZU KÖNNEN, HABEN SIE 177 MÖGLICH-KEITEN. DENN 177 ROMANTIK HOTELS & RESTAURANTS BIETEN IHNEN EINE GE-LUNGENE KOMBINATION VON HISTORISCHEM AMBIENTE UND NEUZEITLICHEM KOM-FORT – UND HEISSEN SIE IN 15 LÄNDERN HERZLICH WILL-KOMMEN.

DAMIT SIE NUN DIESE ROMAN-TISCHE ZIELE FÜR IHRE NÄCHSTE REISE EINPLANEN ODER UNTERWEGS ALS STATION WÄHLEN KÖNNEN, HALTEN WIR FÜR SIE EINEN HILFREICHEN RATGEBER BEREIT:

IHREN PERSÖNLICHEN ROMANTIK PASS!

IN DIESEM WICHTIGEN REISE-DOKUMENT FINDEN SIE SÄMT-LICHE ROMANTIK HOTELS & RESTAURANTS ÜBERSICHT-LICH NACH LÄNDERN GEGLIE-DERT, MIT ORTSANGABEN UND TELEFON-NUMMERN.

DARÜBER HINAUS ENT-HÄLT DER ROMANTIK PASS 10 FELDER, IN DENEN IHRE BESUCHE VOM JEWEILIGEN ROMANTIK HOTEL & RESTAURANT GERNE BESTÄTIGT WERDEN. DIESE DOKUMENTATION DIENT IHNEN ZUM EINEN ALS ERINNERUNG AN IHRE AUFENTHALTE, ZUM ANDEREN ERHALTEN SIE BEI IHREM 10. BESUCH IN EINEM UNSERER HÄUSER ALS KLEINES DANKESCHÖN FÜR IHRE TREUE EIN ATTRAKTIVES ÜBER-RASCHUNGS-PRÄSENT. SIE SEHEN – DER ROMANTIK PASS IST EIN GANZ BESONDERER REISE-BEGLEITER, DER SICH LOHNT!

GRATIS!
BITTE FORDERN SIE IHR PERSÖNLICHES REISEDOKUMENT BEI UNS AN

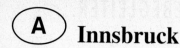

(A) Innsbruck

Romantik Hotel „Schwarzer Adler"

„Hohe Berge - Starke Stadt" vereint mit wenigen Worten den einzigartigen Charme von Innsbruck. Nur wenige Gehminuten vom Schwarzen Adler entfernt erreichen Sie bereits die Talstation zur Fahrt auf die Nordkette.
Darüber hinaus kann Innsbruck auf tausende Jahre Geschichte zurückblicken, die dem aufmerksamen Besucher auf Schritt und Tritt begegnet.
Der Schwarze Adler, nur 200 m östlich der Altstadt, hatte auch eine sehr bewegte Vergangenheit, bis er in den Besitz der Familie Ultsch gelangte. Seit 4 Generationen wurde ständig renoviert, so daß der „Adler" schon seit Jahren zu den führenden Häusern in Innsbruck zählt.

„High Mountain - Strong City" express with a few words only the unique charm of Innsbruck. After a few minutes walk only form the „Schwarze Adler" you will arrive at the valley station for a ride up to North chain.
Additionally, Innsbruck may look back on its thousands of years history the attentive visitors come across wherever they go.
The „Schwarze Adler" only 200 m east of the old town has had a turbulent history until the hotel has come into possession of the Ultsch family. Since four generations the hotel has been refurbished contineously so that the „Adler" is counted among the leading houses in Innsbruck.

„Hautes Montagnes - Ville Superbe» ces quelques mots résument le charme mots résument le charme singulier d'Innsbruck.
Le »Schwarzer Adler« (= Aigle Noir) n'est qu'a quelques minutes à ped de la station de télécabine menant à la »Nordkette« (= Chaine du Nord).
Innsbruck est de plus une ravissante ville vieille de 1000 au visiteur dont les temoignages historiques se révèlent à chaque pas au visiteurs attentif.
Le »Schwarzer Adler« n'est qu'a 200 m à l'est de la vielle ville et a connu un passé agite avant devenir la propriété de la famille Ultsch. Sans cesse renové depuis 4 générations l'»Adler« compte ainsi depuis des années parmi les premiers, hôtels d'Innsbruck.

Il fascino di una città dal carattere forte circondata da meastose montagne - questa è Innsbruck. A pochi minuti a piedi dallo Schwarzer Adler Vi attende la stazione a valle della funivia per il massiccio della Nordkette. Innsbruck è anche colma di storia millenaria che accompagna il visitatore passo per passo.
Lo Schwarzer Adler, sito soltanto 200 m ad est del centro storico, è ormai da 4 generazioni proprietà della famiglia Ultsch, è stato continuamente rinnovato ed è ormai da anni uno degli alberghi più rinomati di Innsbruck.

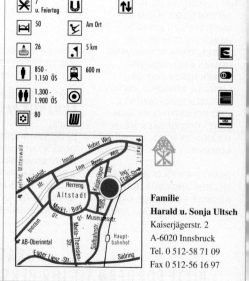

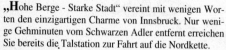

Familie
Harald u. Sonja Ultsch
Kaiserjägerstr. 2
A-6020 Innsbruck
Tel. 0 512-58 71 09
Fax 0 512-56 16 97

38

Romantik Hotel
„Schwarzer Adler"

Innsbruck (A)

„WINTERERLEBNIS INNSBRUCK"
Sport - Kultur - Unterhaltung

Innsbruck ist die ideale Stadt für den Winterurlauber, der sportliche Aktivität mit Unterhaltung und Kultur verbinden will. 5 Skigebiete rund um Innsbruck.

WINTERPAUSCHALPREISE 1992 / 93

7 Tage Halbpension	pro Person	S 5.900,-
3 Tage Halbpension	pro Person	S 2.800,-
Weihnachtszuschlag 22. 12. 1992 - 6. 1. 1993 + 20 %		

Romantischer Advent in Innsbruck
27. 11. - 20. 12. 1992

Tirol im Advent birgt noch viele unentdeckte Schätze. Seien es die über Generationen geschnitzten und mehrere Jahrhunderte alten Krippen, ein Tiroler Adventsingen auf dem Lande oder auch der unverfälschte Christkindlmarkt vor dem Goldenen Dachl, bei dem sich die Innsbrucker Bevölkerung nach der Arbeit trifft.

Wir verwöhnen Sie mit typischen Adventgerichten und stimmungsvoller 'Stub'nmusik'.

2 Übernachtungen mit Frühstücksbüffet
+ 1 Mittagessen
+ 1 Tiroler Adventabendessen mit Stub'nmusik
+ Ausflug in die Umgebung von Innsbruck mit Krippenbesichtigung
+ Willkommenscocktail
+ hausgemachtes Weihnachtsgebäck am Zimmer

Anreise Freitag oder Samstag

pro Person im Doppelzimmer	S 1.980,-
Einzelzuschlag	+ S 380,-
Zusatznacht Ü / F	+ S 650,-

39

Romantik Hotel „Tennerhof"

Ländliche Tradition, internationale Atmosphäre, landschaftliche Schönheit, dies alles vereint nicht nur das Kitzbüheler Städtchen, sondern bietet im besonderen das Romantik Hotel„Tennerhof".
Der Tennerhof, ursprünglich ein Tiroler Herrenhaus, zählt heute zu den führenden Hotels in Österreich. Das Interieur, mit viel Liebe zum Detail und antiken Kostbarkeiten geben dem Haus das Flair von Luxus und Behaglichkeit. Unser Romantik Hotel liegt am Sonnenhang von Kitzbühel in unmittelbarer Nähe der Seilbahn und Skiabfahrt. Der große, gepflegte Garten mit Blumen und Obstbäumen lädt zum Entspannen und Erholen ein. Sie genießen natürliche Ruhe - keine Busse - keine Reisegruppen stören den Tagesablauf. Die Küche zählt zu den besten Österreichs - Gault/Millau zwei Kochmützen - Vollwertkost - Diät.

The most dreamed - of spot in the Alps actually exists - the Tennerhof Hotel in Kitzbühel.
At the„Tennerhof", a centuries old farmhouse, you enjoy the exeptional charm of typically Austrian atmosphere among distinctiv clientele. The elegant, refined interior design with classic tyrolian care and taste offers you a touch of good living and complete relaxion in a beautiful garden setting. Near cable care and ski slopes „ski out - ski in" - Hotelbusservice.
Superb dining in our Gormet-Restaurant which is one of the best in Austria. Recommended by Gault/Millau.

Kitzbühel es une station de ski par excellence et en même temps, un très renommé et très beau endroit de montagne pendant l'été. Le Romantik Hôtel »Tennerhof« est tout ce qu'on peut avoir de mieux à Kitzbühel. - Un chalet du XVIe siècle qui vous offre le charme tout particulier du style Tyrolien. L'interieur est soigné avec amour pour le detail et vous donne une atmosphère du grand confort. Le jardin fleuri, calme et ensoleillé est un petit paradis. L'hôtel est situé près de la station téléphérique et des pistes. - La cuisine legère et variée est une des meilleurs d'Autriche - deux toques - recommandée par Gault/Millau. Au Tennerhof vous trouvez une incomperable gastronomie - un lux discret pour hôtes individuels.

Antica tradizione, atmosfera internazionale, bellezza naturali: tutto questo lo trovete non solo nella cittadina di Kitzbühel, ma particolarmente nel

Romantik Hotel „Tennerhof". - Il Tennerhof, una casa del 16° secolo è oggi uno di piu conosciuti Alberghi in Austria. L'interno della casa curato con particolare amore per il dettaglio e gli antichi arredamenti danno un'atmosfera di signorile confort. L'Albrego Tennerhof è esposto a mezzogiorno ed è a breve distanza dagli impianti sciistici di salita. - Non sono ammesse comitive e perciò la tranquilità è fra le migliori dell'Austria - due toques - raccomandato da Gault/Millau.

**Familie
v. Pasquali**
Griesenauweg 26
A-6370 Kitzbühel/Tirol
Tel. 0 53 56-31 81
Telex 517 66
Fax 0 53 56-31 81 70

Romantik Hotel
„Tennerhof" Kitzbühel / Tirol

Unsere Exclusiv-Arrangements

- Mit drei Golfplätzen in Kitzbühel und vier weiteren innerhalb von 30 km wurde Kitzbühel zum Golfzentrum der Alpen.
- Wir bieten: spezielle Golf-Schnupperkurse, Golf-Kurspauschalen, zwei eigene Hausturniere, großes Golf-angebot.
- Wanderwochen mit lustigem Hüttenfest auf der eigenen Alm.
- Int. Classic Alpen Rallye: Oldtimer aus der ganzen Welt kämpfen um den Sieg; letztes Jahr als Gäste Niki Lauda, Joachim Stuck, Klaus Wildbolz, u.v.a.
- Gourmetkochkurs aus unserer 2-Haubenküche. Der Küchenchef verrät seine Geheimnisse.
- Skiwoche mit lustigem Hüttenfest.

A Klagenfurt

Romantik Hotel „Musil"

Klagenfurt ist eine alte, fast adlige Stadt am Wörthersee im Zentrum des Sommergartens von Österreich - Kärnten. Die Auswahl der Ferienvergnügen ist entsprechend groß. Man kann in den Seen baden, reiten, Tennis spielen, Golf spielen und herrliche Wanderungen machen. Im Romantik Hotel „Musil" Ferien machen ist ein Erlebnis, das man nicht missen sollte. Sie werden nicht nur sehr schön geschmückte Restaurants finden, angefangen vom gemütlichen Jägerzimmer bis zum südländischen überdachten Innenhof, sondern auch von der Küche besonders beeindruckt sein, sowie von dem bekannten Musiler Konfekt und dem Café. Sie werden dem nicht widerstehen können.

Klagenfurt is an old, almost noble, town on the Wörther See - that is, in the centre of so-called „summer garden" of Austria - in Carinthie.
The choice of holiday amusements is correspondingly large. There is bathing in the lakes, riding, gennis, golf and wonderful walking. Holidaying at the Romantik Hotel Musil is an experience not to be missed. You will not only like the attractively decorated restaurants - from a cosy hunting room to a southern-influenced covered courtyard - but will also be particularly impressed by the cuisine and - last but not least - by the famous Musil confectionery and cakes. You will not be able to resist them!

Sur les rives du lac de Wörther, Klagenfurter vieille ville aristocratique se situe au coeur de la région appelée les jardins d'été de l'Autriche: la Carinthie. Distractions: baignade dans des lacs enchanteurs, équitation, tennis, golf et promenades à pied variées dans des chemins balisés.
Il est difficile de ne pas céder au charme du cadre et ne manquez donc pas de séjourner à l'Hôtel Romantik »Musil«. Vous serez séduits par les diverses salles de restaurant différamment décorées, le salon de chasse accueillant et confortable, la plaisante cour intérieure couverte en plein Sud, mais vous serez aussi délicieusement surpris par la cuisine raffinée et la pâtisserie du Musil.

Klagenfurt la nobile città alle sponde del lago Wörthersee, è il centro della Carinzia, il giardino estivo dell'Austria. Per chi cerca divertimento e svago, le possibilità sono infinite: innanzitutto c'é il lago con tutti i suoi sports, poi cè l'equitazione, il tennis, il golf e naturalmente le innumerevoli escursioni e passeggiate nell'incantevole paesaggio circostante. E l'albergo Romantik »Musil« Vi farà da ottimo punto di riferimento.

E non solo apprezzerete gli accoglienti ambienti del ristorante, dalla sala di caccia al cortile interno coperto alla mediterranea, ma troverete sicuramente irresistibili le specialità della nostra cucina e, dulcis in fondo, della famosissim pasticceria Musil.

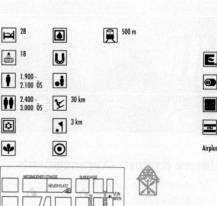

Bernhard Musil
10.-Oktober-Straße 14
A-9020 Klagenfurt/
Kärnten
Tel. 0 4 63-51 16 60
Telex 422 110 musil a
Fax 0 4 63-51 67 65

Ihr Firmenlogo aus zarter Schokolade!

*I*n jeder beliebigen Form, in jeder Größe. Gefüllt mit Nougat oder
mit Trüffelcreme. Verschenken Sie Ihr Firmenzeichen,
Ihre Unterschrift, oder einfach etwas Perönliches aus zartschmelzender
Schweizer Schokolade. Ihr Firmenname in aller Munde…
… denn er ist aus Schokolade.

*Y*ou like dark, semi-sweet, white, milk or mint chocolate? We produce your
company logo with the highest quality chocolate. You decide
the shape, size and weight, we guarantee the quality. The new gift … your sweet
image … filled or unfilled … large or small… Call us, we want to help
to increase your company image … and your profits.

*I*l tuo marchio viene realizzato in cioccolato in ogni forma immaginabile:
ripieno con Nougat o con molti altri gusti. Puoi regalare il marchio,
il logo, il nome o quello che ti viene in mente, sempre in cioccolato Svizzero di
prima scelta. La tua società sarà sulla bocca di tutti
… con il marchio di cioccolato!

A-9020 Klagenfurt/Austria, 10.-Oktober-Straße 14, Tel. (04 63) 51 16 60 • Fax (04 63) 51 67 65 • Telex 42-2110 musil a
Per informazioni in Italia: Promo 90 (02)-4 69 32 65
Musil of America Inc., Tel.: (305) 3 78 00 06 • Fax: (305) 3 78 21 07

43

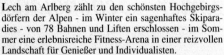

(A) Lech/Arlberg

Romantik Hotel „Krone"

Lech am Arlberg zählt zu den schönsten Hochgebirgsdörfern der Alpen - im Winter ein sagenhaftes Skiparadies - von 78 Bahnen und Liften erschlossen - im Sommer eine erlebnisreiche Fitness-Arena in einer reizvollen Landschaft für Genießer und Individualisten.

Inmitten dieser großartigen Palette an Freizeitangeboten liegt das ROMANTIK-HOTEL KRONE - eine Oase der Erholung. Das älteste Gasthaus im Ort, seit 4 Generationen im Familienbesitz, bietet alle Annehmlichkeiten, die Ihren Urlaub zu einem unvergeßlichen Erlebnis werden lassen. Jahrhundertealte Tradition vereint mit stilvollem Ambiente, gewachsene Behaglichkeit eingebettet in Eleganz und Qualität.

Gediegen eingerichtete Zimmer (mit Balkon) bis zu großzügigen Suiten (alle mit modernstem Komfort ausgestattet), sowie gemütliche Stuben, stilvolles Panorama-Restaurant, Café, Tanzbar, Kinderspielraum, Romantik-Garten direkt am Lechfluß, Sonnenterrasse und unsere Fitneßanlage mit Sauna, Massage, Solarium garantieren für Ihr Wohlbefinden.

Wir verwöhnen Sie mit einem gesunden, reichhaltigen Frühstücksbuffet sowie den landestypischen Köstlichkeiten unserer bekannt guten und seit Jahren mit einer Gault-Millau-Haube ausgezeichneten Küche, einem reich sortierten Weinkeller und dem Charme unserer österreichischen Mitarbeiter.

The „Krone", a traditional hotel in the center of the village, has over 90 beds (from pleasant rooms with bath and WC to very comfortable hotel apartements with balcony, television set, room bar and seldialing telephone) and offers-with its „Fitness Zone", new and rustically decorated lounge with open fireplace, comfortable dining room, international cuisine, à la carte restaurant, bar, cozy sitting rooms and children's playroom - all the advantages of a firstclass hotel. Sun-terrace - Tyrolean evenings - Garages and parking space.

L'Hôtel »Krone«, une maison de grande tradition au centre de Lech, dispose de 90 lits (de la chambre confortable avec bain/WC à l'appartment luxueux ayant balcon, télévision, bar particulier et téléphone direct) et offre - avec son »centre de culture physique«, son hall rustique avec cheminée, son acceillante salle à manger, sa cuisine international, son restaurant à la carte, ses salons typiques à l'atmosphere agréable, sa salle de jeux pour enfants et son bar - tous les agréments d'un établissement de première classe.

Terrasse au soleil - Soirées Tyrolienne - Garages.

Il KRONE - un Romantik-Hotel di 4 stelle con una lunga tradizione, situato mel centro di Lech e da 250 anni di proprietà familiare - dispone di 90 posti letto: dall'accogliente camera con bagno e WC ai confertevoli appartamenti con balcone, TV a colori con 10 programmi, radio, minibar, telefono diretto. Nel moderno reparto di fitness è possibile usufruire gratuitamente dei seguenti servizi: bagno turco, sauna finlandese, bagni di Kneipp, Hot-

Whirlpool (solarium e massagni su pernotazione), il salone rustico con camino, il bar in stile locale, il ristorante panoramico, l'eccellente e sguisita cucina premiata dalla guide gastronomiche, le accoglienti »Stube«, la sala giochi per bambini ed il servizio attento e accurato sono ulteriori vataggi offerti da questo hotel di prima classe. Serate folcloristiche - terrazza solarium, prato per sdraiarsi - garge e parcheggi.

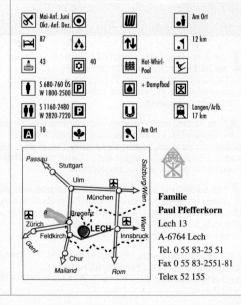

Familie
Paul Pfefferkorn
Lech 13
A-6764 Lech
Tel. 0 55 83-25 51
Fax 0 55 83-2551-81
Telex 52 155

Romantik Hotel „Krone" Lech/Arlberg Ⓐ

Zu unserem attraktiven Sommerprogramm zählen:

- Herzhaftes Bergfrühstück im Grünen
- Sonntäglicher Frühschoppen
- Geführte Ausflüge in die imposante Lecher Bergwelt
- Romantischer Hüttenzauber auf unserer Almhütte
- Folklore- und Fondueabend, Tanzveranstaltungen

Lassen Sie sich von unseren „ROMANTIK"-Spezialarrangements überraschen!

Romantik Hotel „Traube"

Lienz, das kleine Dolomitenstädtchen, vermittelt dem Besucher einen ersten Hauch des Südens. Fernab vom großen Touristentrubel bietet es im Sommer wie im Winter ideale Voraussetzungen für erholsame Urlaubstage und eine große Anzahl von attraktiven Ausflügen. Am verträumten Hauptplatz steht das Romantik Hotel „Traube", ein Haus von einzigartigem Reiz. In jedem Detail offenbart sich dem Gast die Liebe der Besitzer zu schönen, alten Dingen.
Die ausgezeichnete Küche, ein ungewöhnlich reich sortierter Weinkeller und kulinarische Höhepunkte bilden den gehobenen Rahmen für unterhaltsame Tage in angenehmer Gesellschaft im Romantik Hotel „Traube".

Lienz, the little village in the Dolomites, gives the visitor his first breath of southern air. Far removed from the hurlyburly of tourism, in summer as in winter, it offers ideal conditions for relaxing holidays and a wide variety of attractive excursions.
In the sleepy main square stands the Romantik Hotel Traube, a house of unique charm. Every detail reveals the owner's love of beautiful old things.
The excellent cuisine, an unusually rich variety of wines and culinary highspots form the tasteful setting for interesting days in pleasant company in the Romantik Hotel Traube.

A Lienz, petite ville des Dolomites, on sent déjà la douce influence du Sud. Loin des grands flux touristiques, Lienz est, été comme hiver, un point de départ idéal pour d'innombrables excursions interessantes, remplissant toutes les conditions pour que l'hôte y passe des vacances resonstituantes.
Sur la place principale au charme tranquille se trouve l'Hôtel Romantik »Traube«, un établissement aux attraits incomparables. Chaque détail révèle l'amour du propriétaire pour les belles choses anciennes.
L'excellente cuisine, une cave d'un assortiment extraordinaire et des évènements culinaires constituent un cadre distingué pour des journées distrayantes en agréable compagnie à l'Hôtel Romantik »Traube«.

Lienz, la piccola cittadina dolomitica capoluogo del Tirolo orientale, si presenta come un posto ideale per passare vacanze tranquille, ma anche piene di attrattive, sia d'inverno che d'estate.
Nella pittoresca piazza centrale troverete l'albergo

Romantik »Traube« che in ogni suo dettaglio mette in risalto l'amore dei proprietari per le belle cose del passato. L'ottima cucina, la cantina con il suo grandissimo assortimento di vini e l'eccellente servizio individuale forniscono la cornice per una Vostra vacanza estremamente piacevole all'albergo Romantik »Traube«.

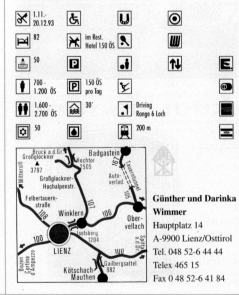

Günther und Darinka Wimmer
Hauptplatz 14
A-9900 Lienz/Osttirol
Tel. 048 52-6 44 44
Telex 465 15
Fax 0 48 52-6 41 84

Romantik Hotel
„Traube"   Lienz / Osttirol A

Fordern Sie bitte ausführliches Informationsmaterial über unsere Wochen- und Wochenendarrangements an! Die Preise gelten im Standard-Doppelzimmer.

* **Sommer-Woche**   von ÖS 6.620,- bis 8.400,-
7 Übernachtungen mit reichhaltigem Frühstücksbuffet und elegantem viergängigen Abendessen: vielfältige Abwechslung durch zahlreiche Unterhaltungsangebote.

* **Fischerwoche**   von ÖS 10.220,- bis 12.000,-
Sommer-Woche inkl. 6 Fischer-Tageslizenzen in unserem Fischrevier in der Kleinen Drau

* **Romantik Wochenende** von ÖS 2.500,- bis 3.050,-
2 Übernachtungen mit einem Gourmetmenü, einem Abendmenü und einem fürstlichen Sektfrühstück.

* **Weisse Woche** 9. 1.– 6. 2. und 27. 2. – 3. 4. 93
ab ÖS 4.900,-
7 Tage Halbpension mit großem „Traube-Frühstücksbuffet", mit Skibusbenützung und attraktivem Unterhaltungsangebot.

* **Weihnachtswoche** 19. – 26. 12. 1992
Preis pro Person: ÖS 6.650,-
7 Übernachtungen mit Halbpension, Weihnachtsfeier mit Festmenü, Fahrt zur Christmette.

Demandez nos informations détaillées sur nos arrangements hebdomadaires ou de fin de semaine:

Forfait été   de AS 6.620,- à 8.400,-
7 nuits avec grand buffet de petit déjeuner, un élégant dîner à 4 plats et un riche programme d'attractions pour une distraction assurée.

Semaine Pêche   de AS 10.220,- à 12.000,-
forfait été incluant un permis pour 6 jours sur notre domaine de pêche de long de la petite Drau.

Week-End Romantik   de AS 2.500,- à 3.050,-
2 nuits avec diner et un grand menu et un petit déjeuner princier au champagne.

Forfait ski dans les Dolomites
9.1. – 6. 2. + 27. 2. – 3. 4. 93   AS 4.900,-
7 jours en demi-pension avec le grand buffet de petit-déjeuner »Traube«, utilisation gratuite du bus skieurs et un programme de distractions attrayant.

Please ask for our brochure regarding our week and weekend arrangements:

Summer arrangements: from AS 6.620,- to 8.400,-
7 overnights with a plentiful breakfast buffet, an elegant 4-course dinner, many different kinds of entertainment.

Anglers week: from AS 10.220,-to 12.000,-
same as summer arrangements plus a licence to fish or 6 days in our fishing waters in the river little Drau.

Romantik Weekend: from AS 2.500,- to 3.050,-
2 overnights with a gourmet dinner and a four courses dinner in our restaurant, and a Royal Champagne breakfast.

Skiing in the Dolomites:
9.1. – 6. 2. + 27. 2. – 3. 4. 93   from AS 4.900,-
7 days half-broad, including our plentiful „Traube Breakfast" including bus service, entertainment.

Richiedetici il dettagliato materiale informativo inerente alle nostre offerte settimanali e fine settimana:

Forfait estate   da 6.620,- a 8.400,- scellini
7 pernottamenti con ricco buffet di prima colazione ed elegante cena a quattro portate, innumerevoli intrattenimenti.

Settimana di pesca da 10.220,- a 12.000,- scellini
Forfait estate più permessi giornalieri di pesca nella nostra riserva lungo la Drava minore.

Fine Settimana Romantik   2.500,- a 3.050,- scellini
2 pernottamenti con un menu da gourmet, e un menu di quattro portate ed una principesca prima colazione alla forchetta.

Forfait Dolomiti
9. 1. – 6. 2. + 27. 2. – 3. 4. 93   4.900,- scellini
7 giorni di mezza pensione con grande buffet di prima colazione, bus-navetta della zona, innumerevoli attrazioni ed intrattenimenti.

Romantik-Restaurant „Nikolauszeche"

Burgenlands schönstes Renaissance-Gebäude.
Traditionelle Küche und eigene Kreationen.
Burgenländische Weinspezialitäten.

Beautiful Renaissance building (15th Century).
Traditional cuisine with own creation.
Exquisite Wines of the region.

La plus belle construction de la Renaissance (15ième siecle) dans le Burgenland.
Cuisine traditionelle et des créations personelles.
Vins exquisites de la région.

Il piú bello edificio rinascimentale del Burgenland.
Cuisine tradizionale e creazioni proprie.
Vini del paese del Burgenland.

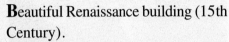

✕ 2	✿
✕ 15.12.-15.3.	⋃
◉	✎ am Ort
✿ 30-40	⛷ am Ort
♿	⚐ 5 km
🅿	

Uwe V. Kohl
Bodenzeile 3
A - 7083 Purbach
Tel. 0 26 83 - 55 14
Fax 0 26 83 - 50 77

48

Romantik Hotel „Forstinger's Wirtshaus"

Schärding

Gediegene Gastlichkeit seit 1606 im Herzen des Grenz-städtchens Schärding am Inn, mit dem wohl schönsten barocken Stadtplatz Österreichs. Direkt an der neuen Autobahn E 56/A 8. Ausfahrt Grenzübergang Suben. Familiär geführt, mit antiken Bürger- und Bauernstuben vereinen sich persönlicher Service und herzliche Gastlichkeit. Die hauseigene Metzgerei gewährleistet die Qualität von typischen Innviertler Schmankerl und die qualifizierte Küche verwendet für die täglich wechselnde Speisekarte nur Frischprodukte der jeweiligen Jahreszeit.
Es ist nicht nur der Rahmen für ein köstliches Essen im kleinen Kreis, sondern auch für die Familienfeier, die Tagung und das Seminar.
30 Kilometer hoteleigene Fließgewässer in verschiedenen Flüssen sind ein Paradies für Angler und Fliegenfischer unter den Gästen.

The little town of Schärding is one of the old places on the Inn River which has kept the same town profile over the centuries. Between the marketplace and the river is the „Forstinger's Wirtshaus", the senior owner being a personality well known in Oberösterreich.
Wilhelm und Margaret Forstinger are wonderful innkeepers who know how to maintain a place of social activities for the locals. They also established for the tourist an oasis of „Gemütlichkeit".
For a relaxing day the guest wil find a restaurant with an excellent cuisine, rooms wiht four poster beds or modern furniture, and an inside tip for fishermen especially lfy-fishermen the Forestinger's Wirtshaus has the following to offer: 30 km (18 miles) of hotel owned river frontage on various rivers, making this Inn a paradise for any angler.

Schärding, petite ville frontalière fait partie de ces très anciennes localitès le long de l'Inn, qui ont su conserver leur caractère crée au cours des siècles. Entre la place du marché et l'Inn se trouve le »Forstinger's Wirtshaus« dont le patriarche est une forte personnalité connue de toute la Haute Autriche.
Wilhelm et Margarete sont de charmantes personnes qui ont su faire de leur établissement un lieu où les gens du cru aiment se retrouver et les visiteurs de passage séjourner.
Le cuisine typique est excellente et sans fioitures inutiles. Les chambres à ciel de lit ou modernes invitent au repos. Pour les pêcheurs et en particulier les pêcheurs à la mouche le Forstinger's Wirtshaus est un paradies avec ses 30 kms de parcours privés sur plusieurs rivières.

La cittadina di confine Schärding rappresenta una tra le più belle vecchie localià lungo il fiume Inn, ed è perfettamente riuscita a consrevare l-antico fascino dei tempi che furono. Fra la piazza del mercato e l'Inn troverete il „Forstinger's Wirtshaus". L'oste padre die questo bell'albergo é un personaggio conosciuto in tutta Wilhelm e Margarete Forstinger conducono l'albergo con simpatica

saggezza ed impegno. Infatti, è rimasto il più apprezzato ritrovo per la gente del posto e a lo stesso tempo è divenuto anche il più importante punto di riferimento per gli ospiti che giungono da lontano.
Un'eccellente cucina senza ghirigori e curatissime camere con letti a baldacchino o arredamento moderno fanno si che il Vostro soggiorno si estremamente piacevole.
E per i pescatori - specie per quelli che usano la mosca - il Forstinger's rappresenta un vero paradiso: 30 km di riserva privata lungo vari fiumi e torrenti della zona.

🛏 34	🅿
🍶 18	
👤 940 - 1.040 öS	Ⓤ
👥 1.240 - 1.360 öS	⚒
⛰	
🎲 Bis 40 Personen	◉

Margarete und
Wilhelm Forstinger
Unterer Stadtplatz 3
A-4780 Schärding
Tel. 0 77 12-2 30 20
od. Tel. 0 77 12 - 3 29 80
Fax 0 77 12-2 30 23

A Salzburg

Romantik Hotel „Gasthof Gersberg Alm"

Das Romantik Hotel „Gasthof Gersberg Alm" am Gaisberg, dem Hausberg der Salzburger, bietet eine selten geglückte Kombination: Hier eine weltweit bekannte Stadt, und nur wenige Autominuten entfernt, im 100.000 qm großen Almhotel-Park, reine, unverfälschte Natur.

Unsere Gäste wohnen gleichsam über den Dächern von Salzburg, gerade weit genug entfernt von Verkehrslärm und Hektik und doch wieder so nah, daß man den unbeschreiblichen Zauber der Mozartstadt Tag und Nacht genießen kann.

Die Gersberg Alm, schon zu Lebzeiten W. A. Mozarts als gutsherrschaftlicher Besitz urkundlich erwähnt, hat auch nach einem großzügigen Umbau vor zwei Jahren seinen Charakter als urgemütlicher Salzburger Landgasthof bewahrt.

The Gasthof Gersberg Alm is a picturesque hotel on the Gaisberg, dating back to Mozart's lifetime. It is an ideal location for either a romantic weekend or a longer stay in this historic city. Two years ago, the hotel underwent extensive refurbishments and the renovations have sympathetically reconstructed the property without losing any of its original charm and style.

The hotel is situated just minutes away from Salzburg's town centre but has the advantage of being surrounded by sensational natural parkland.

It has stunning views over Salzburg and gives you the impression of being in the heart of the countryside whilst being near enough to town to enjoy everything „Mozart's City" has to offer.

L'hôtel Romantik »Gasthof Gersberg Alm« situé au pied du Gaisberg, la montagne favorite des Salzbourgeois, offre une heureuse combinaison que l'on trouve rarement.

Une ville mondialement connue et, à quelques minutes de voiture, dans le parc de 100 ha de l'hôtel Alm, la nature vierge.

Nos hôtes logent prâtiquement au-dessus des toites de Salzbourg, d'une part assez loin du bruit des voitures et du stress, et d'autre part, assez prêt pour profiter jour et nuit de l'inexprimable magie de la ville de Mozart.

La »Gersberg Alm«, seigneurie déjà mentionnée dans une document contemporain de W. A. Mozart, a su maintenir sont caractère de »Landgasthof« (restaurant rustique) hyperconfortable malgré d'importantes transformations effectuées il y a deux ans.

L'albergo „Gasthof Gersberg Alm", sul Gaisberg, la „collina di casa" dei Salisburghesi offre una combinazione meravigliosa, con le possibilità di soggiornare in una città conosciuta in tutto il mondo, avendo al tempo stesso, a disposizione la natura pura e vergine dell' „Almhotel Park" (il parco dell'albergo) con una estensione di 100.000 metri quadrati.

I nostri ospiti vivono per cosi dire sopra i tetti di Salisburgo - lontano dai rumori del traffico e dallo stress ma nello stesso tempo cosi vicino alla città di Mozart da poterne giorno e notte godere il fascino indescrivibile.

La „Gersberg Alm", di cui e documentata l'esistenza già quando W. A. Mozart era vivo, ha conservato la suo carratteristica di trattoria tipicamente Salisburghese sebbene sia stata rimessa a nuovo due anni fa.

✕ 10.1.-28.2.93	⊚ 7 km Stadt-zentrum	〰	🎿 20 km
🛏 68	⛰	〰〰	🎯 20 km
🍴 36	✿ 80		🚂 7 km
👤 920.-1.160 ÖS	Ⓟ	Ⓤ 10 km	
👫 1.400.-2.650 ÖS	Ⓟ		
🅰 1	❦		VISA

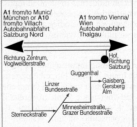

Dr. Franz Kreibich
Gersberg 37, PF 96
A-5023 Salzburg
Tel. 06 62/64 12 57
Fax 06 62/64 12 57-80

Romantik Hotel
„Gasthof Gersberg Alm"

Salzburg

IN GUTER GESELLSCHAFT

DIE GERSBERG ALM

In guter Gesellschaft

Die Gersberg Alm bietet ihren Gästen:
- eine leichte, bodenständige Küche
- Gemütlichkeit in gediegenem Ambiente
- ein großes Sportangebot wie Tennis, Boccia, Boule, Kegeln, Vita-Parcour
- Sauna und Swimmingpool
- Ausgangspunkt und Ziel vieler Gaisberg-Wanderwege
- Seminarräume
- Abholung von Bahn- und Flugreisenden mit dem Hotelbus
- Großes Parkplatzangebot abseits vom Haus gelegen

Spezielle Arrangements

* **Erlebnis Ballonfahrt:** Der Traum vom Schweben – den Himmel hautnah erleben. Erfüllen Sie sich diesen oft lang gehegten Wunsch!

* **Wandern und Kultur:** wenn es in Salzburg am schönsten ist, im Herbst und im Frühjahr, 30 km Wanderwege rund um den Gaisberg. Abends Konzert- oder Theaterbesuch (3 und 6 Tage)

* **Weihnachten in Salzburg:** Besuch der Stille-Nacht-Kirche; Mitternachtsmette im Salzburger Dom
* **Musik in Salzburg:** In Salzburg gibt es das ganze Jahr hindurch Musik. Höhepunkte sind die Oster- und Sommerfestspiele, sowie die Pfingstkonzerte und Advent-singen.

Wir besorgen gerne Programme und sind bei Kartenbestellungen behilflich.
Bitte fordern Sie unsere detaillierten Individualprogramme an!

Romantik Hotel „Im Weissen Rössl"

Das Weisse Rössl

Ein Hotel mit legendärem Ruf und echter österreichischer Gastlichkeit, die im besonderen von langjährigen Mitarbeitern geprägt wird.

Das Salzkammergut, eine einzigartige Kulturlandschaft, die Ihnen als Ferien-Individualisten viel Raum für Ihre persönliche Urlaubsgestaltung eröffnet. Jede Jahreszeit hat ihre Vielfalt und ihren eigenen unnachahmlichen Reiz.

Besonders beliebt bei unseren Gästen:
Winterfreuden am Wolfgangsee.
Salzkammergut Golferlebnis.
Fischen im Zinkenbach und Wolfgangsee.
Im Heißluftballon über das Salzkammergut.
Ein Kurzurlaub zum Verlieben.

A hotel with a legendary reputation and genuine Austrian hospitality which is characterized in particular by longtime employees.

The Salzburg Lake & Mountain District is a unique cultural landscape which allows individualists a lot of freedom to arrange their own personal vacations. Every season has a richness and inimitable charm all its own.

Especially popular with our guests:
Winter pleasures at Wolfgangsee.
Golfing in the Salzburg Lake & Mountain District.
Fishing in Zinkenbach and Wolfgangsee.
Hot air balloon trips over the Salzburg Lake & Mountain District.
A get-away vacation you'll never forget.

Un hôtel à la réputation légendaire, offrant une hospitalité typiquement autrichienne qui est perpétuée en particulier par des employés fidèles.

Le Salzkammergut est un paysage culturel unique, qui offre aux vacanciers individualistes toute liberté d'organiser leurs congés selon leurs goûts personnels. A chaque saison sa diversité et son charme inimitable.

Nos hôtes apprécient en particuler:
Les joies hivernales sur le Wolfgangsee.
Le plaisir du golf dans le Salzkammergut.
La pêche dans le Zinkenbach et le Wolfgangsee.
Une excursion en ballon au-dessus du Salzkammergut.
De courtes vacances pour tomber amoureux.

Un hotel con una fama leggendaria che offre la vera ospitalità austriaca, grazie soprattutto ai suoi fedeli collaboratori.

Il «Salzkammergut» è un paesaggio culturale unico, che

Vi offre, in qualità di individualisti in vacanza, vaste possibilità di trascorrere le ferie in maniera del tutto personale. Ogni stagione dell'anno ha le sue particolarità ed il suo stimolo inimitabile.

Particolarmente amati dai nostri ospiti sono:
La gioia invernale sul lago Wolfgangsee.
Il golf nella zona del «Salzkammergut».
La pesca nel fiume Zinkenbach e sul lago Wolfgangsee.
Una gita nell'aerostato sulla regione del Salzkammergut.
Una breve vacanza per innamorarsi.

Romantik Restaurant Kaiserterrasse
tägl. ab 18.30 Uhr geöffnet.
Rösslseeterrasse und Benatzkystüberl ganztags.

✂ 1.11. - 20.12.	♨	◨	🚆
🛏 137	✳ Bis 120 Personen	U 8 km	◉
🍴 72	P 26 Plätze		⋘ E
👤 880 - 1.150 ÖS	P		⬆
👥 1.200 - 2.100 ÖS	≋ See		
A 10	🏠	⊲ 9 km	

Familie Peter
Dir. M. Eidlhuber
A-5360 St. Wolfgang/See
Salzkammergut
Tel. 0 61 38-23 06-0
Telefax 0 61 38-23 06 41

„The White Horse Inn"
„L' Auberge du Cheval Blanc"
„Al Cavallino Bianco"

Romantik-Residenz
St. Wolfgang am See

Ferienwohnungen:
Das Flair der Jahrhundertwende gepaart mit dem Komfort unserer Zeit. Alle Wohnungen (von 30 qm - 110 qm) großzügig ausgestattet in herrlicher Südlage mit einem eigenen Seegrund. Als Residenzbewohner steht Ihnen auch das Freizeitzentrum des Weissen Rössls zur Verfügung. Auf Wunsch großes Frühstücksbuffet, Halbpension im Hotel und täglicher Aufräumservice.
Bitte Spezialprospekt anfordern!

Holiday Apartments:
The atmosphere of the close of the 19th century combined with the modern comfort of our days. All apartments (30-110m≤) generously equipped, situated in a wonderful scenery, facing the South, shore on the lake belonging to the house. As a resident of these apartments you are welcome at the leisure centre of the White Horse Hotel.
Upon request big breakfast buffet, one main meal at the hotel, cleaning service in the apartments every day.
Please ask for special leaflet!

Apartements de vacances:
L'atmosphere de la fin de siècle en harmonie avec le confort de nos jours. Tous les appartments (30-110 m.c.) très bien équipées, situés dans un joli endroit, vue vers le midi, propre terrain au lac. Les clients de la Résidence son librement admis au centre des loisirs de l'Hôtel du Cheval Blanc. Sur demande grand buffet de petit déjeuner, demi-pension à l'Hôtel, service quotidien de nettoyage dans les appartments.
Demandez notre prospectus spécial!

Appartamenti per le vacanze:
L'atmosfera del fine secolo in armonia con le comodità dei nostri giorni. Tutti gli appartamenti (30-110 m.q.) ampiamente arredati, situati, in un bellissiomo luogo, vista verso il sud. Terreno proprio sul lago. Gli inquilini degli appartamenti sono liberamente ammessi al centro di divertimento dell'Albergo Cavallino Bianco.
A richiesta grande buffet di colazione, mezza-pensione in albergo e servizio pulizia, nell'appartamento ogni giorno.
Chiedete il nostro prospetto speciale!

53

A # Schwarzenberg

Romantik Hotel „Gasthof Hirschen"

Der Bregenzerwald ist eines der landschaftlich schönsten Täler in Vorarlberg und erstreckt sich vom Bodensee bis zum Arlberg. Schwarzenberg liegt im Herzen des Bregenzerwaldes und ist nur 15 km von der Rheintalautobahn (Dornbirn) entfernt. Das Romantik Hotel Gasthof Hirschen liegt mitten in einem denkmalgeschützten Dorfkern. Das Haus ist 1757 im Holzbarockstil erbaut worden. Es ist bereits in der 5. Generation in Familienbesitz. Die holzgetäferten Bauernstuben sowie der Speisesaal, das Kaminzimmer, antik möblierte Zimmer mit jeglichem Komfort, die Erlebnis-Fitness-Räumlichkeiten, wie auch Seminarräume - mit allen technischen Raffinessen ausgestattet - machen einen Aufenthalt im „Hirschen" zum Erlebnis ... Viele Wandermöglichkeiten im Sommer, im Winter Weltcuperprobtes Schigebiet mit 10 Schiliften und -pisten bis direkt vor die Haustür.

The Bregenzerwald (Bregenz Forest) is one of Vorarlberg's most picturesque valleys, stretching from Lake Constance to the Arlberg. Schwarzenberg, situated right in the heart of the Bregenzerwald, is a mere 15 km from the Rhine valley motorway (Dornbirn). The romantic hotel inn Hirschen lies in the village centre classified as a historical precinct. The building, erected in 1757 in wooden baroque style, has been owned by the same family for five generations. Wood panelled, rustic lounges as well as the dining room, the log-fire lounge, rooms with period furniture featuring all modern comforts, superb fitness facilities and seminar rooms - provided with the latest technical equipment - turn a stay at the „Hirschen" into an experience in itself ...
In summer, the area offers a great variety of walking and hiking paths, in winter it turns into a World Cup proven skiing area with 10 ski lifts- and runs leading right to the front door.

L' une des plus belles régions du Vorarlberg, le Bregenzerwald (fôret de Bregenz) s'étend du lac de Constance jusqu'à l'Arlberg. Schwarzenberg se trouve au coeur du Bregenzerwald et n' est pas qu' à 15 km de l'autoroute de la vallée du Rhin (Dornbirn). L'hôtel-auberge romantique Hirschen est situé au centre du village classé comme zone historique. Cette maison en bois fut construite en 1757 dans le style baroque et est habitée par la 5e génération. Les salons rustiques à boiserie ainsi que la salle à manger, le coin cheminée, les chambres aux meubles d'époque offrant tout le confort imaginable, les loceaux de mise en forme, mais aussi les salles de séminaires équipées de tout le materiel technique nécessaire, contribuent à rendre un séjour au „Hirschen" inoubliable ... Nombreuses possibilités de randonnée en été: en hiver, 10 remonte-pentes et des -pistes de ski jusque devant la porte.

La Bregenzerwald (Foresta di Bregenz), una delle valli più stupende della regione del Vorarlberg, si estende dal Lago di Costanza all'Arlberg. La lokalità di Schwarzenberg è sita nel cuore della Bregenzerwald a soli 15 km dall' autostrada della Valle del Reno (Dornbirn). Il romantico albergo-ristorante Hirschen è sito nel centro storico della magnifica cittadina. L'edificio in legno, construito nel 1757 nello stile barocco,

con pregievole rivestimento in legno, la tipica „stanza del focolare", le camere con tutti i confort piu moderni arredate con mobili antichi, TV con frigo bar, e varie attivita sportive. Particolarmente organizzato per seminari, ecco tutto ciò che all' „Hirschen" vi fara vivere una magnifica e piacevolissima indimenticabile vacanza. In estate potrete fare numerose gite, mentre, in inverno vi aspetta una regione sciistica ... in cui sono state già tenute gare di coppa mondiale: 10 impianti di risalita e -piste fino alla vostra porta di casa.

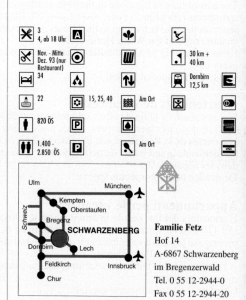

✕ 3 / 4, ab 18 Uhr	**A** ♣ ⚐
✕ Nov. - Mitte Dez. 93 (nur Restaurant)	◎ ⫼ 30 km + 40 km
🛏 34	⛰ ⇅ Dornbirn 12,5 km
🛏 22	✵ 15, 25, 40 ≈ Am Ort
🧍 820 ÖS	**P** ◉
🧍🧍 1.400 - 2.850 ÖS	**P** ⚒ Am Ort

Map:
Ulm — München
Kempten
Oberstaufen
Schweiz — Bregenz
Dornbirn — SCHWARZENBERG — Lech
Feldkirch — Innsbruck
Chur

Familie Fetz
Hof 14
A-6867 Schwarzenberg
im Bregenzerwald
Tel. 0 55 12-2944-0
Fax 0 55 12-2944-20

Romantik Hotel
„Gasthof Hirschen"
Schwarzenberg

„Hirschen - Arrangements"

- Geführte Alpwanderungen - Hauseigene Alpe - Käseverkostung
- Festspielbesuche in Vorarlberg
  „Schubertiade" Hohenems 12.-28. 6. 93
  „Bregenzer Festspiele" 21. 7.-23.8.93
- Alpin - Langlauf - Schiwochen, Schitouren mit dem Wirt
- Seminar - Arrangements: 4 Räume à 10 - 40 Personen

Sebersdorf
Ost - Steiermark

Romantik Hotel
„Schloß Obermayerhofen"

Wir laden Sie ein, im Schloß für ein paar Tage Ihren Wohnsitz zu nehmen. Alles ist da: ein kleines feines Restaurant im Haubenrang, die Bar, mit kostbaren Antiquitäten ausgestattet. Im fackelerleuchteten Keller übt man sich des Armbrustschießens, die Sauna sorgt für gesunde Entspannung. Ringsum liegt sanftes grünes Land, die Heiltherme Waltersdorf ist ganz nahe. Im Zentrum steht das gute Leben im Schloß: Wohnen in stilvoll ausgestatteten Appartements. Die Schloßkapelle gibt stimmungsvollen Konzerten den rechten Rahmen und am Abend zieht man sich zu Gesprächen in freskengeschmückte Prunkräume zurück. Wer nach beschaulichen Tagen Lust hat, Neues zu unternehmen, wird wandern, schwimmen, radfahren, reiten oder einen Ausflug auf der „Steirischen Schlösserstraße" unternehmen. Die Landeshauptstadt Graz ist nicht weit mit der bezaubernden Altstadt und ihrem großen Kulturangebot.

You are cordially invited to take up residence in the palace for a few days. It offers everything you could wish a small but exquisite, toque-rated restaurant; a bar furnished with precious antiques; a crossbow archery range in the torch-lit cellar; and a sauna for pleasant hours of relaxation. The palace is surrounded by undulating green countryside, and Waltersdorf with its curative thermal springs is close by. But the focus of live here is the unique atmosphere of the palace itself. The apartements are elegantly furnished, the palace chapel makes a picturesque setting for concerts, and there can be few more memorable ambiances for spending an evening than in the staterooms and their fresco backround. Guests who, after relishing the contemplative atmosphere for a few days, want to get out will find plenty to do: exploring the countryside on foot or by bicycle, swimming or going for a drive along the „Styrian Castle Road". And the provincial capital Graz with its delightful Old Town and its packed cultural programme is not far away.

Vi invitiamo a prendere dimora nel castello per alcuni giorni. C'è tutto: un piccolo ristorante squisito di alta categoria, il bar arredato con preziose antichità. Nella cantina illuminata da fiaccole Vi eserciterete al balestrare, nella sauna troverete sano rilassamento. Tutt'intorno si distende il verde paesaggio dolce, lo stabilimento termale di Waltersdorf è molto vicino. L'aspetto centrale è la bella vita nel castello: abiterete in appartamenti arredati con stile. La cappella del castello fa da cornice per suggestivi concerti e di sera Vi ritererete in sale di gala adornate da affreschi per discorrere. Chi avrà voglia di scoprire delle cose nuove dopo aver passato delle giornate tranquille, farà delle lunghe passeggiate, nuoterà, andrà in bicicletta o farà una gita per conoscere la "strada stiriana dei castelli". Il capoluogo della Stiria, Graz, con il meraviglioso centro storico non è distante e offre un vasto programma culturale.

- Schönheitssalon im Schloß
- Incentiv-Gourmet-Kulturreisen
- Creative Meetings
- Hochzeiten und Familienfeste
- Steirische Schlösserstraße
- Thermen und Golf
- Armbrustschießen
- Landschaftspark 60 000 qm

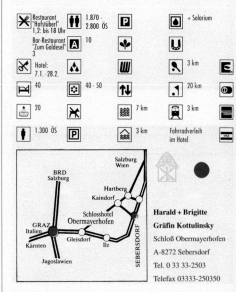

Restaurant „Hofstüberl" 1,2: bis 18 Uhr
1.870 - 2.800 ÖS
+ Solarium

Bar-Restaurant „Zum Goldesel" 3
A 10

Hotel: 7.1. -28.2.
3 km

40
40 - 50
20 km

20
7 km
3 km

1.300 ÖS
3 km
Fahrradverleih im Hotel

Harald + Brigitte
Gräfin Kottulinsky
Schloß Obermayerhofen
A-8272 Sebersdorf
Tel. 0 33 33-2503
Telefax 03333-250350

Ferien auf einem noblen Landschloß

Die steirischen Schlösser waren schon immer beliebtes Feriendomizil, und schon damals wurden den Herrschaften vom Feinsten aus der Schloßküche aufgetragen. Heute begibt man sich auf Gourmet- und Kulturreise in die hügelige Welt der steirischen Toskana, in weinselige Dörfer, zur wunderlichen Weltmaschine Gsellmann, auf Besichtigungstour über die „Steirische Schlösserstraße", zu einem Konzert in einen stillen Klosterhof oder man beobachtet edle Lipizzaner auf ihren Weiden. Hier finden Sie noch verschwiegene Gourmet-Stuben, um das Wohl der Gäste bemüht. Wer aber an sich denkt, an die Harmonie zwischen Körper und Seele – der wird über den Schönheitssalon im Schloß verfügen.

Schloß OBERMAYERHOFEN, Südautobahnabfahrt Sebersdorf / Tel. 0 33 33 / 25 03
Bad Waltersdorf, Golf- und Thermenregion

A Steyr/Oberösterreich
Romantik Hotel „Minichmayr"

Steyr, das über 1000 Jahre alte Juwel mittelalterlicher Städtebaukunst mit seiner vollständig erhaltenen Altstadt, die alle Stilepochen in Vollendung zeigt, ist mit seiner urgewachsenen Volkskunst und kultur eine der schönsten Altstädte Mitteleuropas.

Am denkbar schönsten Platz der historischen Altstadt, am Zusammenfluß von Enns und Steyr, liegt unser traditionsreiches "Romantik Hotel Minichmayr" mit einem einmaligen Panoramaausblick auf diese großartige Kulisse.

Eine erstklassige Küche, ein großer Weinkeller, individuelle Betreuung garantieren einen sehr angenehmen Aufenthalt.

The over 1000 years old town Steyr, a jewel of medieval architecture with a very well preserved centre and original customs is one of the most beautiful towns of central Europe.

Our traditional "Romantik Hotel Minichmayr" is situated at the most beautiful place of the town, at the confluence of the rivers Enns and Steyr, with marvellous view to the old town.

First-class cuisine, a large wine cellar and individual care guarantee for a pleasant stay.

Steyr, un joyau de l'architecture du moyen âge représente une des plus belle vieilles villes d'Europe complèment conservées.

Notre "Romantic Hotel Minichmayr" est une maison riche de tradition, situé sur le plus beau emplacement de la vieille ville, au confluent de l'Enns et de Steyr avec vue magnifique.

Dans notre hôtel vous trouvez une excellente cuisine, une grande cave à vin et un cordial accueil.

Steyr, un gioiello di construzione artistico mediovale con una città vecchia completamente conservata, presente tutti stile delle epoche, e una delle piu belle città antice nel centroeuropeo. Il nostro "Romantic Hotel Minichmayr" ha una ricca traditione come albergo, è situato al posto più bello della città, dove si riunisco i due fiumi Enns e Steyr, con una bella vista su questa meravigliosa quinta.

Una cucina di prima categoria, una grande cantina dei vini, con una provedenza individuale e la garanzia promessa per un piacevole soggiorno.

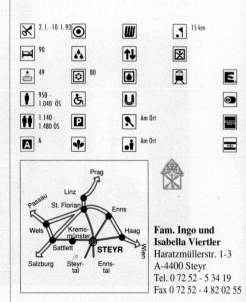

2.1.-10.1.93	◉	💷	.1 15 km
90	♨	⇅	⊠
49	✿ 80	◉	🚊	E
950 - 1.040 ÖS	♿	U		🔟
1.140 - 1.480 ÖS	P	Am Ort		
A 6	❀	Am Ort		

Prag
Linz
Passau St. Florian
Enns
Wels Krems- Haag
münster
Sattlett STEYR
Salzburg Steyr- Enns- Wien
tal tal

**Fam. Ingo und
Isabella Viertler**
Haratzmüllerstr. 1-3
A-4400 Steyr
Tel. 0 72 52 - 5 34 19
Fax 0 72 52 - 4 82 02 55

Romantik Hotel „Minichmayr"

Altstadt Steyr

Christkindl-Kirche
Am Zusammenfluß von Enns und Steyr im
Altstadtzentrum

Romantik-Wochenende   ÖS 2.670,-

beinhaltet 3 Nächtigungen mit 1x Romantik Gourmetmenü und Sektfrühstück auf unserer Aussichtsterrasse.

Kultur und Sport
- ganzjährig
Stadtbesichtigung, Museen, Bummerlhaus, Barockstift St. Florian mit Anton-Bruckner-Orgel. Stift Kremsmünster (Tassilokelche), Steyrtalbahn, Fahrräder im Haus - Radwege vor der Tür entlang des Flusses, Golfen in Bad Hall (15 km).

- Adventzeit:
weltberühmtes Christkindlpostamt, Barockkirche Garsten, Steyrer Kripperl - ältestes Stockpuppentheater

Weekend-Romantic   ÖS 2.670,-

includes 3 nights, with one Romantic gourmet dinner and breakfast (champagne included) on our terrace restaurant.

- culture and sports:
General:
city tour, museums, gothic „Bummerlhaus", baroque monastery St. Florian with organ of Anton Bruckner and abbey in Kremsmünster („Tassilokelch", „Steyrtal"-museum train, bicycles hire in the hotel, cycle paths along the river, golf at Bad Hall (15 km)
- Advent season:
world-famous Christchild post office, baroque church of Garsten, „Steyrer Kripperl" - oldest stick doll theatre

Fine settimana romantico   ÖS 2.670,-

Cultura e sport:
durante l'anno:
una visita della città, museo „Bummerlhaus" (st. gotico), convento barocca di St. Florian con l'organo del Anton Bruckner, convento di Kremsmünster, treno museale „Steyrtalbahn", biciclette in casa, cosia per ciclisti davanti l'albergo lungo il fume, campo di golfo a Bad Hall (15 km)
Nel'tempo primo di Natale:
il famoso ufficio postale di Christkindl, chiesa, di barocco a Garsten, „Steyrer Kripperl" - teatro antico con marionette

Romantik Hotel „Post"

Umgeben von Berglandschaft im Kurort an der Drau liegt das Romantik Hotel „Post" im Zentrum der Fußgängerzone. Unser historisches Haus wurde um 1500 erbaut und verfügt über gemütliche, ruhig gartenseitig gelegene Zimmer. Lassen Sie sich verwöhnen wie Kaiser Karl V. 1552, verbinden Sie die Vorteile eines Stadthotels mit Sport- und Erholungsmöglichkeiten in unmittelbarer Umgebung, genießen Sie unseren Service und die bekannt gute Küche (Gault-Millau-Haube) mit österreichischen Schmankerln. – Das „Post"-Team freut sich auf Ihren Besuch!

Surrounded by mountains in a health resort on the Drau lies the Romantik Hotel "Post" in the center of the pedestrian zone. Our historic establishment was built around 1500 and has cosy, peaceful rooms wich face the garden. Pamper yourself just as Emperor Charles V did in 1552, combine the advantages of our downtown location with sports and recreation opportunities in the immediate vicinity, enjoy our service and the culinary excellence for which we have become known (Gault Millau chef's hat), featuring tasty Austrian specialties – The "Post" team is looking forward to your visit!

Il Romantik Hotel «Post» è situato al centro della zona pedonale del luogo di cura sulla Drava e circondato da un meraviglioso paesaggio montano. La nostra casa storica fu costruita intorno al 1500 e dispone di comode camere tranquille che affacciano sul giardino. Lasciatevi viziare come l'imperatore Carlo V nel 1552. Scegliete un hotel al centro della città che offre allo stesso tempo, nelle immediate vicinanze, tante possibilità di praticare sport e di riposo. Godete il nostro servizio e gustate la nostra cucina (Gault Millau Haube) con il famoso «Schmankerln» austriaco. Il team dell'hotel «Post» Vi aspetta!

Entouré d'un paysage montagneux, au cœur de la ville thermale sur la Drau, l'hotel Romantik «Post» est situé au centre de la zone piétonnière. Notre établissement historique, qui a été construit vers 1500, dispose de chambres calmes et accueillantes donnant sur le jardin. Laissez-vous gâter comme l'Empereur Charles Quint en 1552, alliez les avantages d'un hôtel en ville et les possibilités de sports et de détente qu'offrent les environs immédiats, appréciez notre service et la bonne cuisine (toque dans le Gault Millau) renommée pour ses «Schmankerln» autrichiens – L'équipe de la «Post» se réjouit de votre visite!

🛏 86	🅰	1-4 Personen	↕		10 km
49	◉		≋ Am Ort		20 km
700 - 900 ÖS	🅿 7		Am Ort		E
980 - 1.600 ÖS	🅿 23		U		500 m
△	❀		Am Ort		
10 - 60 Personen	∭		Am Ort		VISA

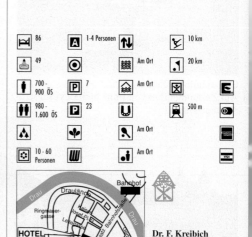

Dr. F. Kreibich
Hauptplatz 26
A-9500 Villach/Kärnten
Tel. 0 42 42-2 61 01-0
Telex 45 723
Fax 0 42 42-26 10 14 20

60

Romantik Hotel „Post" Villach / Kärnten

Romantische Wege und Stege in Kärnten - 3 Länder ein Bergerlebnis
ist unser Programm für Wanderfreudige. Auf Tal- und Almwanderungen
ebenso wie auf Gipfelbesteigungen, vor allem im Frühjahr und Herbst erleben Sie in der Umgebung Villachs die unberührten Schönheiten der Bergwelt
in Österreich, Italien, Jugoslawien. Nach kurzer Fahrzeit liegen die mächtigen Bergketten der Karawanken, Julischen Alpen und karnischen Region vor
Ihnen.
7 Tage Halbpension mit geführtem Bergprogramm und gefülltem Rucksack
(den Sie als Erinnerung mit nach Hause nehmen), Begrüßungstrunk, Kärt-
ner Degustationsmenü

Romantischer Kurz-Kultur-Urlaub in der Draustadt
2 Übernachtungen mit reichhaltigem Frühstücksbuffet, Begrüßungscocktail,
Romantik-Diner, Kärntner Degustationsmenü, Brunch, Drau-Schiffahrt,
Stadtrundgang und Museumsbesuch

Winter-Urlaubs-Spaß nach Maß
7 Tage Halbpension, Spezialskipaß inkl. Bus-Transfer für den Ski-Zirkus in
3 Ländern, Welcome-Drink, Romantik-Abendessen, Rodelpartie, Erleb-
nistherme Warmbad, Kegelabend

**Spezialangebote: Villacher Fasching, Carinthischer Sommer, Hoch-
zeitsreise im Kaiserzimmer, Kärntner kulinarische Schmankerl.
Fühlen Sie sich wohl bei uns, wir freuen uns auf Ihren Besuch!**

Romantic Roads and Paths in Carinthia - 3 countries 1 adventure
is our programm for mountaineers. On meadows and alpine meadow rambles,
when climbing peaks, you experience the virgin beauties, of Carinthia in the
neighbourhood of Villach, particulary in spring and autumn. Villach is the
ideal location for touring three countries - Austria, Italy and Yugoslavia. Within a few minutes' drive the huge mountain ranges of the Karawanks, Julian
Alps and Karnian Region line ahead of you.
7 days half board with guided moutain tours and filled „rucksack" (which you
take home as a reminder), welcome-cocktail, carinthian dinne

Short Romantic vacation in the city of the „Drau"
2 overnights including the rich buffet breakfast, welcome-drink, Romantic-
dinner, Carinthian dinner, Brunch, river-boat driving on the Drau, tour in the
old part of the city and to the museum

Winter vacation and lots of fun
7 days halfboard, special Ski-pass including bus-transfers for ski-circus in 3
countries, welcome drink, Romantic-dinner, spa Warmbad, bowling party

**Special arrangements: Carneval in Villach, Culture in carinthian sum-
mer, honeymoon in the bridalsuite (empero's suite), Culinary highlights
in Carinthia - We are looking forward to your visit!**

**Offerte speciali: Carnevale di Villach, Estate Carinziano, Viaggio di no-
zze nella stanza dell'Imperatore, Sfizi culinosi Carinziani
Arrivederci al Romantik Hotel Post di Villach - vi troverte a Vostro agio!**

Sentieri romantici Carinzia - tre paesi un'aventura
E'un nostro programma di proposte per chi la paseggiate lungo le valli, sulle malghe e anche fin sulle crime, specialimente in primavera ed in autunno.
Scoprite con noi le belleze naturali nei dintorni di Villach e sulle montagne
nella vivina Jugoslavia e Italia. Dopo qualche minuto di macchina siete circondati dalle maestose montagne delle Karawanken, delle Alpi Giulie e delle Alpi Carniche.
7 giorni mezza pensione con escursioni guidate ed uno zaino pieno dal Romantik Hotel Post (per ricordo potete portavela a casa) cocktail di beneve-
nuto, menu di degustazione

Vacanze romantiche nella città della Drava
2 permottamenti con abbondante colazione a buffet, cocktail de benvenuto,
cena romantica, menu di degustazione, brunch, navgiazione in battello, visita guidata della città e visita al museo.

Vacanze invernali su misura
7 giorni mezza pensione, ski-pass speciale con transfer per le piste da risalita in tre paesi, cocktail di benvenuto, cena romantica, slittino, terme di Warmbad Villach, partita di bowling

Chemins et sentirs romantiques de Caranthie - 3 pays 1 aventure
constituent notre offre pour les passionées de la rondonée pédestre. Découvrez les beautés de la Carinthie dans les environs de Villach en vous pro-
menant dans les vallées de les alpages ou en faisant de l'escalade. Villach est
le point de départ idéal pour des excursions pédestres en 3 pays - l'Autriche,
l'Italie et Jugoslavie, des régions proches très impressionantes les Karawanken, les Alpes Juliennes et les Alpes Carniques.
7 jours demi-pension avec des tours guidés et un plein sac au dos (que vous
emmeneriez chez vous souvenir), cocktail de bienvenu, menu de degustation
carinthien

Des vacances courtes et romantiques au bord de la „Drau"
2 nuits avec petit déjeuner romantique au buffet, cocktail, diner romantique,
diner carinthien, brunch, voyage sur le bateau, visite guidée dans la vieille et
au musee

Des vacances divers en hiver - une joie assurée
7 jours demi-pension, carnet de ski spécial et l'autobus inclus pour le triangle
des trois pays, welcome-cocktail, diner romantique, hospitalité carinthienne
sur la piste de luge, visite au source thermale de warmbad, soirée de bowling

**Arrangements speciales: Carneval à Villach, culture en été „Carinthi-
scher Sommer", marriages au suite d'empereur, La cuisine carinthièn-
ne pour des Gourmets et des Gourmands. Au plaisir de vous connaitre!**

Romantik Gästekreis

Romantik Gästekreis

Unser „Romantik-Paß" hat gezeigt, daß es viele
Gäste gibt, die gerne und oft Romantik Hotels und
Romantik Restaurants besuchen. Darüber hinaus hat
jeder Romantik-Betrieb „seine" Stammgäste. Beide
Gästekreise verbindet eines:
Sie fühlen sich in den Romantik Hotels und
Restaurants wohl!
Auf Wunsch zahlreicher Stammgäste ist ein
„Romantik Gästekreis" gegründet worden, um den
Kontakt untereinander stärker zu fördern.
Durch gemeinsame kulinarische Wochenenden und
Kurzreisen - verbunden mit kulturellen Ausflügen -
und Zusendung regelmäßiger Informationen über
Neuigkeiten innerhalb der Romantik Gruppe.
Mitglied dieses „Romantik-Gästekreises" können
nur Personen werden, die bereits Stammgast eines
Romantik Hotels oder eines Romantik Restaurants
oder bereits im Besitz eines vollen „Romantik-
Passes" sind.
Der Jahresbeitrag beträgt 100 DM bzw. 150 DM für
Ehepaare. Wir würden uns freuen, wenn auch Sie
Mitglied unseres „Romantik-Gästekreises" werden.

Romantic Guest-Club

Our Romantik Passport has shown that here are
many guests who gladly frequent Romantik hotels
and restaurants. It follows that, furthermore, every
Romantic hotel and restaurant has its own regulars.
Both circles have one thing in common - they feel at
home in Romantik hotels and restaurants.
At the wish of a number of regulars, the „Romantik
Club" has been founded in order to increase the
contacts between them. This is achieved through culinary visits, as well as by regular communications
with news about events within the Romantik Group.
Membership of the „Romantik Club" is only open to
people who are regular guests of a Romantik hotel or
restaurant or are in possession of a full Romantik
passport.
The annual subscription fee is DM 100 for single members and DM 150 for a married couple. It would give
us pleasure to welcome you too as a member of our
Romantik Club.

Romantik Gästekreis e. V.
Postfach 1144
D-8757 Karlstein a. Main

Belgien

Belgium

Romantik Hotel garni „Pandhotel"

In een 18e eeuws herenhuis, verscholen tussen de platanen, in het mooiste hoekje van Brugge, bevindt zich het Pandhotel. In een kader van verfijnde elegantie wordt u persoonlijk verwelkomd door mw Vanhaecke die u als stadsgids graag bijstaat met kunsthistorische informatie. Het Pandhotel drukt een symbiose uit tussen de architectuur, de verfijnde decoratie en de pracht van de bloemboeketten, verzorgd door de gastvrouw zelf. Alle kamers zijn gerenoveerd en verschillend. Naast 6 luxekamers, zijn er 16 comfortabele 2 pers. kamers en 2 familiekamers.

In einem altehrwürdigen Bürgerhaus, versteckt zwischen den Platanen, im hübschesten Winkel von Brügge, finden Sie das Pandhotel. Die Dame des Hauses, Frau Vanhaecke, empfängt Sie persönlich in einer Atmosphäre, exquisiter Eleganz. Sie ist Führerin und gibt ihren Gästen bereitwillig kunsthistorische Auskünfte. Das Pandhotel ist Lebensfreude in Reinkultur mit stilvoller Dekoration und natürlicher Blumenpracht. Alle Zimmer sind verschieden und neu renoviert. Es gibt 6 Luxuszimmer, 16 schöne Zweibettzimmer und 2 Familienzimmer.

In an 18th c. mansion, hidden among the plane-trees in Bruges' most beautiful spot, there you find the Pandhotel. Once inside, you enter a world of refined elegance where you are welcomed by the proprietor Mrs Vanhaecke who is guide of the city and provides you historic information. The Pandhotel is an oasis of tranquility, where the architecture, tasteful decor and exquisite floral arrangements blend into total harmony. All the rooms have their own character and are recently redesigned (6 deluxe, 16 superior rooms and 2 family rooms (4 beds).

50	♠	3 km
24	15	3 km
3.600 - 5.200 Bfr.		100 m
4.490 - 6.500 Bfr.		5 km
6	3 km	100 m
	1 km	1 km

Straße von Dover
Oostende
BRÜGGE
Roeselare
Ieper Menen Kortrijk

Mrs. Chris Vanhaecke-Dewaele
Pandreitje 16
B-8000 Brügge
Tel. 050-340 666
Telex 81018
Telefax 050-340 556

Romantik Hotel garni „Pandhotel"

Arrangement:
Das romantische und historische Brügge

Lassen Sie sich verwöhnen oder verwöhnen Sie, wen Sie gerne haben mit diesem Arrangement: 2 Übernachtungen mit Frühstücksbüffet, ein exklusives gastronomisches Diner (3 Gänge, Aperitiv, Wein und Kaffee), eine zweistündige Führung mit einem amtlichen Führer, Eintrittskarten zu 10 Museen, Bootsfahrt auf den Grachten.

Preis für 2 Personen alles inklusive:

13.490 bf in einem schönen Zweibettzimmer
16.490 bf in einem großen Luxuszimmer

Zahlung gerne im voraus mit Euroscheck.

Romantik Hotel „La Butte aux Bois"

Het in 1924 door Ridder Lagasse de Locht gebouwde kasteel, omringd door bossen en vijvers, is eigendom van de familie Bullens. Warmte, gastvrijheid en een perfekte keuken staan bij La Butte aux Bois hoog in het vaandel. Naast een bezoek aan de gerenommeerde steden Aken (30 km), Luik (35 km), Hasselt (25 km), Maastricht (5 km) en Tongeren (20 km, Antikmarkt) biedt La Butte aux Bois vooral bossen, golf, manèges, tennis en Thermae 2000. Zowel voor zakenmensen als voor privé-aangelegenheden is La Butte aux dé locatie. U bent van harte welkom in La Butte aux Bois.

Das 1924 von Ritter Lagasse de Locht errichtete Schloß, umgeben von Wäldern und Teichen, gehört der Familie Bullens. Wärme, Gastfreundlichkeit und eine perfekte Küche stehen bei La Butte aux Bois obenan. Neben einem Besuch in den bekannten Städten Aachen (30 km), Lüttich (35 km), Hasselt (25 km), Maastricht (5 km) und Tongeren (20 km, Antikmarkt) bietet La Butte aux Bois vor allem Wälder, Golf, Reitschulen, Tennis und Thermae 2000. Sowohl für geschäftliche als auch für private Aufenthalte ist La Butte aux Bois der richtige Ort. In La Butte aux Bois sind Sie herzlich willkommen.

The palace, built by the knight Lagasse de Locht in 1924 and surrounded by woods and ponds, belongs to the Bullens family. Warmth, hospitality and perfect cuisine are what matter most at La Butte aux Bois. In addition to the possibility of visiting the well-known cities of Aachen (30 km/18.6 miles), Lüttich (35 km/21.7 miles), Hasselt (25 km/15.5 miles), Maastricht (5 km/3.1 miles) and Tongeren (20 km/12.4 miles, antique market), La Butte aux Bois offers above all woods, golf, riding schools, tennis, and Thermae 2000. Whether for business or private stays, La Butte aux Bois is the right place. At La Butte aux Bois you are always most welcome.

Entouré de forêts et d'étangs, le château érigé en 1924 par le Chevalier Lagasse de Locht appartient à la famille Bullens. Chaleur, hospitalité et une cuisine parfaite sont privilégiés par la Butte aux Bois. Outre la visite de petites villes célèbres,

Aix-la Chapelle (30 km), Liège (35 km), Hasselt (25 km), Maastricht (5 km) et Tongeren (20 km, marché d'antiquités), la Butte aux Bois offre avant tout des forêts, le golf, les écoles d'équitation, le tennis et les Thermae 2000. La Butte aux Bois est le lieu idéal pour des séjours aussi bien d'affaires que privés. A la Butte aux Bois, vous êtes les bienvenus.

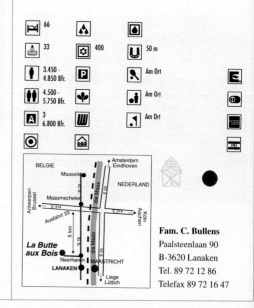

Fam. C. Bullens
Paalsteenlaan 90
B-3620 Lanaken
Tel. 89 72 12 86
Telefax 89 72 16 47

GOURMET · URLAUB · WANDERN

Gourmet Kurzurlaub zu Zweit

Wann immer Sie möchten, ob zum Wochenende oder in der Woche, alle Mitarbeiter der La Butte aux Bois erwarten Sie zu zwei erholsamen Tagen, um Küche, Land, Menschen und Kultur kennenzulernen.

6.900 Bfr.

354 DM

Pro Person im Doppelzimmer für 2 Übernachtungen mit Romantik-Frühstück, an beiden Abenden ein 5-Gänge Gourmetmenü mit Aperitif.

LA BUTTE AUX BOIS

Thermae 2000: Wohltat für Körper und Geist

Die Quellen in Valkenburg an der Geul waren seit über 40.000 Jahren vor dem Lauf der Zeit verborgen geblieben. Erst Thermae 2000 hat dieses reinste Thermalwasser für Sie entdeckt, wobei die gesamte lebendige Kraft, die Spurenelemente und Mineralien dieses klaren azurblauen Wassers vollkommen erhalten blieb. Wissenschaftliche Analysen bestätigen die heilsame Wirkung des Thermaewassers von Thermae 2000.

Durch einen Besuch in Thermae 2000 können Sie selbst die verjüngende Kraft dieses Urwassers erleben.

Kanada

Canada

Romantik Hotel

„Auberge Manoir de Tilly"   St. Antoine de Tilly, Que.

Who would ever expect to find an inn in Quebec over 200 years old? Here is one, Manoir de Tilly dates from 1786 and is an authentic manor built by the King's representative Sir Jean-Baptiste Noel seigneur de Tilly. It is an absolutely beautiful mansion. Its warm welcome feelling is underlined by the charm of Madame Jocelyne Gagnon who greets her guests like friends.

At Manoir de Tilly, our chef offers a highly praised cuisine where regional farm and sea products are lovely prepared for its guests. Daily the Chef presents six choices of its Table d'hôte. Come to the Manoir de Tilly to dine in pleasant company with visitors coming from nearby Quebec city. Montreal, Toronto, New York, Boston, Paris, Germany or Tokyo.

In 1990, a new 32 room pavilion has been added as well as a health-center and conference facilities. Our rooms are lovingly decorated and they offer calm and tranquility for a pleasant stay. As St.-Antoine de Tilly is only a few km from historic Quebec city, it is a must to visit the old city where New-France was born. We suggest the following activities: snow-mobile in the winter, golf in the summer, goose hunting by the St-Lawrence river late full, and changing coor in early autumn; and, sugar party at the Sugar-House in the spring-time.

Wer glaubt schon, daß man in Quebec eine Herberge finden kann, die schon über 200 Jahre alt ist? Hier findet man eine, das Manoir de Tilly aus dem Jahre 1786. Es ist ein ganz einfaches Haus, fast hat es einen Puppenstubencharakter, so jedenfalls ist der erste Eindruck, wenn man das Haus betritt. Diese warme Herzlichkeit wird noch unterstützt durch den Charme von Jocelyne Gagnon, die ihre Gäste wie alte Freunde begrüßt.

Das Restaurant ist in der ehemaligen Scheune untergebracht worden, nachdem das heute als Frühstückszimmer genutzte und nur 4 Tische fassende Restaurant im alten Teil zu klein geworden war. Eine herzhafte Regionalküche lockt viele Gäste insbesondere aus der Stadt Quebec ins Manoir de Tilly, die die Küche und die Historie genießen wollen.

Die Zimmer im Haus sind alle ohne Bad, doch sehr charmant, während im Nebenhaus Bad und WC in kleinen, mit antiken Möbeln ausgestatteten Zimmern vorhanden sind.

Da St. Antoine de Tilly nur einige Kilometer von der sehr schönen und der historischen Stadt Quebec entfernt liegt, empfiehlt es sich auf jeden Fall, von hier aus die Stadt zu besuchen.

Erigé en 1786 par le seigneur Jean-Baptiste Noel de Tilly, le Manoir est la plus ancienen maison de ce paisible village, lui-même fondé en 1672 et perché sur la falaise au dessus du St-Laurent à 25 km du point de Quebec. Quebec, ville que L'UNESCO a déclarée "joyau du patrimoine culturel mondial" en décembre 1985. La Manoir de Tilly a retrouvé toute la classe et la dignité de ses 200 ans lorsque Jocelyne et Majella Gagnon décidérent en t1974 de lui donner la vocation d'auberge de campagne. En 1990, un nouveau pavillon d'hébergement, un centre-santé et des facilités pour les conférence se sont ajoutés pour constituer un havre chalereux et reposant.

Le Manoir de Tilly possède une table des plus renommés où les produits régionaux frais de la mer et de la ferme vous sont cuisi- nes pour votre plus grand plaisir. Outre les délices du palais, le Manoir propose bien d'autres plaisirs de la piscine extérieure, du vaste jardin qui ouvre une large vue sur le St-Laurent et ses rives, les navires de toutes les tailles qui fendent ses eaux et sur les montagnes des Laurentites qui se profilent au fond de l'horizo. La motoneige en hiver, la chasse aux bies et aux petits gibiers à l'automne, le golf en été et les plaisirs des parties de sucre au printemps sont des activités qui vous sont offertes en tout temps.

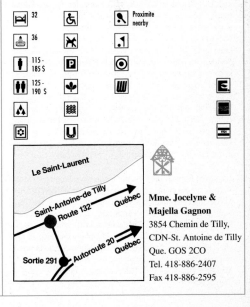

Mme. Jocelyne &
Majella Gagnon
3854 Chemin de Tilly,
CDN-St. Antoine de Tilly
Que. GOS 2CO
Tel. 418-886-2407
Fax 418-886-2595

69

Romantik Hotel „Manoir Hovey"

Formely a private estate inspired by George Washington's home at Mount Vernon, Virginia this historic lakeside Manor is alive with Canadian antiques and unique in its colonial atmosphere. The 35 individually decorated rooms combine old world charm with every modern comfort. Most face the lake and offer combinations of fireplaces, whirlpool baths, canopy beds and private balconies. Dinners are the highlight of the day and the Manor's fresh, imaginative cuisine has earned it Québec's highest food rating - 4 "forks".

Few inns can match Hovey Manor's locations and recreational facilities with 20 lakeside acres, all water sports, 2 beaches, fishing, heated pool, tennis and beautiful English gardens right on premises. Riding, theatre and no less than 10 golf courses are just minutes away. In winter, there's 35 kms of groomed cross-country trails a skating rink and a fishing cabin right from our door. Nearby, there's excellent alpine skiing at 4 major centers. In autumn, don't forget your camera: fall foliage in this part of Canada is among the best in the world!

Früher ein Privatbesitz, dem Haus von George Washington in Mount Vernon, Virginia, nachempfunden, ist dieser historische, am Seeufer gelegene Besitz ausgestattet mit kanadischen Antiquitäten und bietet eine einzigartige koloniale Atmosphäre.

Die 35 individuell ausgestatteten Räume verbinden den Charme der Alten Welt mit jeglichem modernen Komfort. Die meisten Zimmer sind mit Seeblick und bieten Kombinationen mit Kamin, Whirlpool, Himmelbett und eigenem Balkon. Das Abendessen ist der Höhepunkt des Tages, und die frische, phantasievolle Küche hat das Manoir zu Quebecs höchstrangigem Restaurant mit vier Gabeln gemacht.

Nur wenige Gästehäuser können sich mit Hovey Manoirs Lage und Erholungseinrichtungen messen: zwanzig Morgen Seeufer, alle Wassersportarten, zwei Strände, Angelmöglichkeiten, beheizte Schwimmbecken, Tennisplätze, wunderschöne englische Gärten, Reitmöglichkeiten, Theater und nicht weniger als zehn Golfplätze in nächster Nähe.

Im Winter stehen 35 km präparierte Langlaufloipen zur Verfügung, außerdem eine Eisbahn und direkt nebenan ausgezeichnete Skiabfahrten in vier Hauptgebieten. Im Herbst, bitte vergessen Sie Ihre Kamera nicht, zählt das Herbstlaub in diesem Gebiet Kanadas zu den schönsten der Welt.

Inspiré de la résidence d'été de Georges Washington au Mont Vernon en Virginie, ce Manoir historique au bord du lac Massawippi (mot indien pour eaux profondes) regorge d'antiquités canadiennes et vous baigne dans une atmosphère d'antan. Ses 35 chambres au décor exclusif vous offre tout le confort recherché. La plupart des chambres font face au lac, plusieurs ont une cheminée, bain tourbillon et balcon privé. Avec sa fraîche cuisine évolutive aux accents régionaux, le Manoir a atteint les plus hauts standards québécois soit »4 fourchettes«.

Peu d'auberges peuvent s'enorgueillir d'avoir un site de plus de 20 âcres en bordure du lac et des facilités récréatives tels que; sports nautiques, pêche, 2 plages, piscine chauffée, court de tennis éclairé, un magnifique jardin à l'anglaise et ce, sur place. A quelques minutes de distance, il y a des centres équestres, théâtres et pas moins de 10 terrains de golf. En hiver, un circuit de 35 km de ski de randonnée, une patinoire et une cabane à pêche pour la pêche blanche entourent le manoir. A proximité, il y a 4 centres de ski alpin d'importance majeure. En automne, n'oubliez pas votre caméra car les coloris du feuillage n'a d'égal que la beauté du paysage de ce coin de Canada.

🛏 53	✕	⚚
35	P	
👤 95 - 150 $	🌱	◉
👥 120 - 235 $	〰	☰
⛰	U	private beach all water sports
◉	⚒	

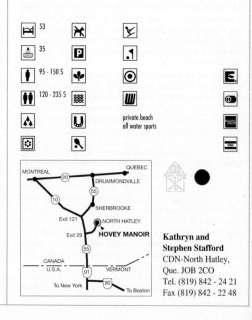

Kathryn and
Stephen Stafford
CDN-North Hatley,
Que. JOB 2CO
Tel. (819) 842 - 24 21
Fax (819) 842 - 22 48

Romantik Hotel

„Auberge des 3 Canards"

Pointe-au-Pic, Que.

Nestled in the heart of the Charlevoix region (three-star Michelin rating) is a very traditional country inn: first class hospitality and top quality lodging and board have always been the establishment's most important goal. The view of the St. Laurent River makes the comfortably furnished rooms even more attractive, the salon and the dining room reinforce the feeling of comfort and relaxation.
Tennis, swimming and mini-golf are available on the premises in addition to the many other activities the region has to offer: long walks and deep ravines in summer, skiing and snow motorcycling in winter.

Im Herzen der Region Charlevoix (3 Michelin-Sterne) gelegen, steht der Landgasthof für Tradition: Gastlichkeit sowie die Qualität von Unterkunft und Verpflegung sind für das Haus immer oberstes Ziel gewesen. Der Blick über den Fluß St. Laurent macht die komfortabel eingerichteten Zimmer noch attraktiver, der Salon und der Speisesaal verstärken das Gefühl von Behaglichkeit und Entspannung.
Im Haus stehen Tennis, Schwimmbad und Mini-Golf als Ergänzung zu den zahlreichen weiteren Aktivitäten zur Verfügung, die sich in der Region anbieten: Spaziergänge und tiefe Schluchten im Sommer, Ski und Schnee-Motorrad im Winter.

Situé au cœur de la région de Charlevoix (3 étoiles Michelin), l'auberge est synonyme de tradition: hospitalité, qualité du gîte et du couvert ont toujours été les priorités de la maison. La vue sur le fleuve St. Laurent, ajoutée au confort intérieur des chambres, salon et salle à manger, renforce le sentiment de bien-être et de détente.
L'établissement met a disposition tennis, piscine et mini-golf qui viennent compléter les nombreuses autres activités proposées par la region: baleines, hautes-gorges l'été; ski et moto-neige l'hiver.

23. - 25.12.

100

44

125 - 215 $ incl. hb.

175 - 295 $ incl. hb.

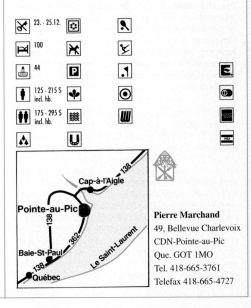

Pierre Marchand
49, Bellevue Charlevoix
CDN-Pointe-au-Pic
Que. GOT 1MO
Tel. 418-665-3761
Telefax 418-665-4727

CDN Port Carling, On NEU Romantik Hotel „Sherwood Inn"

Muskoka's award-winning Country Inn. Very Private! Very Special! Thirty charming rooms sit among 12 acres of towering pines at the edge of beautiful Lake Joseph. Choose a room in the Inn or a beachfront cottage with fireplace. Exceptional dining and a fine selection of wines provide the best of international and regional cuisine. Pamper yourself with breakfast in bed or a sumptuous 6 course dinner prepared by our European chefs. Tennis, hiking, mountain bikes, water sports on site. Golf, horseback riding nearby. Winter activities include cross-country skiing on 16 km of trails. Many attractions, shopping nearby. Most of all Sherwood Inn is a welcoming place; a place where guests may relaxe and rediscover the finer qualities of Life. Your hosts John and Eva Heineck.

Muskokas Landgasthof – mit vielen Preisen ausgezeichnet. Ganz Privat! Und absolut nicht alltäglich! Dreißig bezaubernde Zimmer liegen inmitten von 12 Morgen Wald hochaufragender Kiefern am Rand des landschaftlich reizvollen Joseph-Sees. Wählen Sie zwischen einem Zimmer im Gasthof und einem Ferienhäuschen mit offenem Kamin direkt am Strand. Ein exzellentes Restaurant und eine erlesene Auswahl an Weinen bieten das Beste der internationalen und regionalen Küche. Verwöhnen Sie sich selbst mit einem Frühstück im Bett oder einem sechsgängigen Schlemmermenü, das von unseren europäischen Küchenchefs zubereitet wird. Tennis, Wandern, Mountain-Bike und verschiedene Wassersportarten sind vor Ort möglich. Golf und Reitgelegenheiten sind ganz in der Nähe vorhanden. Im Winter stehen Ihnen 16 km Loipen für den Langlauf zur Verfügung. Viele Sehenswürdigkeiten, Einkaufsmöglichkeiten in der Nähe. Vor allem ist Sherwood Inn ein einladender Ort, wo die Gäste sich entspannen und die angenehmeren Seiten des Lebens entdecken können. Auf Ihren Besuch freuen sich John und Eva Heineck.

Country Inn récompensé par le prix Muskoka. Très privé! Très spécial! Trente chambres charmantes dans une forêt de pins gigantesques de 12 acres, sur le magnifique lac Joseph. Optez pour une chambre dans l'Inn ou un cottage sur la rive avec cheminée. Dîner exceptionnel et sélection de vins fins, fleurons de la cuisine régionale et internationale. Offrez-vous le plaisir du petit-déjeuner au lit ou du somptueux dîner de 6 mets confectionnés par nos chefs européens. Tennis, randonnées, mountains bikes, sports nautiques sur place. Golf, équitation à proximité. Activités d'hiver avec ski de fond sur 16 km de pistes. Nombreuses attractions, shopping tout près. Sherwood Inn est un lieu enchanteur, où les hôtes peuvent se détendre et redécouvrir la qualité de la vie. John et Eva Heineck vous attendent.

🛏 60	✕	⚐
🚪 30	P	⊠
👤 184-272 $	✿	⚑
👥 134-222 $	∭	own beach
⚜	◉	
✲	⚒	

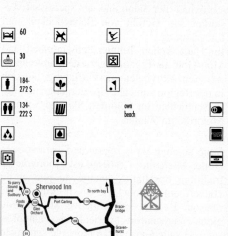

To parry Sound and Sudbury · Sherwood Inn · To north bay
Foots Bay · Port Carling · Bracebridge
Glen Orchard · Bala · Gravenhurst
Coldwater · Orillia · Toronto · Barrie

John K. Heineck
P. O. Box 400
CDN-Port Carling, ON
Canada P0B 1J0
Tel. 705 - 765 - 3131
Toll free 800 - 461 - 4233
Telefax 705 - 765 - 6668

Romantik Hotel „Stern und Post"

Dieses Gasthaus ist seit 1604 in Familienbesitz und diente lange Zeit als Poststation am Gotthardpass für die Eidgenössische Post. Das Haus ist mit wunderschönen alten Möbeln, Gemälden und anderen Hausgegenständen ausgestattet. Die Familie Tresch bietet ihren Gästen gute nationale Gerichte und ausgezeichnete Weine, besonders aus Frankreich. Das Hotel „Stern und Post" ist ein beliebtes Touristenhotel im Sommer wie im Winter. Es ist ein beliebter Halt für Reisende aus und nach Italien.

This inn has been under family ownership since 1604 and served as a post station at the Gotthard Pass for the Confederate post for a long period. The house contains beautiful old furniture, painting and household untensils. The Tresch Family offer their guests good national dishes and excellent wines, especially of French origin. The "Star and Post Inn" is a favourite tourist hotel in summer and winter. It is popular stop for travellers to and from Italy.

Cette hôtellerie, qui fut longtemps un relais de poste du service postal fédéral suisse au Gotthard, se trouve en possession familiale depuis 1604. De beaux meubles, tableaux et outils anciens décorent cette maison. La famille Tresch offre à ses hôtes des succulentes spécialités du pays et d'excellents vins, venant pour la plupart de France. L'Hostellerie de l'Etoile d'Or à la Poste est fréquentée par les vacanciers été comme hiver. Elle est également un pied-à-terre favori pour les voyageurs se rendant ou revenant d'Italie.

✕ 2 + 3 im Winter	P
🛏 40	P
🏛 20	❀
🚹 80 - 100 Sfr	◉
🚻 160 - 200 Sfr	▦
✿ 120	⇅

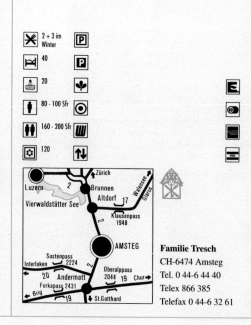

Familie Tresch
CH-6474 Amsteg
Tel. 0 44-6 44 40
Telex 866 385
Telefax 0 44-6 32 61

Romantik Hotel „Säntis"

Appenzell CH

Nur einen Katzensprung von den Grenzen der Bundesrepublik, Österreichs und des Fürstentums Lichtenstein entfernt, im Herzen der Ostschweiz, findet sich ein Schatz: das Appenzellerland. Hier ist die Welt noch in Ordnung. Denn Land und Leute sind noch unverfälscht, bilden zusammen eine intakte Einheit. Alles, was die Schweiz liebenswert macht, findet sich hier auf kleinstem Raum, sozusagen im engsten Familienkreis. Und noch viel mehr! Denn hier hängen die Bewohner nicht nur an der Folklore und ihren Bräuchen um des Tourismus willen, sondern pflegen sie aus Überzeugung weiter. Doch was wäre ein Schatz ohne Kronjuwelen - was wäre Appenzell, der Ort, der dem Ländchen den Namen gab, ohne das Romantik Hotel „Säntis". Seine Fassade ein Gütezeichen ersten Ranges für appenzellische Kunstfertigkeit und innerrhodische Freude an Farben und Formen, blickt direkt auf den Landsgemeindeplatz. Das Hotel Säntis mit 60 Betten bietet Ihnen alle Vorzüge eines Romantik Hotels. Vor allem jene Vorzüge eines Familienbetriebes, dessen oberste Devise die Pflege der appenzellischen Gastfreundschaft ist.

Only a stone's throw from the frontiers of the Federal Republic of Germany, Austria and the principality of Liechtenstein, right in the heart of Europe, there lies a treasure - the region of Appenzell. Here „God's in heaven, all's right with the world" because the land and people are still unspoilt and form a closely-knit unit. Everything that constitutes the charm of Switzerland can be found here within a small area, within the family so to speak. Even more, because here, people do not cling to their customs and traditions for the tourists'sake but for their own. To imagine a treasure without its crownjewels would be to imagine Appenzell - the place that gave the region its name - without the Romantik Hotel "Säntis". Its facade, a first-class example of Appenzell craftmanship and love of colour and form, overlooks the Landsgemeinde Square.
The „Säntis"-Hotel with its 60 beds offers all the advantages of a Romantik Hotel together with those of a family enterprise whose aim is to uphold the traditional Appenzell hospitaly.

A deux pas des frontières d'Allemange, d'Autriche et du Liechtenstein, au coeur de la Suisse orientale, se cache un trésor: le pays d'Appenzell. Le paysage et ses habitants forment un ensemble sans failles. Tout ce qui est renommé en Suisse se retrouve ici sur une plus petite échelle, pour ainsi dire en famille. Et bien plus encore! Les Appenzellois tiennent à leurs coutumes et à leur folklore, non pas uniquement pour le plaisir du touriste, mais ils les pratiquent eux-mêmes avec enthousiasme. Mais que serait un trésor sans joyaux, que serait Appenzell, la localité qui a donné son nom au pays, sans le Romantik hôtel »Säntis«.

Sa façade, la carte de visite du savoir-faire artisanal local et de son exubérance dans les formes et les couleurs est tournée sur la place de la Landsgemeinde. L'hôtel »Säntis«, avec ses 60 lits, vous offre tous les avantages d'un hôtel du »bon vieux temps«, et surtout celui d'un établissement familial dont la devise est l'hospitalité.

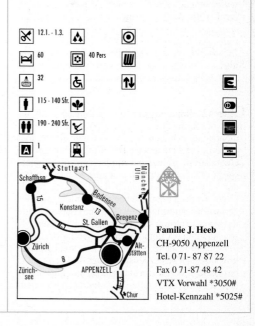

Familie J. Heeb
CH-9050 Appenzell
Tel. 0 71- 87 87 22
Fax 0 71-87 48 42
VTX Vorwahl *3050#
Hotel-Kennzahl *5025#

CH Ascona

Romantik Hotel „Tamaro"

Ascona gehört sicherlich zu den schönsten und beliebtesten Orten im Tessin. Der Lago Maggiore, die Berge und das Klima schaffen eine einmalige Urlaubsstimmung. Dazu ein herrlicher Badestrand, ein wunderschöner Golfplatz und natürlich die vielen Möglichkeiten zum Sporttreiben.
In diesem Urlaubsparadies, direkt am Lago Maggiore in der verkehrsfreien Zone, liegt das „Tamaro". Hinter einer stilvollen Fassade verbirgt sich eine typische Tessiner Patrizierresidenz mit malerischem Innenhof und Gewölben aus dem 18. Jahrhundert. Das „Tamaro" ist sehr sorgfältig renoviert worden, wobei der historische Charakter voll erhalten geblieben ist.
Genießen Sie Tessiner Spezialitäten in den verschiedenen Restaurants oder auf der Terrasse direkt am See.

Ascona's ideal holiday atmosphere is a captivating blend of the Lake Maggiore and the impressive mountains with the comfortable climate. It is one of the areas in Tessin best loved and offers to the vacationers many possibilities for all kinds of sports. The "Tamaro" is settled in the midst of this holiday paradise, located directly on the "Piazza" with a unique view to the Lake Maggiore. This typical 17th century manor with its pictoresque coustyard and graceful arches has been carefully renovated to preserve its historic character.
In summer you can enjoy the local cuisine on the terrace with the marvellous view to the lake or in the hotel's various dining rooms.

Ascona compte certainement parmi les lieux les plus beaux du Tessin. Le Lac Majeur, les hautes montagnes et le climat d'une douceur divine, tout ce décor crée une atmosphère idéale de vacances.
C'est dans ce paradis pour vacanciers, directement sur la «Piazza», la place piétonne au bord du lac, que se trouve le «Tamaro». Derrière une façade plutôt simple à première vue se dissimule une résidence patricienne typique, avec une cour intérieure en forme d'atrium et des arcades témoignant la splendeur du XVIIème siècle. Le «Tamaro», minutieusement restauré, a conservé tout son caractère historique. Dégustez les spécialités du Tessin sur la terrasse qui donne directement sur la «Piazza» ou dans les différentes salles du restaurant á l'intérieur de l'établissement.

Mitte Nov.- Anf. März

78

41

10

90 - 145 Sfr.

160 - 250 Sfr.

4

4

10-35 Pers.

in Dependance

in Dependance

0,5 km

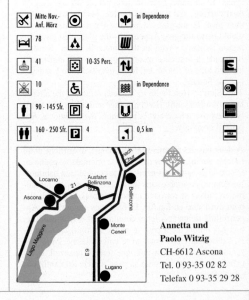

Annetta und
Paolo Witzig
CH-6612 Ascona
Tel. 0 93-35 02 82
Telefax 0 93-35 29 28

Romantik Hotel „Sternen"
Kriegstetten CH

Kriegstetten ist eine kleine Ortschaft mit ländlichem Charakter. Das Romantik Hotel Sternen liegt mitten im Ort zwischen der Kirche und dem wunderschönen Pfarrhaus. Hinter der blumengeschmückten Fassade des „Sternen" laden verschiedene Räumlichkeiten mit wohlabgestimmten Einrichtungen aus früheren Zeiten und mit viel privater Atmosphäre zum behaglichen Verweilen und kulinarischen Genießen ein. An warmen Tagen kann sich der Gast zudem im schattigen Gartenrestaurant mit Park verwöhnen lassen. Auf der Speisekarte liest man: „Grüess Ech - es freuen sich Margrit und Jörg Bohren, Sie bedienen zu dürfen". Und die Wirtsleute tun es mit viel Engagement.

Die ruhige Lage der mit allem Komfort eingerichteten - - im heimeligen Biedermeierstil gehaltenen - Gästezimmer garantiert einen angenehmen Aufenthalt an diesem so zentral gelegenen Ausgangspunkt.

The hamlet of Kriegstetten with ist countrified character is well known among gourmets; no less than three inns offer the visitor hospitality according to his taste and pocket. The Romantik Hotel „Gasthof Sternen" lies halfway between the village church and the impressive rectory. You will rarely find an inn with a more homely and personal atmosphere and behind the attractive facade of the „Sternen" various charming public rooms invite small or large groups to enjoy the hospitality and cuisine of the hosts. Every guest is a special guest with Margrit and Jörg Bohren. There are excellent parking facilities and a large garden restaurant.

The quiet situation of the very comfortably appointed guest rooms furnished and decorated in the homely Biedermeier (early 19th Century) style guarantees a pleasant stay at this very central holiday base.

Kriegstetten est une petite localité à caractère rural bien connue des gourmets; en effet, au centre du village, 3 auberges accueillent chaque hôte selon son goût.

L'Hotel Romantik »Gasthof Sternen« se trouve entre l'église qu'on aperçoit de très loin et le site splendide du presbytère. La façade fleurie du »Sternen« vous invite à entrer dans cette auberge où règne une atmosphère personnelle qui rappelle le chez-soi et comme il s'en trouve bien peu hélas au jour d'aujourd'hui. Différentes salles peuvent recevoir des groupes (peu ou très nombreux). Dans la salle du jardin, une plantureuse carte de menus vous accueille avec l'inévitable »Gruess Ech« le salut de la région. Les aubergistes Margrit et Jörg Bohren s'efforcent toujours de soigner individuellement chacun de leurs hôtes comme l'indiquent les mots suivants inscrits sur un lampadaire: »L'aubergiste est pour ses hôtes ce que l'ar-

bre est pour ses branches«. En été, un vaste parc avec un restaurant en plein air accueillant et soigné invitent à la détente. Les chambres louis-philippardes où l'on se sent chez-soi présentent tout le confort moderne et vous garantissent dans ce site calme un séjour agréable. Voilà un lieu central idéal pour sillonner la région.

**Jörg und Margrit
Bohren-Vögtli**
CH-4566 Kriegstetten
Tel. 0 65-35 61 11
Telefax 0 65-35 60 25

Romantik Hotel „Stern"

Der „Stern" in Chur ist ein geschichtsträchtiger, 300 Jahre alter Gasthof, in dem Sie aber keinen Komfort vermissen müssen, den der heutige Gast erwarten darf. In den letzten Jahren wurde das Haus mehrmals umgebaut und den Erfordernissen angepaßt, ohne aber den Bündner Stil und die Gastlichkeit der jahrtausende alten Bündner Hauptstadt zu verleugnen. Das Hotel gilt in der bekannten Ferienregion der Schweiz, Graubünden, als rätisches kulinarisches Zentrum. In seinen Bündner Stuben werden Gäste verwöhnt, die ein Großmutter-Rezept aus dem Engadin oder den Südtälern dieses vielschichtigen Kantons zu schätzen wissen. Außerdem finden Sie Seminar- und Tagungsräume mit modernster Einrichtung für 12-80 Teilnehmer. Der „Stern" eignet sich für Passanten und Feriengäste, welche die entzückende Altstadt lieben, aber auch gern einen Katzensprung in die berühmten Wintersportorte Arosa, Bad Scuol, Flims, Klosters, Laax, Lenzerheide, Savognin oder St. Moritz wagen. Gratisabholdienst im Hotelwagen - Buick 1933 - ab Bahnhof Chur (Voranmeldung).

The hotel „Stern" in Chur is a guest house with a long history in which no comfort is missed a guest can expect today.
During the last years the house has been reconstructed repeatedly and adapted to the present requirements without denying style and hospitality of the thousands of years old capital of the Grisons. The hotel is well-known as rhaeto-romanic culinary centre of the famous holiday region of the Grisons in Switzerland.
In its „Bündner Restaurant" those guests are pampered who appreciate a grandmother's recipe of the Engadin or the southern valleys of this diversified canton.
You also find seminar and conference rooms with most modern furnishing for 12-80 participants.
The „Stern" is suitable for travellers and holiday guests who like to see the beautiful old town and to visit the famous winter sport town Arosa, Bad Scuol, Flims, Klosters, Laax, Lenzerheide, Savognin or St. Moritz located only a stone's throw away. Free collection service (advance announcement appreciated) with hotel car - Buick 1933 - from the station in Chur is offered, too.

Le „Stern" á Coire est un hôtel riche de traditions, vieux de 300 ans, où trouverez tout le confort auqel un hôte puisse s'attendre aujoud'hui.
Les années passées, la maison a été petit à restaurée et adaptée aux exigences modernes, sans renier ni le style des Grisons ni l'hospitalité de sa capitale millénaire.
Dans ses „Bündner Stuben" (Salles des Grisons), on est aux petits soins pour les hôtes qui savent apprécier une recette de grand-mère de l'Engadine ou des vallées méridionales de ce canton aux aspects multiples. De plus, vous trouverez des salles de séminaire et de conférence, dotées d'un équipment ultramoderne pour 12 à 80 personnes.
Le „Stern" est le point de départ pour hôtes de passage et vacancier qui aimeront la ravissante vieille ville et les stations de sports d'hiver reputées toutes proches telles que Arosa, Bad Scuol, Flims, Klosters, Laax, Lenzerheide, Savognin ou St. Moritz.
Navette gratuite an voiture d'hôtel -Buick 1933 - de la gare de Coire (réservation nécessaire).

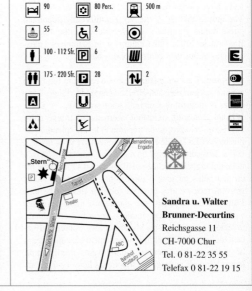

Sandra u. Walter
Brunner-Decurtins
Reichsgasse 11
CH-7000 Chur
Tel. 0 81-22 35 55
Telefax 0 81-22 19 15

Romantik Hotel „Stern"

Willkommen in Chur

- der heimeligen, kleinen Stadt für große Bündner Ferien.
- Chur, die Drehscheibe der Ferienecke der Schweiz. Idealer Ausgangspunkt zu den bekannten Ferienzentren wie Arosa, Lenzerheide, Flims-Laax, Davos, St. Moritz.
- Chur, die Drehscheibe des öffentlichen Verkehrs. Im Fahrplannetz der internationalen Linien. Start in die Ferienregion mit Bus oder Zug. Ausgangspunkt Bernina-Express und Glacier-Express.
- Chur als eine der ältesten Schweizer Städte mit 500 Jahren Siedlungsgeschichte.
- Chur als Kulturstadt mit permanenten Ausstellungen.

Seit 1677 erbaut

Bündner Küche
Bündner Weine
Bündner Stuben
Bündner Zimmer

traditionsreich
heimelig
komfortabel

Unsere Stern-Tips

Stern-Tip 1 „Churer Wochenende"   ... zum Kennenlernen
Stern-Tip 2 „Kultur und Natur in in Graubünden" (5 Tage)   ... zum Entdecken Graubündens
Stern-Tip 3 „Mit Glacier-Express zu den Romantik Hotels" (Chur - Zermatt - Chur) (6 Tage)   ... erlebnisreich, eindrucksvoll, überwältigend nähere Beschreibung bei Zermatt S. 194 Reservationen Hotel Julien Zermatt
Stern-Tip 4 „Vorweihnachts-arrangement" (5 Tage)   ... zum guten Start in den Winter

Bitte verlangen Sie unseren Spezialprospekt.
Wir freuen uns auf Ihren Besuch

Ihre Romantik-Gastgeber
Sandra u. Walter Brunner-Decurtius

Our Stern-Suggestions:

Stern-Tip 1 „Weekend in Chur"
Stern-Tip 2 „Culture and nature of Graubünden" (5 days)
Stern-Tip 3 „By Glacier-Express to the Romantik Hotels" (Chur-Zermatt-Chur / 6 days)
Stern-Tip 4 „Pre-Christmas-Programme" (5 days)

Please ask for our special brochure.
Looking forward to your visit,

Your Romantik-Hosts
Sandra u. Walter Brunner-Decurtius

Nos Propostitions Stern:

Stern-Tip 1 »Week-end à Coire«
Stern-Tip 2 »Culture et nature des Grisons« (5 jours)
Stern-Tip 3 »Vers les Romantik Hôtels en empruntant le Glacier-Express« (Coire-Zermatt-Coire / 6 jours)
Stern-Tip 4 »Programme de l'Avent« (5 jours)

Demandez notre brochure spéciale.
Nous serions heureux de pouvoir vous acceuillir chez nous.

Vos Romantik-Hôteliers
Sandra u. Walter Brunner-Decurtius

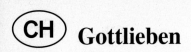

CH Gottlieben

Romantik Hotel „Krone"

Die „Krone" in Gottlieben wird vom individuellen Gast besonders geschätzt. Ihre wunderbare Lage am ruhig dahinfließenden Seerhein, inmitten des idyllisch verträumten Gottlieben bringt der „Krone" viele Gäste, Urlauber und Feinschmecker.

Die „Krone" ist berühmt als luxuriöses Hotel mit allem Komfort, für die stilvoll eingerichteten Räume und die herrliche Seeterrasse. Hier finden Sie ein Paradies von seltener Schönheit, gelegen im Naturschutzgebiet des Untersees. In den behaglichen Restaurants und Sälen genießen Sie exquisite Tafelfreuden einer feinen französischen Küche und einen gepflegten Weinkeller.

Von hier aus können Sie den See genießen. Ausflüge machen, z. B. auf die nahegelegene **Blumeninsel Mainau,** spazierengehen, radfahren, oder auf der Seeterrasse bei einem Glas Wein dem fröhlichen Treiben auf dem See zusehen.

The „Krone" in Gottlieben caters for discriminating guests. Its beautiful situation on the peaceful „Seerhein", in the middle of idyllically secluded Gottlieben attracts many visitors, holidaymakers and gourmets.

The „Krone" is renowned as a luxury hotel with every comfort, for its elegantly furnished rooms and the lovely lakeside terrace. This is a paradise of rare beauty, situated in a nature reserve on the lower lake. In the comfortable restaurants you can sample the delights of fine French cooking and an excellent cellar.

From here you enjoy the lake, go for walks, take boat trips on Lake Constance or excursion to the nearby situated **isle of flowers „Mainau",** or watch the lively activity on the water whilst sitting with a glass of wine on the terrasse.

Le »Krone« à Gottlieben est particulièrement apprécié de l'hôtel individuel. Le site splendide en bordure du Rhin au cours tranquille dans le lac inférieur, au coeur de Gottlieben paisiblement idyllique, attire au "Krone" de nombreux hôtes, vacanciers et gourmets.

Le "Krone" est célèbre en tant qu'un hôtel luxueux tout confort pour ses salles dont l'aménagement a vraiment du style et pour sa magnifique Terrasse sur le lac. Ce que vous trouvez là, c'est un paradis d'un rare beauté situé dans la réserve naturelle du lac inférieur. Vous y goûtez dans les restaurants et salles confortables, les joies exquises d'une table française raffinée et d'une cave à vins soignée.

Depuis le "Krone" vous pouvez profiter du lac, faire des promenades et des excursion en bateau on sur **l'ile aux fleurs »Mainau«** située très proche, ou tout simplement, assis devant un verre de vin, assister en spectateur à l'activité vivante et gaie qui se dèploie sur le Lac de Constance.

Entfernung: Zürich-Airport 50 min
Distance: Zürich Center   60 min
           Stuttgart   90 min

Georg und Ingeborg Schraner-Michaeli
Ch-8274 Gottlieben / Bodensee
Tel.0 72-69 23 23
Telefax 0 72-69 24 56

Romantik Hotel „Krone"

Gottlieben CH

Kurzurlaub für Feinschmecker

Die „Krone" in Gottlieben gehört sicherlich zu einer der besten Küchen der Schweiz und das schon seit einigen Jahren. Ein kulinarischer Kurzurlaub an den Gestaden des See-Rheins ist daher für Körper und Seele ein Vergnügen, das man sich hin und wieder einmal gönnen sollte.

Tagsüber bietet der See oder der schöne Thurgau unzählige Möglichkeiten der Entspannung, ob mit dem Boot, dem Fahrrad oder zu Fuß, gerne besorgen wir für Sie die Fahrräder. Ein Besuch auf der Blumeninsel Mainau ist in diesem Arrangement inbegriffen. Am Abend erwartet den Kurzurlauber dann ein Gourmet-Menü, das nach den strengen Regeln der französischen Küche zubereitet wird. Dazu dann eine Flasche Wein und der Genuß wird vollkommen.

Ein Kurzurlaub für Feinschmecker mit zwei Übernachtungen, einem Gourmet-Menü und einem à la carte Diner und einer Eintrittskarte auf die Insel Mainau kostet Sfr. 350,- pro Person. Zuschlag Einzelzimmer Sfr. 30,-, zur Begrüßung werden die Gäste mit einem Glas Champagner empfangen.

Wer seine Festlichkeit im kleinen Rahmen mit hohem Niveau durchführen möchte, hat in der „Krone" schon immer den richtigen Ort gefunden. Geburtstage oder Familienfeiern, ein Essen mit wichtigen Gästen oder Kunden oder im geselligen Kreis mit Freunden, dafür bietet das Romantik Hotel „Krone" den geeigneten Rahmen und die Qualität von Küche und Service. Lassen Sie sich ein spezielles Angebot für Ihre wichtige Veranstaltung ausarbeiten.

Grindelwald

Romantik Hotel „Schweizerhof"

Im berühmten Gletscherdorf Grindelwald, inmitten einer imposanten, hochalpinen Bergwelt, liegt das Romantik Hotel Schweizerhof. Ausgangspunkt zu einem Wanderparadies von unerreichter Schönheit. Alle Berg-, Kabinen- und Sesselbahnen sind in wenigen Minuten erreichbar. Die traumhaften Abfahrten rund um das Hotel lassen im Winter jedes Skifahrerherz höher schlagen.
Für Leute, deren Leidenschaft gutes Essen und Trinken ist und die vorbildliche Verbindung traditioneller Architektur mit den Ansprüchen an eine hohe Wohnkultur zu schätzen wissen, ist der Schweizerhof schon seit Jahren ein heißer Geheimtip.

In the world-famous glacier village of Grindelwald, amidst the imposing world of the high Alps, is the Romantik Hotel Schweizerhof. This is the starting point for mountain tours and walks of unsurpassed grandeur. Only a few minutes away from mountain railways, cableways and chairlifts, this hotel is the ideal rendezvous for all skiing enthusiasts.
Among those who prefer a gourmet lifestyle and appreciate modern comfort and convenience combined with traditional architecture, the Schweizerhof has been an insider tip for years.

C'est à Grindelwald, le célèbre village situé au pied des glaciers, au cœur d'un monde alpin imposant, que se situe le Romantik Hotel Schweizerhof. Point de départ d'un paradis d'une beauté inégalée pour randonneurs, à quelques minutes des remontées mécaniques, télécabines et téléphériques. Chaque hiver, les pistes de rêve qui dominent l'hôtel font battre le cœur de tous les skieurs.
Depuis de nombreuses années, le Schweizerhof est une destination qui passe confidentiellement de bouche à oreille entre ceux qui ont la passion de la table et qui savent apprécier l'alliance parfaite d'une architecture traditionnelle avec les exigences du savoir-habiter.

Wir freuen uns, Ihr Gastgeber zu sein.
Anneliese und Otto Hauser

We look forward to the pleasure of welcoming you.
Anneliese and Otto Hauser.

Nous nous réjouissons d'ores et déjà d'être vos hôtes.
Anneliese et Otto Hauser.

12.4.- 28.5. u. 11.10.-19.12.			
96	15 pers.		
51			
132 - 190 Sfr.	10 Sfr./Tag		
238 - 410 Sfr.	40	20 km	
16		200 m	

Familie
Anneliese u. Otto Hauser
CH-3818 Grindelwald
Tel. 0 36-53 22 02
Telex 923 254 shof
Telefax 0 36-53 20 04

Romantik Hotel „Schweizerhof"

Grindelwald (CH)

Tradition und moderner
Wohnkomfort

Tradition with modern
lifestyle and comfort

Tradition et savoir-habiter

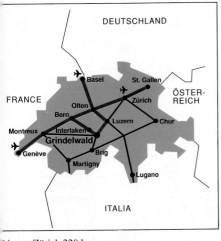

Eine Fahrt ins Blaue . . .

A trip into the blue . . .

Un voyage dans l'immensité bleue . . .

Airport Zürich 220 km
Airport Basel   180 km

83

CH Klosters

Romantik Hotel „Chesa Grischuna"

Die „Chesa Grischuna" in Klosters ist ein geschmackvoll eingerichtetes Bündnerhaus und genießt einen weltweiten Ruf. Das Hotel hat viel Atmosphäre und strahlt den besonderen Geschmack guten Lebensstandards aus. Ein wunderschönes Inneres, jedes Detail liebevoll in Arvenholz geschnitzt, ganz einfach ein Haus, in dem alles harmonisch aufeinander abgestimmt ist. Ausgezeichnete leichte Küche und vorzügliche Weine sind in dieser Umgebung selbstverständlich, genau wie der Firstclass-Service und die Gastlichkeit. Es ist nicht überraschend, daß eine internationale Gästeschar zur Stammkundschaft gehört, und sich immer wieder gerne von Familie Guler verwöhnen läßt.
Klosters ist ein bekannter Kurort im Sommer als auch im Winter. Ideales Höhenklima, geheiztes Schwimmbad, Tennisplätze, vier Luftseilbahnen (weltbekannt Gotschna-Parsenn, Madrisa), Ausgangspunkt für schöne Wanderungen und Ausflüge.

The „Chesa Grischuna"in Klosters is a testefully furnished „Bündener-Home"and has a worldwide reputation. The hotel is full of atmosphere and radiates the distinctive flavour of good living, just how one would imagine a genuine Grisons house to be. A wonderful interior, carved from old Swiss pine wood, every detail lovingly authentic - in short, a house in which everything harmonises. Excellent cuisine and exquisite wines belong in these surroundings like the first class service and hospitality. It is not surprising that numerous members of the world's aristockracy stay here and are given every attention by the Guler family.
Klosters is a very popular resort thanks to its ideal mountain climate.
Heated outdoor swimmingpool, tennis-courts, 4 cable-cars (famous Gotschna-Parsenn, Madrisa) a good starting point for interesting excursions.

La »Chesa Grischuna« à Klosters est un hôtel très agréable et est reputée mondialement. Son intérieur typiquement grisonais apporte une ambiance agréable vous invitant à y séjourner longuement. Sa cuisine est soignée et le service est de première classe. Il ne faut donc pas être surpris que des têtes couronnées ou non aiment s'y retrouver et se laisser choyer par la famille Guler.

A Klosters vous passez des vacances parfaites en été et en hiver grâce au climat d'altitude idéal. Piscine chauffée, courts de tennis, 4 téléphériques (fameux Gotschna-Parsenn/Madrisa) station idyllique et romantique aussi pour des excursions.

Nach Ostern ca. 6Wochen	P	
42		
17	im Ort	15 km in Davos
9	im Ort	Klosters-Platz
105 - 140 Sfr.	im Ort	
195 - 240 Sfr.	im Ort	Preise für Wintersaison auf Anfrage

Zürich
Liechtenstein
Landquart
KLOSTERS
Chur
Arosa
Davos
Flüelapass 2383
Zernez

Familie Guler
CH-7250 Klosters
Tel. 0 81-69 22 22
Telefax 0 81-69 22 25

Romantik Hotel „Chesa Grischuna"

Klosters (CH)

Das einmalige Wandererlebnis in Graubünden
Romantik-Kurzurlaub in Klosters

1. Tag: Nach dem Willkommens-Cocktail servieren wir Ihnen in unserem berühmten Restaurant ein fünfgängiges Gourmet-Diner. Übernachtung im gemütlichen Doppelzimmer mit Bad oder Dusche/WC.

2. Tag: Nach dem reichhaltigen Frühstück starten Sie zu einem Ausflug ins wild-romantische Vereina-Tal (1945 m), eines der herrlichsten Hochtäler Graubündens. Hinfahrt mit lizensiertem Kleinbus, erlebnisreiche Rückwanderung.
Gemütliches Abendessen, Übernachtung.

3. Tag: Frühstück vom Buffet, kleiner Morgenspaziergang durch unser typisches Bündner Dorf. Wir verabschieden uns von Ihnen mit einer „Bündner Platte" und einem Glas Veltliner Wein.
2-Tage-Spezialarrangement Sfr. 320,- pro Person, Einzelzimmerzuschlag Sfr. 30,-. Inbegriffen sind: Willkommens-Cocktail, Gourmet-Diner, Abendessen, Busfahrt ins Vereina-Tal (Hinfahrt), Abschiedsimbiß. Verlängerung Sfr. 95,- pro Person, inkl. Frühstück. Angebot nur gültig in der Sommersaison.

The unique walking holiday experience in the Grisons:
Romantik mini-holiday in Klosters

Day 1: After the welcoming cocktail, we serve you a 5-course gourmet-diner in our famous restaurant. Overnight in a comfortable double room with bath or shower/WC.

Day 2: After an abundant breakfast we start out on an excursion to the wild romantic Valley of Vereina (1945 m), one of the loveliest moutain valleys in the Grisons. Drive up in a licenced bus, followed by an impressive walk down.
Leisurely dinner, overnight.

Day 3: Breakfast form the buffet, a gentle stroll through our typical Grisons village. We bid you farewell with a special Grisons cold plate and a glass of Veltiner wine.
Two-days special terms: Sfrs 320 per person. Single room supplement Sfr 30. Inclusive of welcoming cocktail, gourmet dinner, evening meal, two overnights, buffet breakfast, bus to the Vereine Valley, farewell snack.
Extension: Sfrs 95 per Person including breakfast. Special terms only applicable in the summer season.

Randonnée inoubliable dans les Grisons
Journées intenses de vacances Romantik à Klosters

1er jour: Après un cocktail de bienvenue, nous vous servons dans notre célèbre restaurnat un dîner de gourmet comptant cinq plates.
Vous dormez dans une confortable chambre à deux personnes, avec WC/salle de bains ou douche.

2ème jour: Après un copieux petit déjeuner, excursion dans la vallée sauvage et romantique de la Vereina (1945 m d'alitude), l'une des plus belles vallées alpines des Grisons. Al l'aller, c'est un minibus muni d'une autorisation spéciale qui vous y conduit et vous faites le retour à pied pour admirer à loisir la beauté de paysage.
Un bon repas du soir vous attend à l'hôtel où vous passez la seconde nuit.

3ème jour: Peti déjeuner à notre buffet. Courte promenade matinale dans un village typique des Grisons. Nous prenons congé de vous avec un »Plateau grison« et un verre de von du Valtellina.
Arrangement spécial de deux jours: 320,- Francs suisses. Supplément pour chambre à 1 personne: 30,- Frcs suisses. Sont inclus dans le prix indiqué: cocktail de bienvenue, dîner de gourmet, repas du soir, 2 nuits à l'hôtel, petit-déjeuner au bufft, voyage en minibus dans la vallée de la Vereina (aller), en-cas à votre départ.
Prolongation: 95,- Frcs suisses par personne, petit-déjeuner compris.
Offre valable seulement pendant la saison d'été.

In der Fußgängerzone, im Herzen Luganos, liegt das Ticino an der romantischen Piazza Cioccaro. Nur 2 Min. vom See, Hauptbahnhof und einem gedeckten Parkhaus entfernt. Die Zufahrt bis zum Hotel ist erlaubt, jedoch nicht sehr einfach. Wenn sie es gefunden haben, betreten sie ein typisches Haus aus dem 14. Jahrhundert im lombardischen Baustil, mit seinem sehr schönen Innenhof.

Im eleganten, sehr gepflegten Restaurant werden sie von Frau Buchmann in ihrer herzlichen Art begrüßt, so daß man sich gleich wie zu Hause fühlt. Für die vorzügliche Küche ist Herr Buchmann persönlich verantwortlich. Auserlesene Saisonspezialitäten sowie Gerichte der französischen und italienischen Küche verwöhnen Ihren Gaumen.

Die Zimmer sind teilweise klein, aber sehr individuell, liebevoll und mit jedem Komfort ausgestattet.

Das Haus bietet eine wohltuende Gastlichkeit, eine Oase für Kunstfreunde. Ideal für Geschäftsreisende wie auch für geruhsame Ferientage in entspannter Atmosphäre.

The Ticino lies in the heart of the picturesque historical center of Lugano, only three minutes from the lake and the railway station. The arrival by car is not quite simple but once you have found it, you enter a typical, 400-year-old Tessin house.

In the elegant and traditional restaurant you will be welcomed by Mrs. Buchmann in her charming way, so that you feel immediately at home. The excellent cuisine, for which Mr. Buchmann is responsible, offers specialities from various regions to please all gourmets.

A delightful courtyard leads to the rooms, all furnished with every modern comfort. This first-class city hotel guarantees pleasant hospitality and out-standing service and is the perfect spot for visiting Lugano and its beautiful surroundings.

Il Ticino è una isola tranquilla, nel cuore del centro storico di Lugano, 3 minuti dal lago e dalla stazione ferroviaria. Arrivarci con la propria macchina non è facile, ma giunti all'albergo vitroverete a cospetto di una tipica costruzione del XIV secolo. L'autosilo »Via Motta« si trova a 100 metri.

Nell'elegante ristorante il cordialissimo BENVENUTO vi sarà dato dalla signora Buchmann e vi sentirete subito a vostro agio. L'eccellente cucina, della quale è responsabile il signor Buchmann, offre una vasta scelta di primizie e di specialità della cucina italiana e francese. Attraverso un leggiadro cortile fiorito si giunge alle camere, che dispongono di ogni comfort e che sono arredate con raffinata individualità.

Grazie all'ospitalità squisita ed ai servizi impeccabili, la casa storica, ricca di opere d'arte, è un richiamo irresistibile per alcune giornate sulle rive superbe del lago di Lugano.

Claire und Samuel
Buchmann   Tel. 091-22 77 72
Piazza Cioccaro 1   Telex 841 324
CH-6901 Lugano   Telefax 091-23 62 78

✕ 5.1.-10.2.	⚡	🔋 Am Ort	🔪
🛏 40	Ⓟ	Ⓤ	↗
⬛ 21	Ⓟ	🎿 1 Stunde	
👤 200 - 260 Sfr.	✿	⚓ 4 km	E
👥 320 - 380 Sfr.	≈ Am Ort	🚆 200 m	
Ⓐ 1	🏯 Am Ort	◉	

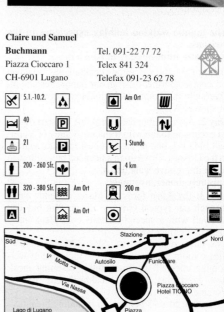

(Stadtplan / map: Stazione, Süd, Nord, V. Motta, Autosilo, Funicolare, Via Nassa, Piazza Cioccaro Hotel TICINO, Piazza Ritorma, Lago di Lugano, Lugano Sud – Stazione – Via Motta)

Romantik Hotel „Ticino"

Lugano

Tessin - Sonnenstube der Schweiz

Hier scheint die Sonne wärmer, ist der Himmel blauer und der Atem von Lugano vermählt sich mit dem des Mittelmeeres. Hier ist alles vereint, was die Natur an Schönheiten zu bieten hat: ein idyllischer See, umringt von herrlichen Aussichtsbergen, von denen zwei Lugano einrahmen: der Monte Brè und der San Salvatore. Die Seebucht dazwischen spiegelt zu allen Jahreszeiten die Geschäftigkeit und den Lichterglanz der Stadt wieder, aber auch deren beschauliche Atmosphäre, das Unbeschwerte und Heitere, das den wahren Charme von Lugano ausmacht. Es bietet sämtliche Sportarten. Erholung findet man bei ausgedehnten Spaziergängen auf den Wegen vergangener Kultur. Historische Bauten mischen sich mit modernster Architektur. Interessante Museen und Galerien, wie auch romantische Wein- und Fischerdörfer laden zum Verweilen ein.

Tessin - where the sun is at home

Here the sun is brighter, the sky is bluer and a gentle breeze from the Mediterranean seems to fill the air. Lugano has rich and rare qualities and charms all its own: Lake Lugano, spreat out between the peaks of San Salvatore and Monte Brè, shimmers with light and colour. Through the whole arc of the seasons, the city and its surroundings offer an atmosphere ideal for enjoyment and relaxation. All kinds of sports are being practised and Lugano's programme is rich in cultural and artistic events. Historic monuments meet with ultra-modern architecture. Interesting museums and art galleries, but also romantic and typical villages invite to a most pleasant stay.

Unsere Geschenkidee:
Gutschein für eine Übernachtung im romantischen Doppelzimmer mit Bad oder Dusche, inkl. Frühstücks-Buffet, Willkommensdrink und auserlesenes Gourmet-Diner bei Kerzenlicht.

für 2 Pers. Sfr. 520,—

NEU: Überraschungs-Tagesprogramm
für 2 Pers. Sfr. 280,—

Our special offer:
Overnight stay in a romantic double room with private facilities, incl. breakfast-buffet, welcome-drink and an exquisite candlelight dinner.

for 2 pers. Sfr 520,—

New: Special One-day program
for 2 pers. Sfr. 280,—

Romantik Hotel „Victoria"

Die „Waadtländer Rivera" mit Montreux als Zentrum - wer kennt sie nicht? In 700 m Höhe und schönster Südlage genau über Montreux beherrscht Glion den Genfer See und zeichnet sich durch ein belebendes Reizklima aus. Montreux, durch Kongresse, Festivals, Attraktionen und das Casino weltbekannt, ist mit Zug oder Auto in 5-10 Minuten erreichbar. Das Hotel Victoria liegt mitten in einem großartigen Park, verfügt über ein geheiztes Schwimmbad im Freien, sowie einen Tennisplatz und ist nur 18 km vom Golfplatz in Aigle entfernt. Unsere Küche hat einen anerkannten sehr guten Ruf, was den Aufenthalt in der gepflegten Atmosphäre des 19. Jahrhunderts noch attraktiver gestaltet. Glion liegt 10 Minuten von der Autobahnausfahrt Montreux entfernt und ist von Basel /Zürich in nur knapp 2 Std., von Genf in 1 Std. erreichbar.

Is there anyone who has not heard of the Riviera Vaudoise and the well-known resort of Montreux? Glion is a charming little village situated at an altitude of 700 m on the sunny southern slopes, exactly above Montreux, overlooking Lake Geneva and it is famous for its equable, invigorating climate, you can reach Montreux, well-known for its festivals, congresses, shows and casino, by train or by car in 5-10 minutes. The „Victoria" is a first-class hotel situated in a beautiful park with a open-air swimming pool, tennis court and only 11 miles away from the golf course inn Aigle, our excellent cuisine will make the stay in our house in the atmosphere of the 19th century still more enjoyable. Glion is situated 10 minutes from the highway entrance of Montreux and you·can reach us in about 2 hours from Basel/Zürich and in 1 hour from Geneva.

Qui ne connait la Riviera Vaudoise avec la station reputée de Montreux?
Glion est un charmant petit village situé à une altitude de 700 m, sur un versant ensoleillé, qui domine le Lac Léman et qui est bien connu pour son climat sain et vivifiant et ses beautés naturelles. Montreux connu dans le monde entier pour ses festivals, ses congrès, ses attractions et son casino est à 5 à 10 minutes en train ou en voiture. L'hôtel Victoria est situé au coeur d'un parc splendide, piscine chauffée en plein air, tennis, golf à Aigle à 18 km. La cuisine soignée et recherchée pour gourmets va rendre votre séjour encore plus attractif dans l'atmosphère du 19ème siècle. Glion est à 10 minutes de la sortie de l'autoroute de Montreux et à 2 heures de Bâle et Zurich et à 1 heure de Genève.

🛏 70	⚙ 100 Pers.	〰	◎
🛗 40	♿	Ⓤ 8 km	⫻
🚹 160 - 200 Sfr.	🐕 15 Sfr. p. Tag ohne Futter		⬆⬇	E
🚻 210 - 280 Sfr.	Ⓟ 15 Sfr. pro Tag	⛸		ⓓ
Ⓐ 2	Ⓟ 30	15 km		
⛺	❦	🚉 Glion 300 m entfernt		VISA

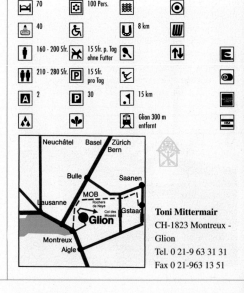

Toni Mittermair
CH-1823 Montreux - Glion
Tel. 0 21-9 63 31 31
Fax 0 21-963 13 51

Romantik Hotel
„Domaine de Châteauvieux"

Satigny (Genf)

Im Herzen der Genfer Weinberge liegt das „Domaine de Châteauvieux", dessen Ursprünge auf das frühere Schloss von Peney zurückgehen. Hier erwarten Sie heute 20 ruhige und komfortable Zimmer und Appartements. Für Konferenzen und Seminare stehen 3 gepflegte Räume zur Verfügung. Das Gourmet-Restaurant bietet 60 Gästen Platz. Die ausgezeichnete Küche wird auch verwöhnten Gaumen gerecht. Frische Produkte von bester Qualität werden klassisch-traditionell, aber Ideenreich verarbeitet. Von der sich dem Restaurant anschließenden Terrasse fällt der Blick auf die umgebenden Weinberge.
Alle Zimmer haben Bad oder Dusche und WC, Farbfernseher, Radio, Direktwahltelefon und Minibar. Informationen zu den Konferenzräumen erhalten Sie auf Anfrage.

The „Domaine de Châteauvieux" is situated inmidst the vineyards of Geneva. In former times the building was part of the long gone castle of Peney. After extensive renovation there are now 20 quiet and comfortable guest rooms and apartements available as well as 3 rooms for conferences and seminars. The Gourmet-Restaurant seats 60 and has an excellent cuisine. Fresh produce of high quality is prepared in the tradition of fine French cooking with imagination and creativity, satisfying even the spoiled palate. The restaurant opens on a terrace offering a beautiful view on the surrounding vineyards.
All rooms have bath or shower and WC, color TV, radio, directdial telephone and minibar. Information on the conference rooms is held at your disposal.

Au cœur du pittoresque vignoble genevois, les dépendances de l'ancien Château de Peney vous invitent à découvrir l'attrait ancestral d'un domaine campagnard. 20 chambres et appartements confortables ainsi que 3 salles pour conférences et séminaires vous attendent. Les fins becs sauront apprécier une cuisine de tradition, pleine de fraîcheur et de créativité, que le restaurant gastronomique propose. Ses 60 places sont agréablement complétées par une terrasse ouvrant sur les vignobles.

Toutes nos chambres sont avec bain ou douche et WC, télévision couleur, radio, téléphone et minibar. Des forfaits pour conférences et séminaires sont à votre disposition.

7 + 1   1   20 Min

1.1. - 11.1.93
1.8. - 16.8.93
23. - 31.12.93

32   30 Pers.

20

125 - 165 Sfr.

155 - 195 Sfr.

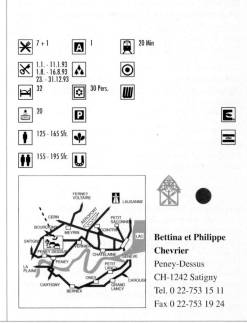

Bettina et Philippe Chevrier
Peney-Dessus
CH-1242 Satigny
Tel. 0 22-753 15 11
Fax 0 22-753 19 24

Romantik Hotel „Schwefelberg-Bad"

„**W**ie bei guten Freunden zu Besuch ..."
So sagen die Gäste von Schwefelberg-Bad, so empfinden
sie es. Und so ist es wohl auch: Das Ehepaar Anni und
Heribert Meier-Weiss, sagt man, habe ein Herz für seine
Gäste - kein Wunder, daß viele von ihnen immer wiederkommen, um sich verwöhnen zu lassen. (Und sich dabei,
wenn sie wollen, auch noch kurieren zu lassen).
Vieles trägt hier zum Wohlbefinden bei. Erst einmal das
historische Haus, das im Kern noch aus dem 19. Jahrhun-
dert stammt - gute alte Zeit, die sich hier in Holz und
Stein manifestiert. Dann die traditionell gepflegte Gastlichkeit, die gemütlichen, gediegenen Zimmer, die feine
französische Küche, der erlesene Weinkeller, die auf-
merksame Bedienung. All das zusammen brachte dem
Haus die weltweit begehrte 4-Sterne-Anerkennung ein.
Ein anderer Aspekt: der Sport. Im Sommer Tennis, Wan-
dern oder Bergsteigen, im Winter Skilaufen (1 Lift sowie
Trainerlift gleich beim Haus, 50 km Loipen ganz in der
Nähe).
Das alles eingebettet in die wunderschöne Bergwelt des
Berner Mittellandes. Auf 1.400 Metern, eine ideale Höhe
wie vom Arzt verschrieben.

„**I**t's like visiting good friends ..."
Guests of Schwefelberg-Bad not only say, they feel it.
Anni and Heribert Meier-Weiss's heartfelt concern for
their guests brings many of them back again und again to
be pampered, and if they wish, for first rate medical
therapies.
Many things contribute to an enjoyable stay here. First is
the ambiance of a historical hotel dating back to the 19th
century - an era of wood and stone. Then there is the elegant hospitality, cozy rooms, exquisite French cuisine,
select wine cellar, and attentive service. Together this
adds up to a magnificent hotel with a 4 star rating.
In addition, recreational opportunities abound. Summer
activities include tennis, hiking, and mountain climbing.
Winter brings alpine and cross country skiing on nearby
slopes and trails.
This jewel is set in the beautiful landscape of the Bernese
Alps.

„**O**n s'y sent comme en visite chez des bons amis ..."
C'est ce que disent les hôtes de Schwefelberg-Bad, c'est
ce qu'ils ressentent. Et cela correspond aussi à la réalité:
il est bien vrai qu'Anni et Heribert Meier-Weiss reçoivent avec le coeur - Il n'est donc pas étonnant qu'on y
revienne le plus souvent possible, pour se laisser choyer
et, pour ceux qui le souhaitent, se faire soigner.
C'est que bien des choses ici contribuent au bien-être:
premièrement la maison, toute imprégnée d'histoire et
dont le noyau date du 19me siècle - une bonne vieille
époque où l'on construisait en pierre et en bois. Ensuite,
l'hospitalité traditionnellement soignée, les chambres con-
fortablement intimes, la délicieuse cuisine française, la
cave réputée, le service attentif, en bref tout ce qui auto-
rise l'établissement à afficher ses quatre étoiles.
De plus, les nombreuses possibilités de practiquer le

sport: en été le tennis, la promenade ou l'oscalade, en hiver le ski (un remonte-pente et une installation d'entraî-
nement tout à côte de la maison, 50 km de pistes de fond
dans le proche environnement).
Tout cela est niché dans le magnifique paysage des préal-
pes bernoises, à 1400 m, une altitude idéale, comme pre-
scrite par le médecin.

✕	Mitte Okt.-Anf. Jan./Mitte April Mitte Mai			🚋 20 km
🛏 60	❈ 15			
35	🅿		🔟 10 km	
👤 85 - 120 SFR	🌿			Bocciabahn
👥 170 - 260 SFR				Gartenschach
🅰 1	⬆⬇		↗ 30 km	**E**

A. u. H. Meier-Weiss
CH-1738 Schwefelberg-
Bad/BE
Tel 037/39 26 12
Telefax 037/39 24 08

Romantik Hotel
„Schwefelberg-Bad"   Schwefelberg (CH)

Es gibt nur ein Heilbad in der Schweiz mit eigenem schwefelhaltigem Natur-FANGO

Und das heißt Schwefelberg-Bad! Eine Heilquelle, deren Kräfte seit Jahrhunderten genutzt werden: Kalziumsulfat ist u. a. angezeigt bei rheumatischen Beschwerden. Dazu dann, ebenfalls unter der Aufsicht des hauseigenen Arztes, hochwirksame und zum Teil hochmoderne Therapien: die aus der Zelltherapie hervorgegangene Revitorgan-Therapie, die Sauerstoff-Therapie, die original-chinesische Akupunktur (diese drei Behandlungen können zu einer bestens ausgewogenen "Drei-Säulen-Therapie" zusammengefaßt werden), außerdem Neural-Therapie, Ganzheits-Medizin, Massagen, Vegetarische Vollwertkost sowie Fasten- und Entschlackungskuren nach Dr. Buchinger und Dr. Mayr.
Empfohlen wird für die Kur in Schwefelberg-Bad eine dreiwöchige Dauer. Da trifft es sich gut, daß es für Interessenten ein 7-Tage-Schnupper-Arrangement gibt! Ein sehr günstiger Pauschalpreis, der auch Arztvisite, Bäder, Fango und Massage umfaßt, macht die Entscheidung leicht.
Eine Entscheidung, die viele Gäste Jahr für Jahr wiederholen - und das nur zu gern ...

Schwefelberg-Bad is the only spa hotel in Switzerland with its own supply of natural sulphur mud
A sulphur spring provides healing waters which contain calcium sulphate that is highly recommended for rheumatic complaints. In addition Schwefelberg-Bad's physician prescribes modern and traditional therapies including Revitorgan therapy (modern cell therapy), Ozone therapy, and original Chinese acupuncture. Neural therapy, holistic medicine, massages, and special diets (vegetarian and those recommended by Dr. Buchinger and Dr. Mayr) are also available.
For medical therapy a 3-week stay is advised. New guests interested in experiencing the various services of Schwefelberg-Bad may wish to select a 7-day introductory package for a special rate including a doctor's visit, sulphur bath, mud bath, and a massage.
We hope you will decide to come and stay with us at Schwefelberg-Bad - a decision many guests make year after year with very much pleasure.

Son nom, c'est Schwefelberg-Bad! Une source curative dont les bienfaites agissent depuis des siècles: le sulfocalcium est indiqué entre autres dans les affections rhumatismales. De plus et selon les cas, notre médecin pourra prescrire d'autres thérapies, très efficaces et pour la plupart très modernes: la thérapie Revitorgan (un développement de la thérapie cellulaire), la thérapie par l'ozone, l'acupuncture chinoise originale. Ces trois traitements peuvent constituer une thérapie équilibrée dite "des trois piliers". Signalons encore la thérapie neurale, la médecine systémique, les massages, l'alimentation végétarienne complète ainsi que les cures de désintoxication de l'organisme selon les docteurs Buchinger et Mayr.
Il est recommandé de consacrer trois semaines à une cure à Schwefelberg-Bad. Toutefois, un arrangement de 7 jours est possible pour les personnes intéressées, à un prix forfaitaire très intéressant qui comprend la visite médicale, les bains, le fango et le massage, ce qui rend la décision plus facile à prendre.
Une décision que beaucoup de nos hôtes prennent d'année en année, avec le plus grand plaisir.

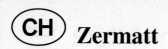

(CH) Zermatt

Romantik Hotel „Julen"

Über Zermatt braucht man nichts zu schreiben, denn wer kennt nicht diesen herrlichen Ort ohne Autos. Berühmt als Winterparadies und beliebt als Sommerskiort und Bergwanderdomizil.

Dafür lohnt es sich, über das Romantik Hotel „Julen" einiges zu sagen. Es ist in den 30er Jahren gebaut worden, doch entschloß sich die Familie Julen, es 1981 total umzubauen, damit es den heutigen Anforderungen entsprechen kann. Daraus ist eine vorbildliche Hotelrenovierung geworden, die die Tradition dieses schönen Hotels voll erhält, ja vielleicht sogar noch besser hervorgehoben hat, als das vorher der Fall war.

Sehr gemütliche Restaurants, wie man sie sich in Zermatt nur wünschen kann und eine sehr gute Küche haben das Hotel zu einem Begriff werden lassen. Sehr komfortable Zimmer - teilweise natürlich mit Blick auf das Matterhorn- sowie Sauna und Solarium lassen den Ferienaufenthalt oder den Kurz-Urlaub zu einem Erlebnis werden.

Das alles wird zu Preisen geboten, die man für Zermatt kaum möglich hält.

It is not necessary to write about Zermatt, as it is so well known as a lovely town without cars. It is famous as a winter paradise and loved as a summer ski resort and centre for mountain walkers. It is, however, worth saying something about the Romantik Hotel „Julen". It was built in the Thirties, but the Julen family decided in 1981 to rebuild it completely to bring it up to modern day requirements. This has resulted in an exemplary restoration, whilst still retaining the tradition of this lovely hotel and, indeed, even enchancing it further.

Very comfortable restaurants, such as one could only wish for in Zermatt, and excellent cuisine have given the hotel a new status. Luxurious rooms, some naturally with a view to the Matterhorn, as well as sauna and solarium make a holiday or a short stay something special. All this for a price that would not seem possible when one thinks of Zermatt.

Inutile de décrire Zermatt, cette magnifique et fameuse ville sans autos. Paradis pour les amateurs de sport d'hiver apprécié comme station de ski en été domicile pour ceux qui aiment les promenades en montagne. Par contre, il vaut la peine d'en dire un peu plus long sur l'Hôtel Romantik »Julen«. Bien que construit seulement dans les années 30, la famille Julen décida de le transformer complètement en 1981 pour qu'il réponde aux exigences d'aujourd'hui. Cette rénovation parfaitement réussie converve à ce bel hôtel sa tradition, le mèt peut-être encore plus en valeur qu'avant.

Grâce à ses restaurants accueillants tels qu'on les aime aussi à Zermatt et à sa très bonne cuisine, l'Hôtel Romantik »Julen« s'est fait un nom. Des chambres confortables - avec naturellement en partie vue sur le Mont Cervin - une sauna et solarium complètent l'agrément de grandes vacances ou d'un séjour de voyage. Et tout cela à des prix surprenants pour Zermatt!

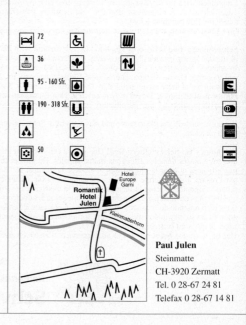

Paul Julen
Steinmatte
CH-3920 Zermatt
Tel. 0 28-67 24 81
Telefax 0 28-67 14 81

Romantik Hotel „Julen"

Zermatt (CH)

Mit Glacier Express zu den Romantik Hotels (Chur-Zermatt-Chur) sfr. 986,— pro Person
incl. Bahnfahrt 2. Klasse

6-Tage-Arrangement mit HP und Fahrt Glacier-Express / EZ-Zuschlag sfr. 40,— / Bahnzuschlag 1. Klasse sfr. 94,—

1. Tag: Ankunft in Chur / Gratisabholung am Bahnhof Chur mit Oldtimer „Buick 1933"/ Begrüßungstrunk im Romantik Hotel Stern / zum Nachtessen ein typisches Bündner Menu/ Unterbringung im heimeligen Doppelzimmer mit Arvenholz (D/WC oder B/WC, Telefon-Direktwahl, Radio mit Weckruf).

2. Tag: Reichhaltiges Romantik-Frühstücksbuffet / Fahrt mit dem Glacier-Express nach Zermatt/ Ankunft im Romantik Hotel Julen / reichhaltiges Abendessen, dazu offerieren wir eine Flasche „Heida" (berühmter Gletscherwein aus dem höchstgelegenen Weinbaugebiet Europas) / Unterbringung im komfortablen Doppelzimmer mit Bad, WC, Radio, Direktwahltelefon und Balkon.

3. Tag: „Romantisches" Frühstücksbuffet / anschließend Ausflug auf den berühmten Gornergrat, 3130 m (wunderbare Aussicht auf die zahlreichen Viertausender der Walliser Alpen mit Gletschern) / nachmittags Bummel durch das romantische Alt-Zermatt / Nachtessen und Übernachtung im Romantik Hotel Julen.

4. Tag: Wahlweise Fahrt auf das Kleine Matterhorn (3820 m) mit der höchsten Seilbahn Europas oder Pferdekutschenfahrt durch Zermatt und in die reizvolle Umgebung / nachmittags Besuch des Zermatter Alpinen Museums / Nachtessen und Übernachtung im Romantik Hotel Julen.

5. Tag: „Romantisches" Frühstücksbuffet / Tag zur freien Verfügung / Nachtessen und Übernachtung im Romantik Hotel Julen.

6. Tag: „Romantisches" Frühstücksbuffet, Rückfahrt nach Chur mit dem Glacier-Express / Bummel durch die Churer Altstadt / Besichtigung unserer permanenten Ausstellung Schweizer Pferdekutschen aus der Jahrhundertwende / Nachtessen und Übernachtung im Romantik Hotel Stern.

7. Tag: Romantik Frühstücksbuffet / Rückfahrt.

Die Ausflüge in Zermatt sind nicht im Pauschalpreis enthalten.

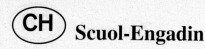
Romantik Hotel „Guardaval"

Eines der prachtvollsten historischen Häuser des Unterengadins, das Schweizer Gastlichkeit im richtigen Rahmen bietet. Das „Guardaval" will keine Luxusherberge sein, aber es ist ein Haus, das die örtliche Kultur mit Firstclass-Service, Unterkunft und Küche verbindet. Bad Scuol-Tarasp-Vulpera mit seinen weltbekannten Heilquellen liegt auf 1250 Metern im Inntal, im Norden geschützt von der Silvrettagruppe, im Süden sich dem Schweizerischen Nationalpark öffnend. Hier mag man mit der Familie gerne wohnen, sei es für einen Kur-, Wander- oder Wintersportaufenthalt, für Tennis oder Golfferien, kurz ein Erholungsparadies mit einem gesunden Bergklima. Bad Scuol und das Romantik Hotel Guardaval: ein Ort, wo die Welt noch in Ordnung ist.

One of the most splendid historic houses in the Lower Engadine, which offers Swiss hospitality in the right surroundings. The „Guardaval" does not claim to be a luxury hotel, but it is a house which combines local culture with first-class service, accommodation and cuisine. Bad Scuol-Tarasp-Vulpera with its world-famous mineral springs lies at 1250 metres in the valley of the Inn; to the north it is sheltered by the Silvretta range and opens on the Swiss National Park in the south. One can stay here happily with the family, wether it is for a cure, a walking or a winter sports holiday, or for tennis or golf - in short, a paradiese for recuperation in a healthy mountain climate. Bad Scuol and the Romantik Hotel „Guardaval": where all's right with the world.

Un des plus superbes établissements historiques de la Basse-Engadine qui vous offre l'hospitalité helvétique dans un cadre digne d'elle. Le »Guardaval« ne prétend pas être une auberge de luxe mais c'est un établissement qui offre service, hébergement et gastronomie de toute première classe dans l'harmonie d'une culture régionale. Bad Scuol-Tarasp-Vulpera, avec ses sources médicinales mondialement connues, se suite dans la Vallée de l'Inn à 1250 m d'altitude, protégé au Nord par le massif du Silvretta et s'ouvrant au Sud sur le Parc National Helvétique. Il fait bon y loger avec sa famille,

que ce soit pour y faire une cure, pour s'adonner à la promenade ou aux sports d'hiver, pour y passer des vacances en faisant dans un climat de montagne sain. Bad Scuol et l'Hôtel Romantik »Guardaval«: havre de paix avec les bienfaits de la civilisation mais sans les folies du monde moderne.

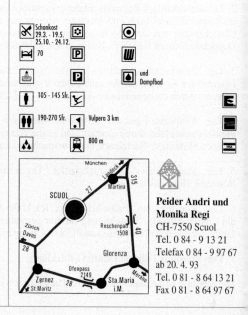

Schonkost
29.3. - 19.5.
25.10. - 24.12.

70

105 - 145 Sfr.

190-270 Sfr.   Vulpera 3 km

800 m   und Dampfbad

Peider Andri und Monika Regi
CH-7550 Scuol
Tel. 0 84 - 9 13 21
Telefax 0 84 - 9 97 67
ab 20. 4. 93
Tel. 0 81 - 8 64 13 21
Fax 0 81 - 8 64 97 67

Deutschland

Germany

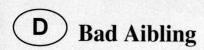
Romantik-Hotel „Lindner"

Unser stilvolles Hotel befindet sich im Herzen von Bad Aibling. Direkt am Marienplatz gelegen, gehört das ehemalige Schloß Prantshausen, das auf über 1000 Jahre Geschichte zurückblickt, zu den reizvollen und typischen Familienhotels innerhalb der Romantik-Gruppe. Eine Oase exklusiver Gastlichkeit mit einzigartigem Charakter wird auch Sie empfangen. Die Gasträume mit ihren Ahnenbildern und Antiquitäten erzählen von der ereignisreichen Geschichte unseres Hauses. Unsere Gästezimmer werden Ihnen gefallen: sie sind behaglich und mit allem Komfort ausgestattet. Es gibt einen Schloßkeller und eine Johannesstube. Und die Leibl-Stube ist eine Verbeugung vor einem der prominentesten Gäste unseres Hauses, dem Maler Wilhelm Leibl. In unserem gediegenen Restaurant oder der elegant rustikalen Ratholdusstube finden Sie Ihren Platz, um unsere abwechslungsreiche Küche zu genießen. Besonders wird Ihnen ein Nachmittag in unserem wunderschönen Garten in Erinnerung bleiben. Die zentrale Lage des Kurortes in Bad Aibling, zwischen München und Salzburg, bietet zahlreiche und interessante Ausflugsmöglichkeiten, z. B. das Schloß Herrenchiemsee, den Tegernsee, die Stadt Wasserburg, die Alpenstraße und das Einkaufsstädtchen Rosenheim.

Herzlich willkommen in unserem Hause!

You will find our beautiful hotel in the heart of Bad Aibling, in the town square. This former castle Prantshausen with a history of more than 1000 years is now one of the charming family oriented Romantik Hotels, an oasis of hospitylity with a unique charakter. Pictures of our ancestors and antiques in our guest rooms, they are cozy with all modern comfort. We have a castle cellar and a Johannes-Stube (Johannes-room) and to honor one of our most prominent guest, the painter Wilhelm Leibl there is the Leibl-Stube.
You will enjoy our selected cuisine in our quaint restaurant or in the elegant Ratholdusstube. An unforgettable memory for you will be an afternoon spent in our beautiful garden.
The central location of Bad Aibling, half-way between Munich and Salzburg, offers many sightseeing excursion, like: the palace Herrenchiemsee, Tegernsee, the Alpenstraße (Alpine Road), or of course Rosenheim.

Notre hôtel de style se trouve au coeur de Bad Aibling. Situé sur le Marienplatz, l'ancien château Prantshausen riche d'une histoire de plus de 1000 ans, est l'un des plus attrayants et typiques hôtels romantiques aux mains d'une familie.
Vous enterez dans un havre où l'accueil possède un caractère unique. Les salons avec leurs galerie des ancêtres et leurs antiques racontent l'histoire riche en évènements de notre établissement. Nous chambres vous plairont: elles sont accueillantes et bénéeficient du meilleur confort. Rencontrez-vous au »cellier du chateau« (Schloßkeller) au »salle de Jean« (Johannesstube) la »salle Leibl« (Leibl-Stube) une référence faite à l'un des hôtes les plus célèbres de notre établissement, le peintre Wilhelm Leibl. Vous trouverez place soit dans notre élégant restaurant soit au »Ratholdusstube« au caractère rustique pour déguster notre cuisine variée. Au centre de la ville d'eau Bad Aibling entre Munich et Salzburg, ce peut être le point de départ de nombreuse et intéressantes excursions, par exemple au château Herrenchiemsee, au Tegernsee, Wasserburg vers la route des Alpes et Rosenheim pour le shopping.

Restaurant: 26.12.-5.1.94	▲		20 km
45	✿ 8-25		2 km
22	P		500 m
10	P		◉
60-150 DM	✿	✺	
100-200 DM	1 km		

Erna **Lindner** und
Gabi **Lindner-Jung**
Marien**platz** 5
D-8202 **Bad** Aibling
Tel. 0 **80** 61-40 50
Telefax **0** 80 61-305 35

Romantik-Hotel „Lindner"

Bad Aibling

Unser Romantik-Wochenende mit Tennis, Golf, Radeln und herrlichen Ausflügen

Wir erwarten Sie am Freitag im Laufe des Tages, so daß Sie unseren hübschen Ort noch kennenlernen. Abends verwöhnen wir Sie mit einem Feinschmeckermenü in unserem gemütlichen Restaurant. Am nächsten Tag gibt es viele Möglichkeiten. Leihräder stehen kostenlos für eine Fahrt in die herrliche Umgebung zur Verfügung. Spielen Sie Tennis, dann lassen Sie uns dies vielleicht schon vor Ihrer Anreise wissen, damit wir Platz und Trainer für Sie arrangieren können. Nach einem ereignisreichen Tag erwarten wir Sie wiederum zu einem festlichen Abendmenü. Am Sonntag können sie bei einem Frühstück mit Sekt in aller Ruhe die Sonntagszeitung lesen. Vielleicht geht's ja nochmals los, per Rad oder zu Fuß oder in unseren Garten, um noch ein paar Stunden die Sonne zu genießen! Gerne können sie unser Romantik-Wochenende auch auf jeden beliebigen Wochentag verlegen.
pro Person inkl. aller oben aufgeführten Leistungen.

DM 300,-

Wenn es Ihre Zeit erlaubt, bis Montag zu bleiben, so berechnen wir für diese Übernachtung inkl. Frühstück
pro Person **DM 60,-**

Wandern im Spätherbst
Preisgünstiges November-Angebot:
Unser Romantik-Wochenende

DM 260,-

Adventlicher Dezember
Unser Romantik-Wochenende mit Christkindlmarkt und Zithermusik in weihnachtlich geschmückten Räumen.

DM 260,-

Unser Golf-Kurzurlaub
3 Übernachtungen inkl. festlichen Abendmenüs und zwei Greenfees für den wunderschönen, nahegelegenen 27-Loch-Golfplatz am Schloß Maxlrain.

DM 570,-

Kuren in unbeschwerter Atmosphäre - Genießen Sie Ihre offene Badekur!
Wohnen im Romantik Hotel Lindner -
21 Tage Halbpension   **DM 2.520,-**

Moorbaden gegenüber im Kurmittelhaus. Über die ärztlich verordneten Bäder sprechen Sie bitte mit Ihrer Krankenkasse.

(D) Auerbach

Romantik-Hotel „Goldner Löwe"

Der „Goldne Löwe" in Auerbach wurde schon im Jahre 1144 erbaut. 1847 ging er in den Besitz der Fam. Ruder über. Durch zwei große Um- und Ausbauten wurde aus dem Gasthof ein Hotel mit Konferenzzimmer und Appartements, die auch verwöhnten Ansprüchen gerecht werden. Die Einrichtung des Restaurants „Löwenstube, Knappenstube und Auerbachstube" spiegeln die Geschichte des Hauses und Auerbachs wider. Für Seminare und Konferenzen sind eigene Räume vorhanden. In der Küche, die von Herrn Hans Ruder geführt wird, werden frische Produkte verarbeitet und zu jeder Jahreszeit saisonale Spezialitäten angeboten. Die eigene Metzgerei im Hause verleitet zum Einkauf von Wurstspezialitäten für Zuhause. Durch den hohen Freizeitwert Auerbachs, Naturpark Veldensteiner Forst, 5 Tennisplätze, 1 Tennishalle, Angeln, Reiten, Hallenbad mit Sauna, Freibad, die eigene Kegelbahn sowie Tischtennis im Haus, wird der Aufenthalt im „Goldnen Löwen" zu einem Erlebnis.

The „Goldner Löwe" in Auerbach looks back on a long tradition. There have been licensed premises here for 800 years but it is only recently that it has woken from ist enchanted sleep. By means of clever alterations and tasteful decoration, a house has been constructed which would hardly be expected in the little town of Auerbach. The decor of the restaurant mirrors the historic past of Auerbach, which uses to be a very important iron or mining centre. An old mining truck stands in the hall and in the „Knappenstube" (miner's parlour) you feel as though your are in a mine shaft. The food is hearty and in the charge of Hans Ruder, who is able to choose the best pieces of meat from the hotel's own butcher's shop to serve her guests. Charming rooms and comfortable lounges, as well as many ways of spending leisure time make a stay at the „Goldner Löwe" a real rest.

Auerbach à 435 m d'altitude est située en bordure de la région du parc naturel appelé la »Suisse franconienne«, massif boisé de Velden à 10 km de l'autoroute Nuremberg-Hof à la sortie de Grafenwöhr. Cette contrée est marveilleuse, elle dort encore, car elle n'est pas encore la proie de l'affluence. Des forêts étendues et de ravissants chemins de promenade alternant avec d'étroites vallées offrant ou regard des tours rocheuses et des parois d'un aspect souvent fantastique, puis subtement devant vous un ruisseau gai, tout cela est fascinant: quelque chose chose d'unique à voir.
Le décor du restaurant évoque le passé historique d'Auerbach qui fut un important centre de minerai. Un vieux wagonnet se trouve dans le hall de l'hôtel et la salle »Knappenstube« est aménagée en une ancienne galerie très pittoresque, car on continue encore à extraire de le

minerai à Auerbach. La cuisine est soignée et généreuse de c'est Hans Ruder qui va choisir elle-même les meilleurs morceau de viande dans peur propre boucherie annexée à l'hôtel, afin de pouvoir offrir des produits parfaits à des clients. Les chambres sont charmantes ainsi que les salons très comfortables. Ping-pong, jeux de quilles et une jolie terrasse pour ceux voulant se faire dorer au soleil

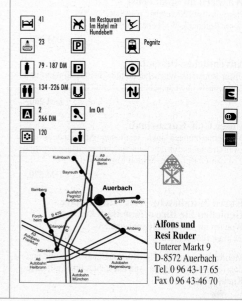

41	Im Restaurant / Im Hotel mit Hundebett	
23	P	Pegnitz
79 - 187 DM	P	
134 - 226 DM	U	
2 / 266 DM	Im Ort	
120		

Kulmbach — A9 Autobahn Berlin
Bayreuth
Bamberg — Ausfahrt Pegnitz/Auerbach — **Auerbach** — B 470 Weiden
Forchheim — B 470
Erlangen — B 85 — Amberg
A3 Autobahn Frankfurt
Nürnberg
A6 Autobahn Heilbronn — A3 Autobahn Regensburg
A9 Autobahn München

Alfons und Resi Ruder
Unterer Markt 9
D-8572 Auerbach
Tel. 0 96 43-17 65
Fax 0 96 43-46 70

98

Romantik-Hotel „Goldner Löwe"

Auerbach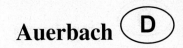

Kennen Sie den Naturpark FRÄNKISCHE SCHWEIZ-VELDENSTEINER FORST? Hier finden Sie eine Mittelgebirgslandschaft, die noch nicht vom Massentourismus überlaufen ist und zu jeder Jahreszeit ihre besonderen Reize bietet. Herrliche Tannen- und Buchenwälder gilt es zu erwandern. Burgen und Höhlen sowie Barockkirchen haben dieser Landschaft ihr besonderes Gepräge gegeben. Dichter und Maler der Romantik haben es auf Schusters Rappen durchwandert, besungen und auf dem Zeichenblock festgehalten. Die Richard-Wagner-Festspielstadt Bayreuth ist nah und Nürnberg nicht fern. Auf die vielen Sportmöglichkeiten ist bereits bei unserer Hausbeschreibung hingewiesen.

Unser Wochenend-Arrangement:

2 Übernachtungen im Doppelzimmer mit Bad und WC inkl. Frühstücksbuffet
1 Abend-Menü und 1 Fondue-Abend DM 280,- p.P.
EZ-Zuschlag DM 27,- pro Tag

Bayerisches Wochenende:

2 Übernachtungen im Doppelzimmer mit Bad und WC inkl. Frühstücksbüffet.
1 Abend-Menü und bayerisches Buffet mit Unterhaltungsmusik
DM 302,- pro Person, EZ-Zuschlag DM 27,- pro Tag
Durchführbar ab 20 Personen.

Silvester-Programm:

27. 12. 93   Ankunft: Begrüßung mit einem Hauscocktail
28. 12. 93   Besichtigung der Klosterkirche Michelfeld. Fahrt zur Burg Veldenstein durch den Naturpark Veldensteiner Forst mit Besichtigung des Wildgeheges.
29. 12. 93   Vortrag über die Geschichte Auerbachs und seines Umlandes
30. 12. 93   Wandern
31. 12. 93   19.00 Uhr Großes Silvestermenü, anschl. Silvestertanz
01. 01. 94   Ausruhen, faulenzen
02. 01. 94   Besichtigung unseres Felsenkellers mit Weinprobe
03. 01. 94   Abfahrt nach einer stärkenden Mahlzeit

Pauschale für 7 Tage mit Frühstück und Halbpension ab DM 986,-

Oster-Kurzurlaub:

Anreise, Gründonnerstag
Abreise, Ostermontag
4 Übernachtungen im Doppelzimmer mit Bad und WC inkl. Frühstücksbüffet
1 Abend-Menü
1 Fisch-Abend
1 Menü mit Schinken im Brotteig
1 Menü mit Osterlammbraten
DM 540,- pro Person, EZ-Zuschlag DM 27,- pro Tag.

Romantik Hotel „Augsburger Hof"

Im Herzen der 2000jährigen Fuggerstadt Augsburg, gegenüber des Mozarthauses finden Sie das Romantik Hotel „Augsburger Hof". Die Geschichte des Hauses geht bis auf die Römerzeit zurück. Schon damals war die an der Via Claudia Augusta gelegene Herberge ein beliebter Rastplatz für reisende Händler und Kaufleute. Das Anwesen, welches bis 1767 als bischöfliches Lehen galt, wurde 1988 komplett vom Besitzerehepaar Rolf und Roswitha Meder renoviert. Bereits auf den ersten Blick offenbart sich das harmonische Miteinander eines modernen Stadthotels in historischen Mauern. Das Innere des Hotels wurde stilvoll eingerichtet und strahlt schwäbischen Charme aus. Warme Holzmöbel in funktionellem Design verleihen den 36 Zimmern die so charakteristische Note von Komfort und Behaglichkeit. Mittags und abends verwöhnen wir unsere Gäste im gemütlichen Restaurant, der heimeligen Zirbelstube oder an warmen Sommerabenden bei Kerzenschein im blumengeschmückten Atrium mit unserer neuen, deutschen Küche unter Berücksichtigung frischer, regionaler Produkte. Besondere Erwähnung verdient sicher auch unser Gewölbekeller, in dem eine erlesene Auswahl edler Gewächse aus bekannten Weinanbaugebieten heranreifen. Ob Geschäftsreisender oder Urlauber - Ihnen bei uns ein „Zweites Zuhause" zu bieten, in dem Sie sich rundum wohl fühlen, das ist unser Bestreben.

In the center of Augsburg the 2000 years old town to the Fuggers vis-a-vis to the Mozart House you find the Romantik Hotel „Augsburger Hof". The history of this house goes back to the ancient Romans. At that time already the accomodation situated at the Via Claudia Augusta has been a popular place to rest for travelling tradesmen and merchants. The property having been an episcopal fief until 1767 has been refurbished completely in 1988 by the owners Rolf and Roswitha Meder.
At first sight you will mention the harmony of a modern city hotel in historical walls. The interior of the hotel is furnished stylishly and spreads Swabian charm. Wood furniture of functional design gives the rooms a characteristic note of comfort and cosiness.
At lunch and diner we spoil our guests our new German cuisine using only fresh regional products in our pleasant restaurant, the cosy Zirbel Parlour or on warm summer evenings by candlelight in the Atrium adorned with flowers.
Very special attention should be paid to our wine-vault in which ripens a superior choice of fine wines of well-known wine-growing regions.
Whether businessman or holiday guest - it is ur endeavour to make our hotel your „second home" in which you may feel entirely at ease.

Au coeur d'Augsbourg, la ville bimillénaire du Fugger, en face de la Maison de Mozart, vous trouverez l'hôtel Romantique »Augsburger Hof«.
L'histoire de cette maison remonte à l'époque des Romains. Déjà à cette époque, l'auberge située sur la Via Claudia Augusta était une étape populaire chez les voyageurs et les commercants. La propriété, qui était considérés comme fief épiscopal jusqu'en 1767, a été entièrement renovée en 1988 par les propriétaires Rolf et Roswitha Meder.
Tout le suite, l'harmonie de l'hôtel, moderne dans ses murs historiques, saute aux yeux. L'intérieur de l'hôtel, aménagé avec beaucoup de goût, a le charme typique de la Souabe.

Des meubles de bois agréables, au design fonctionnel, donnent aux 36 chambres leur note caractéristique de confort et de bien-être. Au déjeuner et au dîner, nous sommes aux petits soins pour les hôtes dans le restaurant, où règne une bonne ambiance, dans la »Zirbelstube« accueillante ou, lors des soirées douces d'été, dans l'atrium aux chandelles, décoré de fleurs, où nous servons la nouvelle cuisine allemande qui s'inspire des produits frais régionaux.
N'oublions pas de mentionner notre cave voûtée, où murissent des grands crus sélectionnés de vignobles connus.
Que vous soyez homme d'affaires en voyage ou vacancier, nous mettrons tout en oeuvre afin que vous puissiez vous sentir comme chez vous et que votre séjour vous satisfasse à tous égards.

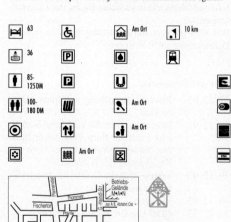

Rolf Meder
Auf dem Kreuz 2
8900 Augsburg
Tel. 08 21/31 40 83
Telefax 08 21/3 83 22

Romantik Hotel „Augsburger Hof"

Augsburg

Romantik Wochenende

Empfehlungen für Ihren Augsburg-Aufenthalt:

1. Tag Anreise
Wir erwarten Sie im Laufe des Freitags. Am Nachmittag Möglichkeit zur Besichtigung des Mozarthauses mit Dokumenten aus dem Leben von Vater und Sohn Mozart und des Maximilianmuseums. Schwäbisches Abendmenü in unserem gemütlichen Restaurant, danach Besuch einer Aufführung der „Augsburger Puppenkiste"

2. Tag
Vormittags Bummel durch die Fußgängerzone. Augsburg ist eine attraktive Einkaufsstadt. Samstags erklingt in der St. Anna Kirche „Orgelmusik zur Marktzeit". Teilnahme an der Stadtrundfahrt bzw. des Stadtrundgangs mit Besichtigung des Rathauses und dem goldenen Saal, Basilika St. Ulrich, Perlachturm, Schaezler Palais und der ältesten Sozialsiedlung der Welt, der Fuggerei.
Um 18 Uhr geben die Domsingknaben und der Domchor ein Konzert mit geistlicher Musik im „Hohen Dom".
Zum Abschluß dieses Kulturtages möchten wir Sie mit unserem Gourmetmenü verwöhnen.

3. Tag
Nach Ihrem Romantik-Frühstück laden wir Sie zu einer Runde Golf auf Bernhard Langers „Heimatplatz" ein. Entlang der westlichen Wälder fahren wir nach Augsburg-Burgwalden - oder Sie lesen in Ruhe die Sonntagszeitung und machen einen letzten Spaziergang durch die Altstadt.

Pauschalangebot für ein Romantikwochenende

2 Übernachtungen im Himmelbettzimmer mit Frühstücksbüffet
1 dreigängiges schwäbisches Menü
1 Gourmetmenü mit Aperitif
1 Stadtrundfahrt oder Stadtrundgang „Auf Fuggers Spuren"
1 Eintrittskarte für die Augsburger Puppenkiste

Zubringer zum Golfplatz (Preis ohne Greenfee)
Pro Person im DZ   DM 297,-
EZ-Zuschlag   DM 70,-

Romantik Hotel „Der Kleine Prinz"

Wer jahrelang amerikanische Großhotels wie das Waldorf-Astoria und das Hilton in New York geführt hat, der sehnt sich oftmals danach, wieder ein kleines gemütliches Hotel zu leiten und Gastgeber und nicht Manager zu sein. So auch Norbert Rademacher, der zusammen mit seiner Frau nach langem Auslandsaufenthalt und als langjähriger Boß der beiden oben genannten Häuser, wieder nach Deutschland wollte um hier ein kleines aber feines Hotel zu führen. Nach langem Suchen fand er in Baden-Baden ein 100 Jahre altes Barockhaus, seine Frau renovierte es stilvoll und man nahm als Motiv die Zeichnungen von Saint-Exuperys „Der Kleine Prinz" und schon war ein kleines, reizvolles Hotel geboren. Inmitten des Weltkurortes Baden-Baden, nur wenige Schritte vom Kongreßhaus, dem Kurpark und Spielcasino und unweit der neuen Caracalla Therme gelegen, bietet „Der Kleine Prinz" die ideale Voraussetzung für Kurz- und Langzeiturlauber, sowie für Geschäftsreisende. Die Zimmer besitzen alle ihre ganz besondere Note. Das romantische Zimmer mit offenem Kamin oder das Türmchenzimmer gehören zu den begehrten Wünschen vieler Gäste. Alle Zimmer haben Bad, WC, Kabel-Farb-TV, Minibar und Haarfön. Einige Junior-Suiten mit Whirl-Pool, Videoplayer und Balkon. Ein kleines Restaurant und eine Hotelbar mit offenem Kamin bilden im Erdgeschoß eine lichte und freundliche Kombination, die auch am Nachmittag zu einem Plauderstündchen einlädt. Ein Besuch, der sich lohnt.

It's understandable that anyone who has spent years at grand American hotels like The Waldorf-Astoria and the New York Hilton may long for a small, cozy hotel where he was a „manager" becomes a „host". After 22 years in the states where he was a director in both the above mentioned hotels, Norbert Rademacher returned to Germany dreaming of a small fine hotel. After a long, hard search, he and his wife discovered a 100 years-old Baroque house in Baden-Baden. His wife designed the extensive renovation and fashioned the decor after the illustrations of Saint-Exupery's „The Little Prince". A little enchanting hotel was born! Located in the resort town of Baden-Baden, only a few paces away from the convention center, spa-park and casino as well as not far from the Caracalla hotspring-bath. „Der Kleine Prinz" provides for a perfect holiday, short or long. Each room has its individual charm, from the romantic room with its open fireplace to the Tower room, a real favorite. All rooms with bath, wc, cable-color-TV, minibar and blowdryer. Some junior suites with whirl pool-bath and balcony. The small restaurant on the hotel's ground floor and the adjacent lobby-bar with its cheery fire place prove to be a bright and friendly combination, inviting in the afternoon and in the evening. A visit to „Der Kleine Prinz" is most worth your while.

Lorsqu'on on gère pendant des années de grand hôtels américains comme le Waldorf-Astoria ou le Hilton de New York, on ressent souvent, la nostalgie d'un petit hôtel agréable qu'on aspire âgerer avant tout en tant qu'hôte et non plus seulement en manager. C'est ce que Norbert Rademacher a décidé de faire. Après avoir été durant de longues années »big boss« des 2 hôtels géants précités, il revint avec sa femme dans leur Allemagne natale pour y tenir ensemble un hôtel raffiné aux dimensions plus modests. Après a avoir longtomps cherché, il découvrit à Baden-Baden une maison de style baroque construite il y a 100 ans qui lui plût. Sa femme a restaurant avec beaucoup de finesse, adopta comme motif les dessins du »Petit Prince« de St.-Exupery, et voilà qu'un ravissant petit hôtel était né. Situé au coeur de la ville de cure mondialement connue qu'est Baden-Baden, à quelques pas

seulement du Palais des Congrès, du Parc de la station thermale avec ses thermes et son casino, et peu loin des nouveaux thermes Caracalla, l'Hôtel Romantik „Der Kleine Prinz" remplit les conditions idéales recherches par les vacanciers qui souhaitent y séjourner même assez longtomps. La romantique chambre à deux lits avec sa cheminée et la Chambre de la Tour succitent la convoitise justifée de nombreux hôtes mais toutes sont leur not bien individuelle et possèdent évidemment salle de bains, WC, TV-cable-couleur, mini-bar, réveil-radio, magnétophone et sèchecheveux. Plusieur petit apartements avec une whirl pool et terrasse. L'ensemble lumineux et heureux du petit restaurant et du bar d'hôtel avec cheminée au rezde-chaussée constitue un cadre plaisant qui invite même l'après-midi à un moment détendant de »bavardge«. Une visité en vaut la peine.

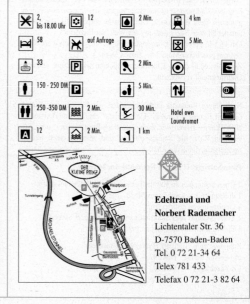

✕ 2, bis 18.00 Uhr	✦ 12	⬡ 2 Min.	🚆 4 km
🛏 58	🍴 auf Anfrage	Ⓤ	⊠ 5 Min.
🏛 33	Ⓟ	🔧 2 Min.	◉ E
👤 150 - 250 DM	Ⓟ	⚓ 5 Min.	⇅ ⦿
👥 250 -350 DM	▦ 2 Min.	🏃 30 Min.	Hotel own Laundromat
Ⓐ 12	▦ 2 Min.	🔫 1 km	

Edeltraud und
Norbert Rademacher
Lichtentaler Str. 36
D-7570 Baden-Baden
Tel. 0 72 21-34 64
Telex 781 433
Telefax 0 72 21-3 82 64

Romantik Hotel
„Der Kleine Prinz"

Baden-Baden

Gesundheit, Kultur und (Winter)Sport in Baden-Baden

Baden-Baden, weltbekannte Kurstadt im Tal der Oos, bietet neben seinen landschaftlichen Vorzügen noch vieles mehr. Beispielsweise Gesundheit, Kultur und Sport. Der anspruchsvolle Gast hat die Möglichkeit, sich in den Thermalbädern und in der neuen Therme fit zu halten, Golf und Tennis zu spielen, zu reiten, joggen auf den kilometerlangen Kurwegen oder gar Ballon zu fahren.
Auch das Wintersport-Angebot kann sich sehen lassen, gibt es doch nur wenige Kilometer von der Kurstadt entfernt attraktive Pisten und Loipen. An der Schwarzwald-Hochstraße sorgen 25 Skilifte, davon 22 mit Flutlicht, für alpinen Skilauf. Daß Kultur in Baden-Baden großgeschrieben wird, beweist die Tatsache, daß täglich Konzerte und Theatervorstellungen gegeben werden.

Das „Kleine Prinz Sonderprogramm" für den attraktiven Kurzurlaub. Ein Doppelzimmer der gehobenen Kategorie, incl. Welcome Cocktail, Frühstücksbuffet, 4-Gang-Feinschmecker-Menü, sowie nachmittags Kaffee und Kuchen.

Die folgenden Preise gelten pro Person und Tag.

Kategorie:	Hauptsaison	Nebensaison
Doppelzimmer	175,- DM	150,- DM
Einzelzimmer	225,- DM	200,- DM
Juniorsuite	250,- DM	225,- DM

Hochsaison (15. 3. - 15. 11.) (18. 12. - 5.1.)
Minimumaufenthalt 2 Tage
Bitte reservieren Sie 2 Tage im voraus.

Golf auf Anfrage
Ballonfahrt DM 500,- pro Person, incl. Champagner-Taufe, Taufschein, Picknick, Rücktransfer und Versicherung.

Langzeitprogramm:
Golf-Arrangement
Weihnachts- und Silvester- Arrangements

Im engsten Kreise (von 2-12 Teilnehmern) erfolgreich tagen.

Romantik-Hotel „Sonne"

Badenweiler ist ein eleganter Kur- und Ferienort im südlichen Schwarzwald und ein idealer Platz sich vom All-
tagsstreß zu erholen. Es ist nur 12 km von der Autobahn
Frankfurt/Basel entfernt und den Umweg wert, wenn Sie
eine Unterkunft auf Ihren Reisen durch diesen Teil von
Deutschland suchen. Hier können Sie herrlich Kururlaub
mit allen seinen Attraktionen verbringen und können es
mit den kulinarischen Köstlichkeiten, die die „Sonne" zu
bieten hat, verbinden. Das Elsaß und die Schweiz liegen
praktisch vor der Tür! Das Hotel wurde 1620 gebaut und
ist seit vier Generationen und 105 Jahren in der Fischer-
Familie. Die heimische Atmosphäre, die ausgezeichnete
Küche, moderner Komfort und persönliche Betreuung
durch die Besitzer machen es wert, in diesem ruhigen Hotel Halt zu machen.

Badenweiler is an elegant spa and holiday resort in the
southern Black Forest and an ideal place to recover from
the stress of everyday life. It is only 12 km from the
Frankfurt/Basel motorway and well worth the detour, if
you are looking for accommodation on your travels
through this part of Germany. Here you can spend a marvellous spa-holiday with all its attractions and combine it
with culinary pleasure the „Sonne" has to offer. The hotel
was established in 1620 and has been in the Fischer family for four generations. The homely atmosphere, exquisite cuisine, modern comforts and personal supervision of
the owners make it worthwile to stay in this quiet hotel.

Badenweiler est restée une des rares stations thermales
privées et vacances de l'Allemagne et offre à l'hôtel le
plus exigeant une gamme complète des techniques modernes de cure. Son climat tempéré et doux, le calme et le
repos aident le surmené à retrouver son équilibre normal.
Les techniques de cure sont particulières aux rhumatisme,
arthrose des membres, etc. L'hôtel „Sonne" existe depuis
1620 et c'est déjà la 4ème génération de la famille Fischer
qui en assume la direction. Il se prête admirablement bien
à séjour de cure se transformant en de véritables vacances.
Un décor romantique, une cuisine délicieuse, un confort
moderne (toutes les chambres avec salle de bains ou douche, WC), l'accueil prévenant des propriétairs, tout cela
crée une atmosphère chaleureuse incitant à se laisser aller
à la joie de vivre. Le voyageur pressé désirant passer une
nuit tranquille est vite au „Sonne", ce n'est qu'un détour
de 12 km depuis l'autoroute.

Ferienappartements mit allem Komfort,
auch mit Hotelservice, u. f. Getrenntschläfer.

Tennishalle   800 Meter
Thermalbad   100 Meter

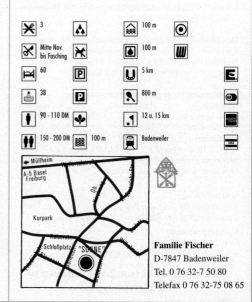

Familie Fischer
D-7847 Badenweiler
Tel. 0 76 32-7 50 80
Telefax 0 76 32-75 08 65

Romantik Hotel
„Waldschlößchen Bösehof"

Bederkesa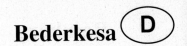

Zwischen Elbe- und Wesermündung liegt der Flecken Bederkesa, umgeben von Seen, Wäldern und Wiesen. Als Luftkurort und Moorheilbad, ist dieser nur 12 Kilometer von der Autobahn Bremen-Cuxhaven (A 27) entfernte Ort der ideale Ausgangspunkt für Ausflüge jeder Art an die nahe Nordseeküste und in die landschaftlich reizvolle Umgebung.

Das Waldschlößchen Bösehof, im Jahre 1826 von dem Bremer Zuckerkaufmann Heinrich Böse als Landsitz erbaut, bietet dem Feriengast wie dem Geschäftsreisenden die gepflegt-gediegene und doch ländlich unkomplizierte Atmosphäre, die echte Erholung verspricht.

Zwei Restaurants stehen dem Gast zur Wahl: Böse's Restaurant, dessen Ambiente von Kirschbaum und freundlichen Gelbtönen geprägt ist. In der Speisekarte werden Gerichte und Menüs für den verwöhnten Feinschmecker angeboten.

Der Wintergarten, mit Rattanmöbeln eingerichtet, bietet dem Gast die etwas preiswertere und leichtere Alternative zu speisen.

In der Bauernstube, aber nicht nur dort, wird neben einem gepflegten Pils vom Faß eine für diesen Breitengrad außergewöhnlich große Auswahl an offenen und Flaschenweinen serviert.

Sommertags genießt man auf der Terrasse die leichte Brise und den herrlichen Ausblick auf den Bedekesaer See.

In der weit über die regionalen Grenzen hinaus bekannten und geschätzten Küche des Waldschlößchen Bösehof werden die Frischprodukte der Region verarbeitet, in erster Linie fangfrischer Fisch aus dem nahen Bremerhaven und Wild aus den umliegenden Wäldern.

Alles in allem also die besten Voraussetzungen für einen harmonischen und erholsamen Aufenthalt im hohen Norden.

Between the mouths of the rivers Elbe and Weser the little place Bederkesa is located in the midst of lakes, forests and meadows. Being both a climatic health resort and a spa the village only 12 km away from the autobahn Bremen-Cuxhaven (A 27) is the ideal starting-point for any kind of excursion on the near North Sea Coast and the beautiful natural surrounding area.

The „Waldschlößchen Bösehof" built a country seat in 1826 by Heinrich Böse, sugar merchant and inhabitant of Bremen, offers the vacation guest and the businessman as well the cultured and solid but rural and uncomplicated atmosphere promising real recreation.

There are 2 restaurant the guest may choose from: „Böse's Restaurant" the ambience of which is characterized by cherry-wood and friendly yellow colour shades. The menu offers dishes for the discriminating gourmet.

The „Wintergarten" with rattan furniture allows the guest to have light meals at reasonable prices.

In the „Bauernstube", and not only there, they serve besides an excellent Pilsner draught beer an extraordinary wide selection of wines by the bottle or by the glass.

On summer days you can enjoy on the „Terrasse" the gentle breeze and the marvellous view of the „Bedekesaer See" (Lake).

In the cuisine of the „Waldschlößchen Bösehof" highly regarded and well-known beyond the regional borders only absolutely fresh seasonings of the region are used especially freshly caught fish from the nearby Bremverhaven and venison from the surrounding forests.

Thus, all in all the very best conditions for a harmonious and restful stay in the far North.

Entre l'embouchure de l'Elbe et celle de la Weser se trouve Bederkesa, localité entourée de lacs, de forêts et de prairies. Cette station climatique et thermale (bains de boue) n'est qu'à 12 km de l'autoroute Bremen et Cuxhaven (a 27) et est ainsi le point de départ idéal de toutes sortes d'excursions vers le littoral tout proche de la Mer du Nord ainsi que dans les alentours pittoresques.

Le petit château de Bösehof, propriété de campagne bâtie en 1826 par le négociant en sucre Heinrich Böse, offre et aux vacanciers et aux hommes d'affaires une agréable ambiance bourgeoise imprégnée de décontraction rustique qui permet de se reposer vraiment. L'hôte a le choix entre deux restaurants: „Böse's Restaurant" avec son intérieur en bois de carisier et ses tons d'un jaune accueillant. Les plats et les menus de la carte satisferont le gourmet.

On peut également prendre des repas moins chers et plus légers assis dans les fauteuils re rotin du „Wintergarten" (Jardin d'Hiver). A la „Bauernstube" (Salle des Paysans), mais pas uniquement dans cette salle, on sert de la bière pression et aussi qu'un grand choix de vins en pichet et en bouteille assez extraordinaire sous ces latitudes.

En été, installez-vous sur la terrasse et profitaz de la brise légère et de la vue splendids sur le lac de Bederkesa. La cuisine du petit château de Bösehof, réputée et estimée bien au-delà des frontières régionales utilise des produits régionaux frais, surtout le poisson fraîchement pêche à Bremerhafen, la ville voisine, et le gibier des fôrets d'alentour. En résumé donc, vous trouverez ici les meilleurs conditions pour un séjour harmonieux et reposant dans l'Allemagne du Nord.

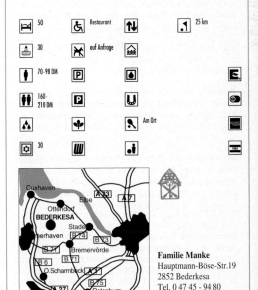

🛏 50	♿ Restaurant	🍴		📷 25 km
🎂 30	🐕 auf Anfrage	⛰		
🍷 70-98 DM	🅿			E
🍴🍴 160-210 DM	🅿	⚕		
⛺	🌿	Am Ort		
❀ 30	〜			

Familie Manke
Hauptmann-Böse-Str.19
2852 Bederkesa
Tel. 0 47 45 - 94 80
Telefax 0 47 45 - 94 82 00

Romantik Hotel
„Weinhaus Messerschmitt"

Wenn Sie durch das wunderschöne Frankenland reisen, sollten Sie weder die reizende 1000 Jahre alte Stadt Bamberg noch das „Weinhaus Messerschmitt" versäumen. Das „Messerschmitt" wurde von jenem Mainschiffer in der Ahnentafel der Familie im Jahre 1832 gegründet, der eines Tages von einer seiner Fahrten ein Faß Wein mit nach Hause brachte und dieses Glas für Glas verkaufte. Die Bamberger kamen auf den Weingeschmack und der Mainschiffer-Urahn wurde Weinhändler. Das heute 160jährige Weinhaus war geboren. Es wurde auch das Elternhaus des Flugpioniers Professor Willy Messerschmitt. Die Familiennachfolger Otto und Lydia Pschorn setzten seit 37 Jahren die Weinhaus-Tradition fort. Die vielen fränkischen Besonderheiten und die Spezialitäten vom Jahreszeitenmarkt, besonders auch die lebend frischen Mainfische, sind weit bekannt, Messerschmitt - das Weinhaus in Bamberg - hat sich seit Generationen entwickelt. Genießen Sie seine Gastlichkeit.

Attention gourmets and tourists: neither the charming 1.000 years old city of Bamberg nor the „Weinhaus Messerschmitt" should be missed. Today the name of the owner is Otto Pschorn, but the restaurant has been in the family since 1832. It all started with a cask of wine, which was brought from Mainz. The beerdrinkers enjoyed it so much that it became a permanent institution to serve wine at the "Messerschmitt" and today you can enjoy the best wines here. Lydia Pschorn, like her husband, is a true gastronome and cooks savoury dishes such as „eel in sage" and many other specialities and Otto will delight his guest with his gourmet knowledge and hospitality. Stay a little longer in Bamberg and indulge in good food and drink.

Bamberg est une ville ravissante vieille de 1000 ans qu'il faut avoir vue. Pour un gourmet, un séjour à Bamberg, sans descendre au Messerschmitt ne serait pas complet. Il ne faut naturellement pas penser au fameux constructed d'avion venant de cette famille, mais au restaurant »Weinhaus Messerschmitt«. Bien que l'hôtelier actuel s'appelle Otto Pschorn, le »Weinhaus Messerschmitt« est resté propriété de la même famille depuis 1832. Boire du vin est devenu une tradition remontant à 1832 lorsqu'un fût rapporté de Mayence (Mainz).
Lydia Pschorn est aux fourneaux, c'est un vraicordon bleu, elle vous prépare les mets les plus délicieux comme l'»anguille à la sauge« qu'on ne passioné de la gastronomie, un gourmet parmi les gourmets qui sait conseiller et recevoir avec un soin remarquable. Venez Bamberg, au »Messerschmitt« et laissez vous choyer dans de plaisantes salles par les propriétaires.

Sie finden bei uns:

- das traditionelle Feinschmecker-Restaurant
- die Hubertusstube, der zwanglose Schoppen- und Pils-Treffpunkt
- das idyllische Brunnenhof-Gärtchen für erholsame Stunden bei Kaffee und Hausgebäck
- die Küferei, ein Bankett- oder Tagungsraum
- und Hotelzimmer mit zeitgemäßem Komfort

Otto Pschorn
Lange Straße 41
D-8600 Bamberg
Tel. 0 9 51-2 78 66/67
Telefax 0 9 51-2 61 41

Romantik Hotel
„Weinhaus Messerschmitt"

Bamberg ⒹD

Sonderarrangements:

● **Zwei erholsame Kulturtage im liebenswerten Bamberg** **DM 388,-**
Entdecken Sie den Reiz der 1000jährigen Stadt, mit Stadtführung, Rauchbier, Frankenwein und fränk. Spezialitäten-Menü, u. a.

● **Gourmet-Wochenende bei Messerschmitt** **DM 420,- p.P.**
Wir laden Sie ein zu einer »Fränkischen Tafeley« mit Bocksbeutel-Weinprobe und zu einem »Romantik Gourmet-Menu der Jahreszeiten«

● **Ostern in Franken von Karfreitag bis Ostermontag** **DM 470,- p.P.**
mit Ostermesse im Bamberger Dom, fränkischem Fischessen und Oster-Menu, Weinprobe u.v.a.

● **Vorweihnachtliches Eßvergnügen in unserer Krippenstadt** **DM 380,- p.P.**
zwischen 28.11. und 20.12., mit zwei Übernachtungen

● **Silvester und Neujahr in Bamberg** **DM 595,- p.P.**
(mit Konzert der Bamberger Symphoniker) 3 Übernachtungen, vom 30.12. - 2.1.

● **Zubereitung von Fluß-Fischen – nach der neuen deutschen Küche
ein 3-Tage-Kochkurs** **DM 560,- p.P.**
Termine auf Anfrage

● **Messerschmitt auch Ihr Bankett-Partner**
Bankette - Tagungen - Konferenzen - Empfänge für 6-60 Personen

Bitte fordern Sie unsere Angebote an.

Ausführliche Programme schicken wir Ihnen sehr gerne zu.

Romantik Hotel „Die Bierhütte"

Die „Pierhittn" kann auf eine bewegte Geschichte zurückblicken. Am 23. Mai 1512 findet sie die erste urkundliche Erwähnung als Glashütte. Ab 1564 erhält sie vom Passauer Fürstbischof die Erlaubnis zum Bierbrauen. Heute wird hier allerdings kein Bier mehr gebraut. Die Familie Störzer hat 1973 aus dem behäbig-barocken Gebäude ein gemütliches Hotel und Restaurant geschaffen. Aus der Küche kommen köstliche Spezialitäten der Gegend, ebenso moderne, leichte Gerichte und Vollwertkost. Das ganze „Bierhütten"-Team ist immer bereit, für das Wohl der Gäste zu sorgen. Zum Hotel gehören zwei Gästehäuser mit sehr komfortablen, großen Zimmern, Garagen, Parkplätze, ein idyllischer See, Gartenterrasse und ein Kinderspielplatz.

Die „Bierhütte" liegt mitten im Bayerischen Wald zwischen Freyung und Grafenau, gleich unterhalb von Hohenau.

Der nahe „Nationalpark Bayerischer Wald" bietet mit seinen über 200 km langen Wanderwegen und Tiergehegen eine einzigartige Erholungsmöglichkeit. Als Ausflugsziele sind zu nennen: Regensburg, Passau mit seiner schönen Alstadt, das Donautal, das nahe Österreich, die „Goldene Stadt" Prag, die Glasmacherorte Frauenau, Spiegelau und Zwiesel und alle Berge des Bayerischen Waldes.

Die Sportler können im Sommer schwimmen, fischen, trimmen und wandern, im Winter skiwandern und langlaufen (alles ohne Auto). Tennis, Golf Squash, Reiten und Abfahrtslauf finden Sie in der Nähe.

Für Seminare und Konferenzen stehen in der „Bierhütte" mehrere Tagungsräume mit komplettem Service und Tagungseinrichtungen zur Verfügung.

The Romantik Hotel Bierhütte dates back to many years of exiting history. The first record as a glass factory dates back to 1512 and in 1564 a permit was granted by the archbischof of Passau to brew beer.

Today there's no more beer brewing. The Störzer family converted the baroque building in 1973 into a comfortable hotel and restaurant. From the kitchen come local delicacies, like low calory dishes and health food. The Störzer family and their staff at the Romantik Hotel Bierhütte are always there to look after the well being of their guests.

In addition to the hotel there are 2 guesthouses with comfortable, large rooms, parking, a romantic lake, terrace, meadows and a children's playground.

The Bierhütte is located in the middle of the Bavarian Forest half-way between Freyung and Grafenau, close to Hohenau. Closeby is the „Bavarian National Forest" with 200 km long trails walkways, and a game reserve. Places to see include the city of Regensburg; Passau with the beautiful old towncenter; the Danbule Valley; Austria is close-by; Prague (the „Golden City"); the Crystal towns of Frauenau; Spiegelau and Zwiesel and of course the mountains of the Bavarian Forest.

For sports people there is swimming, fishing, hiking, and a fitness center; in winter crosscountry skiing (all without a car!); tennis, golf, squash, horseback riding and slalom runs close-by.

To hold successful conferences, the Bierhütte is equiped with all modern facilities.

La »Pierhittn« a connu une histoire bien mouvementée. On en parle pour la première fois dans une chronique de 23 mai 1512 comme étant une vererie. Le prince évêque de Passau lui octroi 1564 le droit de brasser la bière. On ne produit aujourd'hui plus de bière. La famille Störzer a transformé en 1973 ce bâtiment baroque confortable en un très intéressant Hôtel-Restaurant. La cuisine propose de savoureuses spécialités régionales, des créations modernes et légères et une naturelle. Toute l'équipe de la »Brasserie« (Bierhütten) est toujours prête à choyer ses convives.

L'hôtel se compose de deux bâtiments aux grandes chambres très confortables, garage, parking, un lac idylique, une prairie pour la détente, une terrasse sur le jardin et une place avec jeux pour les enfants.

Le Bierhütte se situe en forêt bavoroise entre Freyung et Grafenau, juste en dessous de Hohenau. Le Parc national de la forêt bavoroise offre un cadre unique de détente avec ses 200 km de chemins de randonnée et ses réserves d'animaux. Citons comme but d'excursion possibles: Regensburg, Passau et sa vieille, ville, la vallée de Danube, la proche Autriche, Prague la ville dorée, les viles des verriers Frauenau, Spiegelau, Zwiesel et les montages de la forêt bavaroise.

En ée les sportifs peuvent se baigner, pêcher, se remettre en forme, faire des randonnées, en hiver su ski de fond - le tout sans auto, Tennis, golf, sqaush, cheval pistes de descente se trouvent à proximeté.

Séminaires et conférences peuvent se tenir au »Bierhütte« dans plusieurs salles complétement équipées et offrant le service approprié.

🏨 80	❋ 15 · 60	5 km
🚌 43	P	5 km
👤 89 - 135 DM	P	
👥 138 - 196 DM	❦	18 km
A 4	◆	🚆 45 km Passau
▲ 4	U 10 km	

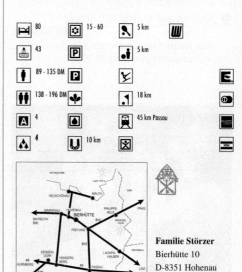

Familie Störzer
Bierhütte 10
D-8351 Hohenau
Tel. 0 85 58-315-19
Telefax 0 85 58-23 87

Romantik Hotel „Die Bierhütte"

Bierhütte D

Wanderwoche/Langlaufwoche
Sieben Übernachtungen im Komfort-Doppelzimmer im Gästehaus mit Terrasse oder Balkon, Dusche, WC, Telefon, Mini-Bar, Farb-TV und Radio, reichhaltiges Frühstücksbuffet, Drei-Gang-Menü an sechs Abenden, Fünf-Gang-Gourmet-Menü mit Aperitif an einem Abend. Täglich Bierhütten „Spezial-Brotzeit-Rucksack" mit Wander- oder Loipenkarte.

Preis pro Person 955,- DM
(ganzjährig gültig außer Weihnachten)

Goldenes Romantik-Wochenende
Zwei Übernachtungen im Komfort-Doppelzimmer im Gästehaus mit Terrasse oder Balkon, Dusche, WC, Telefon, Mini-Bar, Farb-TV und Radio, reichhaltiges Frühstücksbuffet, Drei-Gang-Menü am Freitagabend, Fünf-Gang-Gourmet-Menü mit Aperitif am Samstagabend.

Preis pro Person 290,- DM

Buchungen auch während der Woche möglich.

Zum Entspannen vier Tage Kurzurlaub
Vier Übernachtungen im Komfort-Doppelzimmer im Gästehaus mit Terrasse oder Balkon, Dusche, WC, Telefon, Mini-Bar, Farb-TV und Radio, reichhaltiges Frühstücksbüffet, Drei-Gang-Menü an drei Abenden, Fünf-Gang-Gourmet-Menü mit Aperitif an einem Abend und eine halbe Flasche Sekt zur Begrüßung am Zimmer.

Preis pro Person 552,- DM

Hl. Abend in der Bierhütte vom 21. 12. - 26. 12. 92
Fünf Übernachtungen im Komfort-Doppelzimmer im Gästehaus mit Terrasse oder Balkon, Dusche oder Wannenbad, WC, Telefon, Minibar, Radio und Farb-TV, reichhaltiges Frühstücksbüffet, Drei-Gang-Menü an vier Abenden,
Kulinarischer Heiligabend mit Aperitif, Weihnachtsbaum im Zimmer.

Preis pro Person 693,- DM

Jahreswechsel in der Bierhütte vom 26. 12. 1992 - 06. 01. 1993
Elf Übernachtungen im Komfort-Doppelzimmer im Gästehaus mit Terrasse oder Balkon, Dusche oder Wannenbad, WC, Telefon, Minibar, Radio und Farb-TV, reichhaltiges Frühstücksbüffet, Drei-Gang-Menü an acht Abenden, Fünf-Gang-Gourmet-Menü an einem Abend mit Aperitif, Bayerischer Abend mit Spanferkelessen, Sechs-Gang-Silvestermenü mit einer halben Flasche Champagner um Mitternacht.

Preis pro Person 1492,- DM

Alle Arrangements können in sämtlichen Zimmertypen gebucht werden.

Bitte fordern Sie unseren Hausprospekt an !!

Romantik Hotel „Zur Tanne"

Braunlage ist einer der bekanntesten Harz-orte und bietet den Besuchern viele Reize. Es gibt eine Seilbahn, ein Hallenbad, Ten-nis-Sandplätze und Hallenplätze, Reitgele-genheiten und natürlich herrliche Wege zum Spazierengehen in den wunderschönen Wäldern des Harzes. Die „Tanne" ist eines der besten Hotels im Harz und hinter sei-ner schönen Harzer Holzfassade versteckt, verbirgt sich eine Küche, die über die Region hinaus bekannt ist. Bärbel und Helmut Herbst folgen der Familientradition und erhalten den guten Ruf der „Tanne" mit dem Leitspruch: einkehren - wohnen - sich wohlfühlen. In einem der Hotelzim-mer wird dies ein wahres Vergnügen sein. (Fahrräder: kostenlose Benutzung.)

Braunlage is one of the most popular Harz villages offering many attractions. There is a cable car, indoor swimming pool, tennis, riding and, of course, walking in the beau-tiful forests of the Harz. The „Tanne" is one of the best hotels in the Harz Mount-ains and hidden beneath its histoire offers a cuisine well known even outside the re-gion. Bärbel and Helmut Herbst follow the family traditon and have upheld the high reputation of the „Tanne" with the maxim: „Come in, stay a while, unwind". In one of the hotel rooms, this will indeed be a plea-sure.

A 550 m altitude, Braunlage est la plus grande station climatique du Harz. Un télé-phérique vous dépose à la »colline« de Braunlage, le Wurmberg, à 990 m altitude. Il y a un funiculaire et des courts de tennis en plain air et sur terrain couverte. Elle sert de base à de nombreuses et fort agréa-bles promenades à pied, à cheval ou en caleche. Pour les érudits, Goslar et Duder-stadt sont des villes d'art et d'histoire et méritent une visite.
On peut dire sans prétention que le »Tanne« est un des meilleurs établisse-ments du Harz. Sa cuisine raffinée est con-nue et réputée bien au la règion. La devise de la maison: Entrer - loger - se sentir bi-en. C'est vrai que c'est un plaisir dans l'un des chambres.

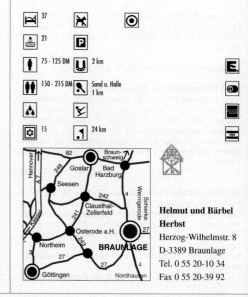

Helmut und Bärbel Herbst
Herzog-Wilhelmstr. 8
D-3389 Braunlage
Tel. 0 55 20-10 34
Fax 0 55 20-39 92

Romantik Hotel „Zur Tanne"
Braunlage

Der Harz

- nun wieder als ungeteilte historische Region ist reizvoll neu zu entdecken: Sie bewegen sich auf den Spuren deutscher Kaiser und Kultur in Goslar, Osterode, Duderstadt und Harzburg, in Wernigerode, Quedlinburg, Stollberg und Blankenburg.

Die Täler der Bode und die Höhen von Brocken und Wurmberg sind Naturerlebnisse ganz besonderer Art und einer Fahrt mit der alten, schnaufenden Harzquerbahn und Brockenbahn werden Sie in Ihrem Fotoalbum ein eigenes Kapitel widmen.

Familien Romantik im Gästehaus

Mit der Familie in den Harz! Denn hier gibt es viel zu erleben: eine Reitanlage, Blocksberghexen, Fahrradtouren auf hauseigenen Rädern, Eisstadion, Tennisplätze, Hallenbad, Wetterstation (dort kann man einmal hineinschauen), alte Befestigungsanlagen, Schneevergnügen im Winter, Erzgruben zum Besichtigen, ein Skimuseum (hier wurden die Ski erfunden!), Wildfütterungen, ... ja und noch vieles mehr!

Ab 5 Tagen DM 90,-
pro Doppelzimmer und Tag im Gästehaus inkl. Frühstück, bei mindestens 5 Übernachtungen in Kombination mit Kinderangeboten. Gilt nicht in der Zeit vom 20. 12. - 10. 1. + II, IX, X.

Das Romantik Hotel Zur Tanne für „kleine" Gäste im Gästehaus

Bis zu 6 Jahren im Elternzimmer kostenlos + HP

Bis zu 12 Jahren im Elternzimmer im Extrabett   DM 25,-
+ HP DM 10,-

Bis zu 16 Jahren im Elternzimmer, Extrabett   DM 25,-
+ HP DM 15,-

Bis zu 16 Jahren im Extrazimmer   DM 50,-
+ HP DM 15,-

Bis zu 16 Jahren, 2 Kinder im Doppelzimmer   DM 80,-
+ HP DM 35,-

„Erholung zum MONDTARIF"

Urlaub von Sonntag bis Freitag:
Dann kosten alle Zimmer 75 % vom Grundpreis (ausgenommen sind die Zeiten: 20. 12. - 10. 1., alle Feiertage und die Monate II, III, VIII, IX und X)

Zünftiger Wanderurlaub im Oberharz

7 Tage erwandern Sie von Braunlage aus mit Sternwanderungen den Oberharz. Der letzte Tag ist wohlverdienter Ruhetag, den wir für Sie mit einem festlichen Romantik-Menü beschließen. Preise pro Person: in der „Tanne" 850,- DM, im Gästehaus am Jemerstein 595,- DM + Kurtaxe.

Folgende Leistungen sind im Preis enthalten:
7 Übernachtungen im Doppelzimmer mit Bad/Dusche und WC, Frühstück, Halbpension, Romantik Menü, Lunchpakete, Transfer mit betriebseigenem PKW.

Für Pauschalangebote nehmen wir keine Kreditkarten an.

Romantik-Hotel „Prinz Carl"

Zwischen Odenwald und Bauland - an der Grenze von rotem Buntsandstein und weißem Muschelkalk - liegt das Fachwerkstädtchen Buchen. Intakte Landschaft, blumenreiche Wiesen und bewaldete Höhen, alles, was der gestreßte Großstädter heute sucht, hier findet er es. Mitten im Städtchen finden Sie eine alte Poststation, die sich zum Romantik Hotel „Prinz Carl" mit viel Atmosphäre gemausert hat. Im stilvollen Rahmen des alten klassizistischen Hauses mit seinen schönen Odenwälder Malereien verwöhnt Sie Familie Ehrhardt.
Egon Eiermann (Erbauer der Gedächtniskirche, Berlin), ein Freund Buchens und der Familie Ehrhardt, baute 1965 einen Hotelteil an, der einen interessanten Kontrast zum historischen Teil des Hauses darstellt. Die Küche von Werner Ehrhardt bietet regionale Spezialitäten neu interpretiert, bis hin zu erlesenen Menüs. In den uralten Kellergewölben findet sich neben beachtlichen Schätzen aus Deutschland und Frankreich, die „Goldene Kanne", die in den Abendstunden zum Dämmerschoppen einlädt.

Between the Odenwald and farming country, where new red sandstone meets white, shell-bearing limestone, lies the halftimbered town of Buchen. Intact countryside, meadows full of flowers, and wooded hills, here you will find everything that the hurried city-dweller is looking for these days. In the midst of the town you will find an old post station that has become the Romantik Hotel „Prinz Carl", an inn with a wonderful atmosphere, within the elegant surroundings of this old house in classical style with its lovely Odenwald paintings you will be pampered by the Ehrhardt family.
In 1965, Egon Eiermann (architekt of the Memorial Church in Berlin), a friend of the town of Buchen as well as of the Ehrhardts, added a hotel wing which blends perfectly with the existing half-timbered structures. The kitchen, under the direction of Chef Werner Ehrhardt, offers regional specialities, new interpreted, up to and including exquisite tables d'hôte. In the age old vaulted cellar, in addition to treasures from Germany and France, you will find the "Goldene Kanne", which invites you to a Happy Hour drink in the evening.

Entre l'Odenwald et le Bauland, à la frontière entre formations géologiques interéssantes de grès bigarré et de blanc calcaire conchyllien, vous découvrez Buchen et toutes ses maisons à colombage, petite encadrée d'un paysage resté intact avec ses prés fleurit et ses collines boisées: en un mot, ce dont le citadin ent quête de repos a besoin au jour d'aujourd'hui. Au coeur de la localité aux dimensions bien humaines, vous trouvez l'ancien relais de poste métamorphosé en attrayent Hôtel Romantik, le »Prinz Carl«. Dans le cadre stylé de cette ancienne demeure classique avec ses beaux tableaux de l'Odenwald, la famille Ehrhardt accueille dans une bienfaisante atmosphère d'hospitalité.
Un ami de la famille Ehrhardt, Egon Eiermann (architecte de la fameuse Eglise du Souvenir »Gedächtniskirche« à Berlin) et qui éprouve une prédilection particulière pour Buchen, a construit en 1965 la partie hôtel si adroitement intégrée dans l'ensemble des maisons à colombages. La cuisine, à laquelle préside Werner Ehrhardt, propose des spécialités régionales avec une note nouvelle qui lui est propre, jusque et y compris des mets d'un choix exceptionnel.

La cave ancestrale recèle sous ses voûtes non seulement d'imposants trésors collectionnés en Allemagne et en France mais aussi la »Goldene Kanne«, autrement dit »la cruche d'or«, où il fait bon goûter la quiétude des fins de journéen dégustant quelque boison.

Ein Wochenende inkl. Romantik-Menü und Gourmet-Menü kostet DM 325,-. Ein Kurzurlaub für 3 Tage inkl. 2 Abendessen und Gourmet-Menü kostet DM 435,-. Die Preise verstehen sich pro Person im Doppelzimmer.

🛏 34	✈ auf Anfrage	U
🛋 20	P	◉
🧍 108 - 170 DM	P	Ⅲ
👥 150 - 220 DM	〰 1 km	↑↓
A 1 260 DM	◉ 600 m	
✿ 50	⌐ 15 km	

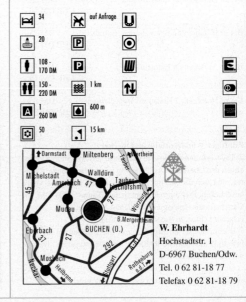

W. Ehrhardt
Hochstadtstr. 1
D-6967 Buchen/Odw.
Tel. 0 62 81-18 77
Telefax 0 62 81-18 79

Romantik Hotel „Hirschsprung"

Detmold \boxed{\text{D}}

Im Herzen des Teutoburger Waldes, am Rande der alten Residenzstadt Detmold finden Sie den Hirschsprung. Zu jeder Jahreszeit bietet die Region mit ihren vielfältigen Naherholungszielen, die größtenteils durch eine Wanderung zu erreichen sind, ihren Reiz. Ebenso bietet die Stadt Detmold durch ihr Landestheater, die Musikhochschule und zahlreiche Museen und das fürstliche Schloß reichlich Kultur-Erlebnismöglichkeiten. Zimmerkomfort, angenehmer Service und die Küchenleistung unseres jungen Teams unter der Leitung von Familie Waterkotte wird Sie überzeugen, unser Haus weiterzuempfehlen.

The „Hirschsprung" (= the leaping deer) is situated in the heart of the Teutoburger forest and on the outskirts of the old regional capital, Detmold. Throughout the year the region is full of charm, coupled with the fact that numerous excursion possibilities are within walking distance of the hotel. The town of Detmold with its theatre, conservatory, wide range of museums and castle offers a large choice of cultural activities. The extremely comfortable rooms, pleasant service and excellent cuisine under the management of the Waterkotte family will undoubtedly presuade you to recommend our hotel to your friends.

Situé au cœur de la Fôret de Teutoburg, aux abords de l'ancienne capitale de Detmold, vous trouverez le „Hirschsprung" (= le saut du cerf). En toute saison, la région offre ses charmes grâce à sa variété de buts d'excursion que vous attrendez en général au cours d'une randonnée. Par son Théâtre Cantonal, la Conservatoire de Musique, de nombreux musées et le Château de Princes. La ville de Detmold offre aussi un grand choix de participation des événements culturels. Le confort des chambres, un service agréable et notre jeune équipe de cuisine, dirigée par la famille Waterkotte, vous convaincront de recommander notre hôtel à vos amis.

im Winter 4		Am Ort
18	10 - 100	Am Ort
11	Restaurant ja Hotel nein	Am Ort
85 - 125 DM	P 3	10 Plätze im Umkreis
110 - 195 DM	P 50	Detmold

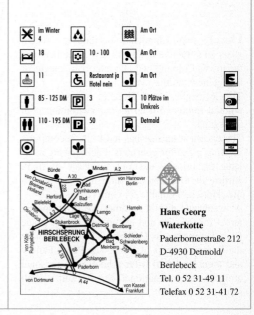

Hans Georg Waterkotte
Paderbornerstraße 212
D-4930 Detmold/
Berlebeck
Tel. 0 52 31-49 11
Telefax 0 52 31-41 72

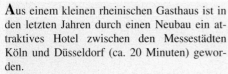

D Dormagen

Romantik Hotel „Höttche"

Aus einem kleinen rheinischen Gasthaus ist in den letzten Jahren durch einen Neubau ein attraktives Hotel zwischen den Messestädten Köln und Düsseldorf (ca. 20 Minuten) geworden.

Das Romantik Hotel Höttche verfügt über großzügige, komfortable Zimmer und ein Hallenbad mit Sauna.

Die ausgezeichnete Küche hat dafür gesorgt, ein Treffpunkt für Feinschmecker zu sein.

Für schöne Feiern im kleinen oder größeren Kreise stehen großzügige Räumlichkeiten zur Verfügung; die Lage und Ausstattung machen das „Höttche" außerdem für Tagungsveranstalter interessant.

An Wochenenden und im Sommer bieten wir einen speziellen Familienpreis und von Dormagen aus lassen sich Ausflüge nach Köln, Düsseldorf oder zur Römerfeste Zons machen.

Familie Pesch hat mit ihren freundlichen Mitarbeitern ein Hotel mit persönlicher Atmosphäre, internationaler Küche und einem wohlsortierten Weinkeller anzubieten.

Out of a small Rhineland guesthouse, in recent years an attractive hotel has developed between the towns Cologne and Düsseldorf by means of a large new building.

The Romantik Hotel Höttche offers well-appointed rooms with an indoor swimming pool and sauna.

The excellent cuisine has led to its becoming a meeting place for gourmets. Facilities are available for private functions for large or small parties; the situation and furnishing also makes the „Höttche" suitable for conferences.

At weekends and in summer we offer special terms for families and excursions can be made from Dormagen to Cologne, Düsseldorf or to the Roman fortress of Zons. The Pesch Family and their kind staff offer a hotel with personal atmosphere, international cuisine and a well stocked wine cellar.

Fordern Sie unsere Tagungsunterlagen an.

100	♿	
63	P	"Hummelbachaue"
105 - 169 DM	P	2 km
225 DM		Stadtmitte
2		
10 - 60	auf Reservierung	

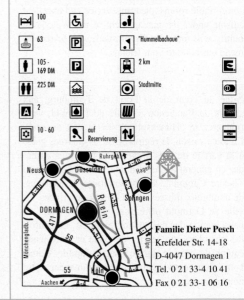

Familie Dieter Pesch
Krefelder Str. 14-18
D-4047 Dormagen 1
Tel. 0 21 33-4 10 41
Fax 0 21 33-1 06 16

114

HOTEL
RESTAURANT
Höttche

RESTAURANT SILBERDISTEL
frische regionale und internationale Spezialitäten
in gemütlicher Atmosphäre.

Genießen Sie in der **SCHÄNKE** die vielfältigen, täglich
wechselnden Spezialitäten unseres Buffets, zum Festpreis
von **DM 42,–**.

KULINARISCHES WOCHENENDARRANGEMENT
Eine neue Art unsere Gastlichkeit zu genießen und gleichzeitig
die Kulturstadt Köln oder die Messestadt Düsseldorf
näher kennen zu lernen. Einen erlebnisreichen Tag beenden mit
unserem phantasievoll zusammengestellten Champagner-Menü.

Pro Person im Doppelzimmer inclusive Champagner-Menü,
Übernachtung und Romantik-Frühstücksbuffet.
DM 189,–

TELEFON 02133/41041 · TELEFAX 02133/10616

Romantik Hotel „Lennhof"

Spitzengastronomie in romantischer Atmosphäre am Rande der Großstadt.

Wenige Autominuten abseits der Autobahn „Sauerlandlinie" liegt am Rande von Dortmund der „Lennhof", ein alter Fachwerkbau, der bereits 1395 einem märkischen Richter als Amtssitz diente.

Heute steht der „Lennhof" unter Denkmalschutz und verbindet in harmonischer Weise ein stilvolles Äußeres und mit gediegenem Interieur und modernen technischen Einrichtungen.

Die internationale Küche des Gourmet-Restaurants, der wohlsortierte Weinkeller und insbesondere auch die persönliche Atmosphäre des Hauses werden weit und breit geschätzt und gelobt.

An schönen Tagen bietet die sonnige Garten-Terrasse eine reizvolle Ergänzung des gastronomischen Angebotes.

Für Tagungen stehen im „Lennhof" zwei Konferenzräume zur Verfügung. Seit April 1985 wurde dieses Angebot mit der Angliederung des Romantik-Restaurants Storckshof, ebenfalls ein altes Fachwerkhaus, für Festlichkeiten von 40 bis 150 Personen erweitert.

Auch an die Freuden des weißen Sports wurde gedacht; Ihnen steht eine große moderne Tennisanlage direkt am Hotel zur Verfügung.

Just a few minutes away from the Autobahn „Sauerlandlinie" and on the outskirts of Dortmund you will find the „Lennhof", an old half-timbered house, which was used by a judge of the „Mark" as his offical residence way back in 1395. Today the „Lennhof" is under a preservation order and its attractive exterior harmonises with its solid interior and its modern technical equipment. The international cuisine of this gourmet-Restaurant, the well assorted wine-cellar and especially the personal atmosphere of this establishment are widely appreciated and praised.

On fine days the sunny garden terrace provides a charming setting for the gastronomic offerings.

For conventions two conference rooms are available at the „Lennhof". An organised convention service is provided with all technical facilities.

Provision is also made for devotees of the „white sport". For them there is a large, modern tennis complex adjacent to the hotel.

Situé à quelques minues de voiture, en bordure de Dortmund, l'Hôtel »Lennhof« d'une construction ancienne, remontant à 1395, aurait servi de Siège Administratif à un juge marchais.

Le »Lennhof« est aujourd'hui placé sous la protection des monuments et rénui harmonieusement un style plain d'allure avec un intérieur caractéristique et une moderne installation technique.

La cuisine internationale du restaurant pour gourmets, les celliers bien assortis et tout particulièrement l'atmosphère individuel de la Maison sont appréciés et loués à la ronde.

Par beau temps, la terrasse ensoleillée du jarding offre un charmant complément à son assortiment gastronomique.

On a aussi pensé aux amateurs du sport „blanc" qui ont maintenant à leur disposition directement à côté de l'Hôtel un agencement vaste et moderne pour faire du tennis.

60		30		
37		nach Vereinbarung		
120 - 210 DM	P 2		10 km	E
170 - 260 DM	P		8 km	
2				

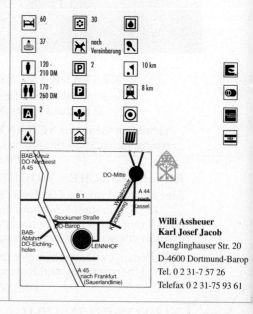

Willi Assheuer
Karl Josef Jacob
Menglinghauser Str. 20
D-4600 Dortmund-Barop
Tel. 0 2 31-7 57 26
Telefax 0 2 31-75 93 61

Romantik Hotel „Lennhof" Dortmund-Barop

Wochenend-Sonderarrangements

Tennis & Dinner

Spielen Sie auf unserer Außenanlage Ihr eigenes Turnier!
Zwei Übernachtungen im Doppelzimmer
Frühstücksbüffett, 1 Schlemmer Menü
DM 222,- pro Person

Der Starlight Express rollt auch 1993 in Bochum
Verbinden Sie die Vorstellung des „rasantesten Musicals aller Zeiten" mit einem Wochenende im Romantik Hotel Lennhof.

Unsere „Starlight" Arrangements
2 Übernachtungen
mit Frühstücksbüffet und Schlemmer-Menü
Eintrittskarte obere Preiskategorie
DM 360,- pro Person im DZ

1 Übernachtung
mit Frühstücksbüffet und Drei-Gang-Menü,
Eintrittskarte obere Preiskategorie
DM 260,- pro Person im DZ

Oster- und Pfingstarrangements schicken wir Ihnen auf Anfrage gerne zu.

Happy-Weekend in Dortmund

tagsüber - Freilichtmuseum / Hagen
- Bergbaumuseum / Bochum
- Westfalenpark
- Fußballknüller der Ruhrgebietsvereine
- unsere Einkaufsmeile

abends - Spielkasino Do-Hohensyburg
- Theater / Oper / Musical
- unsere Hausbrauerei Boente

Drei Übernachtungen im Doppelzimmer
Frühstücksbuffet, 1 Schlemmer Menü
DM 333,- Pro Person

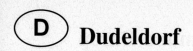

Dudeldorf

Romantik Hotel „Zum Alten Brauhaus"

Wenn Sie ein „Kleinod" der Gastlichkeit mit harmonischem „Dreiklang" von Küche, Service und Ambiente in der Eifel suchen, müssen Sie zwangsläufig auf das „Brauhaus" in Dudeldorf stoßen. Aus einer 200-jährigen gewachsenen gastronomischen Tradition hat sich dieser „Gasthof" nach umfangreichen Sanierungsmaßnahmen seinen alten Charme bis in die 7. Generation bewahrt. Aus einer ehemaligen Brauerei, in der übrigens ein „Simon" aus Bitburg die Kunst des Brauens erlernte, entstand ein eigenständiges charakteristisches „Romantik-Hotel". Die hübsch, mit allem Komfort ausgestatteten Gästezimmer passen zum sympathisch-frankophilen Stil des Hauses. Die Einflüsse des nahen Frankreichs sind offensichtlich und man kann sie auch erschmecken. Da dieser Landstrich seinerzeit zu Luxemburg, Burgund, Österreich, Spanien, Frankreich und Preußen gehörte, kommt hier eine Vielzahl von möglichen regional-kulinarischen Gerichten zum Ausdruck.
Hausherr und Küchenmeister Rudolf Servatius, der in ersten Häusern seine Kenntnisse vertiefte, bringt täglich nur Frisches vom Markt und Region phantasievoll auf den Tisch. Frau Gitta, die Restaurantmeisterin, steht dem Service und Hotel in liebenswerter Weise vor.

If you are looking for a jewel of hospitality with an harmonic triad of cuisine, service and ambience in the Eifel, you necessarily come upon the „Brauhaus" in Dudeldorf. Based on a 200-years-old gastronomic tradition this „guest house" has retained its traditional charm up to the 7th generation after extensive reconstruction.
Originating from a previous brewery, in which a „Simon" of Bitburg acquired the skill of brewing an independant characteristic Romantic Hotel was built.
The pretty guest rooms furnished with all comfort match the sympathic frankophile style of the house.
The influence of the near France is evident and can also be tasted. As this area previously belonged to Luxemburg, Burgundy, Austria, Spain, France and Prussia a number of possible regional culinary dishes is expressed.
Owner and chef de cuisine Rudolf Servatius who deepened his knowledge in the very best hotels presents daily imaginative dishes composed of absolutely fresh seasonings of the regional market. His wife Gitta represents the hotel, the restaurant and the service with kindness and charm.

Si vous recherchez dans la région de l'Eifel un »joyau« d'hospitalité disposant tu triple accord cuisine, service et ambiance, vous devez absolument passer au »Brauhaus« à Dudeldorf.
Partant d'une tradition gastronomiqu de 200 ans, cette »auberge« a conservé, après de profondes mesures d'assainissement, son charme ancien jusque dans la septième génération. Dans une brasserie ancienne, dans laquelle if faut le noter un »Simon« de Bitburg apprit son art, s'est créé un »Hotel Romantique«. Les jolies chambres pourvues du meilleur comfort s'harmonisent avec le sympathique style francophile de la maison.

Les influences de la France voisine sont sensibles et se laissant déguster. Ce coin de terre avant appartenu au Luxembourg, à la Bourgogne, à l'Autriche, à l'Espagne, à la France et à la Prusse trouve son expression dans une grande variété de mets à caractère régional.
Le propriétaire et chef de cuisine Rudolf Servatius, qui s'est formé dans des établissement de premier ordre, ne sert à la table que des mets élaborés avec fantaisie uniquement à partir de produits de marché et de la région. Son épouse Gitta, qui dirige le restaurant, veille avec bienveillance au bon fontionement du service et de l'hôtel.

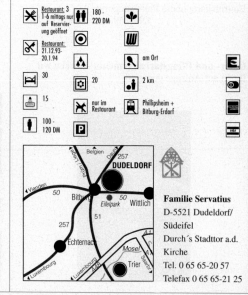

Familie Servatius
D-5521 Dudeldorf/
Südeifel
Durch´s Stadttor a.d.
Kirche
Tel. 0 65 65-20 57
Telefax 0 65 65-21 25

Romantik Hotel „Zum Alten Brauhaus"

Dudeldorf  D

ZU GAST IN DER EIFEL
2 Übernachtungen im Doppelzimmer mit Bad/Du/WC/
Tel./Radio/Farb-TV. Romantik-Frühstück, 1 „Eifel-Menü", 1x 5-Gang „Romantik-Menü" mit Aperitif.

Pro Person 285,– DM

EIN SCHNUPPER-KURZURLAUB
3 Übernachtungen im Doppelzimmer wie oben, mit Romantik Frühstück und abendlichem „Eifel-Menü".

Pro Person 330,– DM

6 - TAGE URLAUBS - ARRANGEMENT
6 Übernachtungen im Doppelzimmer wie oben, mit Romantik-Frühstück, jeweils fünf abendlichen „Eifel-
Menü's", einem 6-Gang „Romantik-Abschieds-Menü"
und einigen Überraschungen.

Pro Person 695,– DM
Angebot gültig vom 1.2. – 21.12.93
EZ-Zuschlag 20,- pro Tag

Lohnende Ausflugsziele:

* Bankenplatz Luxembourg mit Airport   40 km

* Abteistadt Echternach - Musikfestival ab Mai
  bis Ende Juni   20 km

* Ginsterblütenfahrt in die Ardennen, Clervaux,
  Esch sur Sure   40 km

* Eifelpark in Gondorf an der deutschen
  Wildstraße   2 km

* Läuterprobe in einer bäuerlichen
  Schnapsbrennerei   20 km

* Motorsport am Nürburgring   40 km

* Moselweinmuseum, St. Nikolaus Hospital, weltberühmte Bibliothek, Cusanus Geburtshaus in Bernkastel-
  Kues   35 km

* Trier-römische farbenprächtige Denkmäler im Landes-
  museum, Tunika Christi, Porta Nigra, Weinlehrpfad,
  Weinprobe, - einkauf, Geburtshaus Karl Marx, Casino,
  Stadtbummel   34 km

Ein Haus für den Kenner und echten Romantiker.

Romantik Hotel „Voss Haus"

Das „Voss-Haus-Hotel" liegt direkt am Großen Eutiner See, umgeben von Parks und Wäldern, in ruhiger Lage an der Stadtbucht.

Das historische Hotel und Restaurant „Voss Haus", ein Kleinod mit einer fast dreihundertjährigen Geschichte - hat vom ersten Tag seines Bestehens an auf weite Kreise eine starke Anziehungskraft ausgeübt. Hier hat der Dichter und Gelehrte, Johann Heinrich Voss, von 1784 bis 1802 gewirkt und Homers „Ilias" und „Odyssee" übersetzt.

15 behagliche, komfortable Zimmer, verbunden mit einer kreativen, guten Küche bietet das "Voss Haus" ganzjährig eine gepflegte Gastlichkeit und eignet sich mit seinen außergewöhnlichen, historischen Räumlichkeiten sehr gut für Veranstaltungen, Konferenzen und Festlichkeiten.

Romantik-Wochenend-Angebot zum Erholen und Genießen ganzjährig.

The „Voss-Haus-Hotel" lies directly on the Large Eutin Lake, surrounded by parks and woods, quietly situated on the edge of the town.

The historic hotel and restaurant „Voss Haus" - a gem with records going back nearly 300 years - has from the first day of its exitence been a great attraction far and wide. The poet and scholar, Johann Heinrich Voss, worked here and translated Homer's „iliad" and „Odysseus".

The „Voss Haus" offers 15 cosy, comfortable rooms, together with an imaginative, good cuisine all the year round, ensuring discerning hospitality and, with its exceptional, historic accomodation, is particulary suitable for events, conferences and celebrations.

Romantik-Weekend-Arrangement through the year to recreate and enjoy a good service.

Entouré de parcs et de forêts, le Voss Haus se trouve directment sur le rives du Lac d'Eutin, au calme prés de la baie citadine.

L'hôtel et restaurant historique Voss Haus, riche de presque trois siécles d'histoire, est un véritable joyau qui dès le début de son existence constitua un extraordinaire pôle d'attraction. C'est là en particular Johannes Voss, rúdit et poète, travailla de 1784 à 1802 et traduisit l'Iliade de l'Odyssée d'Homère.

Avec 15 chambres confortables et acceuillantes et une bonne cuisine créative, le Voss Haus offre toute l'année une hospitalité soignée dans des salles historiques peu communes et convient donc tout à fait pour les manifestations diverses, séminares ou conférences et festivités.

Romantik-Weekend-Arrangement tout l'année pour se reposer et pour jouir de l'atmosphère.

🛏 30	🌿	◉
🏠 16	Ⓤ	☰
🚹 100 - 120 DM	Am Ort	
🚺 150 - 180 DM	Am Ort	
✳ 8-40	10 km	
Ⓟ	🚉	

E. Mommsen
Vossplatz 6
D-2420 Eutin
Tel. 0 45 21-17 97
Telefax 0 45 21-1357

Entfaltung in historischem Ambiente...

...DAZU LADEN SIE
UNSERE KOMFORTABLEN TAGUNGSHOTELS MIT
HOHEM GASTRONOMISCHEN NIVEAU EIN.

*Persönliche
Gastlichkeit
in historischen Häusern*

BITTE FORDERN SIE
UNSEREN TAGUNGSKATALOG AN!

ROMANTIK HOTELS
& RESTAURANTS

INTERNATIONAL

ZENTRALE: ROMANTIK HOTELS & RESTAURANTS INTERNATIONAL
HÖRSTEINER STRASSE 34 · D-8757 KARLSTEIN/MAIN
TELEFON 0 6188 / 60 05 / 60 06 / 50 20 · TELEFAX 0 6188 / 60 07

Feuchtwangen

Romantik-Hotel „Greifen-Post"

Am pittoresken Marktplatz von Feuchtwangen, dem idyllischen Frankenstädtchen, fallen die beiden Fassaden des Romantik-Hotels „Greifen-Post" ins Auge. Seit 1369 besteht die „Post"; einst Fürstenherberge, bewirtete sie berühmte Gäste von Kaiser Maximilian bis Lola Montez, die „fürtrefflich" umsorgt wurden.

Auch heute gilt bei den Wirtsleuten Lorentz, deren Familie in der 4. Generation im Haus lebt, das Wort: „Bei uns waren Könige zu Gast, bei uns ist der Gast König!"

Für Festlichkeiten und Gesellschaften finden Sie Räume historisch-ländlicher Prägung, Tagungsräume und das Badehaus im ehemaligen Renaissancehof der Post gelegen, mit Hallenbad, Sauna, türk. Dampfbad, Solarium und der stimmungsvollen Kamingrillstube mit großer, offener Feuerstelle.

Die originelle Speisekarte umfaßt vorwiegend Gerichte der modernen deutschen und französischen Küche unter Berücksichtigung regionaler Produkte.

In der umfangreichen Getränkekarte dominieren die trockenen, süffigen Frankenweine. An der Romantischen Straße gelegen, ist dieses gemütliche Haus der ideale Ausgangspunkt für Fahrten nach Würzburg, Nürnberg, Rothenburg/T., Dinkelsbühl und zu den Schlössern und Burgen der waldreichen, freundlichen Umgebung.

1588 is the year you can read at the entrance to the "Greifen" and the "Post" is said to be even 200 years older. For 4 generations now this hotel (two merged in one) has been owned by the Lorentz family. Perhaps it is because the famous Rothenburg is so close, that Feuchtwangen has never been as popular with tourists. There are two restaurants in the Greifen-Post. The gourmet-restaurant provides you with German-French cuisine, with a touch of regional flavour. And the Kaminstube with an open fireplace, wich is located near the indoor pool, offers typical Franconian cuisine.

Feuchtwangen is an excellent base for a daily exploration of Rothenburg (14 mil), Dinkelsbühl (7 mil), or Nördlingen (25 mil). The hotel recommends to visit them by bike, which are provided for your convenience. So you get an true impression of the lovely countryside. The cities of Nuremberg (most famous christmas market in Germany) and Würzburg are within less than 1 hour driving distance, and the town Feuchtwangen itself offers also many attractions.

Documentés pour la première fois en 1588, le «Greifen» et la «Post» ont donc plus de 200 ans. La famille Lorentz est propriétaire de cet hôtel (deux établissements réunis en un) depuis 4 générations. C'est peut-être à cause de la renommée de Rothenburg que Feuchtwangen n'a jamais été aussi populaire auprès des touristes. Le Greifen-Post a

deux restaurants. Le restaurant Gourmets propose une cuisine germanique-française, avec une note régionale. Et la Kaminstube avec sa cheminée, proche de la piscine couverte, offre une cuisine typiquement franconienne. Feuchtwangen est un excellent point de départ pour des excursions à Rothenburg (14 miles), Dinkelsbühl (7 miles) ou Nördlingen (25 miles). L'hôtel recommande des visites à bicyclette, qui sont fournies à votre convenance, pour apprécier tout le charme de la campagne. Les villes de Nuremberg (le plus célèbre marché de Noël d'Allemagne) et de Würzburg sont à moins d'1 heure de voiture, et la ville de Feuchtwangen offre elle-même une foule d'attractions.

Eduard und Brigitte Lorentz
Marktplatz 8
D-8805 Feuchtwangen
Tel. 0 98 52-20 02
Telex 61 137
Telefax 0 98 52-48 41

Romantik-Hotel „Greifen-Post"

Feuchtwangen

Romantik-Wochenende
(gerne auch während der Woche)

2 Übernachtungen mit Früstücksbuffet, 1 drei-gängiges fränkisches Menü, 1 vier gängiges Gourmet-Menü, Begrüßungstrunk, Gutschein für Kaffee und Kuchen, Besuch des Heimatmuseums, auf Wunsch Fahrradverleih und Fahrradkarte, Benutzung des beheizten Hallenbades, Sauna und türkischem Dampfbad.

DM 325,- pro Person im
Himmelbett- oder Romantikzimmer
Einzelzimmerzuschlag DM 50,-

Verlängerungsnacht DM 85,- pro Person im Doppelzimmer
Einzelzimmerzuschlag für die Verlängerungsnacht DM 20,-

Angebot gültig vom 9.2 - 20.12.93

Kreuzgangfestspiele im offenen romanischen Kreuzgang vom 19. Juni bis 4. August 1993
- „Torquato Tasso" Goethe
- „Sommernachtstraum" Shakespeare
- „Die kleine Hexe" Preußler

D) Fulda

Romantik-Hotel „Goldener Karpfen"

Mitten im Herzen Deutschlands in der Barockstadt Fulda liegt das Romantik-Hotel „Goldener Karpfen". Fulda hat ein einzigartiges, geschlossenes Barockviertel und liegt direkt an der Autobahn Hamburg-München in der wunderschönen Landschaft zwischen Rhön und Vogelsberg.

In den letzten Jahren wurden umfangreiche Neu- und Umbauten am „Goldenen Karpfen" vorgenommen, so daß das Hotel heute auch hohen Ansprüchen gerecht wird, ohne daß jedoch die gediegene, warme, freundliche Atmosphäre verloren ging. Die großzügig eingerichteten Gästezimmer und Appartements laden auch zu längerem Verweilen ein - Fitnessraum und Sauna sorgen dabei für Abwechslung.

In den Restauranträumen umfängt Sie eine Atmosphäre gemütlicher Gastlichkeit. Kulinarisch verwöhnt Sie der Küchenchef mit Gerichten aus frischen Produkten der Saison, die begleitet werden von guten Tropfen aus dem wohlbestückten Weinkeller mit Gewächsen aus allen bekannten Weinanbaugebieten.

In the heart of Germany in the baroque town of Fulda lies the Romantik Hotel „Goldener Karpfen". Fulda has a unique enclosed baroque charter and lies directly on the Hamburg-Munich motorway in beautiful country between Rhön and Vogelsberg. In recent years the „Goldener Karpfen" has undergone extensive new and rebuilding, so that the hotel can now cater for the most exacting tastes, without however losing its genuine warm and friendly atmosphere.

The well-appointed guest rooms and apartments encourage one to stay a while - a fitness room and sauna help to pass the time.

In the restaurant you will find an atmosphere of comfortable hospitality. On the culinary side the chef spoils you with dishes of fresh produce in season, accompanied by good wines from the well stocked cellar with growths from all the well known wine regions.

C'est au coeur de l'Allemagne que se trouve l'Hôtel Romantik »Goldener Karpfen« (La Carpe d'Or), dans la ville baroque de Fulda. Fulda située dans un magnifique paysage entre les massifs anciens du Vogelsberg et de la Rhön, possède tout un quartier de style baroque unique en son genre. La ville est en outre desservie directment par l'autoroute Hambourgh-Munich. Au cours de ces dernières années, le »Goldner Karpfen« entreprit de vastes modifications et améliorations de ses bâtiments si bien que l'Hôtel peut aujourd'hui donner satisfaction à ses hôtes les plusexigeants, tout en gardant son atmosphere paisible, amicale, chaleureuse.

Il est agréable de séjourner même assez longtemps dans les appartments et chambres d'hôtes noblement aménagés et de se distaire pour garder la forme dans la salle de fitness et sauna.

Dans les salles du restaurant, vous sentirez aussi l'atmosphère bienfaisante de l'hospitalité. Le chefcuisiner veille à votre bien-être au point de vue culinaire en vous gâtant avec des mets frais de saison accompagnés des bonnes bouteilles de la cave, provenant de tous les terroirs connus.

120	(wheelchair)	(crossed)
50	im Restaurant	(target)
180 - 220DM	P 20	
280 - 350 DM	P 30	
400 DM		
10 - 60	10 km	

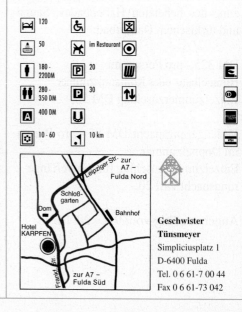

Schloß-garten
Dom
Hotel KARPFEN
Leipziger Str. zur A7 – Fulda Nord
Bahnhof
Frankf. Str.
zur A7 – Fulda Süd

Geschwister Tünsmeyer
Simpliciusplatz 1
D-6400 Fulda
Tel. 0 6 61-7 00 44
Fax 0 6 61-73 042

Romantik-Hotel „Goldener Karpfen"

Fulda ⟨D⟩

Romantik Wochenende in der Barockstadt Fulda

Genießen Sie neben Kunst und Natur die erholsame und anregende Atmosphäre eines liebevoll geführten Romantik Hotels, in dem man es sich zur Aufgabe gemacht hat, den Gast rundherum zu verwöhnen.

Um nur einige der Attraktionen der Stadt und Region für ein Erlebniswochenende zu erwähnen: Stadtbesichtigung, Deutsches Feuerwehrmuseum, Heimatmuseum, Landesbibliothek mit ältesten deutschen Schriften, Barockschloß Fasanerie, Rhönrundfahrt, Wasserkuppe mit Segelfliegerschule.

Viele Wandermöglichkeiten in der Rhön - in der Winterzeit mit Lang- und Abfahrtsskilaufen.

Sonntag: Genießen sie noch einmal unser Frühstücksbuffet, lesen Sie in Ruhe die Sonntagszeitung und machen Sie einen letzten Spaziergang durch die Altstadt.

Der Preis für das Wochenende beträgt 380,- DM im Doppelzimmer und 420,- im Einzelzimmer pro Person.

Theater-, Konzert- Operettenbesuche arrangieren wir in der Saison auf Anfrage gern.

Unser besonderes Angebot:

Freitag: Anreise ganz nach Belieben. Ein Begrüßungscocktail erwartet Sie! Vielleicht bleibt noch ein wenig Zeit für einen ersten Rundgang durch das barocke Fulda. Um die Stadt auch kulinarisch kennenzulernen, steht ein Abendessen mit regionalen Spezialitäten auf dem Programm.

Samstag: Der Tag beginnt mit einem reichhaltigen Frühstücksbüffet. Sie können den Samstag ganz nach Ihren Wünschen gestalten. Fulda und Umgebung bieten ja so manch Interessantes. Wir geben Ihnen gerne Tips und Anregungen. Zum Abschluß eines erlebnisreichen Tages haben wir für Sie ein Überraschungs-Schlemmermenü zusammengetellt.

Und so finden Sie uns:
Vom Norden kommend: Autobahn Fulda Nord - nach den Schildern Stadtmitte - Barockviertel - Zentrum - Leipziger Straße vor dem Dom rechts abbiegen, an der nächsten Ampel links - in Richtung Frankfurt - so fahren Sie direkt auf den "Goldenen Karpfen" zu - gegenüber der "Heilig-Geist-Kirche" Königstraße - Ecke Löberstraße.

Von Süden kommend: Abfahrt Fulda-Süd - nach den Schildern Frankfurter Straße und Barockviertel kommen Sie direkt zum "Goldenen Karpfen" an der Heilig-Geist-Kirche.

Romantik-Hotel „Posthalterei"

In einem kleinen Ort am Rande der Schwäbischen Alb hat sich in den letzten Jahren ein kulinarischer Geheimtip entwickelt, der inzwischen natürlich keiner mehr ist: die „Posthalterei" in Gammertingen. Unweit der Burg Hohenzollern, also sozusagen unter den gestrengen Blicken des ehemaligen Kaisergeschlechts, ist unter Robert Baur ein kulinarischer Treffpunkt entstanden, der die Zeitschrift „Der Feinschmecker" zu der Frage veranlaßte: „Wie macht der Baur das nur?" Ja, er nimmt halt die Produkte seiner Region und zaubert daraus so köstliche und kreative Gerichte, daß man nur begeistert sein kann.

Begeistert muß man jedoch auch von der Gina Baur sein, die ihren österreichischen Charme mitgebracht hat und sich so liebevoll um ihre Gäste kümmert, daß man sich ganz einfach wohlfühlen muß. Hier sind wirklich zwei engagierte Wirtsleute am Werk, die, unterstützt von den immer noch aktiven Eltern, diesen Betrieb führen, wobei die beiden reizenden Töchter auch schon in den Betrieb hineinwachsen. Ein Familienbetrieb, wie man ihn sich wünscht.

Seit auf der gegenüberliegenden Straßenseite ein Gästehaus errichtet worden ist, das über sehr wohnliche und komfortable Zimmer verfügt, kann man in der "Post" nicht nur gut essen und trinken, sondern auch geruhsam wohnen. Sei es zu einem kulinarischen Wochenende, zu dem die Baur's herzlich willkommen heißen, oder zu einem Kurzurlaub, um die Burgen Hohenzollern und Lichtenstein, die Klöster Beuron und Zwiefalten oder die zahlreichen Tropfsteinhöhlen der Schwäbischen Alb zu besuchen.

A culinary tip for „insiders" began to develop last year in a small town at the edge of the Schwäbisch Alb.

„The Posthalterei" in Gammertingen is of course no longer a secret. It's located not far from Mount Hohenzollern, under the servere gaze of the former Kaiser's palace.

Owner/Chef Robert Baur has recently astablished a gastronomic oasis that moved even „Der Feinschmecker" magazine to ask „How does he do i?" Well, he magically combines indiginous ingrediants with irresitable results. Visitors are equally enchanted by the way Gina Baur and her austrian charme cares for her guests.

Since the inn's construction, with its cozy rooms across the way, guests add a bit of R and R to the pleasure of food and drink. Whether you're out of a culinary weekend or off on a sightseeing tour of the Hohenzollern Mountains, Liechtenstein, the Cloister of Beuren and Zwiefalten, or the area's many caverns, you're heartly welcome at the "Posthalterei".

Dans une petite localité située à lisière de l'Alb souabe, une oasis culinaire s'est fait dans les dernières années un nom bien établi maintenant: le »Posthalterei« à Gammertingen.

Peu loin du Château Hohenzollern, pour ainsi dire sous les regards de Robert Baur, un point de rencontre des gastronomes s'est développé, dont la revue »Der Feinschmecker« (Le Gourme) commentait le réussite par ses mots élogieux: »Quel est le secret de Baur pour arriver à telle perfection?«. Et bien, il prend tout simplemen les produits de sa région, les transforme avec beaucoup d'imagination et comme par magie en des mets délicieux qui fon l'enthousiasme de tous. Gina Baur elle aussi force l'admiration; douée de son charme autrichien, elle s'occupe de

leurs hôtes avec une telle prévenance qu'ils ne peuvent que se sentir bien. Qui, nous avons hôteliers qui aiment ardemment leur mètier.

Depuis qu'une maison d'hôtes a été construite de l'autre côte de la rue, les hôtes accueillis au »Post« peuvent non seulement bien manger, boire avec plaisir mais aussi loger dans le calme. Que ce soit en week-end culinaire, pour lequelle »Posthalterei« vous souhaite cordialement la bienvenue, que ce ŝoit pour un séjour réservé à la visite des Château Hohenzollern et Liechtenstein, des cloîtres de Beuron et Zwiefalten ou des nombreuses grottes que compte la région de l'Alb souable.

🛏 55	🅿
🛋 30	
👤 85 - 135 DM	800 m
👥 138 - 195 DM	am Ort
❄ 50	
🅿	20 km / 25 km

Familie Baur
Sigmaringer Str. 4
D-7487 Gammertingen
Tel. 0 75 74 - 8 76 oder
0 75 74 - 22 10
Telefax 0 75 74 - 878

Romantik-Hotel „Posthalterei"

Gammertingen

Familie Baur macht es Ihnen leicht, sich von den Leistungen des Hauses überzeugen zu lassen, indem sie immer günstige Arrangements für jede Gelegenheit bereithält.

Eine tolle Gelegenheit, unsere Alb kennenzulernen!

Schwäbisches Wochenende

ab pro Person im DZ **DM 235,-**
im EZ **DM 245,-**
2 Übernachtungen im komfortablen Doppelzimmer.
„Schwäbisches Büffet" am Freitagabend. Morgens erwartet Sie das herrliche Romantik Frühstücksbüffet. Der Samstagabend wird mit einem 4-Gang-Menü regionaler Spezialitäten verschönt.

Gourmet-Wochenende

ab pro Person im DZ **DM 185,-**
im EZ **DM 199,-**
Anreise am Samstag, Champagnerempfang und abends ein sechsgängiges Romantik-Menü. Herrlich schlafen im komfortablen Doppelzimmer. Morgens genießen Sie das herrliche Frühstücksbuffet. Die Sauna steht kostenlos zur Verfügung. Ein rundum gelungenes Wochenende mit Freunden.

Romantik-Verwöhntage

ab pro Person **DM 450,-**
2 Übernachtungen für 2 Personen im Verwöhn-Appartement. Der erste Abend beginnt mit einem typisch schwäbischen Menü und am zweiten Abend erleben Sie das große Romantik-Gala-Menü mit den harmonisierenden Getränken. Das Frühstücksbüffet bietet morgens höchsten Genuß.

Wenn Sie noch von Sonntag bis Montag bleiben möchten, berechnen wir Ihnen pro Person nur DM 50,- ÜF.

Sommer-Wanderwoche

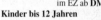

vom 15. Juli bis 31. Aug. 1993
ab pro Person im DZ ab **DM 590,-**
im EZ ab **DM 750,-**
Kinder bis 12 Jahren
im Elternzimmer **DM 180,-**
Reisen Sie an einem beliebigen Tag an, die schwäbische Alb erwartet Sie von ihrer schönsten Seite!
Zu 6 Übernachtungen in komfortablen Zimmern, reich sortierten Frühstücksbüffets, an 5 Abenden Halbpension und am Freitag Abend zu einem herrlichen Schwäbischen Büffet!
Vielfältig sind die möglichen Wandertouren. Wohin soll es gehen? Zum Barockkloster Zwiefalten, zur Wimserner Höhle, zum Landesgestüt Marbach? Oder in das Donautal mit dem Schloß Sigmaringen und Kloster Beuron? Kennen Sie die Bärenhöhle, die Nebelhöhle und Schloß Lichtenstein?
Natürlich sind eine ausführliche Wanderkarte und wertvolle Wanderstöcke ebenso enthalten, wie die kostenlose Saunabenutzung im Haus!

Fliegenfischen

Robert Baur pflegt dieses außergewöhnliche Hobby mit großer Leidenschaft. Gern vermittelt er einen Fliegenfischerkurs im hauseigenen Gewässer mit erfahrenen Instruktoren!

Romantik-Hotel „Clausings Posthotel"

Schon im Jahre 1512 entstand am Marienplatz die Taverne zur „Blauen Traube", welche mit einer Posthalterei verbunden war. Seit 1891 steht das Clausings Posthotel als Inbegriff gehobener Gastlichkeit an diesem Platz. Heute nennt man das Hotel wegen seiner vielen seltenen Antiquitäten daß „Werdenfelser Schatzkasterl".

Mit seiner zentralen Lage bietet eine überdachte Glasterrasse ein wahres Boulevardvergnügen. Das Stüberl lädt den Feinschmecker im zauberhaften Rahmen zu kulinarischen Genüssen ein.

Im Posthörndl und der alten Zirbelstube, zu dem auch ein lauschiger Biergarten gehört, geht es gemütlich - bayerisch zu. Bei deftig - kräftigen Schmankerln und der abendlichen Tanzmusik genießt man die urige Atmosphäre des Werdenfelser Landel's.

Clausing's Posthotel, located centrally on Marienplatz, has a unique and much admired facade. The Hotel has been owned by the Clausing family for five generations.

Because of its many cultural treasures the Hotel lives up to its reputatin as the „little jewel box of the Werdenfels District". It contains many extremly rare genuine antiques which produce an incomparable and thoroughly intimate atmosphere. Now the roofed „glass terrace" offers the pleasures of a boulevard. In the comfortable „Stüberls" and the cosy „Postbar" the guest is surrounded by the dignified elegance and culture of Upper-Bavaria. In contrast, at the „Post-Hörndl" with its beer garden, things are always rural Bavarian and sociable. Here the guests enjoy dancing and folk music. The cuisine is typically Bavarian to match. Clausing's Posthotel is worth a romantic trip at any season.

Au coeur d'une magnifique région montagneuse le Clausings Posthotel est situé au centre de la ville sur la Marienplatz et présente une façade unique et admirable. La famille Clausing possède cet hôtel depuis cinq générations. Les nombreux trésors culturals lui ont valu l'appelation de »petit écrin de Werdenfels«. La ville de nombreux objects d'ar originaux et, qui plus est, rares lui conférant une atmosphè unique et très chaleureuse. De nos jours, la »Glaterasse« couverte offre les plaisirs authentiques des Grand Boulevard.

Elégance simple de la Haute Bavarière et culture entourent le visiteur dans la charmante »Stüberl« et l'agréable »Klause«. Le »Post-Hörnle« avec sa terrasse deverdure garde par contre son caractère rustique, bavarois et sociable. Danse et musique populaire font la joie de visiteurs, et la cuisine est également typiquement bavaroise. Le Clausings Posthotel justife un voyage Romantik, quelle que soit la saison.

Familie Weinfurtner
Marienplatz 12
D-8100 Garmisch-Partenkirchen
Tel. 0 88 21-7090
Telex 59 679
Fax 0 88 21-70 92 05

Romantik Hotel „Stollen"

Gutach im Elztal Schwarzwald

Wenn Sie einmal ein kleines entzückendes Hotel suchen, wo Sie sich wie zuhause fühlen, dann sollten Sie die Familie Jehli-Kiefer besuchen und sich von ihnen verwöhnen lassen. Während sich Ena Jehli liebevoll um das Wohl ihrer Gäste kümmert, sorgt Walter Jehli in der Küche für die ganz individuelle Betreuung auf kulinarischem Gebiet. Er verbindet die Küche seiner Schweizer Heimat mit Spezialitäten aus dem Schwarzwald und zaubert köstliche Creationen. Es ist eine besondere Freude diese Köstlichkeiten mit einem Glas badischen Wein zu genießen und in dem kleinen wohnstubenhaften Schwarzwald-Restaurant zu sitzen, wo alte Uhren ticken und an kalten Tagen das Kamin-Feuer prasselt. Der Stollen eignet sich ganz besonders als Standort für Urlaubsausflüge in alle vier Himmelsrichtungen. Die „Badische Weinstraße" im Norden, der Kaiserstuhl, oder das Elsaß im Westen, die Schwarzwaldberge im Osten oder die Schweiz im Süden. Aber auch das Elztal selbst ist ein herrliches Wanderrevier, das noch nicht vom Massentourismus entdeckt ist.
Von der Autobahnausfahrt Freiburg Nord erreichen Sie uns in 10 Min.; nehmen Sie die Richtung Waldkirch und die Ausfahrt Gutach und weiter Richtung Gutach.
• Schlemmer-Wochenende
• Golfen
• Kochkurse im November und Februar
• Noble Luxusappartements mit allem
  Komfort.

If at many time you are looking for a small and charming hotel where you can feel entirely at home, then you should visit the Jehli-Kiefer family and let them spoil you. Whilst Ena Jehli lovingly looks afer the needs of their guests, Walter Jehli is in the kitchen attending to the needs of their „inner men". He combines the cuisine of his Swiss home with specialities of the Black Forest in truly delicate creations.
It is expecially pleasant to enjoy these delicious with a glass of sparkling wine from Baden, sitting in the small, almost drawingroom-like restaurant, where old clocks tick and an cold log fires crackle.
In 1981 the „Stollen" was enlarged by the addition of an extra storey, which includes 6 luxury-class apartments elegantly furnished for the discriminating.

Etes-vous à la recherche d'un charmant petit hôtel de style familial, alors descendez au »Stollen« tenu par la famille Jehli-Kiefer et laissez-vous y choyer. Pendent qu'Ena Jehli, charmante et prévenante s'occupe de ses hôtes, Walter Jehli est à ses fourneaux en train de préparer de succulents petits plats. D'origine suisse, il a su allier les spécialités de son pays à celles de la Fôret-Noire composant ainsi des créations culinaires excellentes. Il vous sera difficile de ne pas céder au charme de l'endroit, avec un repas fin devant soi, un vin du Bade miroitant dans votre verre, dans une salle à manger où les heures s'égrennent à de vieilles pendules et où lorsque les journées sont fraiches, le feu craque dans la cheminée, tout cela vous fait oublier que vous êtes dans un restaurant et vous sentez chez vouz. En 1981, le »Stollen« s'est agrandi d'un étage l'enrichissant de 6 appartements de luxe dont l'aménagement intérieur devrait plaire aux plus exigeants.

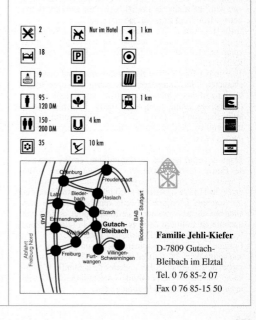

Familie Jehli-Kiefer
D-7809 Gutach-
Bleibach im Elztal
Tel. 0 76 85-2 07
Fax 0 76 85-15 50

Romantik Hotel „Alte Vogtei"

In dem kleinen Ort Hamm/Sieg im Westerwald steht auffallend und einladend das Hotel „Alte Vogtei". Es ist ein historisches Haus.
Eine Zeichnung aus dem Jahre 1753 zeigt das Haus neben der ursprünglich romanischen Kirche. Einem fürstlichen Grenzstreit ist diese Abbildung, bisher das älteste Bilddokument des Ortes, zu verdanken. Es findet sich zu einem Relief umgestaltet neben dem Eingang des Hotels. Wie eingegraben in Eisenerz, ist zu lesen: Geburtshaus F. W. Raiffeisen 1818-1988. Hinweis und Verweis auf seine Idee. 1862 erwerben die Vorfahren der Familie Wortelkamp die heutige Vogtei aus dem Besitz der Familie Lanzendörfer-Raiffeisen.
Das Fachwerk ist es zunächst, das dem Haus außen und innen seinen Charakter gibt. Es bildet Räume in angenehmem Größenwechsel. Bietet Durchblicke und reizt einen jeden herumzugehen, bevor er Platz nimmt, um zum Beispiel ein mit der Saison wechselndes Menü zu genießen.
Dabei ist es angenehm zu wissen, daß im Haus Betten warten, in Zimmern, die Tradition und jeglichen Komfort verbinden. Und am Morgen wirkt ein Blick in den Wiesengarten unvermutet wie am Abend zuvor die Fülle der vielgestaltigen Räume.

In the small town of Hamm/Sieg in the Westerwald you will find the stricking, inviting an historic Hotel „Alte Vogtei".
A drawing dating back to the year 1753 shows the hotel beside the original room church. The drawing, the oldest of the town, was made due to a principle conflict. New you will find it also as a relief beside the entrance of the hotel. Made from iron-ore one can read:
Birth-House of F. W. Raiffeisen 1818-1988. Reference to his idea. 1862 the forefathers of the family Wortelkamp purchase the hotel form the family Lanzendörfer-Raiffeisen.
The timber frame gives the hotel outside and inside its character. It has an openplan restaurant with open frame work partitions, which always invies you to look around first before taking a seasonal menu. It is pleasant to know that you will find hoetl rooms with traditin and all the comforts. And in the morning a pleasant look on the garden awaits you.

Dans la petite localité de Hamm/Sieg, en Westerwald, se trouve bien en vue et engageant l'hôtel »Alte Vogtei«, une maison chargée d'histoire. Une esquisse datée de 1753 la montre au voisinnage de l'ancienne église romane. L'origine de cette représentation, la plus ancienne du pays connue à ce jour, a pour origine une querelle de frontière entre princes. On la retrouve sous forme de relief près de l'entrée de l'hôtel.
Comme enfoui dans le minerai de fer on peut lire »maison natale de F. W. Raiffeisen 1818-1888«. Indication et rappel de son principe. Les ancêtres de la famille Wortelkamp out acquis de la famille Lanzendörfer-Raiffeisen le baillage tel que nous le connaissons.

La construction en colombage donne, en façade et à l'intèrieur, sons caractère à l'hôtel. Elle a permis l'agencement agréable de salles aux tailles différentes, ouvrent des espaces au regard, invitend à circular avant de prendre place pour déguster par exemple un menu variant au rythme des saisons.
Il est fort agréable de savoir que sous le même toît attendent des chambres allain tradition à un confort sans faille. Le matin la vue sur le jarding sauvage charme autant que la veille l'abondance des salles aux décorations variées.

🍴 3, 4 bis 17 Uhr	🅰 210 DM
✂ 20.07.-10.08.	🏠 11 Zimmer
🛏 30	❄ 20
15	🅿
👤 75 - 95 DM	🅿
👥 140 - 170 DM	❀

25 km

Au/ Sieg 1,5 km

nur Restaurant

Familie
Wortelkamp
Lindenallee 3
D-5249 Hamm/Sieg
Tel. 0 26 82-259
Telefax 0 26 82-89 56

Romantik Hotel
„Alte Vogtei"

Hamm/Sieg (D)

Suchen Sie ein vom „großen" Tourismus verschont gebliebenes Fleckchen Mittelgebirgs-Landschaft, dann sind Sie im Westerwald richtig!

Zwischen Rhein, Lahn, Dill und Sieg liegt der Westerwald und das „Hammer-Ländchen". Seine Hügel und Täler, Flüsse und Bäche laden zum Wandern, Autowandern und Schauen. Das großzügige Wald-Naturbad ist so selbstverständlich in die Landschaft eingebettet wie seine Klöster, Schlösser, Burgen und mittelalterliche Städtchen. Die kleinen Orte haben ihren dörflichen Charakter bewahrt und werden noch häufig von Fachwerkhäusern geprägt. Das gilt insbesondere für das Geburtshaus F. W. Raiffeisen, der heutigen „Alten Vogtei", und findet sich wieder entlang der historischen Raiffeisenstraße von Hamm an den Rhein.
- CARPE DIEM - Nutze das Heute - (Horaz)
Der Gast, mit Zeit zum Gast sein, spürt das Gewachsene des Hauses, Erinnerungsstücke wie Uhren, Truhen, Schränke, Öfen, Stiche und Hausrat aller Art, stehen für Zeit und Vergangenheit. Sie ermöglichen „Romantisches" zu empfinden. Die Wirtsleute lieben ihr Haus und den Beruf. Das kann man auch schmecken. Früher aß man hier der Zeit gehorchend einfach, aber gut. Heute bietet die Küche regionale Gerichte, delikat zubereitet wie Pasteten, Süßwasserfische und Jahreszeitliches wie Lamm, Geflügel, Wild und auch der süße Gaumen kommt nicht zu kurz.
Sohn Markus, der Küchenmeister - nach 10jähriger Ausbildungsreise, davon drei Jahre in Frankreich, England und mehrere Stationen in Deutschland - sorgt für eine vielfältige Küche. Das im passenden Rahmen und familiärer Atmosphäre Servierte, mit heimischem Pils oder Weinen der nahegelegenen Anbaugebiete von Rhein, Mosel, Ahr und Nahe ergänzt von Gewächsen aus Frankreich und Italien.
Lassen Sie es sich gutgehen!

Unsere Empfehlung:
Für den kleinen Urlaub zwischendurch:
4 Übernachtungen im Komfort-Doppelzimmer mit Minibar, Fernsehen, Telefon, Balkon und Romantik-Frühstück, vier 3-Gang-Menüs.
pro Person DM 390,-

... oder haben Sie 7 Tage Zeit
mit sechs 3-Gang-Menüs, einem 5-Gang-Abschieds-Menü mit Aperitif   pro Person DM 680,-

2 Tage Schlemmen im Westerwald
2 Übernachtungen im Komfort-Doppelzimmer mit Minibar, Fernsehen, Telefon, Balkon und Romantik-Frühstück, Begrüßungs-Aperitif, zwei 5-Gang-Menüs
pro Person DM 280,-

Silvester-Angebot
3 Übernachtungen im Komfort-Doppelzimmer mit Minibar, Fernsehen, Telefon, Balkon und Romantik-Frühstück, zwei 3-Gang-Menüs, ein 6-Gang-Silvester-Menü mit Aperitif, Mitternachtshappen.
pro Person DM 395,-

Oster- und Pfingst-Angebot
3 Übernachtungen im Komfort-Doppelzimmer mit Minibar, Fernsehen, Telefon, Balkon und Romantik-Frühstück, zwei 3-Gang-Menüs, ein 5-Gang-Oster- oder Pfingst-Menü mit Aperitif   pro Person DM 375,-

Romantik Hotel „Haus Elmer"

Nicht weit von der holländischen Grenze und nur ein paar Kilometer von Wesel entfernt, finden Sie im Naturpark "Hohe Mark" den kleinen, idyllischen Ort Marienthal und das "Haus Elmer", neben der Kirche des ehemaligen Augustiner-Eremiten-Klosters. Hier entstand aus einem Bauernhaus ein stilvolles Hotel-Restaurant mit Fachwerkgiebeln, das wegen seiner verläßlich guten Küche mit diversen Spezialitäten zum Mittelpunkt für Empfänge, Hochzeiten und Veranstaltungen aller Art weit über den Niederrhein hinaus bekannt geworden ist. Die Behaglichkeit und der persönliche Kontakt zum Gast geben diesem Haus eine individuelle Note.

Das Hotel mit insgesamt 30 in verschiedenen Stilrichtungen eingerichteten Zimmern, alle mit Du, WC, Tel. und z. T. mit TV, lädt durch seine behagliche Atmosphäre auch zu längerem Verweilen ein. Durch die ruhige Lage, inmitten von Wiesen, Feldern und Wäldern bietet sich das "Haus Elmer" geradezu für einen Erholungsurlaub an.

Der romantische Akazienhof mit seinen gemütlichen Nischen und angrenzendem Weinkeller ist wie geschaffen für eine kulinarische Weinprobe, zumal eine erlesene Weinkarte das besondere Hobby von Herrn Elmer ist.

Für die aktive Erholung stehen hoteleigene Fahrräder zur Verfügung. Die nahe Umgebung mit den westfälischen Wasserschlössern, dem Otto-Pankok-Museum oder der Römerstadt Xanten bietet eine reichhaltige Palette historischer Vergangenheit.

Einen besonderen Leckerbissen hält Marienthal während der Sommerzeit für seine Gäste bereit: Die Marienthaler-Abende - eine kulturelle Veranstaltungsreihe.

Freunde des Golfsports finden in unmittelbarer Nähe einen landschaftlich reizvollen 9-Loch-Golfplatz.

The romantic "Akazienhof" - a cosy court with the wine-cellar is the ideal place for your informal wine-tastings. Especially as the selection of ine wines is the passionate hobby of Mr. Elmer.

The healthy relexation, the hotel's own bicycles are available. The immediate vicinity, with the Westfalian moated castles, the Otto-Pankok-Museum and the Roman town of Xanten offer a rich variety of historical interests. During the summer season, Marienthal offers a special treat for its visitors: the Marienthal evenings - a range of cultural events.

Golfers will find up the new 9-holes-golfcour just next to the Romantik Hotel within an imazing lands cape.

Un jolie cour d'acacia avec des romantiques niches et un caveau de vin tout près de l'hôtel invite particulierement pour des dégustations de vins. D'ouatant que les vins soient selectionnés par M. Elmer avec un grand intérêt et une grande joie.

L'Hôtel met des vélos à la disposition des ses hôtes qui souhaitent se détendre activement. Les environs proches possèdent une riche gamme de monumens historiques tels que des châteaux forts défendus par de beaux plans d'eau, le Musée Otto Pankok ou la ville romaine de Xanten. Le Festival de Marienthal, série de soirées et manifestations culturelles, a lieu pendant l'été pour la joie des ses hôtes.

Au proximité de l'hôtel il y a un beau terrain de golf.

56	6-80	3-4 km
30	♿	5 km
105 - 180 DM	P 4	
170 - 240 DM	P 70	1 km
A 7 220 - 280 DM		15 km
	Solarium	

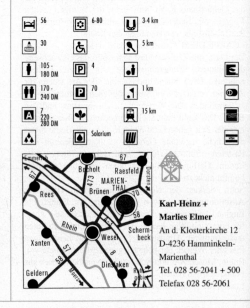

Karl-Heinz +
Marlies Elmer
An d. Klosterkirche 12
D-4236 Hamminkeln-Marienthal
Tel. 028 56-2041 + 500
Telefax 028 56-2061

Romantik Hotel „Haus Elmer"

Hamminkeln-Marienthal

Hochzeits-Arrangement

Feiern Sie die Wiederholung Ihres Hochzeitstages zu zweit allein!
Mit Aperitif, Romantik-Menü, Tischwein, Sektfrühstück und einer Nacht im Himmelbett oder unserem Turmzimmer.
Arrangementpreis für 2 Personen 498,- DM

Radeln und Rasten

5 Tage Kurzurlaub mit dem Fahrrad.
Begrüßungstrunk, 4 Übernachtungen mit Halbpension, Leihräder, Radwanderkarte.
Arrangementpreis à Person 520,-DM
Einzelzimmerzuschlag je Tag 15,- DM

Wochenend-Arrangements
Mini-Verwöhn-Wochenende

1 Begrüßungstrunk, 1 Übernachtung im Doppelzimmer mit Sektfrühstück, Romantik-Menü.
Arrangementpreis à Person 220,-DM
Einzelzimmerzuschlag 15,- DM

Marienthal zum Kennenlernen

1 Begrüßungstrunk, 2 Übernachtungen im Doppelzimmer (einmal mit Sektfrühstück), ein 3-Gang-Menü, ein 4-Gang-Menü.
Arrangementpreis à Person 320,- DM
Einzelzimmerzuschlag 30,- DM

Kulinarisches Wochenende

1 Begrüßungstrunk, 2 Übernachtungen im Doppelzimmer (Sonntags mit Sektfrühstück), 3-Gang-Menü am Freitagabend, herzhafter Eintopf am Samstagmittag oder Picknick-Korb im Grünen, abends Romantik-Menü.
Arrangementpreis à Person 365,-DM
Einzelzimmerzuschlag 30,- DM

Golf, Gastlichkeit und Gaumenfreuden

3 Tage Gastlichkeit mit der Möglichkeit, im Golfclub Weselerwald erste Golferfahrungen zu sammeln. Für Könner gibt es vier weitere Golfplätze im Radius von 36 km rund um's Haus. Unser kulinarisches Verwöhnprogramm:
- 3 Tage Halbpension im Doppelzimmer pro Person DM 420,-
- 1 Trainerstunde/Greenfee/Bälle bei Einzelunterrricht DM 60,- je Stunde, in der 4-er Gruppe DM 30,- die Stunde

Romantik in Heu & Himmelbett

- 1 Nacht auf Preens Hoff, einem Münsterländer Gutshof, mit deftigem Bauernbuffet und Land-Frühstück
- 1 Nacht im Romantik Hotel "Haus Elmer" am Niederrhein, 4-Gang-Kerzenschein-Menü, Romantik-Frühstück
- Leihräder und Radwanderkarte
- Kräuterseminar
oder
- Besichtigung einer Kornbrennerei mit Kornprobe

Preis DM 250,-. Einzelzimmerzuschlag DM 15,-

Erfolgreich tagen wo man sich wohlfühlt

Tagungsunterlagen bitte anfordern !

Hannover

Romantik Hotel „Georgenhof"

Der Georgenhof - eine Oase der Ruhe und Gastlichkeit. Idyllisch im Park mit altem Baumbestand gelegen, ist der Georgenhof dennoch in 5 Minuten von der Innenstadt zu erreichen. Die berühmten „Herrenhäuser Gärten" liegen ebenso in unmittelbarer Nähe wie die Universität. Die 14 individuell ausgestatteten Zimmer, teilweise mit Balkon zum Park, sind erst im Sommer 1989 umgebaut und renoviert worden und mit allem Komfort ausgestattet. Stern's Restaurant im Georgenhof gehört seit Jahren zu den besten Restaurants Deutschlands. Der Ruf der Küche hat sich längst weit über die Grenzen der Landeshauptstadt Hannover herumgesprochen; so ist es dann auch kein Wunder, daß viele reisende Gourmets bei Stern's im Georgenhof rasten, um „Stern-Stunden kulinarischer Genüsse" zu erleben. Bei schönem Wetter wird selbstverständlich auf der Terrasse am Teich serviert.

Küchenmeister Heinrich Stern verbindet raffiniert die Elemente und Produkte der regionalen mit der "Neuen" Küche.

Für persönlichen Service sorgen Ehefrau Renate Stern und Sohn Michael; die herausragende Weinkarte umfaßt ca. 400 Positionen aus 7 Ländern.

The Georgenhof - an oasis of peace and hospitality. Idyllically situated in a part of ancient trees, the Georgenhof is nevertheless only 5 minutes away from the town centre. The famous „Herrenhäuser Gardens" are also close by, as too is the University.

The 14 individually furnished rooms, some with a balcony overlooking the park, were rebuilt and renovated in the summer of 1989 and furnished with every comfort. Stern's Restaurant in the Georgenhof has been one of Germany's best restaurants for years. The renown of the cuisine has long been talked about far beyond the bounds of the county town of Hannover; so it is no surprise tha many gourmets stay at Stern's in the Georgenhof on their travels, in order o experience „hours of Stern's culinary delights". In fine weather, of course, meals are served on the terrace by the lake.

Head Chef Heinrich Stern cleverly combines the products of the region wih „nouvelle cuisine". His wife Renate and son Michael provide personal service; the outstanding winelist contains approx. 400 varieties from 7 countries.

Le Georgenhof - Oasis de calme et d'hospitalité, situé dans un parc idylique de vieux arbres, n'est cependant qu'à cinq minutes du centre de la ville. Les célèbres »Jardins Herrenhäuser« et l'université sont à proximité. 14 chambres toutes aménagées différemment, certaines avec balcon donnant sur le parc, ont été remodelées et rénovées pendant l'été 1989 ed disposen du plus grand confort.

Le Restaurant Stern du Georgenhof se classe depuis des années parmi les meilleurs d'Allemagne. La renommée de la cuisine s'est de longue date répandue bien au delà des murs d'Hannovre, la capitale régionale. Il n'est donc pas étonnant que de nombreux gourmets fassent étape au Georgenhof pour y découvrir les trésors culinaires du restaurant Stern. Quand le temps le permet, le service se fait naturellement sur la terrasse près de l'étang.

Le chef de cuisine Heinrich Stern sait combiner avec raffinement les éléments et produits régionaux et »Nouvelle cuisine«. Le Service personnel est assuré par son épouse Renate et son fils Michael. Une carte des vins exceptionnelle offre entre 400 crus de sept pays.

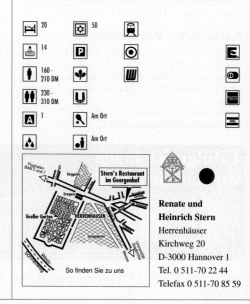

So finden Sie zu uns

Renate und Heinrich Stern
Herrenhäuser
Kirchweg 20
D-3000 Hannover 1
Tel. 0 511-70 22 44
Telefax 0 511-70 85 59

Romantik Hotel „Georgenhof"

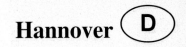

Hannover Ⓓ

und wirkte, ist geprägt vom mittelalterlichen Stadtkern mit Backstein-gotik und Staffelgiebeln. Auf dem Rückweg nach Hannover kommt das Freizeitvergnügen nicht zu kurz. Der Heidepark Soltau oder der Vogelpark Walsrode freuen sich auf Ihren Besuch. Und das lohnt sich immer!

Romantik-Wochenende

Freitag: Anreise ganz nach Belieben. Nach einem Begrüßungscocktail servieren wir Ihnen ein dreigängiges Menü. Auf Wunsch besorgen wir Ihnen auch Karten für eines der vielen hannoverschen Theater oder die Oper und servieren unser Menü dann als „Theater-Menü".
Samstag: Unser reichhaltiges Frühstücksbüffet sichert einen guten Start in den Tag. Erkunden und erleben Sie Hannover!!!
Nach einem erlebnisreichen Tag bieten wir Ihnen am Abend (auch als Theater-Menü) Entspannung bei unserem 5-gängigen Romantik Menü.
Sonntag: Nach dem Frühstücks-Bruch individuelle Abreise.
Preis pro Person im Doppelzimmer incl. 2 Abendessen, Begrüßungscocktail und Frühstück ....**DM 360,-**
Verlängerung pro Person im Doppelzimmer...................**DM 90,-**
Einzelzimmerzuschlag pro Tag..**DM 25,-**

In Hannover gibt es viel zu sehen und zu erleben:
Die berühmten Herrenhäuser-Barock-Gärten, von uns aus zu Fuß zu er-reichen, die vielen Museen, Theater und Oper, die Altstadt, der Zoo, die Einkaufszentren und vieles mehr laden zum Erforschen und Bummeln ein. Verschiedene Stadtrundfahrten runden das Angebot ab. (Können über uns gebucht werden.) Auch außerhalb von Hannover sind viele Städte und Regionen einen Besuch wert. In weniger als einer Autostunde bieten sich folgende Touren an:

„Die Märchenhafte Tour" führt Sie zuerst in die Rattenfänger-Stadt Hameln an der Weser. Die nächste Station ist Bodenwerder, bekannt durch den Lügen-Baron, den Freiherr Münchhausen. Danach geht es zur Sababurg, die heute noch im Dornröschen-Schlaf liegt, von dem das Märchen berichtet. Dann geht es in die 1000-jährige Stadt Göttingen, wo die berühmten Brüder Grimm ihre Märchen schrieben. Auf dem Rückweg nach Hannover sind historische Städte wie Goslar im Harz oder Hildesheim sehenswert.

„Die Romantische Tour" führt in die Lüneburger Heide. Als erstes empfehlen wir einen Besuch des Klosters Wienhausen (13. Jahrhundert) mit prächtigen Wandmalereien. Celle mit seiner Altstadt (Fachwerkbauten aus dem 16. und 18. Jahrhundert) ist die nächste Station. Das Schloß und das Landesgestüt sind außerdem zu empfeh-len. Inmitten der Heide liegt Lüneburg, die nächste Station. Die 1000-jährige Salz- und Hansestadt in der der berühmte Komponist Bach lebte

Romantic Weekend

Friday: Arrival as you like.
After a welcoming cocktail we shall serve a threecourse meal. If you want to, we can get you tickets for the Opera or one of the Theatres. In that latter case our meal will be served as ,,,theatre menu".
Saturday: A large breakfeast buffet will make you start the dax in top condition. Then it's up you to explore Hannover!!! After this eventful day you can relax in the evening during a romantic consisting of 5 courses.

(which is also available as „theatre menu").
Sunday: After brunch: individual departure
Price for one person in a double room including 2 dinners, welcoming cocktail and breakfast..**DM 360,-**
Prolongation for one person
in a double room..**DM 90,-**
Single room per day..**DM 25,-**

There are lots of beautiful sights to admire in Hannover:
For example the famous baroque gardens just in a walking distance from our place. And than there are several museums, theatres, the beau-tiful opera, the old town, the zoo, the shopping centres and many other interesting places which you can all easily on your own. If you prefer a guide visti, however, there are several city round trips at your disposal. (Of course, we can do the booking for you.) Around Hannover there are some other towns and regions worthwile visiting. In fact, it takes less than one hour to go to one of the following places:

„The fairy tale tour" leads you to Hamelin which has become world-famous because of the Pied Piper. The next stop is in Bodenwerder on the Weser where Münchhausen, the lying baron, is said to have lived. After that we shall visit the picturesque Sababurg. This ist the romantic castle where Sleeping Beauty slept for 100 years. Then we got right to Göttingen, the 1000 year old town where the Grimm brothers their well-known fairy-tales. On our tour back to Hannover we shall pass by the historical town of Goslar in the Harz mountains or Hildesheim.

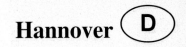

Romantik Hotel
„Zum Ritter St. Georg"

Verehrte Gäste,
besuchen Sie uns in Heidelberg, der romantischen Stadt am Neckar, der Stadt, die Jean Paul (1817) mit den Worten beschreibt: „Heidelberg, göttlich in der Umgebung und schön im Innern." Ist es nicht was Sie suchen? Geschichte aus vielen Jahrhunderten von Kelten und Römern ebenso aufzuspüren wie aus der Romantik, für die Heidelberg ein Synonym bildet.
Fühlen Sie sich hier wohl, wie so viele Generationen vor Ihnen. Das können Sie erleben und bei uns im historischen Haus "Hotel zum Ritter St. Georg", im einzigen noch bestehenden weltberühmten Renaissancehaus in Heidelberg, wohnen.
Wir bieten Ihnen: -gemütliche Atmosphäre
-wohnliche Umgebung
-gastliche Geborgenheit
-eine gute regionale Küche
Schenken Sie uns Ihr Vertrauen. Sie werden es nicht bereuen. Ganz gleich, ob Sie in einem historischen oder modernen Zimmer wohnen, ob Sie in unserem großen Restaurant oder der behaglichen Ritterstube speisen. Wir werden Sie verwöhnen.

Familie Georg Kuchelmeister

Dear guests,
visit us in Heidelberg, the romantik town upon the Neckar-river, the twon Jean Paul (1817) describes with the words: „Heidelberg, devine in it's surroundings and beautiful in it's heart."
Isn't it that you are looking for? To ferret out history out of many centuries of Celts and Romans as well as out of the Romanticism, for which Heidelberg represents a synonym. Enjoy yourself here as so many did before.
You can see that and stay with us in the historical Hotel Zum Ritter St. Georg the only still existing world famous Renaissance building in Heidelberg.
We offer you: -cosy atmosphere
-comfortable surroundings
-hospitable security
-good regional kitchen.
Give us your confidence. You won't regret it. No matter whether you stay in a historical or in a mordern room, or whether you eat in our main restaurant or in the comfortable Ritterstube (knight's room) - we will be happy to assist you in making your stay enjoyable.

Family Georg Kuchelmeister

Chers clients,
visitez Heidelberg, la ville romantique au bord de la rivière Neckar, la ville que Jean Paul (1817) a décrit par les mots suivants: »Heidelberg, divine dans sons environments et belle dans son intérieur.«
N'est-ce pas que vous cherchez? De nombreux siècles d'histoire à flairer, l'époque gauloise et romaine ou bien l'époque romantique celle qui est le synonyme d'Heidelberg. Prenez plaisir à être ici, comme d'innombrables générations l'ont déjà fait. Découverez cela et habitez chez nous dans la maison historique »Hotel zum Ritter St. Georg« le seul batiment conservé d l'époque Renaissance et renommé dans le monde entier.
Nous vous offrons:- Une atmosphère agréable
-un établissement confortable
-une entourage hospitalier
-une bonne cuisine régionale.

Faites-nous confiance, vous ne le regretterez pas. N'importe si vous habitez dans une chambre historique ou moderne, si vous dinez dans notre grand restaurant ou dans confortable Ritterstube. Nous vous assurons de tout notre dévouement pour vous satisfaire

Famille Georg Kuchelmeister

1992: 400 Jahre

🛏 50	🅰 Fußgängerzone		**E.**
🪑 25	Ⓤ		◑
🍴 4	Heidelberg		
🧍 130 - 210 DM	◎ Altstadt		
👥 240 - 320 DM	⇅ 1		VISA
Ⓐ 1			

Georg Kuchelmeister
Hauptstraße 178
D-6900 Heidelberg
Tel. 0 62 21-20 20 3
Telex 461 506
Telefax 0 62 21-12 683

Romantik Restaurant „Kupferschmiede"

Hildesheim

Die zwischen alten Bäumen und einem wunderschönen Wildgehege im Ochtersumer Steinberg bei Hildesheim (in Richtung Alfeld fahren) idyllisch gelegene Kupferschmiede, um die Jahrhundertwende als Ausflugsziel erbaut, wurde zunächst von einem Kupferschmied mit Namen Söhlemann, bewirtschaftet. Heute ist das Romantik-Restaurant ein Feinschmeckertreff, in dem unter der Leitung von Edith und Wolfgang Bleckmann gepflegte Gastlichkeit und die hohe Schule der Kochkunst zu Hause sind. Im rustikalen Schlemmerstübchen herrscht gemütliche Atmosphäre, dezente Eleganz umgibt den Gast im exclusiven Restaurant.
Die leichte Küche des zehnköpfigen Küchenteams besticht mit feinen Kompositionen, die Kreativität widerspiegeln. Das zeigt sich bei dem tagesfrischen à-la-carte-Angebot ebenso wie bei den liebevoll zusammengestellten Menüs, von denen das Aktuelle 4-Gang-Menü für 55,–DM besonders beliebt ist. Der eilige Gast entscheidet sich mittags für den dreigängigen Business-Lunch, der - Kaffee und Gebäck eingeschlossen - in nur 60 Minuten serviert wird.
Eine sehr beachtliche Auswahl an Weinen, Digéstifs und Zigarren runden das Angebot ab. Jeden Monat wird ein Spitzenwein, der im Massengeschäft nicht zu finden ist, als „Wein des Monats" ungewöhnlich preiswert angeboten.
Für Anregungen und Gesprächsstoff sorgen wechselnde Ausstellungen von noch unbekannten und schon etablierten Künstlern.

Between ancient trees and a wonderful wildlife park in Ochtersumer Steinberg near Hildesheim (in the direction of Alfeld), the ideally situated copper-smithy was built at the turn of the century as a place of interest for an outing and, at first, it was run by a coppersmith named Söhlemann.
Today the Romantik Restaurant is a meeting place for gourmets, where, under the management of Edith and Wolfgang Bleckmann, one finds warm hospitality and first-class culinary art.
In the rustic dining room there is a cosy atmosphere and, in the exclusive restaurant the guest is surrounded by elegance.
The attractive light cuisine by the 10-man-kitchen team reflect creativity. This is shown in the à la carte offerings fresh each day, as well as in the carefully compiled menus, of which the current 4-course menu for DM 55,– is particulary popular. The hurried guest can choose the midday 3-course business lunch, which - with coffee and biscuits includes - is served in only 60 minutes. A very wide selection of wines, digestifs and cigars round off the offer. Every month a quality wine, which is not found in chain stores, is offered exceptionally cheaply as „wine of the month".
For entertainment and topics of conversation, constantly changing exhibitions by unknown and already established artists are represented.

Située dans un cadre idyllique d'arbres centenaires à la lisière d'un très béau parc riche en gibier dans l'Ochersumer Steinberg près de Hildesheim (rouler en direction d'Alsfeld), l'ancienne forge transformée à l'orée du siècle en auberge pour les touristes qui y venaient en excursion, fut en effet tenue au départ par un nommé Söhlemann, chaudronnier de son état.
Aujourd'hui, les gourmets se donnent rendez-vous au Restaurant Romantik »Kupferschmiede« dont ils apprécient l'hospitalité soignée et le grand art de la cuisine sous la direction d'Edith et de Wolfgang Bleckmann.
A côte de la petite salle rustique »Schlemmerstübchen« d'une sympathique simplicité, l'établissement possède également un restaurant où règne une élégance à la fois décente et recherchée.
Une équipe de dix personnes travaille à de fines compositions culinaires de cuisine égère dont l'ingénieuse créativité se reflète à fois dans la choix en mets frais du jour et dans l'offre et menus

composés avec beaucoup de soin, dont l'un, le menu actuel à 4 plats pour 55,– DM est particulièrement demandé. L'hôte plus pressé choisira à midi le Business Lunch de 3 mets, servi - café et petits gâteaux inclus - en seulement 60 minutes.
Une offre cosidérable de vins, digestifs et cigarres complètent l'offre gastronomique de l'établissement, chaque mois, un grand vin, qui ne se trouve pas dans les grands circuits commerciaux, y est offert à un prix défiant toute concurrence »vin de mois«.
Des expositions tournantes d'oeuvres d'artistes encore inconnus ou déjà établis suggérent maints sujets de converstaion.

W. Bleckmann
Steinberg 6
D-3200 Hildesheim
Tel. 0 51 21 - 26 30 25
Telefax 0 51 21 - 26 30 70

D Bad Hersfeld

Romantik Hotel „Zum Stern"

Der „Stern" liegt am Markt - man blickt auf's Kleinstadt- und Markttreiben vom Hotelzimmer aus. Ruhig ist es; denn das Hotel liegt in der Fußgängerzone. Alle Zimmer haben einen Namen und damit ein Thema für das Interieur. Gepaart mit der überdurchschnittlichen Größe ergeben sich Hotelzimmer mit eindeutigem Wohncharakter Das intime Hotelschwimmbad, erreichbar mit dem Lift, hat Austritt zu einer Liegewiese im Hotelgarten. Die Küche des Hauses begründet ihren Ruf auf saisonale Gerichte und das Angebot der Regionalküche. Die Kräuter zu dieser Küche stammen aus dem Hotelgärtchen. Die kuscheligen kleinen Gasträume (6!) fordern zu intimen Feiern geradezu auf.
Bad Hersfeld liegt in der Mitte Deutschlands mit idealer Autobahnverbindung (Nord-Süd und Ost-West). Der Stern, betrieben in der 4. Generation, liegt in unmittelbarer Nähe zur berühmten Stiftsruine und zum Kurpark.

The „Stern" (Star) hotel looks onto the market square. From your room you can view the bustling town life and yet still enjoy peace and quiet as the hotel is situated in the pedestrian precinct. Each room has a name which provides the theme of the interior furnishing and is extremely spacious encouraging our guests to feel at home. The hotel swimming pool, which is reached by an elevator, gives on to a lawn in the hotel garden. The hotel's cuisine draws upon seasonal dishes and specialities of the region, seasoned with herbs our hotel garden. The cosy guest room (6 in all) ideally lend themselves to party festivities in an intimate atmosphere.
Bad Hersfeld is situated in the middle of Germany with ideal autobahn connections on a north-south, east-west axis. The Stern, in the hands of the fourth generation of the same family, lies close to the ruins of the famous cathedral and spa gardens.

„**L**'Etoile" est située près du marché - la vue des chambres donne sur le marche et la petite ville animés. Le calme règne car l'hôtel se trouve dans la zone piétonne. Chaque chambre a un nom et ainsi un thème qui lui est particulier. La taille des chambres, au-dessus de la moyenne, leur donne une ambiance où il fait bon vivre. La piscine privée à laquelle on accède par l'arcenseur, donne sur l'aire de repos du jardin de l'hôtel. La cuisine jouit de sa réputatio grâce a des plats inspiré des saisons et des plats régionnaux. Les herbes qui y

sont utilisées proviennent du petit jardin de l'hôtel. Les petites salles douillette (6) invitent à faire la fête.
Bad Hersfeld est situé au centre de l'Allemagne et dispose d'exellentes voies d'accès aux autoroutes (Nord-Sud et Est-Quest). „L'Etoile" - gerée depuis 4 générations par la même famille - se trouve à proximité immédiate des ruines célèbres „Stiftsruine" et du parc de la station thermale.

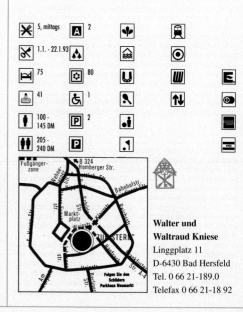

**Walter und
Waltraud Kniese**
Linggplatz 11
D-6430 Bad Hersfeld
Tel. 0 66 21-189.0
Telefax 0 66 21-18 92

Romantik Hotel „Zum Stern"

Bad Hersfeld

Was die Hessen so essen

Wir stellen die Landschaft kulinarisch dar. Das Hessen-Essen kann von 10 - 100 Schlemmern erlebt werden.
Wirt, Küchenmeister und Dorfschullehrer brennen darauf, Sie als „Tafelnde und Mitmachende" zu gewinnen.

ab 10 Personen DM 78,- pro Pers.
ab 20 Personen DM 70,- pro Pers.
ab 100 Personen DM 55,- pro Pers.

„Wandersames" Gourmet-Wochenende

Ihre Anreise am Freitag feiern wie mit Ihnen und einem Begrüßungscocktail vor dem ländlichen Drei-Gang-Menu.
Am Samstag Aufbruch mit Wanderkarte zum Tischlein-deck-dich im Walde.
Fünfgängiges Gourmet-Menü als Belohnung am Abend.
Am Sonntagmorgen Champagner-Frühstück

ab 2 Personen DM 347,- pro Person

Champagner-Wochenende

Begrüßung nach Champagner-Art.
Hessen-Essen – ländlich, deftig, überschäumend.
Kellerprobe mit dem Wirt und seinen stillen Champagnerweinen.
Fünfgängiges Romantik-Menü.
Gastgeschenk.
Kurzbeschreibung: ein ländliches Acht-Gang-Menü, Weinprobe, Fünfgang-Menü, 2 Übernachtungen, Gastgeschenk

(ab 8 Personen) DM 360,- pro Pers.

Die Wartburg erobern von Bad Hersfeld aus

Anreise Samstag, bis 18.00 Uhr – Minnetrunk.
Großes Luther-Essen, volkstümlich, die Speisen leicht zubereitet.
Erläuterung über die Wartburg.
Übernachtung in den schönsten und heimeligsten Gaststuben.
Fahrt mit eigenem Pkw zur Wartburg.
Vorgebuchte und bezahlte Führung.
Abschluß im Lutherdorf Möhra (10 Min. von Eisenach) mit einem Thüringer Bratwurstessen.
Gastgeschenk.

(ab 10 Personen) DM 189,- pro Pers.

Bei 2 Übernachtungen + 1 fünfgängiges Menü der heiligen Elisabeth

(ab 10 Personen) DM 360,- pro Pers.

Märchenhafte Wochenenden?

Angeboten im Romantik-Hotel „Zum Stern" in der Kur- und Festspielstadt Bad Hersfeld, erfreut sich dieses Arrangement schon eine ganze Zeit größter Beliebtheit!

Unser Angebot für Nichtkenner:
Aufenthalt von Freitag bis Sonntag, inclusive Willkommenstrunk, „Tischlein-deck-dich-Menü", Rotkäppchenkorb, Brüder-Grimm-Menü, zwei Übernachtungen und vielen Überraschungen.
Preis pro Person DM 355,- im Doppelzimmer

Romantik Hotel „Zehntkeller"

Wie schon der Name sagt, war hier einmal ein Zehntkeller, sicherlich ein unangenehmer Platz für die Bewohner von Iphofen. Glücklicherweise wurde er 1910 in ein Gasthaus, und zwar in ein ganz besonderes Gasthaus, umgebaut. Durch sein stilvolles Äußeres spürt man, daß das Gebäude früher ein Amtshaus des Fürstbischofs von Würzburg war. Das Innere des Hotels strahlt fränkischen Charme aus - solide, zuverlässig und von hoher Qualität -, sei es die fränkische Küche, der am Ort wachsende Wein oder die komfortablen Zimmer. Der „Zehntkeller" ist unter gar keinen Umständen einfach, sondern hat einen Hauch von Eleganz und ist ein Romantik Hotel, das man gesehen haben sollte.

The „Zehntkeller" used to be a tithe collection point, surely an unpleasant place for the citizens of Iphofen. Fortunately it was made into an inn about 1910, and a very special one at that. One senses by its stylish exterior that the city was a former official seat of the bishopric of Würzburg. The interior of the hotel radiates a Franconian charm - solid, reliable and of high quality - be it the Franconian cuisine, the home-grown wines or the comfortable bedrooms. The „Zehntkeller" is by no means plain, but has a tinge of elegance and is a Romantik Hotel which is well worth seeing.

Comme son nom l'indique en allemand, le »Zehntkeller« était le lieu où recouvrait de la dîme, et n'était donc pas un endroit aimé des citoyens d'Iphofen. Fortheureusement, cette demeure a été, en 1910, aménagée en un hôtel et quel hôtel! L'extérieur rappelle l'élégance d'une époque où cette ville fut autrefois le siègne de la résidence épiscopale de Würzburg de l'intérieur de l'hôtel dégage l'ambience chaleureuse d'une vielle auberge franconienne. Tout ici est sobre, distingué et confortable, que ce soit la cuisine franconienne, le vin provenant des propres vignobles ou le mobilier des chambre. Un Hôtel Romantik valant un déplacment.

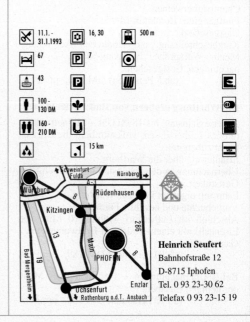

✗ 11.1. - 31.1.1993	🎇 16, 30	🚆 500 m
🛏 67	🅿 7	◎
🍷 43	🅿	🎰
🧍 100 - 130 DM	✿	
🧍🧍 160 - 210 DM	Ⓤ	
⛰	◁ 15 km	

Heinrich Seufert
Bahnhofstraße 12
D-8715 Iphofen
Tel. 0 93 23-30 62
Telefax 0 93 23-15 19

Romantik Hotel garni „Benen-Diken-Hof"

Keitum/Sylt D

Keitum, der schönste Ort auf Deutschlands beliebtester Urlaubsinsel.
Generationen haben hier den unverwechselbaren Charme stilvoller Friesenhäuser bewahrt - reetgedeckte, alte Kapitänshäuser aus traditionsreicher Walfangzeit - wie der neugestaltete Benen-Diken-Hof.
Die „Insel auf der Insel" gehört zu den besten Hotels und genießt im ganzen Land besondere Anerkennung. Ein Stück vom alten Sylt, in das die Gegenwart ganz behutsam eingezogen ist.
Die Terrassen am Haus, Schwimmbad, Whirlpool, Sauna, und vor allem die stilvolle Ausstattung des Hauses lassen den Gast im Zauber der Ruhe und Geborgenheit zu sich selber finden. Und spätestens abends an der Bar mit dem Hausherrn Claas Johannsen fühlt man sich im Freundeskreis aufgenommen.

Keitum, the most beautiful town on one of Germany's best loved vacation island: Island Sylt. Generations of people have preversed and kept the twon of the old-reed covered Friesian homes, many of them dating back to whale-hunting times.
The traditionary and modernized Benen-Diken-Hof dates back to those days and is considered by many the "island of the island".
The hotel enjoys being known worldwide as one of the best hotels in our times: a piece of the old times has slowly moved in.
The terrasses, swimming pool, whirlpool, sauna and most of all the elegant furnishings of the hotel are created for the enjoyment and relaxation of the guest. Among the peace and comfort of this house, guests can truly find themselves. In the evening at the bar, together with the owner Claas Johannsen one feels like being among friends.

Keitum, la plus jolie localité sur l'île préférée des vacanciers.
Les générations sont sû ici conserver le charme et le style inimitable des maisons frisonnes, toît de chau-

me des vielles maisons de capitaine du temps riche en traditions de la pêche à la baleine. Ainsi se présente le »Benen Diken Hof« après renovation.
L'Ile sur l'Ile (Insel auf der Insel) est l'un des tous permiers hôtels et jouit d'une réputation particulière dans toute la région. C'est un peu de vieux Sylt où le présent fait une entrée très discrète. Les terrasses le long de la maison, la piscine, le whirlpool, le sauna et a avant tout le décor de goût de l'établissement permettent à h'hôte de se retrouvver dans le charme du calme de cette retraite. Au plus tard le soir au bar, en compagnie de Claas Johannsen, le maître de maison, on se sent intégré dans un cercle d'amis.

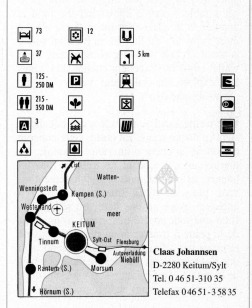

Claas Johannsen
D-2280 Keitum/Sylt
Tel. 0 46 51-310 35
Telefax 0 46 51-3 58 35

Romantik Restaurant „Zum Ochsen"

Ein eingesessenes Restaurant verbunden mit eigener Metzgerei war schon immer ein besonderer Gütestempel. Dazu kommt noch ein ausgezeichnetes renoviertes Hotel in der wunderschönen Weingegend von Schwaben und Sie haben das ideale Haus, „Zum Ochsen", ein lebendiges und beliebtes Restaurant, wo es schwierig sein kann, einen Platz zu bekommen - die Leute wissen, daß das Essen hier gut ist. Ein Glas Wein macht alles noch liebenswerter. Besuchen Sie Kernen-Stetten im Remstal, nahe bei Stuttgart. Bleiben Sie eine Weile hier. Genießen Sie die ausgezeichnete Küche und den Wein und erforschen Sie die Hügel, Täler und Wälder des Remstals.

An established restaurant affiliated with a butcher's shop has always been a special hallmark. Add to that an attractively renovated hotel in the beautiful winegrowing area of Swabia and you have an ideal combination. That is the "Zum Ochsen", a lively and popular inn, where it just might be difficult to get a table - people know that the food is good here. A glass of wine make it all the more enjoy to visit Stetten im Remstal which is situated close to Stuttgart. Stay here for a while, enjoy the excellent cuisine and wines and explore the hills and valleys of the „Schwäbische Alp".

Une vieille auberge annexée a une boucherie signific bonne chère. En outre, cette auberge est située ou coeur d'un vieux vignoble. Le touriste en s'y rendant ne trouvera pas un honnête petit hôtel, mais un établissement vivant, plein de dynamisme, restauré il y a quelques année en une demeure séduisante. Bien que tout ait été très grand, vous aurez de la peine à trouver de la place si vous ne réservez pas à l'avance, catout le monde sait que l'»Ochsen« est une des meilleures tables de la région et qu'en autre son vin est exquis. Venez séjourner, vous ne le regretterz pas.

✕ 3		⛺ Gästehaus Tannäckerstr.	
✗ Restaurant: 11.2.-3.3.93		▦ 40	
🛏 49		♿	E
📻 28		P	D
🚻 90 - 115 DM		P	
👥 150 - 200 DM		Ⓦ beim Gästehaus	VISA

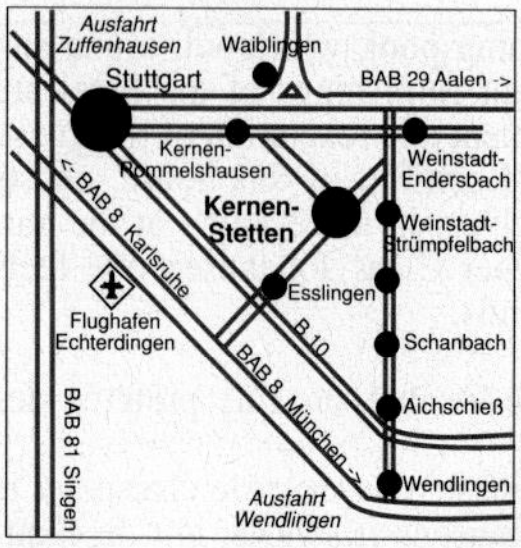

Otto Schlegel
Kirchstr. 15
D-7053 Kernen/Stetten
Restaurant:
Tel. 0 71 51-4 20 15+17
Telefax 0 71 51-4 71 03
Gästehaus:
Tel. 0 71 51-4 20 16+4 18 97
Telefax 0 71 51-4 72 05

Romantik Hotel „Zur Krone"

Im unterfränkischen Maintal, eingebettet zwischen Spessart und Odenwald, liegt der reizvolle Ferienort Laudenbach, umgeben von Rebhängen, Schlössern und Burgen. Ein lebendiges Stück des Schloßdorfes Laudenbach ist die fast 300jährige Krone, die zusammen mit dem Fechenbach'schen Schloß aus dem 18. Jahrh. und der Kirche den Ortsmittelpunkt bildet. Sorgfältig renoviert, bietet die Krone liebevoll bewahrte Vergangenheit in gediegenen rustikalen Gasträumen. Wer in den großzügig und geschmackvoll eingerichteten Appartements wohnt, wird vom Rauschen des Mühlbaches in den Schlaf gewiegt. Das romantische Gärtchen lädt an sonnigen Tagen zum Verweilen ein. Gabriele und Karl Breitenbach, die Besitzer dieses Kleinodes, freuen sich mit ihrem Küchenmeister Roland Zipp darauf, ihre Gäste mit ausgezeichneten Spezialitäten aus Küche und Keller verwöhnen zu dürfen.

In the lower Franconian Main River Valley, nestled between Spessart and Odenwald, lies the charming vacation spot of Laudenbach, surrounded by vineyard slopes, palaces and castles. A lively part of the palace town of Laudenbach is the nearly three-hundred year old Krone which, together with the 18th century Fechenbach Palace and the church, makes up the heart of the town. Painstakingly renovated, the Krone offers a lovingly preserved past in tastefully rustic guest rooms. Those who stay in the generously proportioned and elegantly furnished apartments are lulled to sleep by the murmur of the mill stream. The romantic garden invites one to stay a while on sunny days. Gabriele and Karl Breitenbach, owners of this gem, and their chef Roland Zipp are pleased to be able to pamper their guests with outstanding specialties from the kitchen and the wine cellar.

Lovée dans la vallée du Main de Basse-Franconie, entre le Spessart et l'Odenwald, l'attrayante villégiature de Laudenbach est entourée de vignobles, de châteaux et de citadelles. La «Krone» vieille de près de 300 ans constitue, avec l'église et le Château de Fechenbach du XVIIIe siècle, un vestige vivant du village de Laudenbach. Rénovée minutieusement, la Krone reflète un passé intact dans des pièces rustiques confortables. Si vous logez dans les appartements spacieux et meublés avec goût, le murmure du ruisseau du moulin vous bercera. Le petit jardin romantique invite à la quiétude. Gabriele et Karl Breitenbach, propriétaires de ce joyau, et leur chef Roland Zipp sont heureux de proposer à leurs hôtes les excellentes spécialités de leur cuisine et de leur cave.

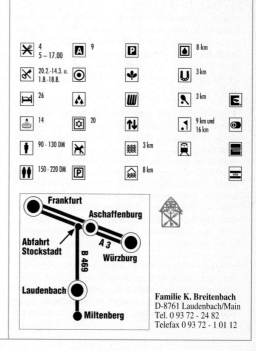

✕ 4 / 5 – 17.00	Ⓐ 9	🅿	● 8 km
✕ 20.2.-14.3. u. / 1.8.-18.8.	◎	❀	∪ 3 km
🛏 26	⟁	⫻	🔫 3 km
🛏 14	✳ 20	⇅	🎣 9 km und 16 km
🚹 90 - 130 DM	✕	≋ 3 km	🚂
🚻 150 - 220 DM	🅿	⌂ 8 km	

Frankfurt — Aschaffenburg
Abfahrt Stockstadt → A 3 **Würzburg**
B 469
Laudenbach
● **Miltenberg**

Familie K. Breitenbach
D-8761 Laudenbach/Main
Tel. 0 93 72 - 24 82
Telefax 0 93 72 - 1 01 12

(D) Landshut

Romantik Hotel „Fürstenhof"

Landshut gehört zu den schönsten gotischen Städten Bayerns und ist über die Landesgrenzen hinaus bekannt durch die „Fürstenhochzeit". Nicht weit vom Zentrum entfernt liegt das Romantik-Hotel „Fürstenhof" in einer alten Jugendstilvilla. Das mit sehr viel Liebe und Gespür zum Detail eingerichtete Haus läßt beim Gast sofort das Gefühl der Behaglichkeit aufkommen. Hertha Sellmair und ihr herzliches Team vervollständigen diesen ersten Eindruck. Genießen Sie die sehr gute Küche in zwei stilvollen Restaurants – das eine elegant und das andere bayerisch-rustikal. Zusätzlich bietet Ihnen das Pavillon-Bistro in nostalgisch-gemütlicher Atmosphäre nachmittags Kaffee und hausgemachten Kuchen sowie abends kleine Schmankerl.

Landshut is one of the prettiest Gothic cities in Bavaria and is internationally famous because of the Fürstenhochzeit or "Princely Wedding".
The Romantik Hotel "Fürstenhof" is located near the heart of the city in an old Art Nouveau villa. The building, which has been painstakingly furnished with an eye for detail, makes guests feel right at home from the moment they step through the door. Hertha Sellmair and her energetic team round out this first impression. Enjoy the excellent cuisine in two stylish restaurants – one elegant and other with a rustic Bavarian atmosphere. In addition, the Pavilion Bistro offers coffee and homemade pies and cakes in the afternoon in a nostalgic, cosy atmosphere as well as small snacks in the evenings.

Landshut compte parmi les plus belles villes gothiques de la Bavière et elle est connue bien au-delà des frontières du Land grâce au «mariage des princes».
Non loin du centre se trouve l'hôtel de style romantique «Fürstenhof», qui est une villa de style 1900. Cette maison, installée avec amour et beaucoup de goût jusque dans les moindres détails, inspire au visiteur une sensation immédiate de bien-être. Hertha Sellmair et sa sympathique équipe ne font que confirmer cette première impression. Vous pourrez goûter à l'excellente cuisine dans les deux restaurants au style plein de caractère, l'un respirant l'élégance et l'autre représentatif du style rustique bavarois. L'après-midi, le Pavillon-Bistro vous propose du café et du gâteau fait maison dans une atmosphère feutrée et confortable, et le soir venu, vous pourrez vouis régaler de délicieux en-cas.

🗡 7	✸ 20	⋃
🛏 38	🅿	✎ Am Ort
24	🅿	4 km
👤 125 - 185 DM	❀	🚆 500 m
👥 185 - 230 DM	◉	◎
Ⓐ 3 260 DM	☒	〰

Flughafen München II 20 Min.

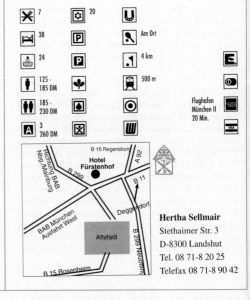

Hertha Sellmair
Stethaimer Str. 3
D-8300 Landshut
Tel. 08 71-8 20 25
Telefax 08 71-8 90 42

Romantik Hotel „Fürstenhof"

Landshut

Niederbayern zum Kennenlernen

Weitab von Streß, Hektik und Menschenmassen liegt die Hauptstadt Niederbayerns mit gotischer Stadtbaukunst.

Sehenswertes gibt es in der Altstadt mit Giebelhäusern aus dem 15. und 16. Jahrhundert, die St.-Martinskirche - 3-schiffige Pfeiler-Hallenkirche von 1389-1500 mit höchstem Backsteinturm der Welt (131 m), die Stadtresidenz - erster italienischer Renaissancepalast auf deutschem Boden (1536-1537), Burg Trausnitz (Gründungsbauten von 1204 - Residenz der Wittelsbacher Herzöge von Bayern-Landshut bis 1503), Hofgarten am Fuße der Burg Trausnitz - eine der ältesten Garten-Anlagen Bayerns mit 27 ha, außerdem noch viele kleine interessante Besichtigungspunkte.

Sehr sehenswerte Ausflugspunkte locken unsere Besucher rund um Landshut.

- Bauernhaus - Museum in Massing mit Einkehrmöglichkeit im Brotzeitstüberl in altbäuerlicher Umgebung - 45 km-

- Kelheim - Donaudurchbruch, Befreiungshalle und Kloster Weltenburg mit dem weltberühmten dunklen Bier - 50 km-

- Klosterkirche Rohr - großartiger barocker Sakralbau - Hochaltar mit dem bedeutendsten Werk von Quirin Asam - 30 km -

- und natürlich ein Bummel in München-die Entfernung über die Autobahn ein Katzensprung von ca. 35-40 Min.

- Flughafen Franz-Josef-Strauß München II - 30 km -

Zu allen interessanten Punkten wollen wir nicht versäumen, Ihnen unsere Leistungen für Sie anzubieten:

- Anreise Freitag mit Aperitif und herzhaftem Menü im Herzogstüberl

- Samstag - Romantikfrühstück, Besichtigungen nach Wahl mit unserer Beratung, abends ein „fürstliches" Genießer-Menü im Fürstenzimmer.

- Sonntag - ein ruhiges Ausklingen mit dem Romantikfrühstück - Abreise?

- Oder noch einen Anhängseltag? Wir berechnen Ihnen pro Person für die Übernachtung mit Frühstück nur noch DM 80,-

Unser Preis pro Person DM 369,- im Doppelzimmer inkl. aller oben aufgeführten Leistungen.

Herzlich gerne würden wir Sie mit unserem „niederbayerischen" Charme begrüßen.

Ihre Hertha Sellmair mit Team

Romantik Hotel „Zimmermann"

Das Romantik Hotel Zimmermann, in der Südstadt von Limburg an der Lahn gelegen, gehört zweifelsohne mit zu den angenehmsten Hotels in Deutschland. Dies war für uns maßgebend, dieses schöne Haus als Romantik Hotel aufzunehmen, denn mit seinem verhältnismäßig „jungen" Alter kann man es nicht unbedingt als historisch bezeichnen. Als charakteristisches Stadthotel an einer wenig befahrenen Seitenstraße gelegen, bietet das „Zimmermann" seinem Hotelgast auch ruhige Zimmer.

Laufende Modernisierungen brachten das Hotel auf den heutigen Stand, dabei wurde stets mit viel Fingerspitzengefühl und Liebe zum Detail darauf geachtet, den stilvollen Charakter dieses Hauses mit seiner liebenswerten Individualität zu erhalten. Elegant ist die Raumgestaltung, die den Ansprüchen unserer Zeit entspricht und zugleich die Tradition des Hauses unterstreicht. First-class-Wohnen im Romantik Hotel Zimmermann, hier sieht man Mobiliar, Teppichboden und Beleuchtung ebenso passend und gekonnt aufeinander abgestimmt wie Tapeten, Gardinen und Wandschmuck. Bad/WC oder Dusche/WC, Selbstwähltelefon, Kabel-TV, Minibar sowie Schmuckwandsafe sind in einem Hotel dieser Klasse eine Selbstverständlichkeit. Als besondere und angenehme Neuheit werden auch für Nichtraucher Zimmer mit Marmorbad angeboten. In der Dependance auf gleichem Terrain findet der Hotelgast sein Zimmer im komfortablen englischen Landhausstil. Erfahrung, Routine und Einfühlungsvermögen, das sind die Anforderungen, die das Romantik Hotel Zimmermann an all seine Mitarbeiter stellt und die immer dem Gast zugute kommen.

Die Altstadt in Limburg mit ihren berühmten Fachwerkhäusern und eleganten Boutiquen, Antiquitätengeschäften, Weinstuben, Restaurants und Cafés lädt zum Bummeln und Shopping ein. Unvergeßlich ist der Anblick und Besuch des 750jährigen Limburger Doms. Was Limburg jedoch besonders reizvoll und erholsam macht, sind seine Parkanlagen und Promenaden. Für kleine Tagesfahrten am Rhein, Mosel und Lahn ist diese Stadt ein idealer Ausgangspunkt.

The Romantik Hotel „Zimmermann" in the south town of Limburg on the Lahn is, without doubt, one of the most pleasing hotels in Germany. This was sufficient for us, to accent this lovely house as a Romantik Hotel, because with its somewhat „young" age it cannot really be classified as historic. As a typical town-hotel, situated in a little frequented by-street, the Zimmermann offers its guests also silent rooms.

Continious modernisations brought the hotel up to date, taking care always with a lot of flair and live to the detail, of its stylish character and its lovable individuality. The elegant arrangement of the rooms comes up to the requirement of our time understanding at the same time the tradition of the house. Living first-class in the Romantik Hotel Zimmermann, that means furniture, fitted carpet and lighting harmonize as well as wallpapers, curtains and wall-decoration. Bath/WC or shower/WC, automatic telephone, cable-TV as well a minibar and wallsafe are in a hotel of this class a matter of course. As particular and agreable novelty there are also rooms with marmor bath (for non-smokers too). In the dependance on the same terrain the guest will find in the comfortable english-style. Experience, routine and sympathic understanding, those are the requirements, which expects the Romantik Hotel Zimmermann from the whole staff and which are always in favour of the guest.

The Old Town of Limburg with its famous half-timbered houses and elegant boutiques, antique shops, wine tavernes and cafés invite to strolling and shopping. Unforgetable is the visit to the 750 years old cathedral of Limburg. The park and promenades are making Limburg particulary attractive and is an ideal starting-point for day's trips to Rhine, Moselle and Lahn.

✕ 5 - 7	✈ Auf Anfrage			
✕ 20.12.-06.01.	P 4			
🛏 40	P 12			E
🛁 21	🚩 20 km			①
👤 135 -185 DM	◉ Südstadt			▦
👫 158 -285 DM				VISA

Köln · Limburg · Bad Ems · Koblenz · A3 · Frankfurt · Wiesbaden

Dieter und Ursula
Zimmermann
Blumenröder Str. 1
D-6250 Limburg/Lahn
Tel. 0 64 31-46 11
Fax 0 64 31-4 13 14

Romantik Hotel „Spielweg"

Münstertal/Schwarzwald

Der Spielweg liegt in der lieblichen Wiesenlandschaft des Münstertals und wird seit Generationen von der Familie Fuchs geführt.
Der historische, zweistöckige Bau mit seinen gemütlichen Restaurant-Stuben und den renovierten Hotelzimmern ist durch Passagen und Galerien mit dem „Haus am Bergbach" und der neuen „Sonnhalde" verbunden.
Die Küche bietet der Jahreszeit entsprechend ausgesuchte, regionale Produkte an.
Das Münstertal mit seinen Seitentälern, dem Schauinsland (1.200 m ü.d.M.) und dem Belchen (1.400 m ü.d.M.) bieten ideale Wandermöglichkeiten. In unmittelbarer Nähe das Benediktiner Kloster St. Trudpert mit barocker Kirche.
Von April bis September besteht die Möglichkeit Bachforellen zu angeln.
Im Winter Ski-Alpin und Langlauf.
Erleben Sie den „Spielweg".

The „Spielweg" is located in the lovely meadows of the Münstertal and managed by the Fuchs family since generations.
The historical two-storey house with its cosy restaurant parlours and then refurbished rooms is connected with the „Haus am Bergbach" and the very new „Sonnhalde" by arcades and galleries.
The cuisine offers a regional menu matching to the current season.
The Münstertal and its dide valleys, the mountains „Schauinsland" (1200 m above sea-level) and the „Belchen" (1400 m) invite for walking and trekking tours. Right next to the Benedictine monastery „St. Trudpert" with its baroque church.
From April to September it is possible to catch brown trouts. In Winter time you can do downhill and cross-country skiing.
Enjoy the „Spielweg".

Le »Spielweg« se trouve dans la douce vallée de la Münster. Il est géré depuis des générations par la famille Fuchs.
Le bâtiment historique à 2 étages avec ses salles de restaurants accueillantes et ses chambres d'hôtel remises à neuf est relié par des passages et des galeries à la "Haus am Bergbach" (= Maison en bordure du torrent) ainsi qu'au nouveau bâtiment »Sonnenhalde« (= Coteau ensoleillé).
La cuisine qui s'inspire des saisons offre des plats régionaux.
La vallée de la Münster et ses vallées latérales, le »Schauinsland« (1200 m), et le »Belchen« (1400 m) offrent d'idéales possibilités de randonnées et de promenades. A proximité immediate, vous trouverez le cloître bénédictin de St. Trudpert et son église baroque.
Entre avril et septembre, vour pourrez pêcher la truite de rivière. En hiver, vous pourrez faire du ski-alpin ou du ski de fond.
Apprenez à connaître le „Spielweg"!

✕ 1, 2	☗	🏔 5 x 10 m	〰
🛏 80	✻ 15	⬤	↕
🛗 42	P 26	⚷ Hauseigen ♦	🐎 im Haus Sonnhalde	E
🧍 140 - 160 DM	P	⛷ 10 km		ⓘ
🧍🧍 190 - 370 DM	🍃 Am Bergbach	⚲ 30 km	
A 330 - 540 DM	🌊 6 x 16 m 25°	🚆 6 km	

Familie Fuchs
D-7816 Münstertal
südl. Schwarzwald
Ortsteil Spielweg
Tel. 0 76 36-7 09-0
Telefax 0 76 36-7 09 66

Romantik Restaurant „Vincenz Richter"

Unmittelbar am Hauptmarkt, inmitten der tausendjährigen Stadt Meißen liegt Vincenz Richter. Das fast 500jährige Tuchmacherzunfthaus ist seit 1873 in Familienbesitz und bis heute auch über die 40 Jahre DDR hinweg immer privat geblieben.

Wie kaum in einer anderen Weinschänke Deutschlands haben sich hier Geschichte und Geschichten über Jahrhunderte in unvergleichlicher Atmosphäre von über 500 kostbaren Raritäten unserer Ahnen bewahren können. Nach komplexer Rekonstruktion, noch vor der »Wende« ist es der 1. Romantiker im „Osten" überhaupt.

>   Vier Sterne hat Meißen
>   uralt und doch fein.
>   Den Burgberg, die Schwerter,
>   den Vincenz, den Wein.

Right next to the main market, smack in the middle of the thousand-year-old city of Meissen is the restaurant "Vincenz Richter". The nearly 500-year-old drapery makers' guildhouse has been family-owned since 1875 and even remained in private ownership throughout the forty year history of the GDR.

History and narrative have mixed here over centuries as they have in hardly any other German wine bar, amid the incomparable atmosphere of over 500 priceless rarities which our forefathers were able to preserve. Following complex reconstruction, even before the turn of events in Eastern Germany, it is the very first Romantiker in the "East".

>   Meissen has four shining stars,
>   ancient and yet fine,
>   the Castle Hill, the swords,
>   the Vincenz, the wine

Vincenz Richter est établi directement sur le Marché Principal, au cœur de la cité millénaire de Meißen. La maison vieille de près de 500 ans et siège de la corporation des drapiers, appartient à la famille depuis 1875 et est toujours restée privée jusqu'à nos jours, même durant les 40 ans de République Démocratique.

Comme dans peu d'auberges d'Allemagne, l'histoire et les histoires ont été perpétuées ici, dans l'atmosphère incomparable créée par plus 500 raretés précieuses de nos ancêtres. Après une reconstruction complexe, avant le «tournant», la maison est le 1er Romantik de l'«Est».

>   Meißen a quatre étoiles
>   Séculaires, mais distinguées
>   La colline du Château, les épées,
>   Le Vincenz, le vin.

✗ 7
  1

✗ Jan.

◉   **E**

✈   **①**

Ⅲ   ▣

🚆 1,2 km   ▣

Helga Herrlich-Richter
An der Frauenkirche 12
D-8250 Meißen
Tel. 0 35 21 / 32 85
Telefax 0 35 21 / 32 85

Romantik Restaurant „Vincenz Richter"

Meißen

Tafelrunde in echt altdeutscher Atmosphäre
In alten Gewölben lagern neben hauseigenen und
Meißner Weinen über 120 Weine aus allen 13
deutschen Anbaugebieten. Die Küche ist typisch
sächsisch mit vielen Hausspezialitäten.
Für die geselligen und festlichen Tafelrunden
werden Meißner bzw. sächsische Menüs mit entsprechenden Meißner Weinen kreiert.
Dazu empfehlen wir unsere beiden Weinstuben
mit 50 Sitzplätzen im Vorderhaus. Die Weinpro-
bierstube mit 25 Plätzen für individuelle Wein-
abende, und im Sommer unseren romantischen
Weinhof mit 50 Plätzen.
Neben Weinproben und Hausführungen erfolgt
abends auf Wunsch die Führung in die Folterkam-
mer.
Vorbestellungen sind erwünscht.

Unser Service für Sie
Porzellanmanufaktur Di.–So. 8.30–16.00 Uhr
Albrechtsburg/Dom Di.–So. 10.00–16.00 Uhr

Übernachtungen vermittelt
Fremdenverkehrsamt Meißen,
Telefon 03521/4470

D „Tüöttendorf" Mettingen

Romantik Hotel „Telsemeyer"

An den Ausläufern des Wiehengebirges im Tecklenburger Land - zwischen den Städten Osnabrück und Münster - liegt das „Tüöttendorf" Mettingen.
In diesem idyllischen Ort mit seinen vielseitigen Freizeitmöglichkeiten finden Sie das traditionsreiche Hotel Telsemeyer.
Die verschiedenen, teils historischen Räume des Hauses bieten Besuchern, Hotel- und Feriengästen Gesellschaften und Tagungsteilnehmern individuelle Möglichkeiten der Ruhe, Entspannung und Geselligkeit. Es stehen Räumlichkeiten für Festlichkeiten und Tagungen aller Art für 10-300 Personen bereit. Küche und Konditorei des Hauses genießen einen ausgezeichneten Ruf und bieten alles auf, um internationalen Ansprüchen gerecht zu werden.
Über Mettingens Geschichte und Brauchtum können Sie sich in dem Hotel angegliederten „Tüöttenmuseum" informieren. In drei zum Teil original aufgebauten bzw. maßgerecht nachgebauten Fachwerkhäusern wird Einrichtung und Wohnkultur der „Tüötten" gezeigt.

The „Village of the Tüötten", Mettingen, is situated in the foothills of the Wiehen-Mountains in the region of Tecklenburg - lying between the towns of Osnabrück and Münster.
In this idyllic site offering many recreational possibilities the traditional „Hotel Telsemeyer" is to be found.
The hotel's room, some of which are of historical interest, offer visitors of all kinds (hotel guests) the chance to enjoy a conivial atmosphere or simply to relax. Rooms accomodating from 10-300 people are available.
The hotel's cuisine and confectionery have an excellent reputation and worthy of the highest international demands.
Informations on Mettingen's history and customs can be obtained in the „Tüöttenmuseum" attached to the hotel.
In three half-timbered houses, partly reconstructed from the original materials, partly modelled from the originals, the furniture, interior decorations and way of living of the „Tüötten" is shown.

Situé aux contreforts de la Montage de Wiehen dans la région de Tecklenburg - entre les vills d'Osnabrück et de Münster - vous trouverez Mettinge, le "village des Tüötten".
Les différentes salles de l'hôtel, en partie des lieux historiques, offrent aux visiteurs, aux clients de l'hôtel et aux vacanciers, ainsi qu'aux groupes et aux participants de séminaires des possibiités individueles de calme, de détente you d'ambiance anoméer.

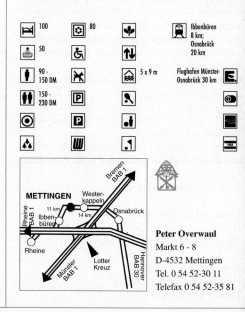

Peter Overwaul
Markt 6 - 8
D-4532 Mettingen
Tel. 0 54 52-30 11
Telefax 0 54 52-35 81

Romantik Hotel „Telsemeyer"

„Tüöttendorf" Mettingen
(staatlich anerkannter Erholungsort)

D

Des salles sont disponibles pour des festivités et des séminaires de tous genres pour 10 à 300 personnes.
La cuisine et la pâtisserie de l'hôtel jouissent d'une excellente réputation et s'appliquent à répondre aus exigences internationales.
Dans le „Musée des Tüötten", rattaché à l'hôtel, vous pourrez vous renseigner sur l'histoire et les coutumes de Mettingen.
Dans trois maisons à colombages, reconstruites ou construites d'après des modéles originaux, on vous montrera l'aménagement et le style d'habitation des „Tüötten".

Sportliche Gäste werden das Hallenschwimmbad und die Kegelbahn zu schätzen wissen.

Unsere Aktivprogramme wie z. B.

Barbecue-Party am **Spieker,** einem alten Fachwerkhaus im Mettinger Moor (ab 25 Personen)

Petri Heil „Forellenangeln" - an einer idyllisch gelegenen Teichlandschaft (ab 25 Personen)

Erlebnisreiche Fahrradtour

lassen keine Langeweile aufkommen.

Aktive Erholung in der Natur. In welcher Jahreszeit Sie auch kommen - Mettingen präsentiert mit seiner Umgebung ein Stück Natur, das Sie auf gepflegten und gekennzeichneten Rund- und Wanderwegen sowie einem ausgeschilderten Radwandernetz erleben können. Herrliche Wälder und idyllische Täler bringen Erholung näher.

Wochenendarrangements und Sonderarrangements zu den Feiertagen

Unser Restaurant der „Wintergarten" gehört mit seiner gediegenen Atmosphäre zu einer der schönsten Anlagen dieser Art.

Den Ausklang des Tages können Sie bei einem gepflegten Glas Bier in unserer „Pinte" genießen.

Romantik Hotel „Insel-Mühle"

In Untermenzing, am Westrand von München, nicht weit von der Autobahn nach Stuttgart, ist ein Kleinod wieder zu neuem Leben erweckt worden: die Insel-Mühle. Völlig renoviert und durch die Familie Weber mit großem Engagement geführt, dürfte dieses Hotel heute zu den schönsten Münchens zählen. Wunderschön an der malerischen Würm in sehr ruhiger Lage ist das Romantik-Hotel „Insel-Mühle" nicht nur zum Feinschmeckertreff, sondern auch ein Ort der Feste und Tagungen geworden. Bekannt ist die „Insel-Mühle" auch durch ihren idyllischen Biergarten, der durch die Flußlage einzigartig gestaltet ist.
Die Zimmer sind großzügig und sehr komfortabel ausgestattet, viele sind mit Balkon und haben Blick auf die Würm oder den schönen alten Garten.

In Untermenzing, on the western outskirts of Munich, not far from the freeway to Stuttgart, a jewel has come to life again: the Inselmühle ("Island Mill"). Completely renovated and operated with a lot of commitment by the Weber family, today this hotel is probably one of the most lovely in Munich. Beautifully situated on the picturesque Würm river in a very quiet location, the Romantik Hotel "Insel-Mühle" has not only become a meeting place for gourmets, but a place for celebrations and meetings as well. The "Insel-Mühle" is also known for its idyllic beer garden, which is one-of-a-kind because of its riverside location.
The rooms are large and very comfortably furnished, many have balconies and a view of the river or the lovely old garden.

A Untermenzing, à la lisiére occidentale de Munich, non loin de l'autoroute de Stuttgart, un joyau a été appelé à renaître: Insel-Mühle. Entièrement rénové et géré par la famille Weber avec un grand engagement, cet hôtel est aujourd'hui l'un des plus beaux de Munich. Au bord de la Würm pittoresque, dans un sité calme et attrayant, l'hôtel Romantik «Insel-Mühle» est devenu ne seulement pas un point de recontre des gourmets, mais aussi un lieu de festivités et de congrès. L'«Insel-Mühle» est également renommée pour sa tonnelle idyllique qui borde la rivière.
Les chambres sont spacieuses et très confortables, plusieurs ont un balcon avec vue sur la Würm ou le beau vieux jardin.

Feiertag + 7 · 80 · 32 · 240 - 290 DM · 330 - 480 DM · 6 · 50 · ca. 30 km

Familie Hermann Weber
Von-Kahr-Str. 87
D-8000 München 50
(Untermenzing)
Tel. 089-8 10 10
Telex 5 218 292 inho
Telefax 089-8 12 05 71

Romantik Hotel „Insel-Mühle"

München D

In München pocht der Herzschlag der Welt

Erleben Sie den Münchner Charme, die Vielseitigkeit einer Stadt, oder um den Ausdruck der Münchner zu benutzen: unser Dorf. Buchstadt, Zeitungsstadt, eine Metropole der Kommunikation, aber auch der Kunst und der bayerischen Gemütlichkeit. Zahlreiche historische Gebäude, Museen, kulturelle Treffpunkte, exotische Parks und bayerische Biergärten versprechen geistige und körperliche Nahrung. Und nicht zu vergessen: das Münchner Oktoberfest.

Sehenswürdigkeiten

Nymphenburger Schloß mit Porzellanmuseum und Botanischem Garten
Das Rathaus mit seinem Glockenspiel
Deutsches Museum
Residenz
Englischer Garten
Olympiagelände
Bavaria Filmstudios
Tierpark Hellabrunn

Ausflugsziele

Tegernsee
Chiemsee
Oberammergau

Kultur

Bayerische Staatsoper / Nationaltheater
Deutsches Theater
Altes Residenztheater

Sport

Golf, Tennis, Squash, Reiten, Fahrradtouren an die umliegenden Seen

WOCHENENDARRANGEMENTS:

„Broadway in München"

Erleben Sie mit uns den Broadway in München. Tauchen Sie ein in die Musicalwelt von New York und lassen Sie sich von uns verwöhnen.
1 Übernachtung im Doppelzimmer
2 Karten für das aktuelle Musical
1 Flasche Champagner
DM 240,- pro Person
2 Übernachtungen im Doppelzimmer
2 Theaterkarten für das aktuelle Musical
1 Flasche Champagner
Weißwurstfrühstück vor der Abreise
DM 360,- pro Person

„Isar-Floßfahrt"

(bei entsprechender Teilnehmerzahl)
2 Übernachtungen im Doppelzimmer
Teilnahme an Isar-Floßfahrt
1 Flasche Champagner
Weißwurstfrühstück vor Abreise
DM 495,- pro Person

„Fahrt mit dem Heißluftballon"

2 Übernachtungen im Doppelzimmer
1 Fahrt im Heißluftballon
1 Flasche Champagner
DM 660,- pro Person

„Rundflug in München"

2 Übernachtungen im Doppelzimmer
1 Rundflug über der Region Münchens
1 Flasche Champagner
Weißwurstfrühstück vor der Abreise
DM 480,- pro Person

ROMANTISCH TAGEN

Tagen Sie mit uns in idyllischer Umgebung und weg vom Großstadtlärm.
Tagungsräume:
Typ I: 15 Personen, inkl. Technik
Typ II: 45 Personen, inkl. Technik
Typ III: 50-60 Personen, inkl. Technik

Romantik-Hotel „Hof zur Linde"

Die Bewohner von Münster gehen in den kleinen Vorort Handorf, wenn sie gut essen möchten. Sie mögen den „Hof zur Linde" besonders, da sie hier eine ausgezeichnete Küche finden, zusammen mit einem Restaurant von seltenem Geschmack und Würde. Es gibt einen großen offenen Kamin, wertvolle antike Möbel und alte Eichenbalken, an denen der gute Schinken hängt. Ferien in diesem Hotel sind für jeden schön, besonders für Radfahrer. Wenn Sie die Wasserschlösser dieses Gebietes besuchen wollen oder ein köstliches Mahl genießen möchten, dann ist dieses Romantik Hotel genau das richtige für Sie. Die Speisen werden unter der persönlichen Aufsicht der Besitzer Christa und Otto Löfken zubereitet. Otto ist ein passionierter Jäger und seine Jagdbeute wird auf der Speisekarte als köstliches Wildgericht angeboten.

The local citizens of Münster go the small suburb of Handorf when they want to enjoy a good meal. They like the „Hof zur Linde" especially, because they find here an excellent cuisine combined with a restaurant of rare taste and distinction. There is a huge fireplace, valuable antique furniture and old oak beams with tasty hams hanging from them. A holiday in this hotel has something for everyone and especially for motorists and those who enjoy cycling. If you want to visit the palaces and castles of this area or just appreciate delightful meals, then this Romantik hotel is for you. The food is prepared under the personal supervision of the owners Christa und Otto Löfken. Otto is a passionate hunter and his quarry will find on the menu as delicious venison.

Handorf est une petite banlieue de Münster, bien agréable, fréquentée des habitants de cette ville quand ils désirent bien manger. Ils choissent avec plaisir l'hôtel »Hof zur Linde«, car ce n'est pas seulement la cuisine qui y est délicieuse, mais le visiteur est séduit d'emblée par le charme de son décor rustique. Pour les amateurs des randonnées à bicyclette désirant soit parcourir la belle campagne soit aller à la découverte de nombreux et merveilleux châteax et ruines, le »Hof zur Linde« est votre lieu de séjour. Les amateurs de quilles, canotage, golf miniature, les promeneurs et ceux cherchant le repos et la détente y trouveront aussi leur compte. L'accueil souriant et les conseils avisés le Christa et Otto Löfken, toujours prêts à satisfaire vos moindres désirs, participeront à rendre votre séjour enchanteur.

Sie finden uns am einfachsten, indem Sie in Greven von der Autobahn fahren, dann wieder Richtung Münster. An der ersten Ampel (11 km), an die Sie kommen, bitte links nach Handorf abbiegen. 50 m hinter dem Dorfeingangsschild links in den Wald einbiegen. Dort steht schon unser Hinweisschild.

🛏 64	✳ 15, 25, 35	⬆ 6 km
🏛 34	✈	◉
🧍 135 - 160 DM	Ⓟ	🍴
🧍🧍 190 - 240 DM	Ⓟ	↕
A 2 240 - 265 DM	❀	
⛷	U	

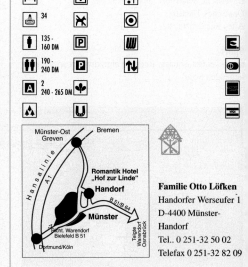

Familie Otto Löfken
Handorfer Werseufer 1
D-4400 Münster-Handorf
Tel.. 0 251-32 50 02
Telefax 0 251-32 82 09

Romantik-Hotel „Hof zur Linde"

Münster-Handorf

Kurzurlaub mit Radtour im Münsterland

Wenn „Sie" zu den Leuten gehören, die mal zwischendurch ausspannen wollen, die gerne in stilecht eingerichteten Zimmern mit allem Komfort wohnen möchten, die unter rauchgeschwärzten Balken und einem Himmel von Knochenschinken gepflegte Gastlichkeit genießen wollen, die jung und jung geblieben sind für eine Pättkestour (Radtour) durch das landschaftlich reizvolle Münsterland, dann möchten wir Sie zu einem „Kurzurlaub mit Radtour" einladen.

Zum Pauschalpreis von 310,- DM pro Person bieten wir Ihnen

1. Tag: Anreise. Empfangscocktail, Abendessen im Restaurant mit einem „westfälischen 4-Gang-Menü"

2. Tag: Ausgabe der Fahrräder nach einem reichhaltigen Frühstück. Beginn der Radtour. (Tourenvorschläge werden von uns unterbreitet.) Zum Abendessen servieren wir Ihnen unser „Romantik-Menü", bestehend aus 4 Gängen, welches unser Küchenchef aus Saisonspezialitäten für Sie zusammenstellt.

3. Tag: Nach dem Frühstück individuelle Abreise bis 12.00 Uhr.

Bad Neustadt/Saale

Romantik Hotel „Schwan & Post"

Das Hotel Schwan & Post, ein schöner Barockbau, 1772 errichtet, präsentiert sich heute als Haus mit komfortablem Ambiente. Schwan & Post steht für die angenehmen Seiten des heutigen Lebensstils. Von fränkischen Spezialitäten bis zu den Feinheiten der „Neuen deutschen Küche", finden Sie in rustikalen und stilvollen Räumen kultivierte Erlebnisgastronomie mit Herz! Individuell eingerichtete Zimmer in verschiedenen Stilrichtungen werden höchsten Ansprüchen gerecht. Entspannung und Erholung finden Sie in unserer „Fitneß-Oase" mit Sauna, Hot-Whirl-Pool und Solarium. Großzügige Bankett- und Konferenzräume mit kompletter Tagungstechnik lassen Ihre Veranstaltung zum Erfolg werden.
Erlebnis-Arrangements: (im Komfortdoppelzimmer, Preis pro Person incl. HP) Romantik Gourmet-Wochende (2 Übernachtungen DM 295,—)
Romantik-Ferienpauschale (ab 7 Tagen pro Tag DM 115,—)
Romantischer Festtagszauber vom 22.12.92–2.1.93
DM 1519,— incl. Gästeprogramm

The hotel Schwan & Post, a lovely Baroque edifice built in 1772, presents itself today as an establishment with a comfortable atmosphere. Schwan & Post stands for the pleasant side of modern living. From Franconian specialities to German Nouvelle Cuisine, you will find lovingly prepared, refined gastronomy worth remembering in our rustic and stylish rooms. Individually furnished guest rooms in various styles are sure to satisfy even the highest demands. Relax and enjoy in our "Fitness-Oasis" including sauna, heated whirlpool, and solarium. Spacious banquet rooms and fully-equipped conference rooms ensure that your event will be a success.
Book your "Night to Remember" now: (in a luxury double room, price per person including breakfast and one main meal)
Romantik Gourmet Weekend (DM 295.00 for 2 nights)
Romantik All-Inclusive Vacation Price (DM 115.00 per day, minimum required stay of 7 days)
Romantik Holiday Magic from Dec. 22, 1992–Jan. 2, 1993 (DM 1519.00, incl. special program for guests)

L'hôtel Schwan & Post, bel édifice de style baroque construit en 1772, offre au visiteur un environnement confortable. Schwan & Post propose tout le bien-être et le confort que vous êtes en droit d'exiger à l'heure actuelle. Des spécialités franconiennes jusqu'aux finesses de tout premier ordre dans des salles à manger meublées avec beaucoup de goût dans le style rustique. Les chambres individuelles meublées et installées selon différents styles répondent aux exigences les plus grandes. Notre «Oasis Fitness» avec sauna, bain bouillonnant et solarium, vous apportera relaxation et détente. De magnifiques salles de conférence et de banquet pourvues de tout l'équipement nécessaire feront de vos manifestations un succès complet.
Offres Speciales: (dans chambre double tout confort, prix par personne, demi-pension incluse)
Week-end romantique pour gourmets (2 nuits DM 295,00)
Forfait vacances romantiques (à partir de 7 jours, DM 115,00 par jour)
Féerie romantique des fêtes du 22.12.92 au 2.1.93 – DM 1519,00 – programme spécial visiteurs inclus.

Eva-Maria und Karlheinz Göb
Hohnstr. 35
D-8740 Bad Neustadt / Saale
Tel. 0 97 71-91 07-0
Telefax 09771-9107-20

Romantik Hotel garni „Am Josephsplatz"

Nürnberg Ⓓ

Im Herzen der Nürnberger Altstadt, inmitten der Fußgängerzone, finden Sie das Romantik Hotel Am Josephsplatz. Die Geschichte des Hauses geht auf das Jahr 1675 zurück; von Patriziern (Leute, die im Mittelalter bestimmte wirtschaftliche und soziale Vorrechte hatten) erbaut und noch teilweise erhalten (Holztäfelung und Deckengemälde).
Die Hauptsehenswürdigkeiten Nürnbergs befinden sich in unmittelbarer Nähe und lassen sich spielend erlaufen.
Im komplett renovierten und stilvoll eingerichteten 150 Jahre alten Haus, das unter Denkmalschutz steht, erwartet Sie eine familiäre und gemütliche Atmosphäre, geschaffen durch Herrn K.-D. Gaydoul.
Die Behaglichkeit in den 36 Zimmern, darunter 6 Appartements und Maisonettewohnungen, wird durch die moderne Ausstattung (Telefon, Farb-TV, Minibar, Fön, Bademantel) nur bereichert. Der Wintergarten, der immer blühende Innenhof und die Sonnendachterrasse mit anschließender Sauna, Solarium und Fitnessraum, runden den positiven Gesamteindruck des romantischen Hauses ab.
All dies und unser außergewöhnlich reichhaltiges Frühstücksbuffet laden Sie zum Genuß unseres gastlichen Hauses ein.

In the heart of the old part of Nuremberg you can find the Romantik Hotel Am Josephsplatz. Nuremberg's main historical sights are within walking distance. The history of the building goes back as far as the 17th century. It was built by „Pratiziers", citizens who had particular social and economical privileges in the Middle Age. Original ceilin paintings and wooden wallcovers are proof of these glamorous former days. The building has been taken under the city's monumental protaction. In this completely renovated and tastefully furnished house of historical value, its owner, Mister Gaydoul, has created a warm and cosy atmosphere for you. The comfort in the 36 rooms, including 4 appartments and 2 maisonettes, is expressed by modern equipment such as telephone, color TV, minibar, hairdrier and bathrobe. To emphasize the fovourable impression of the romantic hotel you should spend some time in our wintergarden, our charming courtyard or on our roofterrace with sauna, sunbank and fitnessroom. All this and our extraorinarily varied breakfast-buffet invite you to experience the pleasure of our hospital house.

Vous trouvez le Romantique Hotel am Josephsplatz au coeur de la vieille ville de Nuremberg où les sites les plus pouvent facilement être visiter àpied. Le bâtiment, dont l'historie remonte jusqu'au 17 siècle, construit par des »Patrizier« (citoyens bénéficient de certoins privilèges économiques et siciaux au Moyen Age) et se trouve aujourd'hui classémonument historique. Les tresques au plafonds et un lambrissage authentiques témoignetn encore de cette ère. La maison tut entièrement renové et aménagée de meubles anciens de très bon goût par l'hotelier Monsieur Gaydoul pour rendre l'ambience familiäre et choloreuse. Le caractère personnnel des 36 chambres, dont 4 appartement et deux maisonettes, est soligné par des accessoires modernes téléphone, télé-couleur, minibar, seche-cheveux et peignoir. Notre jardin d'hiver et terrasse sur le toit avec sauna, solarium et salle de musculation sont les meilleures conditions pour un sejour reposant. Ce cadre ainsi que notre petit-déjeuner buffet de produits frais et très variés tera de votre visite un moment inoubliable.

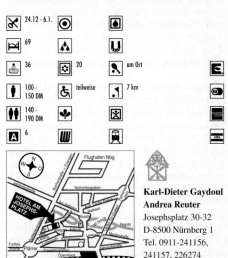

✕ 24.12 - 6.1.	◉	▣	
🛏 69	⚠	Ⓤ	
🛗 36	✻ 20	⬟ am Ort	🄴
🚶 100 - 150 DM	♿ teilweise	⤴ 7 km	Ⓓ
👥 140 - 190 DM	❀	⊠	▤
Ⓐ 6	∭	🚉	VISA

Karl-Dieter Gaydoul
Andrea Reuter
Josephsplatz 30-32
D-8500 Nürnberg 1
Tel. 0911-241156,
241157, 226274
Telex 623296
Telefax 0911-243165

Romantik Restaurant „Rottner"

Wenn Sie ein echt fränkisches Wirtshaus mit Spezialitäten aus der fränkischen Landschaft suchen, fahren Sie nach Großreuth zum „Rottner". Im Frühjahr verwöhnt man Sie dort mit Hopfensalat, eigenem Spargel, Geißlein und Täubchen, später mit Rebhuhn, Wildente, Fasan, Kaninchen, Reh und Wildschwein. Im Winter gibt es Spanferkel und Schlachtschüssel. Im Fischkasten schwimmen Waller, Zander, Hecht, Saibling, Aal und Krebse. Dazu trinkt man Weine aus den besten Lagen Frankens. Sie sollen Franken mit seinen Schönheiten und Schätzen nicht nur sehen, sondern auch schmecken. Dafür, daß dies ein Genuß sein wird, verbürgt sich das Gasthaus Rottner mit seiner excellenten Küche, Keller und Service.

Here is a tip for visitors to Nuremberg. If you are looking for a special plate to dine, drive to Grossreuth and the „Rottner". The way is poorly signposted, but well worth the effort to find it. You will probably wish to admire the beautiful facade of the house and as you enter the cosy and welcoming restaurant will put you in the mood for the culinary delights which await you here. Frau Rottner and her kitchen brigade will present you with many excellent dishes, be sure to try the snails in red wine sauce. Konrad Rottner provides his guests with real treats in the form of fresh game and homegrown asparagus.

L'hôtel »Rottner« n'est pas facile à découvrir, le chemin étant mal indiqué, mais en le trouvant vous serez récompensé de votre effort. A se vue vous serez saisi d'émerveillement: devant sa ravissante façade à colombages que vous resterez à contempler oubliant le temps qui passe. En entrant dans cet hôtel, on est séduit par le charme, l'excellence de l'accueil, le service et les fastes de la calve. Un repas dans cette salle à manager est une fête. Chimiste de métier, Konrad Rottner a comme violon d'Ingres la gastronomique qu'il a su mettre au service de la clientèle. Aidé en grande partie par sa femme et son équipe, vous apprécierez chez lui une cuisine de grande classe. Konrad Rottner est un passionné de la chasse et des mets raffinés. Il possède ses propres champs d'asperges; pendant la saison, le »Rottner« est le point de rencontre de tous les amateurs qui viennent les déguster. Ses escargots à la sauce au vin sont un délice, l'eau vous vient à la bouche rien que d'y penser.

6, bis 18 Uhr / 7 ganz

27.12 bis 31.01

20 - 40

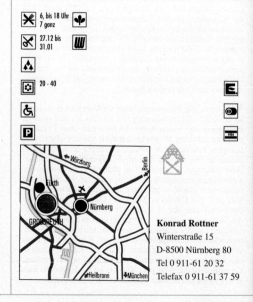

Konrad Rottner
Winterstraße 15
D-8500 Nürnberg 80
Tel 0 911-61 20 32
Telefax 0 911-61 37 59

EINE AUSSERGEWÖHNLICHE GESCHENKIDEE...

...Harmonie für Äuge und Gaumen

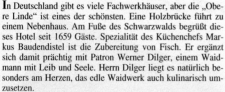
Romantik Hotel „Zur Oberen Linde"

In Deutschland gibt es viele Fachwerkhäuser, aber die „Obere Linde" ist eines der schönsten. Eine Holzbrücke führt zu einem Nebenhaus. Am Fuße des Schwarzwalds begrüßt dieses Hotel seit 1659 Gäste. Spezialität des Küchenchefs Markus Baudendistel ist die Zubereitung von Fisch. Er ergänzt sich damit prächtig mit Patron Werner Dilger, einem Waidmann mit Leib und Seele. Herrn Dilger liegt es natürlich besonders am Herzen, das edle Waidwerk auch kulinarisch umzusetzen.

Während die beiden Herren die Gäste mit kulinarischen Genüssen verwöhnen, betreut Elisabeth Dilger ihre Gäste mit der größten Aufmerksamkeit. Trinken Sie noch ein Glas des hiesigen Weins zu den ausgezeichneten Gerichten, die in diesem Hotel serviert werden.

Zwei Kegelbahnen und einen Tennisplatz für die Gäste gibt es schon seit Jahren.

Ein im Fachwerk neu erbautes Gästehaus ist dem unter Denkmalschutz stehenden Gebäude völlig angepaßt. Eine ganze Etage Himmelbetten, komfortabel eingerichtete Zimmer mit Kabel-TV, Radio, Minibar, Bad oder Dusche, WC, Balkon und eine schöne ruhige Gartenterrasse erwartet die Gäste. Großzügige Grünanlagen sind eine gute Ergänzung.

Sie finden eine herzliche Atmosphäre und ein gemütliches Zuhause.

There are many half-timbered houses in Germany, but the „Obere Linde" hotel is one of the most beautiful. There's a wooden bridge leading to an adjoining house and the „fried trout with almond" alone is worth a special trip to Oberkirch. Located at the foot of the Black Forest, this hotel has been welcoming guests since 1659. The speciality of the Head Chef, Herr Baudendistel, is the preparation of fish. In this he cooperated with the landlord Werner Dilger, a huntsman and soul. Naturally Herr Dilger attaches great importance to transforming nature's products in the kitchen.

Whilst both men provide culinary delicacies. Elisabeth Dilger lavishes careful attention upon her guests. Take a glass of the local wine with excellent dishes which are served at this hotel and you have all the ingredients for a good Romantik Hotel. Recently a bowling alley was added to the hotel's facilities, but a tenis court has been available to guests for a number of years.

In our new guest house, which is in keeping with the old building, we have four-poster beds waiting for you in the romantically furnished room, with TV, radio, minibar, bath, WC and balcony. An indoor swimming pool, sauna and solarium are planned.

Oberkirch située au pied de la Forêt-Noire, station climatique et productrice de vin, aux portes de Strasbourg, est une petite ville adorable faisant beaucoup pour le tourisme. Oberkirch est un enchantement pour ceux qui passent leurs vacances et ne cherchent seulement à se laisser dorer au soleil, car chaque jour offre des nouveautés. Il y a beaucoup de maisons à colombages en Allemagne, mais on peut dire sans hésitation que l'»Obere Linde«, en est une des plus belles. Le vin du Bade l'a souvent prise comme exemple pur la réclame de ses vins. Le chef de cuisine M. Baudendistel est un spécialiste de la préparation des poissons. Il se complète ainsi parfaitement avec le patron Werner Dilger, un chausseur paisonné. M. Dilger a naturellement à coeur sa venaison.

Alors que les deux hommes choient leurs hôtes avec leurs délices culinaires. Elisabeth Dilger consacre toute son attention à ses visiteurs. Depuis peu, un jeu quilles à ses visiteurs. Depuis peu, un jeu de quilles à l'hôtel et, depuis des nombreuses années, des courts de tennis à la disposition des clients.

Dans la nouvelle auberge adaptée au style de l'ancien bâtiment, on a meublé pour vous chambres romantiques avec lit à baldaquin, balcon, télévision, radio, minibar, salle de bains, douche et WC, Piscine couverte, sauna et solarium sont prévus.

🛏 70	10-200	💁	⇅ Neubau	
37	P		30 Minuten	
DM 130-190	P	30 km		E
DM 195-260				
EZ 190 DZ 330	U 4 km			
Die meisten Zimmer				

Werner und Elisabeth Dilger
Hauptstraße 25-27
D-7602 Oberkirch
Tel. 0 78 02-80 20
Telex 752 640 linde d
Telefax 0 78 02-30 30

Romantik Hotel „Zur Oberen Linde"

Oberkirch D

Auf den Spuren von Tradition und Geschichte
Egal zu welcher Jahreszeit, ein kurzer Aufenthalt in der Oberen Linde" wird für Sie ein unvergeßliches Erlebnis werden. Lassen Sie sich einmal ein paar Tage so rundherum verwöhnen und genießen Sie einige unbeschwerte Stunden in historischen, denkmalgeschützten Räumlichkeiten, in denen bereits Kaiser und Könige gastierten.

Wir würden uns sehr freuen, Sie einmal mit einem der folgenden Arrangements in unserem Hause betreuen zu dürfen:

Schwarzwälder Duett
ganzjährig ausgen. Feiertagswochen
2 Übernachtungen/Frühstücksbuffets
1 Weinprobe mit Abendessen
1 Gala-Menü am 2. Abend
1 Wander- und Freizeitkarte
1 Gutscheinheft „Dannezäpfli"
1 Oberkircher Gastgeschenk
       DM 420,- pro Person im Doppel
       DM 470,- im Einzelzimmer

Schwarzwälder Trio
ganzjährig ausgen. Feiertagswochen
3 Übernachtungen/Frühstücksbuffets
1 Weinprobe mit Abendessen
1 3-Gang-Menü am 2. Abend
1 5-Gang-Menü am 3. Abend
1 Wander- und Freizeitkarte
1 Gutscheinheft „Dannezäpfli"
1 Oberkircher Gastgeschenk
       DM 590,- pro Person im Doppel-Zimmer
       DM 690,- im Einzelzimmer

In search of tradition
No matter the time of year, a short stay in our hotel „Zur Oberen Linde" is que unforgettable. Allow us to spoil you for a few days, enjoying a few carefree hours within our historic walls, already graced by kings and emperors.

We would be delighted to the able to offer you the following:

Black Forest Duet (all the year round excl. weeks containing public holidays)
2 Overnight stays/Breakfast buffets
1 Wine-tasting with evening meal
1 Gala-menu on the 2nd evening
1 Map of walks/trails and leisure possibilities
1 Book of vouchers "Dannezapfle"
1 Visitor's gift from Oberkirch
       420,- DM per pers./double room
       470,- DM per pers./single room

Black Forest Trio (all the year round, excl. weeks containing public holidays)
3 Overnight stays/Breakfast buffets
1 Wine-tasting with evening meal
1 3-course meal on the 2nd evening
1 5-course dinner on the 3nd evening
1 Map of walks/trails and leisure possibilities
1 Visitor's gift from Oberkirch
       590,- DM per pers./double room
       690,- DM per pers./single room

Sur le traces de la tradition et de l'Histoire
En toute saison, un bref séjour à l'hôtel „Zur Oberen Linde" (= „Le Haut Tilleuil") sera pour vous une aventure inoubliable. Laissez-vous parfaitement dorloter pendant quelque jours et passez quelque heures sans souci dans les salles traditionelles et classées monuments historiques, où même empereurs et des rois ont été hébergés.

Nous serions très heureux de vous accueillir dans notre hôtel dans un des cadres suivants:

Duo de la Forêt Noire:
toute l'année sauf les semaines comportant des jours fériées
2 nuit/petit déjeuner sous forme de buffet
1 dégustation de vin plus dîner
1 menu de Gala le 2e soir
1 carte de randonnées et de loisirs
1 carnet de bons „Dannezäpfli"
1 cadeau d'Oberkirch
       420,- DM par personne
       dans une chambre pour 2 personnes
       470,- DM
       dans une chambre individuelle

Trio de la Forêts Noire:
toute l'année sauf les semaines comportant des jours fériés
3 nuit/petit déjeuner sous forme de buffet
1 dégustation de vin plus dîner
1 menu de Gala de 3 plats le 2e soir
1 menu de Gala de 5 plats le 3e soir
1 carte de randonnées et de loisirs
1 carnet de bons "Dannezäpfli"
1 cadeau d'Oberkirch
       590,- DM par personne
       dans une chambre pour 2 personnes
       690,- DM par persone
       dans une chambre individuelle

Romantik Hotel „Jagdhaus Waldfrieden"

Das Jagdhaus Waldfrieden, um die Jahrhundertwende ursprünglich als Wohnsitz eines hanseatischen Reeders am Rande Quickborns gebaut, präsentiert sich heute als einladende Residenz im Park. Eingerichtet im englischen Landhausstil ist das Kamin-Restaurant mit seiner dekorativen Empore Mittelpunkt des Hauses. Das Gästehaus, ein ehemaliger Pferdestall, beherbergt heute sehr komfortable Hotelzimmer (alle mit Dusche, WC, Telefon, TV, Radio und Minibar).
Quickborn, der Rantzauer Staatsforst und das Himmelmoor sind leicht zu erreichen. Nach einem Park-Spaziergang vorbei am verträumten Weiher, sollen Sie die ideenreiche Küche mit Wild- und Marktspezialitäten genießen. Hamburg, die faszinierende Weltstadt, ist 15 Autominuten nah.

The hunting lodge „Waldfrieden", which was originally built at the turn of the century as the home of Hanseatic shipowner, is today an inviting residence in parklands.
Furnished in English country house style, the restaurant with its open fireplace and attractive gallery ist the centrepiece of the house. The guest house, formerly stables, now contains the very comfortable hotel bedrooms (all with shower, WC, telephone, TV, radio and minibar). Quickborn, the Rantzauer Forest and the Himmelmoor are within easy reach. After a stroll in the park past the peaceful pool, you can enjoy the varied cuisine with game and local specialities.
Hamburg, the fascinating metropolis, is 15 minutes drive away.

Le pavillon de chasse Waldfrieden, construit il y a près d'un siècle en bordure de Quickborn, à l'origine pour servir de domicile à un armateur de la Hanse, se présente aujourd'hui comme une résidence attrayante entourée d'un parc.
Aménage style maison de campagne anglaise le restaurant avec sa cheminée et sa très décorative galerie en forme de jubé constitue le point central de la maison. L'ancienne écurie, transformée en maison d'hôtes, héberge aujourd'hui les très confortables chambres d'hôtes (toutes avec douche, WC, téléphone, T.V., radio et mini-bar).
Depuis l'hôtel, il est facile de se rendre à Quickborn, à la Forêt domaniale de Rantzau et au Marais d'Himmelmoor. Après une promenade dans le parc, le long d'étangs tranquilles, venez donc déguster les spécialités de gibier et du marché local préparées

avec beaucoup d'imagination dans la cuisine de l'hôtel.
Hambourg, cette ville fascinante, se trouve à seulement 15 minutes en voiture.

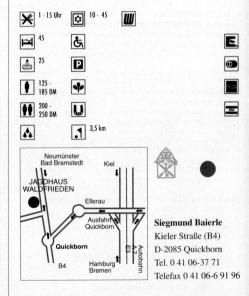

✗ 1 - 15 Uhr	✿ 10 - 45	▥
🛏 45	♿	
🛏 25	🅿	
👤 125 - 185 DM	✿	
👥 200 - 250 DM	Ⓤ	
⛷	✈ 3,5 km	

Siegmund Baierle
Kieler Straße (B4)
D-2085 Quickborn
Tel. 0 41 06-37 71
Telefax 0 41 06-6 91 96

Romantik Hotel „Jagdhaus Waldfrieden"

Quickborn (D)

„Maxi-Wochenend"
- 2 Übernachtungen -

Sie haben mehr Zeit? Wunderbar! Dann kommen Sie schon am Freitagabend. Wir erwarten Sie zu einem gemeinsamen Begüßungstrunk an unserer Bar. Anschließend servieren wir Ihnen etwas Besonderes: Unsere „Jagdhauskomposition". Eine Spezialität unseres Küchenchefs. Wenn Sie dann müde sind, machen Sie noch ein paar Schritte durch den Park zu unserem kleinen Entenweiher, bevor Sie Ihr komfortables Doppelzimmer aufsuchen. Am nächsten Tag wollen Sie vielleicht Hamburg kennenlernen (keine 20 Minuten mit dem Auto entfernt), Shopping gehen oder eine Alsterfahrt machen? Dann nichts wie raus aus den Federn, gemütlich frühstücken und los geht's.
Nachmittags erwarten wir Sie dann zurück. Zu Kaffee und Kuchen bei uns im „Jagdhaus Waldfrieden". Und abends wird dann wieder geschlemmt. Unser Küchenchef zaubert Ihnen sein „Besonderes Menü". Lassen Sie sich überraschen. Sonntag heißt Ausschlafen. Genießen sie es. Bis halb elf bereiten wir Ihnen unser reichhaltiges Frühstück.

DM 360,- pro Person im Doppelzimmer inkl. aller oben aufgeführten Leistungen

ANDREW LLOYD WEBBER
präsentiert

Das
PHANTOM der
OPER

UNSER MUSICAL-TIP
-ganzjährig-

1 Übernachtung
im Doppelzimmer mit Frühstücksbuffet,
2 Eintrittskarten und 1/2 Fl. Champagner
DM **265,-** pro Person

2 Übernachtungen
im Doppelzimmer mit Frühstücksbuffet,
2 Eintrittskarten und 1/2 Fl. Champagner
DM **360,-** pro Person

zum MUSICAL-EREIGNIS des Jahres
von T. S. Eliot

» CATS à la carte «
als Wochenend-Arrangement.

1 Übernachtung im Doppelzimmer Frühstücksbuffet 2 Eintrittskarten ½ Fl. Champagner	2 Übernachtungen im Doppelzimmer Frühstücksbuffet 2 Eintrittskarten ½ Fl. Champagner
DM 235,- pro Person	DM 330,- pro Person

Romantik Hotel
Landgasthof „Adler"

Rammingen bei Langenau liegt nur 4 km von der Autobahn-Ausfahrt Langenau entfernt.

Das Haus genießt den Vorteil einer vollkommen ruhigen Lage. Wenn Sie eine großzügige und gepflegte Gastronomie schätzen, und dieselbe in einer gastlichen Atmosphäre genießen wollen, finden Sie sie hier. Wenn Sie Entspannung und Ruhe brauchen, so wird das Haus Ihren Ansprüchen gerecht, in diesen im ländlichen Stil mit allem heutigen Komfort eingerichteten Zimmern. Die erstklassige Küche, die 12 geschmackvollen Zimmer und Seminarraum machen das Haus zum begehrten Hotel für Urlauber und Geschäftsreisende.

Ulm - 20 km Entfernung - mit seinem Münster, seiner Altstadt und seinen Museen, bietet außerdem als Kulturzentrum zahlreiche Veranstaltungen.

Neresheim mit seiner wunderschönen Barockkirche.

Rammingen, near Langenau, lies only 4 km from the Autobahn junction, Elchingen exit.

The house has the advantage of being situated in completely quiet surroundings. If you appreciate varied and refined gastronomy, you will find it here. If you need rst and relaxation, the house will provide these, with its rustic style and romms with every modern comfort. The first-class cuisine, the 12 tasteful furnished rooms and the conference room combine to make this a desirable hote both for holidaymakers and businessmen.

There are interesting alternatives for short holidays:

Picnic weekends (several barbecue sites are available).

Bycicle tours (to Charlottenhöhle [cave], Eselsburger Tal [valley], etc.).

Rambles in the Read National Park (guide provides on request to discover rare plants in remote areas).

Ulm - 20 km away - with its Minster, old town and Museums is also a cultural centre which organises many events.

Rammingen à proximité de Lagenau est à 4 km de la sortie de l'autoroute Elchingen.

Cette maison offre l'avantage d'une situation totalement calme. Vous trouverez ici une ambiance sympathique une cuisine excellente et un service de premier ordre. Si vous voulez vous détendre et vous reposer, vous trouverenz la tranquillité et le confort dans des chambres de style rustique.

La cuisine de premier choix, les douze chambres sobres et distinguées, de bon goût et la salle de séminaire font de cette maison un hôtel recherché par les vacanciers et les hommes d'affaires.

Des choix intéressants s'offrent au vacancier de quelques jours:

week-ends pique-nique (plusiers lieux sont possibles pour griller).

Routes de randonnées cyclistes (Grotte Charlottenhöhe, vallée Eselsburger Tal, etc.)

Promenades dans la marais (sur demande, découverte de régions et plantes inconnues avec un guide).

Ulm - outre sa cathédrale, sa vieille ville et ses musées, ce centre culturel situé à 20 km est la cadre de nombreuses manifestions.

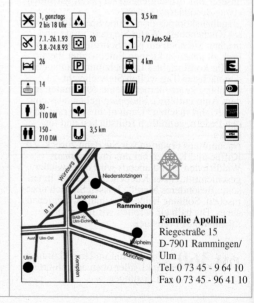

✕ 1, ganztags 2 bis 18 Uhr	♣	⚲ 3,5 km
✕ 7.1.-26.1.93 3.8.-24.8.93	✷ 20	1/2 Auto-Std.
🛏 26	P	⚶ 4 km
🚿 14	P	///
👤 80 - 110 DM	❀	
👫 150 - 210 DM	U 3,5 km	

Familie Apollini
Riegestraße 15
D-7901 Rammingen/
Ulm
Tel. 0 73 45 - 9 64 10
Fax 0 73 45 - 96 41 10

Romantik Hotel
Landgasthof „Adler"   # Rammingen-Ulm

Schräg gegenüber unseres Hauses, unterhalb unseres denkmalgeschützten Baumgartens steht in friedlicher Ruhe unsere neu eingerichtete Dépendance, die im angepaßten und doch anspruchsvollen Stil eingerichtet ist.

Verbringen Sie hier Ihren Gourmet - Kurzurlaub

Er beinhaltet: 1 Willkommenstrunk
2 Übernachtungen
2 Romantik-Frühstück
2 Gourmet-Menüs
(jeweils 6 Gänge)

pro Pers. **340,- DM**

Rheda-Wiedenbrück D

Romantik Hotel „Ratskeller Wiedenbrück"

Wiedenbrück ist ein liebenswertes altes Städtchen mit 1000jähriger Geschichte. 300–400 Jahre alte Fachwerkhäuser prägen das Stadtbild. Eines der interessantesten, 1560 erbaut, ist das Romantik Hotel Ratskeller Wiedenbrück. Hier treffen sich Gäste aus nah und fern. Alle schätzen die anheimelnde warme Atmosphäre der historischen Gasträume. Für Festlichkeiten und Tagungen stehen gut ausgestattete Gesellschaftsräume bereit. In den Hotelzimmern, größtenteils stilvoll rustikal eingerichtet, finden Sie allen Komfort. Von der Dachterrasse mit Sauna und Freizeitbereich sehen Sie über die roten Ziegeldächer einer alten Stadt bis zum Naherholungsgebiet Flora Westfalica. Besuchen Sie uns, Wiedenbrück liegt immer mal am Weg. Bitte fordern Sie Wochenend- und Tagungsprospekt an.

Wiedenbrück is a charming little town with a history which spans a thousand years. Three- to four-hundred-year-old buildings characterize the town's appearance. One of the most interesting of these, built in 1560, is the Romantik Hotel Ratskeller Wiedenbrück. It is a meeting place for guests from near and far. They all treasure the warm, cosy atmosphere of the historical guest-rooms. Well-appointed private lounges are available for celebrations and meetings. In the hotel rooms, most of which have stylish, rustic furnishings, you will find all the comforts of home and more. From the roof garden with sauna and recreation center you can look out over the red tile roofs of the old city all the way the Flora Westfalica recreation area. Visit us, Wiedenbrück is always on the way. Please request our weekend and convention brochures.

Wiedenbrück, petite ville accueillante dont l'histoire remonte à 1000 ans, est pittoresque avec ses maisons à colombages de 300 – 400 ans. L'une des plus intéressantes, construite en 1560, est l'hotel Romantik Ratskeller Wiedenbrück. Tous les hôtes venus de près et de loin apprécient l'atmosphère chaleureuse des pièces historiques. Des salons bien aménagès attendent festivités et congrès. Les chambres au mobilier rustique vous offrent tout le confort. De la terrasse sur le toit, avec sauna et aire de détente, vous dominez les toits de tuiles rouges d'une cité ancienne, jusqu'au domaine de loisirs Flora Westfalica. Venez nous voir, Wiedenbrück est toujours sur votre chemin. Et demandez éventuellement le programme des week-ends et congrès.

23. + 25. 12.	10, 20, 30	Am Ort
60	7	8 km Gütersloh
37	5	Rheda-Wiedenbrück
95 - 135 DM	Dachterrassen-sauna	
165 - 220 DM		
3	Am Ort	

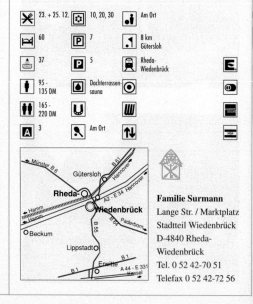

Familie Surmann
Lange Str. / Marktplatz
Stadtteil Wiedenbrück
D-4840 Rheda-
Wiedenbrück
Tel. 0 52 42-70 51
Telefax 0 52 42-72 56

166

Romantik Hotel „Ratskeller Wiedenbrück"

Rheda-Wiedenbrück Ⓓ

Fahrrad-Wochenende im historischen Wiedenbrück

Idealer Ausgangspunkt für eine abwechslungsreiche Fahrradtour ist das liebenswerte Städtchen Rheda-Wiedenbrück zwischen der Münsterländer Bucht und dem Teutoburger Wald gelegen.

Am ersten Abend Ihres Fahrrad-Wochenendes erwartet Sie ein echt westfälisches Menü, wobei wir den Tourenplan für den nächsten Tag schon besprechen können. Kartenmaterial und viele gute Ratschläge geben wir Ihnen gerne. Morgens nach gutem Frühstück gehts morgen los durch Feld und Wald und an der Ems entlang mit einem deftigen Schinkenbrot als Wegzehrung. Bauernhöfe, Kirchen, Dörfer und auch ein Wasserschloß liegen am Wege. Am Nachmittag, müde nach hier zurückgefunden, können Sie sich eine entspannende Erholung in der Dachterrassen-Sauna. Das gibt auch Appetit für das Romantik-Menü, das Sie abends beim Kerzenschein unter alten Eichenbalken serviert bekommen.

Unser Angebot:

2 Wochenend-Übernachtungen in stilvoll rustikalen Zimmern incl. Frühstücksbuffet; 1 Westfälisches Menü, viergängig; 1 Romantik Menü, sechsgängig; 1 Westfälisches Schinkenbrot; 1 Leihfahrrad;

in Zimmern mit gutem Komfort je Person   DM 315,-
in Zimmern mit sehr gutem Komfort je Person   DM 350,-

Für die Verlängerungsnacht von Sonntag auf Montag berechnen wir incl. Frühstücksbuffet nur DM 60,-

Es lohnt sich auch für Nichtradler, dieses kleine Fachwerkhausstädtchen für einen Kurzurlaub anzufahren. Spazierwege führen rund um die Stadt und in das Gelände der Flora Westfalica Landesgartenschau 1988. Sehenswerte Tagesausflugsziele finden Sie in allen Himmelsrichtungen. Wir beraten Sie gerne. Machen Sie ein Gourmet-Wochenende daraus. Wir werden Sie gastronomisch verwöhnen und zum Freund unseres Hauses machen.

Außerdem können wir Ihnen hier noch das besondere Erlebnis einer Fahrt mit dem Heißluftballon bieten, wenn Sie vom nebenstehenden Zusatzangebot Gebrauch machen.

Ballonfahrt über Wiedenbrück

Möchten Sie mal in die Luft gehen? Erfahrene Heißluftballonpiloten aus Wiedenbrück nehmen Sie gern mit bei ihrer Fahrt in die Lüfte. Im Herbst, im Winter und im Frühjahr sind die Bedingungen noch günstiger als im Sommer.

Schon das Aufrüsten das Ballons wird zum Erlebnis, zu sehen, wie sich durch Hineinblasen von Luft die große Hülle allmählich füllt, bis sie prall über dem kleinen Korb steht, der 3 bis 4 Personen Platz bietet. Nach einem letzten prüfenden Blick des Piloten kommt nun der ergreifende Moment des Abhebens von Erdboden. Die Gasbrenner fauchen durch die Flamme Heißluft in den Ballon.

„Willkommen an Bord", so begrüßt der Pilot die Mitfahrer. Vielleicht gehören Sie schon das nächstemal zu den Glücklichen, die nun lautlos mit dem Wind durch die Lüfte fahren. Der Blick schweift über die alten Dächer des Fachwerkstädtchens, vorbei am mächtigen Kirchturm der St.-Aegidius-Kirche mit ihrem grünen Kupferdach, zum nahen Emssee der Landesgartenschau bis weit in die westfälische Parklandschaft. Als Luftfahrer-Neuling werden Sie feierlich getauft. Den Namen sollten Sie sich merken. Die Flasche Sekt geht durch die Runde. Je nach Wind- und Wetterverhältnissen genießen Sie das Erlebnis noch ein bis zwei Stunden lang. Die Stille der luftigen Höhe wird nur ab und zu unterbrochen, wenn der Pilot wieder Hitze in den Ballon feuert.

Die „Verfolger" durch Funk verbunden, werden nun bald zu dem von oben angepeilten Landeplatz dirigiert. Der Ballon verliert an Höhe, der Korb scheint die Baumwipfel der Bäume zu streifen. Auf einer Wiese wird er sanft höhengesteuert zu Boden. Die Verfolger sind als Helfer schon da. Langsam erschlafft der Ballon, die heiße Luft entweicht der aufgerissenen Öffnung bis er lang auf der Wiese liegt. Alle helfen mit, den Korb und die Hülle wieder zu verstauen. Eine erlebnisreiche Fahrt findet ihren Abschluß im nicht enden wollenden gemütlichen Beisammensein mit dem Piloten im heimeligen Ratskeller Wiedenbrück, wo Ihnen eine Urkunde überreicht wird, die Sie noch lange an diesen erlebnisreichen Tag erinnern wird.

Buchen Sie unser Fahrradwochenende mit der verbindlichen Zusage an der Ballonfahrt teilzunehmen. Der Mehrpreis für die Fahrt einschließlich einer Flasche Sekt beträgt DM 280,- pro Person. Sollte der Start wetterbedingt nicht möglich sein, die Entscheidung trifft der Pilot, entfällt natürlich die Zahlung des Mehrpreises.

Rothenburg

Romantik Hotel „Markusturm"

Rothenburg ob der Tauber ist wie eine Märchenstadt aus dem Mittelalter, sehr gut erhalten und voller Entdeckungen. Sie ist die klassische romantische Stadt Deutschlands, an der „Romantischen Straße" gelegen, einer der interessantesten Straßen Europas. Der „Markusturm" ist ein ausgezeichnetes familiäres Haus aus dem Jahre 1264. Dieses kostbare historische Kleinod wurde in den letzten Jahrzehnten von Marianne Berger mit viel Geschmack und Gespür aufwendig renoviert und beherbergt viele wunderbare Antiquitäten. Ihr Sohn Stephan Berger verwöhnt Sie als Küchenmeister mit zeitgemäßer, regional gefärbter Küche – je nach Jahreszeit Spargel aus Mainfranken, Fische aus eigenen Gewässern, Wild aus familieneigener Jagd und, wenn die Natur mitspielt, auch Steinpilze von der Frankenhöhe. Dazu genießen Sie edle Tropfen, vorwiegend Frankenweine, die im 700jährigen Kellergewölbe lagern.
Rothenburg und seine malerische Umgebung sind immer eine Reise wert. Ein gastfreundliches Haus – seit 4 Generationen im Familienbesitz – freut sich auf Ihren Besuch.

Rothenburg ob der Tauber is like a fairy-tale town of the Middle Ages, beautifully preserved and full of interest. Here you find the classic romantic of Germany, situated on the "Romantische Straße", one of Europe's most interesting roads linking a chain of historic towns. The "Markusturm" is an excellent family hotel from 1264, popular with honeymoon couples and tourists alike. It is superbly run by Marianne and her husband, who gives a helping hand in the hotel as a hobby (hobbies are things people enjoy doing). Don't miss the speciality of the hotel, fresh trout with a bottle of delicious Franconian wine.

Rothenburg o. d. Tauber est une des plus jolies villes médiévales d'Allemagne renfermant de très nombreux monuments et curiosités. Elle est devenue une des villes romantiques d'Allemagne. Il n'y a pas le ville qui est pittoresque mais l'environment aussi est exceptionnel avec sa charmante vallée du Tauber et ses toutes petites vallées qui la sillonnent de part et d'autre permettant d'agreables promenades dans la nature somnolente. Malgré le nombre croissant de touristes, le «Markusturm» est resté un petit hôtel ravissant où petit ravissant où l'on y goûte la joie de vivre.

Marianne Berger
Rödergasse 1
D-8803 Rothenburg
ob der Tauber

Tel. 0 98 61-20 98
Telefax 0 98 61-26 92

🛏 44	🅿	⚒ Am Ort
☕ 24	🅿	👥 Am Ort
👤 140 - 180 DM	❀	🚆 18 km
👥 180 - 300 DM	Ⅲ	🚆
Ⓐ 300 - 320 DM	◉	◎
✦ 30	U	

Unser Pauschalangebot für 1993

Eine ganze Woche lang sollten Sie sich für das mittelalterliche Städtchen Rothenburg ob der Tauber Zeit nehmen, um die vielen verträumten Winkel zu erkunden, um den romantischen Zauber zu erleben, um die herrliche Umgebung zu erwandern, um unsere Museen zu besuchen.

> 7 Übernachtungen inkl. Halbpension (nach Wunsch mittags oder abends)
> und Romantik-Frühstücksbuffet
> Willkommens-Drink
> Kostenlose Benutzung der Sauna
> 1 Besuch unseres Alt-Rothenburger Handwerker-Museums
> 1 Besuch des Puppen-Museums
> 1 Besuch des Kriminal-Museums
> 1 Stadtführung mit dem Nachtwächter am Abend

kosten im Doppelzimmer pro Person	**DM 1.030,-**
kosten im Doppelzimmer der Luxusklasse pro Person	**DM 1.210,-**
kosten im Einzelzimmer pro Person	**DM 1.210,-**

Unsere Zimmer sind alle mit Bad oder Dusche/WC, Fön, Radio, Fernseher und Selbstwähltelefon ausgestattet.

Bei einem Aufenthalt über Weihnachten oder Silvester erhöht sich der Preis pro Festmenü und Konzert um den entsprechenden Mehrbetrag.

Rothenburger Erlebnis-Tage 1993

1. Tag: Abendessen mit regionalen Spezialitäten
        Übernachtung für 2 Personen im Doppelzimmer mit Bad/Dusche und WC
2. Tag: Romantik-Frühstücksbuffet
        Am Abend Schlemmer-Menü mit Aperitif und Kaffee
        2. Übernachtung
3. Tag: Romantik-Frühstücksbuffet

In diesem Angebot sind außerdem enthalten.

> Kostenlose Benutzung der Sauna
> 1 Besuch unseres Alt-Rothenburger Handwerker-Museums
> 1 Besuch des Puppen-Museums
> 1 Besuch des Kriminal-Museums
> 1 Stadtführung mit dem Nachtwächter am Abend

Unsere Zimmer sind alle mit Bad oder Dusche und WC, Fön, Radio, Fernseher und Selbstwähltelefon ausgestattet.

Dieses Arrangement kostet für 2 Personen DM 850,- und ist an allen beliebigen Tagen möglich. Bei einem Aufenthalt über Weihnachten oder Silvester erhöht sich der Preis pro Festmenü und Konzert um den entsprechenden Mehrbetrag.

Romantik Hotel „Waldhorn"

Französische Küche verbunden mit Schwäbischer Gastlichkeit ist wohl der Traum eines Feinschmeckers, und im „Waldhorn" in Ravensberg wird dieser Traum Wirklichkeit. Es ist seit 1860 in der gleichen Familie und war immer für die hohe Qualität der Küche bekannt. Heute zählt es zu den besten Restaurants in Deutschland. Täglich kommt nur frisches vom Markt und vom eigenen Fischer vom Bodensee auf den Tisch. Auch Mittelmeer- und Atlantikfische werden außergewöhnlich zubereitet und mit köstlichen Beilagen arrondiert. Besondere Spezialitäten des Waldhorn sind Gerichte vom Lamm, Fisch, Wild und Geflügel. Auch Obst und Beeren werden hier selbst eingeweckt. Sie werden, wie die frischgepflückten, zu Träumen von Desserts. Pilze bringen die Bauern aus den nahen Wäldern. Das Restaurant im altdeutschen Stil vermittelt eine selten gemütliche Atmosphäre. Das „Waldhorn" ist eines der ältesten Häuser von Ravensburg, einer alten Stadt voller interessanter historischer Gebäude.

Frensh cuisine combined with Swabian hospitality is definitely a gourmet's dream and at the „Waldhorn" in Ravensburg that dream has come true. Run by the same family since 1860, it has always been known for its high standard of cuisine. Manageress Vroni Bouley-Dressel and her husband constantly pamper their guests and have still found time to remodel as well as expand the facilities of their hotel. Only the original „Storchennest" (stork's nest) with its cosy little rooms has remained unchanged and is accessible by crossing the roof-balcony from where one seems to have a view over the rooftops of Paris. The „Waldhorn" is one of the oldest houses in Ravensburg, which is full of interesting historic buildings.

La cuisine franconienne alliée à hospitalité souabe est un rêve pour un gourmet et ce rêve réalise à hôtel »Waldhorn«. La direction de l'établissement est assumée par la même famille depuis 1860. Ella toujours été une maison dont la réputation culinaire et gastronomique est traditionelle. Vrony Bouley-Dressel et son mari sont constamment à s'occuper du bien-être de leurs hôtes en restaurant et transformant toute la maison. Seul, l'original »Storchennest« (nid de cicognes), avec ses jolies petites pièces n'a pas été rénove. Très poétiques, ces petites chambres ne sont accessibles que par une balcon sur le toit d'où l'on jouit d'une vue prestigieuse, »comme depuis les balcons de Paris«.
Bien que la façade soit simple en apparence, le »Waldhorn« fait partie des plus vieilles maisons de Ravensburg riche en bâtiments historiques.

Neu: Erweiterungsbau mit Brücke verbunden „Hotel in der Schulgasse" Stadtzentrum, ruhige Lage. Hotelappartements und großzügige Einzel- und Doppelzimmer, ideal für Schlemmerwochenenden.
15 km von Ravensburg entfernt, Bad Waldsee, befindet sich eine der schönsten Golfanlagen (18 Loch).

Das „Waldhorn" liegt mitten im historischen Stadtkern von Ravensburg mit der wunderschönen Promenade in den Sommermonaten.

Neu: Im Nebenhaus befindet sich die Zunftstube der Rebleute von 1469 mit regionalen Spezialitäten.

✕ 7 bis 17 Uhr / 1 bis 17 Uhr	A 2	.1 15 km	Anfahrt: Hotelroute 2 + P 1
✕ 24./25.12.	▲ Fußgängerzone	🚊 500 m	
🛏 45	✳ 180	◎	E
🛎 30	P	⑊	D
🛉 105 - 165 DM	P	⬆⬇	
🛉🛉 150 - 240 DM	⚒ Am Ort		VISA

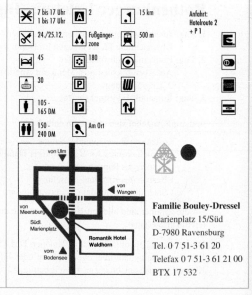

Familie Bouley-Dressel
Marienplatz 15/Süd
D-7980 Ravensburg
Tel. 0 7 51-3 61 20
Telefax 0 7 51-3 61 21 00
BTX 17 532

Romantik Hotel „Haus zum Sternen"

Rottweil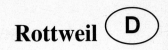

Rottweil zählt zu den schönsten und ältesten deutschen Städten. Mitten im historischen Stadtkern zeugt das mächtige Patrizierhaus „Zum Sternen" noch heute von ungebrochenem Bürgerstolz. Erbaut 1278, Wirtshaus seit 1623 – Gastlichkeit hat hier Tradition.
– Stimmungsvolle Platinum-Bar im Gewölbekeller
– Gartenterrase über der Steilkante des Neckartales
– Restaurant in der historischen Weinstube (schwäbische Küche und neue deutsche Küche klaren Stils)
– Gästezimmer für den anspruchsvollen Individualreisenden, behaglich eingerichtet mit antiken Möbeln

Für Brautpaare auf der Hochzeitsreise:
Übernachtung im Himmelbett des Hochzeitszimmers, Frühstück zu zweit im Gotischen Stüble, diskret serviert mit Champagner.

Rottweil is one of the loveliest and oldest German cities. In the midst of the historic heart of the city, the huge patrician house "Zum Sternen" is an undying monument to middle-class pride. Built in 1278, an inn since 1623 – hospitality has a tradition here.
– Atmospheric Platinum Bar in the vaulted cellar
– Garden terrace above the steep slopes of the Neckar River Valley
– Restaurant in the historic wine bar (Swabian cooking and distinctive German nouvelle cuisine)
– Guest rooms for the most discriminating individual travellers, comfortably appointed with antique furniture.

Especially for honeymooners:
Overnight stay in the bridal suite with four-poster bed, breakfast for two in the Gotischen Stüble, discretely served with champagne.

Rottweil compte parmi les plus belles et plus anciennes villes d'Allemagne. En plein milieu du centre historique de la ville, la majestueuse maison patricienne «Zum Sternen» témoigne aujourd'hui encore de l'orgueil de la classe bourgeoise que personne encore n'a réussi à briser. Construite en 1278, c'est une auberge depuis 1623, dans laquelle l'hospitalité est considérée comme une tradition.
– Bar Platinum plein d'ambiance dans le caveau voûté
– Terrasse-jardin avec vue sur la vallée du Neckar
– Restaurant dans la taverne ayant conservé le style d'antan (cuisine souabe et nouvelle cuisine allemande de style simple)
– Chambres d'hôtes pour le voyageur individuel exigeant, confortables et dotées de meubles anciens.

Pour les mariés qui viennent pour leur lune de miel:
ils passeront la nuit dans le lit à baldaquin de la chambre réservée aux mariés; le petit-déjeuner, accompagné de champagne, sera pris à deux en toute intimité dans la petite pièce de style gothique.

Restaurant: 2	Am Ort: Sole-Heilbad	
19	Am Ort	30 km
11	20	Am Ort	1 km
95 - 150 DM	P 2	
185 - 250 DM	Am Ort	
1 240 DM	Am Ort	

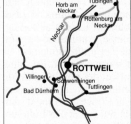

Horb am Neckar · Tübingen · Rottenburg am Neckar · Neckar · **ROTTWEIL** · Villingen · Schwenningen · Tuttlingen · Bad Dürrheim

Dorothee Ehrenberger
Hauptstraße 60
D-7210 Rottweil
Tel. 0741-7006, 42305
Telex 762816
Telefax 0741-23950

Salzhausen liegt in der Lüneburger Heide, die die Besucher zu jeder Jahreszeit anzieht. Hier können Sie in der wunderschönen Heidelandschaft spazierengehen und den Frieden und die Ruhe der unberührten Landschaft genießen. Der „Josthof" liegt an einer prächtigen Steinkirche. Beim Betreten des Hotels haben Sie das Gefühl, als ob die Zeit 300 Jahre zurückgedreht worden wäre. Alles - die offene Feuerstelle, der Fußboden, die Möbel - wurde im ursprünglichen Stil erhalten. Dieses Hotel ist ein angenehmer Platz für eine Übernachtung auf dem Wege nach Hamburg oder ein ruhiger Urlaubsort für jene, die fischen, spazierengehen und ausgezeichnetes Essen oder ein Wochenende auf dem Lande lieben.

Salzhausen is situated in the Lüneburger Heath which attracts visitors at any time of the year. Here you can walk in beautiful heathland and enjoy the peace and quiet of this unspoilt countryside. The „Josthof" is located next door to a magnificent stone church. Entering the hotel you might think that the clock has been turned back 300 years. Everything - the unique fireplace, the flooring, the furnishings - has been kept in the original style. This hotel is a convenient place for an overnight stop on the way to Hamburg or a quite holidy sport for those who enjoy fishing, walking and exellent food or for a weekend away in the country.

Salzhausen se situe dans la merveilleuse lande de Lunburg qui exerce un attrait exceptionnel sur le visiteur à n'importe quelle saison de l'année. La lande ne s'offre pas, elle se laisse découvrir, c'est le paradis pour le promeneur, le flâncheur qui réapprend le lenteur de vivre et recherche le chaume, le »Jost hof« attend le randonneur. Là, il s'aissoit devant la grande cheminée, commande un »rôti d'agenau de la lande« et jouit pleinement de ses vacances ou de son week-end. En outre, Salzhausen vous offre de nombreuses distractions: pêche, tennis et tir. Pour les amateurs d'équitation - la Princesse Anne d'Angleterre et de ceux-là-Salzhausen et Luhmühlen sont dépuis longtemps réputés.

Jörg Hansen
Am Lindenberg 1
D-2125 Salzhausen
Tel. 0 41 72-2 92
Telefax 0 41 72-62 25

Romantik Restaurant „Landhaus Stricker"

Tinnum

Hans-Dietrich und Ulla Stricker haben vor langen Jahren ein über 200 Jahre altes friesisches Bauernhaus in eines der schönsten Restaurants der Insel Sylt verwandelt. Spezialitäten der Nordseeküste sowie Speisen der Neuen Küche machten das Haus zu einer gastronomischen Institution. Im Keller des Hauses lagern über 500 Weine der besten Anbaugebiete.
Seit 2 Jahren steht Claudia Stricker ihren Eltern zur Seite, womit die zweite Generation schon in den Startlöchern steht, um dieses traditionsreiche Haus weiterzuführen. Freundlichkeit und Charme der Servicebrigade sowie die ausgesuchte gute Küche sind und waren schon immer ein Garant für den Erfolg.
Auch im Trubel der Hochsaison ist man bemüht, dem Gast den Aufenthalt in diesem beliebten Restaurant so angenehm wie möglich zu gestalten.

Turning an old Friesian farmhouse into one of the most beautiful gourmet restaurants on the island of Sylt is a feat accomplished hy Hans-Dietrich Stricker. The original form of the house, its antique stoves, floortiles and furniture as well as the old fireplace were preserved and blended into the new building. A very attractive freature is the authentic atmosphere of the country cottage bar, which puts the guests in the mood for a pleasant evening. Beautifully cooked seafoods and many other culinary delights can be enjoyed in a relaxed atmosphere. In the „Landhaus Stricker", where in former times the „Sylter Giants" ate and drank, today the gourmets of Sylt and those who enjoy fish specialities and excellent wines in convivial surroundings meet. Table reservations is recommended.

Sur cette magnifique île de Sylt, Hans-Dietrich Stricker a réussi à faire d'une ancienne maison frisonne au pignon de 1781 un des meilleurs et des plus charmants restaurants de l'île: le »Landhaus Stricker«. Le caractère de vieille demeure été conservé car tout a été réutilsé depuis les vieux carreaux de faïence et le carrelage aux deux magnifiques figures de proue, aux vieux forneaux de cuisine et à la belle grande cheminée. Le bar Landhaus dégage une ambiance particulière et constitue un joyau caractéristique autour duquel les hôtes de la maison se préparent à passer une excellente soirée. Tout cela vous invire à la détente et a savourer les spécialités culinaires de la maison.
Là, jadis, se retrouvaient les »géants des Sylt«, qui avaient la réputation d'être des »gens affamés et assoiffés« et aujourd'hui ce sont les gourmets de Sylt et ceux faisant partie de cette catégorie qui viennent déguster les produits de la mer dont la carte est riche et surtount les délicieuses spécialités de crabes. Reservation de table recomandée.

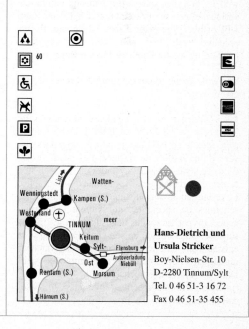

Hans-Dietrich und Ursula Stricker
Boy-Nielsen-Str. 10
D-2280 Tinnum/Sylt
Tel. 0 46 51-3 16 72
Fax 0 46 51-35 455

Romantik Hotel „Goldener Adler"

Der Goldene Adler wurde im Jahr 1500 als Adelssitz der Edlen von Mückheim erbaut. 1987 wurde das Haus renoviert und auf den neuesten Stand gepflegter Gastlichkeit gebracht. Die stilvoll eingerichteten Zimmer, viele mit Stuckdecken und Erkern, sind alle komfortabel ausgestattet. Auch im Restaurant werden Akzente gesetzt, sei es durch ständig wechselnde Spezialitätenwochen, als auch durch Schlemmer- und Überraschungsmenüs. Die Küche unter Küchenmeister Peter Rapp verwöhnt Sie mit stets frisch zubereiteten Gerichten. Für anspruchsvollen Service sorgt Hotelmeisterin Marion Rapp mit ihren Mitarbeiterinnen.
Besondere Erwähnung verdient sicher auch der Weinkeller.

The "Goldener Adler" was built in 1500 as the manor-house of the Lords of Mückheim. The building was renovated in 1987 and made to meet the latest standards in refined hospitality. The stylishly appointed rooms, many of which have stucco ceilings and bay windows, are comfortably furnished. Regularly changing speciality weeks as well as gourmet and surprise menus emphasize various aspects of our restaurant. Chef Peter Rapp will pamper you with dishes which are always prepared fresh. The uncompromising service is handled by master hoteliere Marion Rapp and her staff.
The wine cellar, too, is certainly deserving of special mention.

Le «Goldener Adler», résidence des nobles de Mückheim, a été édifié en 1500. L'établissement a été rénové en 1987 et répond aux exigences élevées d'une hospitalité raffinée. Les chambres au décor de style, plusieurs avec des plafonds en stuc et des encorbellements, sont toutes confortables. Le restaurant aussi se distingue, que se soit par les semaines de spécialités qui varient en permanence, ou par les menus dégustation et les menus surprise. Sous l'égide de son chef, Peter Rapp, la cuisine vous gâte avec des mets d'une fraîcheur remarquable. Marion Rapp et ses employées veillent à un service irréprochable.
La cave mérite certainement, elle aussi, une évocation particulière.

✖ 3	◉	≋ Am Ort Solebad	�俚
🛏 35	⛺	⊍	
▭ 20	✿ 40	⚲ Am Ort	E
🚶 95 - 125 DM	P	⛑ Am Ort	⓪
🚻 140 - 215 DM	⊞	⚐ 10 km	
Ⓐ 1	≋ Am Ort	⊠	

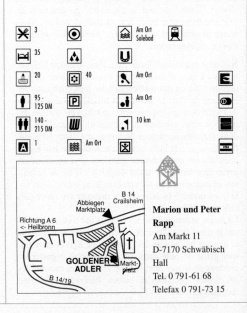

Marion und Peter Rapp
Am Markt 11
D-7170 Schwäbisch Hall
Tel. 0 791-61 68
Telefax 0 791-73 15

Romantik Hotel
„Goldener Adler"   Schwäbisch Hall

Unser Haus im Herzen von Schwäbisch Hall, direkt am Marktplatz neben der St. Michaelskirche und der Freilichtbühne gelegen, lädt Sie ein, einen angenehmen Aufenthalt bei uns zu verbringen.

Schwäbisch Hall, die Stadt der Salzsiedler, bietet für jeden etwas. Lassen Sie sich von dem alten Stadtkern verzaubern, entdecken Sie das Hohenloher Land mit seinen Burgen, besuchen Sie das Freilandmuseum und erholen Sie sich von Ihrem Alltag bei uns.

Unser Freilichtspielpäckchen

Mitte Juni bis Ende August
Eine Übernachtung im Doppelzimmer mit reichhaltigem Frühstücksbüffet und Bioecke.
Begrüßungscocktail
Besuch des Freilandmuseums
Eintrittskarte für die Freilichtspiele
3-gängiges Hohenloher Menü
und ein Schlummertrunk nach den Freilichtspielen
Pro Person 185,- DM, Einzelzimmerzuschlag 25,- DM
Auf Wunsch arrangieren wir Ihnen auch gerne romantische Kutschfahrten mit Picknick, Weinproben in unserem Hotel und Stadtführungen durch unser malerisches Städtchen.

Unsere Romantische Schlemmerei

2 Übernachtungen im romantischen Doppelzimmer mit reichhaltigem Frühstücksbüffet, Bioecke und einem Sektfrühstück auf dem Zimmer, mit Blick auf unseren romantischen Marktplatz. Empfangscocktail mit Canapes servieren wir Ihnen bei Ihrer Ankunft. 5gängiges Candlelight-Überraschungsmenü, dazu korrespondierende Weine. Zum Ausklang am nächsten Tag ein original Hohenloher Menü.
Besuch in unserem Hällisch-Fränkischen Museum.
P. P. 322,- DM, EZ-Zuschlag 25,- DM
Verlängerungsnacht p.p. 70,- DM

Schlemmerei mit Beauty-Tag

2 Übernachtungen im Einzelzimmer (gerne auch im Doppelzimmer zu buchen) mit Frühstücksbuffet und Bioecke.
Am Anreisetag ein leichtes Menü, am nächsten Tag Beauty-Tag bei unserer Kosmetikerin Frau Sommer, in ihrem Kosmetikinstitut 2 Gehminuten vom Hotel.
Begrüßungscocktail, danach Gesichts-, Hals- und Dekolleté-Behandlung, Ganzkörperbehandlung, Pediküre und Maniküre. Zwischendurch ein kleiner Snack.
Abends folgt ein 4gängiges Schlemmermenü, am nächsten Morgen ein Champagnerfrühstück zum Abschied, dann gemütliche Heimreise.   Pro Person DM 493,-

So kommen Sie zu uns:
A 6   Mannheim - Heilbronn - Nürnberg
Ausfahrt Schwäbisch-Hall
B 19 Ulm - Aalen - Schwäbisch Hall - Würzburg
B 14 Stuttgart - Schwäbisch-Hall - Crailsheim.
Bahnstation Schwäbisch-Hall 1,5 km vom Hotel.
Gerne holen wir Sie vom Bahnhof ab.

Romantik Hotel „Löwe"

In der Kurpfalz neben Deutschlands schönsten Schloßgarten ist der „Löwe", ein traditionsreiches Haus, urkundlich erstmals Mitte des 18. Jahrhunderts erwähnt. Der „Löwe" verfügt über komfortable Zimmer und Appartements, alle mit Dusche oder Bad/WC, Telefon und Farb-TV im ruhig gelegenen Hotel-Trakt. Neben dem traditionsreichen Schwetzinger Spargel werden Fisch, Fleisch und Geflügel nach Art der „Nouvelle cuisine" und auf regionaler Basis angeboten. Die Weinkarte bietet erlesene Spitzenweine. Einmal jährlich, im März, treffen sich Spitzenköche renommierter Häuser zu dem „Schwetzinger Köche-Symposium" im „Löwen", um gemeinsam zu kochen und Erfahrungen auszutauschen. In wenigen Minuten erreicht man Heidelberg, Speyer, Mannheim und die Pfalz.

The "Löwe" (Lion), an establishment rich in tradition first documented in the mid-18th century, is next to Germany's loveliest castle garden in the Palatinate. With comfortable rooms and suites, all with a shower or tub in the bathroom, telephone and color TV, the "Löwe" Hotel is situated in a quiet location. In addition to the traditional Schwetzingen asparagus, fish, meat, and fowl are served according to the "Nouvelle Cuisine" and also on a regional basis. The wine list offers select vintage wines. In March of every year, first-class cooks from renowned establishments meet at the "Schwetzingen Cooks Symposium" in the "Löwe" to cook together and compare notes. It's only a few minutes from here to Heidelberg, Speyer, Mannheim and the rest of the Palatinate.

Dans le Palatinat électoral, avoisinant le plus beau jardin de château d'Allemagne, se trouve le «Löwe», établissement riche de tradition, qui a été documenté pour la première fois au milieu du XVIIIe siècle. Le «Löwe» dispose de chambres et d'appartements confortables, tous avec douche ou bain/WC, tél. et téléviseur couleur, dans le complexe calme de l'hôtel. La carte propose, outre les traditionelles asperges de Schwetzingen, des poissons, viandes, volailles «Nouvelle Cuisine» ou préparès selon des recettes régionales. La carte des vins offre des crûs sélectionnés. Chaque année en mars, les chefs d'etablissements renommés se rencontrent au «Löwe» lors du «Symposium des Cuisiniers de Schwetzingen», pour cuisiner en commun et échanger leurs expériences. Heidelberg, Speyer, Mannheim et le Palatinat sont à quelques minutes.

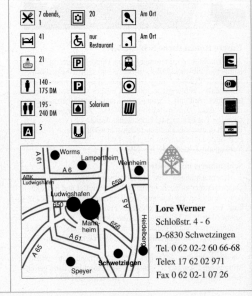

✕ 7 abends, 1	❄ 20	⚲ Am Ort	
🛏 41	♿ nur Restaurant	⚲ Am Ort	
21	P		**E**
140 - 175 DM	P		**⬤**
195 - 240 DM	Solarium		
A 5	U		

Lore Werner
Schloßstr. 4 - 6
D-6830 Schwetzingen
Tel. 0 62 02-2 60 66-68
Telex 17 62 02 971
Fax 0 62 02-1 07 26

Romantik Hotel
„Löwe"
Schwetzingen

Wenn Sie einmal so richtig entspannen und abschalten möchten empfehlen wir unser ...

„Kurpfälzer Romantik Wochenende"

Deutschlands schönster und größter Schloßgarten (nach Vorbild Versailles gestaltet) liegt direkt vor unserem Hause. Sehenswürdigkeiten vom Hofe des Kurfürsten Carl-Theodor wie z. B. das Schloß, Rokoko-Theater, Zirkelsaal, Römische Wasserleitung, Badhaus und Moschee sind hier Zeugen der Vergangenheit. Im Städtedreieick Heidelberg (6 km), Mannheim (8 km) und Speyer (6 km) sind viele Sehenswürdigkeiten. Mannheim ist die einzige Quadratstadt Deutschlands und besitzt ein wunderschönes Schloß. Heidelberg mit der bezaubernden Altstadt und dem berühmten Schloß und auch Speyer am Rhein mit dem Dom und Kurpfälzer Museum. Aber auch für den Sport haben wir Alternativen wie z. B. das moderne Erlebnisbad „Bellamir" in Schwetzingen oder das Wellenbad in Ketsch. Natürlich stehen für Sie auch Fahrräder im Hotel bereit, damit Sie unsere schöne Region auch wunderbar abradeln können.

Leistungen und Preise:
(Anreise Freitag / Abreise Sonntag)
2 Übernachtungen in Zimmer mit Dusche/Bad/WC, Tel./Farb-TV/Minibar und Frühstücksbuffet
1 Kurpfälzer Abendessen am Freitag
1 „Romantik Menü" am Samstag mind. 5 Gänge
2 Eintrittskarten Schloßpark
freier Eintritt „Bellamar"-Erlebnisbad
Fahrräder vom Hotel   pro Person DM 295,-
3. Übernachtung Sonntag auf Montag DM 68,-
p.P. incl. Frühstück.
Am Ort:
Tennis - Reiten - Golf - Erlebnisbad Bellamar

Solingen-Langenfeld

Romantik Hotel „Gravenberg"

Am Fuße des Bergischen Landes finden Sie außerhalb der Städte Solingen und Langenfeld, Ihr Romantik Hotel Gravenberg, der Familie F. Lohmann. Umgeben vom eigenen Wildgehege, die Wupperberge in Sichtweite und dennoch zentral gelegen zu den rheinischen Großstädten. Mit Junior Frank in der Küche, Gisela und Fritz im Restaurant, sowie der Oma Irene als Bezugsperson vermitteln drei Generationen bergische Gastlichkeit in ihrer ursprünglichsten Art. Die Fachwerk- und Schieferfassade ergibt zusammen mit dem gediegenen Innenausbau der alten Stuben eine anheimelnde Atmosphäre, wie sie nur ein gewachsener Familienbetrieb wiedergeben kann. Die Hotelausstattung, von alter Eiche bis zum Himmelbett läßt auch den anspruchsvollen Romantiker länger verweilen.

Your Romantik Hotel Gravenberg, owned by the F. Lohmann family, is situated at the foot of the Bergisches Land region outside the cities of Solingen and Langenfeld. Surrounded by its own game enclosure, with a view of the Wupper Mountains and still within easy reach of the large cities of the Lower Rhine. With son Frank in the kitchen, Gisela and Fritz in the restaurant, and Grandma Irene as hostess, three generations convey regional hospitality in its most original form. The half-timbering and slate facade result, in conjunction with the tasteful interior design, in a cosy atmosphere of the kind which can only be conveyed by a genuine family operation. The hotel furnishings, from old oak to four-poster bed invite even the most pretentious Romantiker to stay a little longer.

Au pied du Bergisches Land, à l'écart des villes de Solingen et Langenfeld, vous découvrirez votre Hôtel Romantik Gravenberg, de la famille F. Lohmann. Entouré de son enclos de biches, les monts du Wupperberg à l'horizon et cependant à proximité des grandes villes rhénanes. Avec Frank Junior à la cuisine, Gisela et Fritz au restaurant, et bonne-maman Irene toujours présente, trois générations illustrent l'hospitalité authentique de cette région. Les colombages et la façade d'ardoise, associés au décor des pièces anciennes, créent une atmosphère douillette que seule une entreprise familiale soudée peut faire renaître. L'aménagement de l'hôtel, du chêne antique au lit à baldaquin, invite les plus exigeants des romantiques à y demeurer.

7 Abend +1	A	P	400 m
23.12.–2.1.			
60			Leverkusen 10 km
40	20 40		Solingen-Ohligs
125 - 175 DM	nur Restaurant		
185 - 255 DM	P 5	U 600 m	

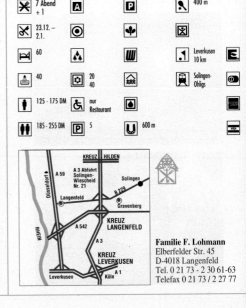

Familie F. Lohmann
Elberfelder Str. 45
D-4018 Langenfeld
Tel. 0 21 73 - 2 30 61-63
Telefax 0 21 73 / 2 27 77

Romantik Hotel „Gravenberg"

Solingen-Langenfeld

Zum Wochenendurlaub ins Bergische Land
Freitag: Anreise. Kurze Spaziergänge um das hauseigene Wildgehege oder zur Wasserburg »Haus Graven«. Bergisches 4-Gang-Menue.
Samstag: Frühstück von unserem reichhaltigen Büffet, danach entdecken Sie die schönsten Ausflugsziele im Bergischen Land: Besuch von Schloß Burg an der Wupper und der Müngstner Brücke, höchste Eisenbahnbrücke Deutschlands oder »schweben« Sie durch Wuppertal mit der berühmten Schwebebahn und besuchen danach den Wuppertaler Zoo. Zurückgekehrt erfrischen Sie sich in unserer Badelandschaft. Am Abend servieren wir Ihnen ein Romantik Menue mit ausgesuchten Spezialitäten der Saison.
Sonntag: Individuelle Abreise nach dem Frühstück.
2 Übernachtungen im Doppelzimmer mit Frühstücksbuffet und zwei 4-Gang-Menues
pro Person 310,— DM

Von Romantik zu Romantik
vom Gravenberg zum Höttche Dormagen

mit dem eigenen Auto oder mit dem Fahrrad
Freitag: Anreise, Begrüßungstrunk, 4-Gang Menue.
Samstag: Romantikfrühstück, anschließend Abfahrt Richtung Rhein. Übersetzen mit der Fähre bei Zons. Rundgang durch die Römerfestung. Anschließend wählen Sie vom neuen Büffet des Romantik Hotel Höttche. Rückfahrt mit der Rheinfähre bei Hitdorf. Erfrischen Sie sich nach der Rückkehr in unserer großzügigen Badelandschaft.
Genießen Sie am Abend ein festliches Romantik Menue.
Sonntag: Geruhsamer Ausklang mit dem Frühstück.
Romantik Pauschale pro Person im Doppelzimmer:
2 Übernachtungen mit Frühstück, zwei 4-Gang-Menues, Mittagsbuffet im Romantik Hotel Höttche.
pro Person: 345,— DM

Ostern und Pfingsten Romantik Arrangements:

Dieses Angebot enthält drei Übernachtungen mit Frühstück von unserem reichhaltigen Büffet, ein Oster- oder Pfingstmenue, ein Bergisches Menue und ein Romantik Menue.
Bei der Gestaltung Ihrer Ausflüge beraten wir Sie gerne.
pro Person im Doppelzimmer 495,— DM
Einzelzimmerzuschlag pro Nacht: 20,— DM
Nutzen Sie unsere Arrangements auch zur Karnevalszeit, Christi Himmelfahrt und Fronleichnam

Ihr kurzer Urlaub zwischendurch
Übernachten Sie im »Romantik Hotel Gravenberg« und nutzen Sie die vielfältigen Sportmöglichkeiten des »Sportpark Landwehr«:
– vier Hallentennisplätze,
– acht Squash-Courts,
– Deutschlands größte Badminton-Halle (15 Courts)
– das neue Medical-Fitness-Center.
Unsere Hotel-Badelandschaft bietet Ihnen:
Schwimmbad (8 x 4 m), Whirlpool, Finnische Sauna, Dampfsauna, Solarium, großzügige Ruhezone.
Unser Angebot enthält:
Übernachtung im Doppelzimmer mit Frühstücksbüffet und einem 3-Gang-Sportler-Menue.
pro Person und Tag 155,— DM

(D) Stolberg

Romantik Hotel
„Altes Brauhaus Burgkeller"

Am Rande des Naturschutzparkes Nordeifel (Dreiländereck Holland-Belgien-Deutschland) unterhalb der Stolberger Burg liegt der Burgkeller, den man über eine schmale Holzbrücke erreichen kann. Durch die elegant-rustikale Einrichtung des Hauses (Delfter Porzellan, Zinngeräte und Antiquitäten) und die gemütliche Atmosphäre des „Gambrinus-Kellers" fühlen Sie sich wie zu Hause.

Neu hinzugekommen sind unsere „Terrasse am Vichtbach" und unsere „Ratsstube" im ältesten Hause Stollenbergs (1594). Im neu gestalteten Hotel erwarten Sie komfortable Studio-Appartements, individuell eingerichtet für den anspruchsvollen Gast.

Directly beside the National Park Nordeifel and the old town of Aachen, residence of Charlemagne, you find Romantik Burgkeller in Stolberg, situated at the foots of Stolberg Castle in the heart of the old town.

After having crossed a narrow foot-bridge spanning a fast running Brook you will find in a hostelry making you feel at home at one. The elegant rustic restaurant, the beer cellar and the open air terrace at the river Vicht are meeting place for tourists, business men and citizens of Stolberg. Furthermore you find the „Ratsstube" in the oldest house of Stolberg (1594) and well furnished apartments for two and four guests.

Unser Angebot im Restaurant:
Leichte Küche nur mit frischen Produkten vom Markt nach ausgesuchten Rezepten, hervorragende Weine aus besten Lagen des In- und Auslandes.

Unter gleicher Leitung nur 3 Gehminuten entfernt liegt das Gästehaus „Parkhotel am Hammerberg" mit Hallenbad, Sauna, Liegewiese, Terrasse, Kaminhalle, Jogging ab Hotel, geeignet für Tagungen und Konferenzen, Hotelzimmer mit allem Komfort.

Möglichkeit zum Tennisspielen auf der Anlage des Tennisclubs Blau-Weiß direkt neben dem Hotel, 8 Freiplätze, nach Absprache mit dem Platzwart (DM 12,-/Platz + Stunde). Tennishalle am Ort (5 Fahrminuten).

Stolberg liegt 8 km von der alten Kaiserstadt Aachen entfernt, die Stadt Karls des Großen, mit historischem Rathaus. Dom und Schatzkammer, Museen und Galerien, Sammlung Ludwig, City-Führungen nach Absprache. Ausflüge nach Holland (Maastricht) und Blain (Lüttich) oder in die Eifel (waldreiches Gebiet mit Talsperren, Seen und romantischen Bachläufen).

✕ 6 bis 18 Uhr	A 5	❧ Parkh.
✕ Karneval 1 Woche	⌂	🌲 Parkh.
🛏 56	❀ 30	◨ Parkh.
🛗 30	♿ Parkh.	U
👤 Burgk. 150 Parkh. 110-145	✕ Burgk.	✎
👥 Burgk. 250 Parkh. 195-240	P	⤢ 25 km

Klaus und
Marlis Mann
Klatterstr. 8-12
D-5190 Stolberg/Aachen
Tel. Burgk. 02402-27272
Tel. Parkh. 02402-12340
Telefax 02402-1234-80

180

„Altes Brauhaus Burgkeller" „Parkhotel am Hammerberg"

Stolberg (D)

Wochenend-Arrangement
2 Personen 2 Nächte im Doppelzimmer,
Romantik Frühstücksbuffet,
2 Abendessen regionale Küche
pro Person   DM 260,-
3. Nacht DM 75,- p. P., EZ-Zuschl. 30 DM

Gourmet-Wochenende
2 Pers. 2 Nächte in sehr schönen Doppelzimmern, wahlweise Burgkeller oder Parkhotel, Frühstücksbuffet, 1 regionales Abendessen am Freitag, 1 Gourmet-Menü Samstagabend,
pro Person   DM 300,-
3. Nacht DM 75,- p. P., EZ-Zuschl. 30 DM

Golf-Wochenende
pro Pers./Tag DM 38,- (sonst wie oben)

Unsere Programm-Vorschläge
Am Anreisetag vor oder nach dem Abendessen Bummel
durch Stolbergs Altstadt mit Burg.
Am nächsten Tag „AACHEN LIVE", Kultur und Ge-
schichte der Stadt Karls des Großen. Ab 11 Uhr City-
Führung (ca. 1 Std.)

Nachmittags Besuch von Museen und zwar
- SUERMONDT-MUSEUM deutsche + niederländ.
  Malerei
- COUVEN-MUSEUM altes Bürgerhaus am
  Hühnermarkt
- INTERNATIONALES ZEITUNGSMUSEUM

alternativ:

- Erleben Sie das weltoffene Aachen mit internationa-
  lem Flair im Dreiländereck!
- Eifelfahrt - vom romantischen Indestädtchen
  Kornelimünster zur historischen Fachwerkstadt
  Monschau, durch das waldreiche Gebiet der
  Ruhrtalsperren.
- Besichtigung von Dom, Domschatzkammer und
  Rathaus
- Kutschfahrten im Aachener Wald
- GOLFEN in Brunssum/Holland
- NEU: Ludwig-Forum Aachen für internationale Kunst

Überlingen / Bodensee

Romantik Hotel „Hecht"

Mitten in der historischen alten Stadt Überlingen, zwischen Nikolausmünster und Seepromenade, fällt jedem das güldene Aushängeschild des Hecht mit der goldenen Traube im Maul des Fisches ins Auge. Bodensee-Fische und Seewein von den Uferhängen, das ist kulinarische Harmonie, die im Hause der Surdmanns in Vollendung dargeboten wird. Daß er besonders die heimischen Produkte, wie Lachsforelle, den Egli, die Äsche und den Blau-Felchen mit Phantasie, aber sauber und ehrlich zu wahren Träumen des Gaumens bereitet. Seine Soßen, Terrinen und Mousses sind weit bekannt. Oft fahren Feinschmecker zu bestimmten Jahreszeiten weite Strecken, um im Hecht zu bestimmten Gerichten einzukehren.

Überlingen on Lake Constance, is a picturesque town with narrow streets and a magnificent lakeside promenade. In the midst of this holiday region the traveller will find the "Hecht", instantly recognisably by its golden inn sign. In recent years this hotel has become a meeting place for gourmets and bon viveurs from all over the world, with excellent service provided by the hotelier's wife, while he himself after his guests' wellbeing in the kitchen. This is certainly a good address for the holidaymaker or traveller.

Überlingen au bord du Bodensee (Lac de Constance) est une ville pittoresque avec des ruelles étroites et une manifique promenade au bord du lac. C'est en plein centre de ce lieu de vacances que le voyageur trouve l'hôtel »Hecht«, qu'il reconnaîtra grâce à son dorée. Devenu un lieu de rendez-vous pour les gourmets au courant des dernières années, on y trouvera des gourmets venant de tous les coins du monde, dont s'occupera au mieux l'hôtelière, tandis que l'hôtelier veille au bien-être de ses hôtes dans la cuisine.

Une adresse à recommander pour les vacanciers tout comme les voyageurs de passage.

✕ 1	🐕 Nur Restaurant	◉
🛏 15	🅿 3	
🚿 10	🅿 4	**E**
♂ DM 70 - 90	⛎	Ⓓ
♂♀ DM 140 - 175	⬛ 4 km	▬
☀ 20	🚆	VISA

Erich und Ingrid Surdmann
Münsterstr. 8
D-7770 Überlingen/
Bodensee
Tel. 0 75 51-6 33 33
Telefax 0 75 51-33 10

Romantik Hotel
„Adler-Post"
Titisee-Neustadt

Die ehemalige Posthalterei „Adler-Post" in Neustadt, 5 km östlich von Titisee gelegen, kann auf eine 400jährige Tradition zurückblicken. Seit 1850 heißen die Neustädter Adlerwirte Ketterer.
Gemütlich und stilvoll eingerichtete Räume vermitteln dem Gast eine kultivierte Atmosphäre. Ein kleines Hallenbad (8 x 4 m), Sauna und Solarium sind vorhanden.
Das Grill-Restaurant „Rotisserie zum Postillon" bietet eine weithin bekannte Spezialitätenküche, ein reichhaltiges Weinsortiment vom badischen „Viertele" bis zum französischen Spitzenwein sowie Biere vom Faß.
Titisee-Neustadt wartet mit einer Vielzahl von Sport- und Unterhaltungsmöglichkeiten auf. die zentrale Lage im Hochschwarzwald ist idealer Ausgangspunkt für Wanderungen, aber auch für Ausflüge durch Südbaden, ins Elsaß, die Schweiz und zum Bodensee. Für einen erlebnisreichen Winterurlaub sorgen Langlaufloipen, Skilifte, Rodel- und Eislaufbahnen am Ort und am nahegelegenen, schneesicheren Feldberg (1.500 MüM). Sonderarrangements mit Kurzurlaubs-, Feiertags- und Urlaubspauschalen, Hobby-Kochkurse, Tennis-Zentrum, Fitness-Zentrum und Mountain Bike Verleih in der Nähe des Hotels.

The former stage coach Inn „Adler-Post" in Neustadt, 5 km east of Titisee, has 400 years of tradition behind it. Since 1850 the name of the landlord of the Adler in Neustadt has been Ketterer.
Comfortable, elegantly furnished rooms provide a cultured atmosphere for guests. There is a small indoor pool (8 x 4 m), a sauna and a solarium. The „Rotisserie zum Postillon" grill-restaurant is widely known for its speciality cuisine. A comprehensive selection of wines ranging from the small Baden „carafe" to exquisite French wines, as well as draught beer, are available.
Titisee-Neustadt provides a variety of sporting and entertainment facilities. Its central situation in the Upper Black Forest is an ideal starting point for walks and also for tours through southern Baden, into Alsace, Switzerland and to Lake Constance. Crosscounty skiing, ski lifts, tobogganing and skating in the vicinty and on the nearby Feldberg (1.500 m above sea level), where snow is ensured, make for an exciting winter holiday. Shopping is great in the city and nearby villages.
Special arrangements include mini-holidays, public holidays and vacation rates, as well as hobby-cooking-courses. There is a tennis centre, Fitness Center, Mountain bike rental nearby.

L'ancien relais de poste »Adler-Post« à Neustadt, situé à 5 km à l'Est du lac Titisee, peut s'engorgeuillir d'un riche passé, 400 ans de tradition. Et depuis 1850, les hôteliers de l'Adler-Post portent le même nom, Ketterer. Les salles agréables et aménagées avec style présentent une atmosphère cultivée. Pour son bien-être, une petite piscine (8 x 4 m), un sauna et un solarium sont là aussi.
Le grill-restaurant »Rotisserie zum Postillon« possède une bonne et fine cuisine, connue loin à la ronde pour ses spécialitées, pour son riche choix de vins allant du »p'tit quart« du Pays de Bade aux grands crus français, sans oublier les bonnes bières pression.
Titisee-Neustadt offre toute une gamme le loisirs et d'activitées sportives. Son site dans un point central de la haute Forête-Noire constitue un point de départ idéal non seulement pour faire des promenades et des randonnées

mais aussi pour aller faire des excursions en Forêt-Noire, en Alsacé, en Suisse au Lac de Constance. Les amateurs de sports d'hiver y trouvent sur place et sur le Feldberg proche, où la neige est pratiquement garantie (1.500 m d'altitude) les pistes pour ski de fond, remonte-pentes, pistes de luge et de patinage pour y passer des vacances agréables et variées.
Arrangements spéciaux avec: »Pension à la carte pour gourmets« sejours forfaitaires pour vacances brèves, sur jours fériés ou vacances plus longues, cours de cuisine pour cordons-bleus amateurs. Centre de tennis Centre de Fitness, Location de Vélos près de L'hôtel.

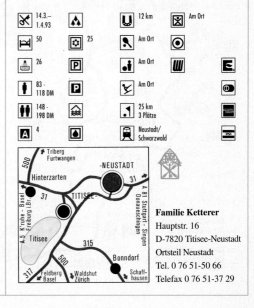

Familie Ketterer
Hauptstr. 16
D-7820 Titisee-Neustadt
Ortsteil Neustadt
Tel. 0 76 51-50 66
Telefax 0 76 51-37 29

20 Jahre Erfahrung garantieren flexible Reservierungspraxis, zuverlässige Betreuung! Nachstehende Pauschalen enthalten die Übernachtungen in Zimmern mit Bad oder Du/WC, reichhaltiges Frühstück, attraktives Abendmenü, Kurtaxe, MwSt., Service, Gepäcktransport, Wanderbuch, Urkunde und selbstverständlich freie Benutzung der 6 Hotelhallenbäder.

mit 3 Übernachtungen DM 410,-
mit 5 Übernachtungen DM 600,-
mit 7 Übernachtungen DM 890,-
mit 9 Übernachtungen DM 1060,-

Einzelzimmerzuschlag ist DM 18,-/Tag.
Kinder bis zu 12 Jahren im Zusatzbett 50% Ermäßigung.

Im Winter: Skiwandern ohne Gepäck
5 Übernachtungen in Halbpension DM 620,-

vom

Romantik-Parkhotel „Wehrle"

zum

Romantik-Hotel „Adler Post"

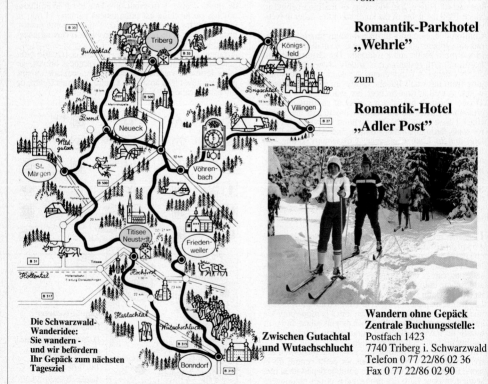

Die Schwarzwald-Wanderidee:
Sie wandern - und wir befördern Ihr Gepäck zum nächsten Tagesziel

Zwischen Gutachtal und Wutachschlucht

Wandern ohne Gepäck
Zentrale Buchungsstelle:
Postfach 1423
7740 Triberg i. Schwarzwald
Telefon 0 77 22/86 02 36
Fax 0 77 22/86 02 90

Romantik Parkhotel „Wehrle"

Wenn Sie nach einem kultivierten Hotel suchen, das neben hervorragender Küche allen Wohnkomfort bietet, dann sollten Sie nicht zögern, nach Triberg ins „Wehrle" zu gehen!

Die interessanten Pauschalangebote sind durch ihr gutes Preis-Leistungs-Verhältnis besonders attraktiv:

Schlemmen und Genießen
allabendlich mit 6-Gang-Feinschmeckermenüs
2 Tage i. Zi. Dusche/WC 340,-,
mit Bad/WC 390,- bis 440,-
3 Tage i. Zi. Dusche/WC 460,-,
mit Bad/WC 540,- bis 620,-

Schlemmen und Wandern
4 Tage i. Zi. Dusche/WC 580,-,
mit Bad/WC 680,- bis 780,-
5 Tage i. Zi. Dusche/WC 690,-,
mit Bad/WC 810,- bis 940,-
(1x Gourmet-Menü, 1x Romantik-Menü, 2–3x 4-Gang-Menüs, Wandervorschläge, Höhenfahrt und Mountainbike auf Wunsch inkl.)
* Bei Anreise am Sonntag 10% Nachlaß auf diese Schlemmerpauschalen!*

Wochenpauschalaufenthalte
pro Person mit 7 Tagen Halbpension
bei DU/WC ab 820,-, Bad/WC ab 960,-

* für eine zweite volle Woche abzüglich 20%*

* In Sonderangebotszeiten: 6. 1. bis 19. 5., 23. 10. bis 23. 12. – 10 % Sondernachlaß zusätzlich auf die Wochenpauschalen.*

In der Festtagszeit über Weihnachten und Silvester gelten spezielle Angebote.

Viele Sehenswürdigkeiten um Triberg bieten reizvolle Abwechslung: Wasserfälle, Schwarzwaldmuseum, Freilichtmuseum, Vogtsbauernhöfe, Deutsches Uhrenmuseum, Glashütte, Waffenschmiede usw. . . . .

Schon Hemingway empfahl Triberg den **Forellen-Anglern!**

– à 30 km de Strasbourg, la maison Wehrle s'offre á vous servir de station de repos, idéale par son cachet très personnel et sa cuisine classique d'influence régionale
– Triberg, oldest holiday resort of the Black-Forest enshrines in its surroundings all the romance of these parts and whoever takes one of the proverbial 1000 pachs around Triberg is enveloped in the charme of its infinite variety.

Das Stammhaus
seit 1707 im Familienbesitz!
Es liegt zwischen Marktplatz und dem eigenen Park.

Im Park selbst:
Gästehaus und Parkvilla, beheiztes Freibad und Liegestühle, Hallenbad, Sauna und Solarien.

Triberg – kleine Stadt im großen Wald mit einzigartig unberührter Umgebung – **ein Wanderparadies im Heilklima!**

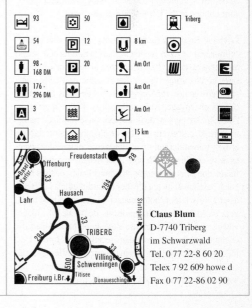

Claus Blum
D-7740 Triberg
im Schwarzwald
Tel. 0 77 22-8 60 20
Telex 7 92 609 howe d
Fax 0 77 22-86 02 90

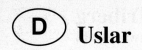
Romantik Hotel „Menzhausen"

Im Weserbergland ist das Romantik Hotel „Menzhausen" ein sehr begehrter Platz für eine erholsame Rast oder den kleinen Zwischenurlaub. Das Haus wurde 1565 gebaut und seine eindrucksvolle Renaissance-Fachwerkfassade trägt Zeugnis jener Tage, als es als Gasthaus für Reisende diente. Die Gäste fühlen sich in der persönlichen Atmosphäre, in den ruhigen und komfortablen Zimmern und in dem gemütlichen Restaurant wohl.
Gerühmt wird das erlesene Weinangebot aus den alten Gewölbekellern unter dem Haus. Die umliegende Landschaft ist ideal für Wanderungen mit vielen reizvollen Zielen. Für ein paar erholsame Tage bieten wir ein interessantes Spezialangebot.

In the Solling Hills and the Weserbergland, a much sought-after place for recreation is the Romantik Hotel Menzhausen. The house was built in 1565 and its impressive Renaissance facade bears witness to those days, when it used to serve as an inn for travelling merchants. Guests feel at home in the personal atmosphere of this traditional family hotel with its quiet and comfortable bedrooms. There is also a grill restaurant, a terrace and a splendid flower garden. The surrounding countryside is ideal for walking with many attractive resting places. If you are looking for the romance of the 16th century combined with present-day good living, come and spend your holiday in the Hotel Menzhausen.

L'Hôtel Romantik »Menzhausen« mérite d'être cité comme lieu de repos recherché dans le Solling et le plays montagneux de la Weser. Le visiteur remarque tout de suite la magnifique façade Renaissance de l'édife construit en l'année 1565 et qui servait de logis aux marchands en voyage. Aujourd'hui aussi l'hôte appréciera l'atmosphère personelle d'une entreprise familiale traditionelle. Il y trouvera en plus de chambres confortables et très tranquilles une cour intérieure pittoresque avec terrasse et rôtisserie; à côte d'un magnifique jardin de fleurs, une pelouse avec de nombreux bancs, chaises longues, pavillon et un jeu d'éches de jardin inite à la détende et à l'oisiveté. L'hôte amateur de marche à pied trouvera en lisière de forêt, en-dessus de Vahle, le village voisin, un pavillon de chasse situé au point de départ de chemins qui le conduiront dans se splendides forêts. Celui qui se sent attiré par le romantisme du XVIème siècle sans vouloir renoncer au confort du XXème devrait un jour passer ses vacances à l'Hôtel »Menzhausen«.

🛏 66	♿	⊔	↑↓
40	P	1 km	
110 - 180 DM	P	1 km	E
155 - 295 DM	✿	40 km	⦾
A 6		1 km	
10,20,50			VISA

Fritz Körber
Lange Str. 12
D-3418 Uslar
Tel. 0 55 71-20 51
Telefax 0 55 71-58 20

186

Romantik Hotel „Menzhausen"

Zu Gast im Weserbergland
im Naturpark Solling
»Spezial-Offerten«

Ein Wochenende von Freitag bis Sonntag

Haben Sie nicht manchmal den Wunsch, nichts mehr zu hören und zu sehen? Möchten Sie nicht einmal das tägliche Einerlei mit seinen Pflichten hinter sich lassen - vielleicht nur für einige Tage, für ein Wochenende?
Wir bieten es Ihnen!
Lassen Sie sich für ein langes Wochenende verwöhnen, genießen Sie die behagliche Atmosphäre eines gastlichen Hauses. Ruhen Sie sich aus! Lassen Sie sich ganz von dem Zauber der tiefen Sollingwälder, der lieblichen Täler, der murmelnden Bäche einfangen. Herrliche, unbeschwerte Tage erwarten Sie.
Ob zu Fuß oder mit dem Auto, immer werden Sie vom Solling mit seinen landschaftlichen Schönheiten begeistert sein. Die herrliche Sicht vom „Harzblick" auf Dörfer und idyllische Wiesentäler wird Sie für die ausgedehnte Wanderung belohnen.
Auch die vorgeschlagene Rundfahrt durchs Oberwesergebiet sollten Sie prüfen (Burgenfahrt, kombinierte Dampferfahrt)
Weitere Tips sind die Porzallanmanufaktur in Fürstenberg, der Wildpark in Neuhaus mit seinen Hirschen.

Und damit liegen zwei lange und doch so kurze Tage hinter Ihnen. Frisch und ausgeruht sehen Sie einer neuen Woche entgegen, eine gute Erinnerung nehmen Sie mit auf den Heimweg.
Sie sind uns jederzeit willkommen und wir freuen uns auf Ihren Besuch!
Ihre Familie Körber

Der Arrangements-Preis umfaßt folgende Leistungen:
2 Übernachtungen
Romantik-Gourmet-Menü mit Aperitif und Wein und Sollinger Bauernvesper
im Zimmer mit Bad oder Dusche, WC, TV, Telefon
pro Person   KAT. A   290,- DM Stammhaus
                        KAT. B   350,- DM Mauerschlößchen

Bitte fordern Sie ausführliche Unterlagen an.

Romantik Hotel „Menzhausen"
F. Körber
3418 Uslar
☎ 0 55 71 / 20 51

Volkach

Romantik Hotel „Zur Schwane"

Seit 1404 gibt es die „Schwanenwirtschaft" in Volkach, seit 1935 sind die Pfaff's Wirtsleute. In dem gemütlichen Haus, mit all den alten Möbeln soll jeder Gast zuhause sein, das ist die Devise von Petra und Michael Pfaff. Die Gaststube mit der gemalten Kassettendecke, dem Kachelofen und den Holztischen lädt zum Verweilen ein. Die Küche pflegt die fränkischen Gerichte und bietet sie in gehobener Form an. Das Land rund um die Mainschleife schenkt je nach Jahreszeit einen köstlichen Spargel, edles Wild, Fische und natürlich den Frankenwein. Es ist ein Genuß, an den Sommerabenden im „Schwanenhof" zu sitzen, um anschließend in den Fremdenzimmern zu nächtigen, die komfortabel eingerichtet sind. Das Frühstück am nächsten Morgen ist nichts Alltägliches! Ein hervorragender Qualitätsweinbau wird alljährlich mit Auszeichnungen und Medaillen bestätigt.

The „Schwanenwirtschaft" has existed in Volkach since 1404 and since 1935 the Pfaff's has been the landlords. In the comfortable house, with all the old furniture, every guest should feel at home - that is the aim of Petra and Michael Pfaff. The lounge with its painted coffered ceiling, tiled stove and wooden tables invites one to linger there. The cuisine provides Franconian dishes, elegantly presented, the countryside around the bend in the Main offers, according to season, delicious asparagus, excellent game, fish and, of course, Franconian wine. It is pleasure to sit in a summer evening in the „Schwanenhof" and then spend the night in the bedrooms which are provided with every comfort. The breakfast next morning is out of this world! The Pfaffs also have their own vineyards. The cultivation of an outstanding Qualitätswein is confirmed each year by award and medals.

Le »Schwanenwirtschaft« existe à Volkach depuis 1404; depuis 1935, il est aux mains des Pfaff's, les aubergists. Chate hôte doit se sentir chez soit: telle est la devise de Petra et de Michael Pfaff - dans cette maison accueillante, avec tous ses meubles anciens. La salle ennoblie d'un plafond à caissons peints, d'un poêle de faience et de bonnes tables en bois invite à rester longtemps. La cuisine est riche en recettes franconcinnes auxquelles elle apporte grand soin. Tout autour de la boucle formée par le Main, le pays offre selon la saison de délicieuses asperges, du gibier noble, poissons et bien entendu du vin de Franconie. Qu'il agrèable de goûter les soirées d'été assis au

„Schwanenhof", avant de regagner les chambres d'hôtes aménagées avec confort. Et le lendemain matin, un petit déjeuner vrainment sorti de l'ordinaire vous attend! Les Pfaff ont aussi leur propre vignoble, année pour année, distinctions et médailles viennent la qualité de l'excellent vin qui est récolté.

✕ 1		🅰 3	
20.12.-20.01.		✳	
40		🅿	Ⅎ
25		🅿	⓪
85 - 140 DM		◎	
150 - 350 DM		⦀ Innenhof	

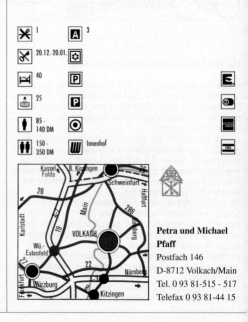

Petra und Michael Pfaff
Postfach 146
D-8712 Volkach/Main
Tel. 0 93 81-515 - 517
Telefax 0 93 81-44 15

Weingut „Zur Schwane"

Volkach Ⓓ

FRANKENWEINE AUS DER  **Schwane**

Was paßt besser zu einem „Romantik-Haus"
als ein historischer Weinkeller?

Im Jahr 1934 übernahm der Kellermeister Josef Pfaff zusammen mit seiner Frau Maria
den Gasthof „Zur Schwane". Auf seinem kleinem Weinberg von einem halben Hektar
erntete er zunächst nur Wein für das eigene Gasthaus.

Als aber in den fünfziger Jahren der Wunsch nach unserem „Frankenwein aus der
Schwane" immer größer wurde, kaufte der Sohn, Michael, weitere Weinberge hinzu.

Heute ist die Rebfläche auf acht Hektar angewachsen. Guter Wein braucht gute Weinberge. Es sind nur beste Lagen, meist steile, sonnige Südhänge in Volkach, Iphofen und
Obereisenheim. Auf der Hälfte der Fläche bauen wir Silvaner, auf zwei Hektar Riesling
und auf weiteren zwei Hektar Müller-Thurgau, Bacchus und Kerner an.

Wir bleiben der fränkischen Idee treu
und füllen fast alle unsere Weine vollkommen durchgegoren in den traditionellen Bocksbeutel.

Neben unseren eigenen Weinen reifen
noch die Köstlichkeiten befreundeter
Winzer in den Fässern und Tanks der
500 Jahre alten „Schwanegemäuer".
Falls Sie jetzt noch neugieriger geworden sind - kommen Sie in unsere
Stube und verkosten Sie die Köstlichkeiten aus dem „Schwane - Weingut".

Ihre
Familie Pfaff

**Auch Ihre Tagungen richten wir für Sie
aus. Für Anfragen stehen wir zur
Verfügung.**

Gerne schicken wir Ihnen unsere Weinkarte mit original Kellerpreisen.

**Bad Neuenahr-Ahrweiler
im Weinort Walporzheim**

Romantik Restaurant
„Brogsitter's Sanct Peter"

Wo Gastlichkeit noch Tradition hat

Erstmalig urkundlich erwähnt im Jahre 600. In Besitz des Domstiftes zu Köln von 1246–1805 galt das Gasthaus zum Heiligen Sanct Peter und das dazugehörige Kirchenweingut als Perle des Kölner Domschatzes.

Heute gehört der Sanct Peter zu den führenden Häusern Deutschlands, wozu die berühmte Küche sowie die gutseigenen Weine und Sekte in historischem Ambiente maßgeblich beitragen.

Sanct Peter's Dienstleistungen

– 365 Tage durchgehender Service am Gast
– separate Räumlichkeiten für Familienfeiern, Konferenzen, Tagungen und Empfänge in historischer Ausstattung
– Aperitif- und Digestif-Bar mit offenem Kamin
– Romantische Gartenterrasse mit komplettem Speisenangebot
– Hotelzimmer vermitteln wir gerne in nahegelegene Hotels
– eigenes Weingut und Privatsektkellerei. Weinverkostung und Verkauf zu original Kellerpreisen täglich ab 9.00 Uhr

Where Traditional Hospitality Still Flourishes

First mentioned in written documents in the year 600. Owned by the Cathedral of Cologne from 1246–1805. The Guest House of St. Peter and the church vineyard belonging to it were considered to be the pearls of the Cologne Cathedral's treasury.

Today the Restaurant Sanct Peter is one of the leading restaurants in Germany, due largely to its renowned cuisine and estate wines and sparkling wines served in a historical atmosphere.

Sanct Peter's Services

– serving guests continuously 365 days a year
– separate facilities for family celebrations, conferences, meetings and receptions in historical sourroundings
– aperitif and digestif bar with an open fireplace
– we gladly arrange accommodations for our guests in nearby hotels
– own vineyard and private sparkling wine cellars. Wine tastings and sales at original cellar prices daily beginning at 9:00 AM.

Où l'hospitalité est encore une tradition

Documenté pour la première fois en l'an 600. Propriété de l'évêché de Cologne de 1246 à 1805, l'auberge «Zum Heiligen Sanct Peter» et le cellier ecclésiastique attenant étaient considérés comme la perle du trésor de la cathédrale de Cologne.

Aujourd'hui, le Sanct Peter est l'une des premières maisons d'Allemagne, sa renommée étant soutenue par sa cuisine célèbre et ses propres vins et champagnes servis dans une ambiance historique.

Prestations du Sanct Peter

– Service permanent 365 jours par an
– Salons réservés aux fêtes de famille, conférences, congrès et réceptions dans un cadre historique
– Bar pour l'apéritif et le digestif devant la cheminée
– Terrasse-jardin romantique avec carte complète
– Nous réservons volontiers des chambres dans des hôtels proches
– Propre vignoble et cave de champagne privée.
– Dégustation de vin et vente aux prix originaux de la cave, tous les jours à partir de 9 heures

Für alle, die zu genießen wissen:

Historisches Gasthaus seit 1246

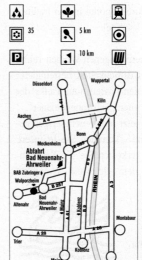

H.-J. Brogsitter
Walporzheimer Str. 134
D-5483 Bad Neuenahr -
Ahrweiler/Walporzheim
Tel. 0 26 41-38 99 11
Telex 861 773
Fax 0 26 41-36 659
ab Jan./Febr. 93:
Tel. 0 26 41-97 75-0
Fax 0 26 41-977 525/26

Brogsitter's

Sanct Peter

Historisches Gasthaus seit 1246

Persönliche Gastlichkeit zwischen Weinberg und Wald

RESTAURANT BROGSITTER

Französische Küche im eleganten Ambiente serviert

RESTAURANT WEINKIRCHE

Regionale und klassische Gerichte und dazu die typische Atmosphäre der historischen Weinkirche – große Gartenterrasse –

KAMIN STUBE

Hausgemachte und ländliche Spezialitäten für den kleinen Appetit oder netten Treff mit Freunden – bei einem Wein, oder frisch gezapften Pils oder Kölsch vom Faß

VINOTHEK BROGSITTER

Weine und Sekte von Brogsitter's Gut, Spirituosen und Exclusiv-Importe zu original Kellerpreisen zum Probieren und Mitnehmen. Täglich ab 9.00 Uhr geöffnet.

365 Tage Dienstleistung ohne Ruhetag · Gartenterrasse · Außer-Haus-Service · großer Parkplatz

TELEFON 0 26 41/38 99 11 · TELEFAX 0 26 41/3 66 59

(D) Wangen

Romantik Hotel „Alte Post"

Wangen ist eine sehr schöne mittelalterliche Stadt und wird das Tor zu den Allgäuer Alpen genannt. Hier können Sie sich an der herrlichen Landschaft der Bergregion von Süddeutschland erfreuen sowie am Bodensee oder der „Oberschwäbischen Barockstraße" mit all ihren architektonischen Bauwerken. Sonderarrangements wie z. b. Schnupperwochenenden oder Kulturreise Barockstraße bietet das Hotel auf Anfrage. Tagesausflüge nach Österreich oder der Schweiz können von hier genauso leicht unternommen werden wie Spaziergänge und alle Arten von sportlichen Betätigungen. Die Alte Post ist genau richtig, um seine Ferien im Herzen dieser historischen Stadt zu verbringen. Das Haus liegt in zentraler ruhiger Lage an der Fußgängerzone. Lassen Sie sich durch die schlichte Fassade des Hotels nicht beirren, sie versteckt nur die Harmonie des Inneren. Küche und Keller sind sehr regional gehalten, bieten jedoch internationalen Charakter. Sie werden sich sicher wünschen, in diesem kultivierten Haus einige unvergeßliche Tage zu verbringen.

Wangen is a beautiful mediaeval town and is called the gateway to Allgäu Alps. Here you can enjoy the wonderful countryside of the mountainregion of Southern Germany as well as Lake Constance or the "Upper Swabian Baroque Road" with all its architectural buildings. Special "exploring" weekends or cultural tours of the Baroque Road are arranged by the hotel on request. Day excurions to Austria or Switzerland can be undertaken from here, just as easily as walks and all kinds of sporting acitivities. The Alte Post is just the place to spend one's holidays in the heart of this historic town. The house lies in a quiet situation in the middle of the pedestrian zone. Don't be put off by the plain exterior of the hotel, this only conceals its inner harmony. The cuisine and cellar are appricate to the region, but can also present an international character. You will certainly wish to spend several memorable days in this elegant house.

Wangen, appelée aussi »Porte des Alpes de l'Allgäu«, est une très belle ville médiévale. Vous pouvez depuis là admirer pleinement le paysage des montagnes de l'Allemagne du Sud, le Lac de Constance ou la »Route baroque de la Souable supérieure« avec tous ses monuments à l'architecture intéressante. L'Hôtel offre par exemple sur demande des arrangements forfaitaires spéciaux tels que par exemple Schnupperwochenende (Week-end de découverte) ou voyage culturel le long de a Route des Baroque. On peut y entreprende promenades, randonnées, y partiquer toutes les activités sportives possibles et imaginables mais aussi entreprende facilement des excurson d'un jour vers l'Autriche ou la Suisse. L'»Alte Post«, au coeur d'une cité au riche passé historique, convient parfaitement pour passer des vacances.

L'établissement qui se trouve sur la zone piétone et donc tranquille tout en ayant les avantages d'un emplacement central. Ne vus laissez pas tromper par l'aspect quelque peu sobre de la façade; elle ne cache que mieux l'harmonie de l'intérieur de l'Hôtel. Cuisine et cave, fidèles aux traditins, régionales atteignet néanmoins un niveau qu'on peut qualifer d'inernational. Vous aurez sans doute envie de passer quelque jours inoubliables dans cette maison cultivée.

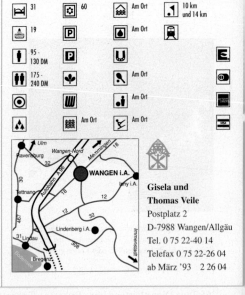

Gisela und
Thomas Veile
Postplatz 2
D-7988 Wangen/Allgäu
Tel. 0 75 22-40 14
Telefax 0 75 22-26 04
ab März '93   2 26 04

192

Romantik Hotel „Postvilla"

Wangen D

Die „Luxusvilla im Privathausstil" liegt auf einer Anhöhe im Park mit Blick in die Berge. Das Haus ist stilvoll eingerichtet, die Zimmer sind mit allem Komfort. Unser Restaurant ist 5 Gehminuten entfernt in der Alten Post.
Eine Liebeserklärung an das Haus von Frau L. Veile:
Der Sonne der Schönheit zugewandt ist unser Haus. Ein Wiehern u. Muhen im Wiesengrund; beschirmt von den Dolden der Sträucher, einer Anhöhe mit dem zarten Geäst der Tannen, ein Stück Gottesnatur. Dieses Haus leitet oft unsere geheimsten Gedanken. Es ist nicht Einsamkeit auf diesem Hause, gastlich ist es, den Fremden und Freunden aufgetan. In der Nähe des Zentrums von Geschäftigkeit und Impulsen, schenkt es uns fruchtbare Muse und den Weg zu uns selbst.

The "luxury villa in the style of a private house" stands on a small hill in the park, providing a view of the mountains. The hotel is decorated with style, and the rooms furnished with all the comforts: Our restaurant is a 5-minute walk away at the "Alte Post".
A fan letter to our establishment from Mrs. L. Veile: Our house faces the sun of beauty. The sounds of neighing and mooing come from the meadowland; sheltered by the umbles of the bushes is a small hill with the tender boughs of fir trees, a piece of God's nature. This house often guides our innermost thoughts. It is not loneliness which is here but hospitality, welcoming both visitors and friends. In close proximity to the centers of bustling activity and impulses, it gives us fruitful inspiration and the path to ourselves.

La »Villa luxueuse de style privé« se dresse dans un parc sur une hauteur, avec vue sur les montagnes. L'ameublement et la décoration sont empreints de style, les chambres offrent tout le confort. Notre restaurant établi dans la Vieille Poste est à 5 minutes á pied. Une déclaration d'amour de Madame L. Veile à l'établissement:
Notre maison est tournée vers le soleil de la beauté. Hennissements et mugissements dans le vallon; écrin d'arbustes fleuris, une colline frangée de délicates branches de sapins, une parcelle de nature divine. Cette maison attire souvent nos pensées les plus secrètes. Point de solitude dans cette maison, elle est hospitalière, ouverte aux amis et aux étrangers. Proche du centre affairé et tumultueux, elle nous offre une quiétude propice à un retour en soi.

🛏 17	♠	U	W
🍴 9	✿ 25	Am Ort	🚃 400 m	E
👤 100-140 DM	P		
👥 185-220 DM	Am Ort	Am Ort	
A 3 300 DM	Am Ort	10 km und 14 km	
⊙	Am Ort	Am Ort	

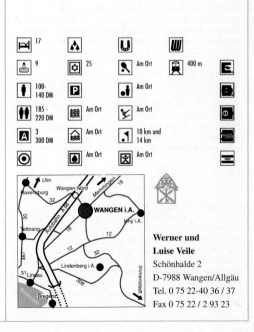

Map showing WANGEN i.A. with roads to Ulm, Ravensburg, Wangen-Nord, Memmingen, Leutkirch i.A., Tettnang, Lindenberg i.A., Lindau, Bregenz, and Bodensee.

Werner und Luise Veile
Schönhalde 2
D-7988 Wangen/Allgäu
Tel. 0 75 22-40 36 / 37
Fax 0 75 22 / 2 93 23

Willingen

(D)

Romantik Hotel „Stryckhaus"

Das außergewöhnliche Ferienhotel für den anspruchsvollen Gast, abseits und ruhig am Südhang des Ettelsberges gelegen, entstanden aus einem von dem Worpsweder Maler Heinrich Vogeler erbauten Landhaus. seit 1935 im Familienbesitz, ist aus dem damaligen Privathaus mit 6 Betten das heutige Romantik-Hotel mit 100 Betten geworden.
Begeisternde Ausstattungsdetails in allen Räumen, die gute Küche und das umfassende Freizeitangebot – Hallen-Wirbel-Freibad (durch eine Schleuse verbunden), Sauna, Dampfbad, Sonnenbank, Massage, Kegelbahn, Tischtennis – sorgen für einen individuellen Urlaub in privater Atmosphäre, in der sich auch Tagungen, Konferenzen und Familienfeste durchführen lassen.
Sie trinken Ihren Nachmittags-Kaffee auf der Hotelterrasse, im Vogeler-Zimmer oder am brennenden Kamin, genießen eine der Modenschauen oder nehmen an einer Planwagenfahrt in gesunder Sauerlandluft in die romantische Umgebung teil. Im Winter ist es ein Pferdeschlitten, der Sie durch die tiefverschneite Landschaft fährt.

The exceptional holiday resort for discerning clientele. Situated on the south side of the 848m high Ettelsberg Mountain, at the egde of the beautiful evergreen pine forests that encompass the hotel. Developed from a country house that was built by the famous German painter, Heinrich Vogeler in 1912. Since 1935 the former six bedroomed house has been in family ownership and has become an outstanding 100 bedroomed hotel which is fortunate enough to have kept all of its rustical features.
The charming furnishings in each room, the first-class cuisine, along with its fine leisure facilities including in/outdoor heated swimming pool, whirlpool, sauna, steambath, sunbed, massage, bowling alley, table tennis room, and facility to join in an early morning aerobics class in the swimming pool with a qualified instructor make this an unbeatable holiday that caters to all tastes. The hotel can also cater for conferences, or more private functions of up to 40 people for a Romantik Dinner or Buffet.
You may take afternoon coffee on one of the hotels terraces of in the tastefully decorated restaurant. In winter, Glühwein by the large open log-fire. In winter one can also hire a horse-drawn sleigh to take you through the many romantik snow-covered trails of the pine-fresh mountain forestry.

L'hôtel exceptionnel de vacances pour l'hôte exigeant, dans un site tranquille sur le flanc sud de la montagne Ettelsberg, à l'écart de la vie trépidante, tire son origine d'une maison de campagne construite par le peintre Heinrich Vogeler de Worpswede (cité célèbre pour ses artistes). Propriété familiale depuis 1935, cette maison jadis privée de six est devenue aujourd'hui un Hôtel Romantik qui compte cent lits.
Des détails dans l'aménagement de toutes les pièces font l'enthousiasme de ses hôtes, sa bonne cuisine et son offre variée de loisirs (deux piscines communicantes à l'intérieur et à l'exterieur, piscine à tourbillons, sauna, bain de vapeur, solarium, massages, bowling) permettent à ses hôtes de passer des vacances individuelles dans une atmosphere privée.

Réunions, conférences et fêtes de famille peuvent également s'y découler.
Vous dégustez votre café dans l'après-midi sur la trerrasse de l'hôtel, dans la salle »Vogeler« ou près de la cheminée où brûle un feu de bois, vous suivez avec plaisir les présentations de monde ou prenez part à une randonnée en voiture bâchée dans le cadre romantique du Sauerland connu pour son air pur. En hiver, vous traversez en traineau à cheval le paysage féerique sous la neige.

🛏 100	❋ 10 - 50			🚂 2 km
61	🅿	∪ 2 km	〰	
👤 95 - 120 DM	🅿	2 km	⇅	E
👫 220 - 270 DM	❧			⏺
A E 8 D 10	❅			
🔥	🌲	30 km		💳

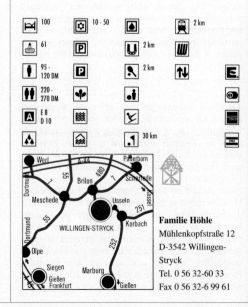

Familie Höhle
Mühlenkopfstraße 12
D-3542 Willingen-Stryck
Tel. 0 56 32-60 33
Fax 0 56 32-6 99 61

194

Romantik Hotel „Stryckhaus"

Willingen (D)

Kurzurlaub im Sauerland

5 Tage entspannen - wandern, schwimmen im Hallen- und Freibad, saunieren, Begrüßungscocktail im Stryckbärchen - Halbpension inklusive 1 Romantikmenü, 2$^{1}/_{2}$stündige Planwagenfahrt durch die Upländer Wälder (ca. 3 km ohne Transfer).

Sonntag - Freitag   DM 680,-

2 Tage schlemmen

Übernachtung/Frühstück
Begrüßungscocktail im Stryckbärchen
$^{1}/_{2}$ Fl. Sekt auf dem Zimmer
1 Romantik-Menü (5-Gang)
1 Schlemmer-Menü (7-Gang)

         DM 390,-

Erlebniswochenende

Übernachtung/Frühstück
Begrüßungscocktail im Stryckbärchen
Freitag Abend ein schönes 4-Gang-Menü
Samstag Abend ein kalt-warmes Buffet
Programm:
2 $^{1}/_{2}$ stündige Planwagenfahrt durch die Upländer Wälder und Besichtigung des Willinger Schieferbergwerkes (ca. 3 km ohne Transfer).   DM 320,-

Wanderwochen

1. Woche Mai
1. und 2. Woche November
7 Übern./Frühstück inkl. Vollpension
geführte Wanderungen und Programm

         DM 950,-

Besuchen Sie unsere Schönheitsfarm mit Ganzheitskosmetik von Gertraud Gruber

Schönheitswoche

6 Übernachtungen mit Frühstück,
Begrüßungscocktail, 5 Tage Schönheits-
programm Montag–Sonntag
         DM 995,-

3 Tage Entspannung und Schönheit

4 Übernachtungen mit Frühstück,
Begrüßungscocktail, 3 Tage Schönheits-
programm Montag–Freitag   DM 630,-

Romantik „Posthotel"

Wirsberg liegt nur 5 km von der Autobahn Bayreuth-Hof. Ein hübscher Luftkurort an zwei Bächen und von Wäldern des Fichtelgebirges und Frankenwaldes umschlossen. Viele Gäste kommen in die „Post" zum Entspannen. Genießen, um ruhig und komfortabel zu wohnen. Die Festspielgäste von Bayreuth wissen die hervorragende Küche zu loben und die Atmosphäre des Hauses zu schätzen
Ein römisches Hallenbad/Sauna/Solarium/Fitnessraum sowie Luxusappartements und Zimmer mit allem Komfort. 7 urgemütliche Gasträume spiegeln den guten Geschmack der Wirtsleute wider, die mit Charme und großer Aktivität im Haus präsent sind. Die Jugend drängt bereits in der 5. Generation mit Schwung und Einsatz nach. Die Küche bietet nur Frisches, teilweise aus eigener Jagd und Gewässern, köstlich zubereitet und von freundlichem Service kredenzt.

Wirsberg lies only 5 km from the Bayreuth-Hof-Autobahn. It is a pretty health resort situated on two streams and surrounded by the forests of the Fichtel Mountains and the Frankenwald. Many guests come to the „Post" to relax, for recreation and to stay in quiet and comfort. Visitors to the Bayreuth Festival praise the outstanding cuisine and appreciate the atmosphere of the house. The amennities include a Roman-style indoor swimming pool, sauna, solarium and keep-fit room, as well as luxurius suites and rooms with every comfort. Seven exceptionally comfortable lounges and guest rooms reflect the good taste of the owners, who run the house actively and with great charme. The younger members of the family, now the fifth generation, are eagerly following on. The cuisine offers only fresh food, some from the hotel's private game and fishing reserves, tastefully prepared and presented with friendly service.

Wirsberg se situe à seulement 5 km de l'autoroute Bayreuth-Hof. Jolie station climatique entre deux ruisseaux et entourée par les forêts du Fichtelgebirge et du Frankenwald.
Nombreux sont les hôtes qui viennant au »Post« pour se détendre, se régaler, pour loger dans un endroit tranquille et confortable. Les mélomanes qui se rendent aux festivals de Bayreuth apprécient l'ambiance de la maison et mentionnent avec louanges l'excellente cuisine. Une piscine couverte de style romain, sauna, solarium, centre de fitness, appartements de luxe et chambres tout confort. Sept salles très confortables reflètent le bon goût de l'aubergiste dont le charme et le zèle sont partout présent dans la maison. Les jeunes de la 5ème géne-

rations arrivent déjà pour pendre la relève avec élan et ardeur. La cuisine ne sert que ses mets frais, délicieusement préparés, provenant en partie de ses propres chasses et eaux, dressés et servis de manière flatteuse.

Familie Herrmann
Marktplatz 11
D-8655 Wirsberg /
O.-Franken
Tel. 0 92 27-861
<208-0>
Telefax 0 92 27-58 60

Romantik „Posthotel"

Wirsberg ⓓ

Kennen Sie das fränkische Gretna Green?
Nicht nur wir arrangieren Ihre Hochzeit nach Ihren Wünschen, sondern auch unser Pfarrer und Bürgermeister haben ein Ohr für Ihre kurz- oder längerfristigen Heiratswünsche. Ob unter der Woche, am Samstag, Sonntag oder an einem Feiertag, unser Standesamt traut Sie, wann Sie es wünschen. Wir planen für Sie aber selbstverständlich auch Jubiläen, Taufen, Geburtstage und andere Feiern nach Ihren Vorstellungen.

UNSERE ARRANGEMENTS

Erbauliche Romantische Woche - Zeit sich zu erholen -	**Romantischer Kurzurlaub** - einfach mal aussteigen -
Anreise an jedem beliebigen Tag möglich.	Anreise an jedem beliebigen Tag vom Sonntag bis Dienstag möglich.

Erbauliche Romantische Woche:
- 6 Übernachtungen
- Frühstücksbuffet
- im Rahmen der Halbpension täglich Wahl zwischen Mittag- und Abendmenü
- freie Benutzung der Freizeiteinrichtungen wie römisch-keltisches Hallenbad, Sauna, Massage auf Wunsch.

Pro Person ab DM 598,-

Romantischer Kurzurlaub:
- 3 Übernachtungen
- Frühstücksbuffet
- im Rahmen der Halbpension drei Verwöhn-Menüs, freie Benutzung der Freizeiteinrichtungen wie römisch-keltisches Hallenbad, Sauna etc.
- Wandern, Skilauf.. nach Wunsch und Wetter

Pro Person ab DM 388,-

Romantisches Wochenende
- einfach sich wohlfühlen -

- 2 ÜBERNACHTUNGEN
- 1 DREI GÄNGE MENÜ
- FRÜHSTÜCKSBUFFET
- 1 FÜNF GÄNGE ROMANTIK MENÜ

- Freie Benutzung unsers Hallenbades und der Sauna

Preis pro Person im Doppelzimmer   DM 278,-
Preis pro Person im Appartement   DM 358,-

Nutzen Sie unsere Nähe zu den neuen Bundesländern Sachsen und Thüringen (ca. 38 km) und der Tschechoslowakei (ca. 45 km). Genießen Sie es verwöhnt zu werden zwischen Natur und Kultur. Wir haben für Sie Ausflugsprogramme erstellt.

WEIHNACHTEN - SILVESTER 1992/1993

Adventswoche	18.12.-22.12.92	4 x HP ab DM	468,- p.P.
Weihnachten	22.12.-27.12.92	5 x HP ab DM	880,- p.P.
Silvester	27.12.-03.01.93	7 x HP ab DM	1.285,- p.P.
Drei Könige	03.01.-10.01.93	7 x HP ab DM	688,- p.P.

Auf Wunsch senden wir Ihnen gerne detaillierte Informationen dieser Programme zu. Anruf genügt.

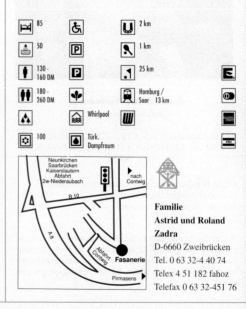

D Zweibrücken

Romantik Hotel „Fasanerie"

Einer königlichen Laune verdankt das Haus seine Lage: Der Polenkönig Stanislaus Lescynski erhielt durch Karl den XII. von Schweden 1714 Asyl in der Herzogstadt Zweibrücken. Er erbaute sich am Rande der Stadt inmitten eines herrlichen Parkes ein Schloß, auf dessen Grundmauern die heutige Fasanerie steht. Wo einst ein König Gast sein mochte, da ist heute der Gast König.
Geführt von Familie Zadra wird dieses Haus seinem Motto: »Kultivierte Gastlichkeit in schöner Natur« gerecht.
Umgeben von einem Wildrosengarten mit 600 vorwiegend historischen Sorten, von sprudelnden Quellen, altem Mischwald, Obstbäumen und Wiesen wird Ruhe, Erholung und Entspannung zu jeder Jahreszeit groß geschrieben. Das hoteleigene Hallenbad mit Türkischem Dampfraum, Finnischer Sauna, Whirlpool, Sonnenliege und einem Freibewegungsraum, unter 350 Jahre alten Eichen gelegen, ebenso wie das Kneippbecken und der Trimmweg vor der Türe bieten Möglichkeiten zur sportlichen Betätigung. Reiterfreunde werden gerne zum traditionsreichen Zweibrücker Landgestüt vermittelt, ebenso sind Tennisplätze im Freien und in der Halle nur 300 m entfernt. Golfbegeisterte finden eine wunderschöne Anlage am Katharinenhof ca. 25 Kilometer vom Hotel und im nahen Bitche/F einen 36-Loch-Platz.

The Hotel owes its position to a King's whim. In 1714 Charles 12th of Sweden granted refuge in the Ducal town of Zweibrücken to the King of Poland. Stanislaus Lezynski. He built for himself on the edge of the town in the middle of a magnificent park a residence on whose foundation walls the present Fasanerie (= Pheasantry) stands. Where once a king might be a guest, today the guest is king. Managed by family Zadra this Hotel lives up to its motto: »Cultured hospitality in a natural setting«.
Surrounded by a wild rose garden with 600 mainly historical varietes, by bubbling springs, ancient mixed forest, fruit trees and meadows, at all season, of the year the mian emphasis is placed on calm, recreation and relaxation. The hotel's own indoor pool with a Turkish bath, Finnish sauna, whirlpool, sunbeds and a open air exercise area under a 350 years old oak tree, together with a Kneipp pool and a keep fit path just outside door offer opportunities for sporting activities. Kenen horserides are readily granted access to the Zweibrücken National Stud, with its long traditon and openair and indoor tennis courts are only 300 m away. Golfing enthusiasts will find a very attractive course at Katharinenhof, about 25 km from the Hotel and a 36-holes-golfcourt near to Bitche.

Cette maison doit son emplacement 'a un sut d'humeur royal. En 1714, Charles XII de Sucède accorda asile au roit de Pologne Stanislaus Lesczynski dans la ville ducale de Zweibrücken. Il se fit construite aux portes de la ville, dans un merveilleux parc, un château sur les fondations duquel s'élève l'actuelle »Fasanerie«. L'hôte est roi où autrefois le roi était hôte. Sousla direction de Famille Zadra cette maison et fidele a sa devise: »Tradition de l'hospitalité dans une nature merveilleuse«.
Calme, repos et détente sont gravés en lettre d'or quelle que soit la sainson dans cet hôtel entouré d'une roseraie comptant 600 variétés de roses pricipalement historiques, de jaillissement de sources,s d'une ancienne forêt d'espèces variées, d'arbes fruitiers et de près.

L'Hôtel Romantik »Fasanerie« met à votre disposition pour d'autres activités sportives sa piscine couverte avec bain turc et sauna finlandis, son whirlpool, banc solaire et salle de sport, à la Kneipp et sentir sportif tout près de l'Hôtel.
Les cavaliers sont présentés de bon coeur au haras local riche en traditions. Les courts de tennis en plein air et couverts ne sont qu'à 300 m. Les amateurs de golf trouveront au Katharinenhof, ànviron 25 km de l'hôtel, un mangnifique parcours et un terrain de golf avec 36 trous, près de Bitche.

85	♿	∪ 2 km
50	Ⓟ	✂ 1 km
130 - 160 DM	Ⓟ	25 km
180 - 260 DM	✤	Homburg / Saar 13 km
⛺	Whirlpool	
❖ 100	Türk. Dampfraum	

Neunkirchen
Saarbrücken
Kaiserslautern
Abfahrt
2w-Niederaubach
nach Contwig
B 10
A 8
Abfahrt Contwig
Fasanerie
Pirmasens

**Familie
Astrid und Roland
Zadra**
D-6660 Zweibrücken
Tel. 0 63 32-4 40 74
Telex 4 51 182 fahoz
Telefax 0 63 32-451 76

Gourmet · Urlaub · Wandern

Gourmet-Kurzurlaub zu zweit	Erwandern Sie den Fasanerie-Stern

Wann immer Sie möchten, ob zum Wochenende oder in der Woche, alle Mitarbeiter der Fasanerie erwarten Sie zu zwei erholsamen Tagen, um Küche, Land, Menschen und Kultur kennenzulernen.

Im Zentrum der drei Naturparks Pfälzer Wald, Nordvogesen und Lothringen wandern Sie an fünf Tagen von und zur Fasanerie zu fünf verschiedenen Zielen.
Immer unterbrechen Sie zu einer Brotzeit und abends lassen Sie sich in der Fasanerie verwöhnen

DM 440,-Doppelzimmer
DM 495,- Atelier

DM 995,- Doppelzimmer
DM 1.210,- Atelier

Pro Person 2 Übernachtungen inklusive Frühstück. Am 1. Abend das Feinschmeckermenü, am 2. Abend das Gourmet-Menü jeweils mit Apéritif und einer Flasche (0,375 Ltr.) korresponddierendem Wein.

5 Tage Stern-Wanderungen
Romantik-Hotel
FASANERIE

Pro Person im Doppelzimmer für 7 Übernachtungen, 7 Menüs, 5 Brotzeiten, Transfers, Wanderkarte und natürlich dem Fasanerie-Stern!

Im Einzelzimmer DM 1.195.-.

Romantik Hotel
„Jagdhaus Eiden am See"

Das Jagdhaus Eiden in Bad Zwischenahner am Zwischenahner Meer ist seit Jahren eine „Adresse für eine erstklassige Küche". Dies war für Gerd zur Brügge jedoch nicht genug und so baute er neben der Jäger- und der Fischerstube, in der man eine erstklassige regionale, norddeutsche Küche findet, in dem vorderen Teil seines herrlichen Fachwerkhauses ein Spitzenrestaurant mit dem Namen „Apicius". Man kann sicherlich ohne Übertreibung sagen, daß es sich in kürzester Zeit zu den besten Häusern ganz Norddeutschlands entwickelt hat und ein wahrer Gourmettempel geworden ist.

Dem Jagdhaus - das natürlich über zahlreiche Konferenzräume und Kegelbahnen verfügt - ist ein Hotel mit rund 110 Betten angeschlossen. Hier bieten Hallenbad mit Sauna, Solarium und Whirl-Pool Entspannung. Zur weiteren Freizeitgestaltung bietet sich das im Haus befindliche Spielcasino Bad Zwischenahn mit Roulette, Black Jack und ein Glücksspiel-Automat an. Also rundum Spiel, Freizeit und Entspannung unter einem Dach für Gäste, denen First-class-Service und Tradition noch etwas bedeuten.

The hunting Lodge "Eiden" in Bad Zwischenahn on Lake Zwischenahn has for years been "the" place for firstclass cooking. However, this was not sufficient for Gerd zur Brügge and so, adjacent 'o the Hunter's and Fisherman's Room, where you find first-class reginal North German cuisine, he built a top class restaurant named "Apicus" in the front of the delightful halftimbered house. It can be said without exaggeration of the best houses in the whole of Northern Germany and a real temple for gourmets.

In addition the Jagdhaus Eiden am See offers conference rooms, a bowling alley and, in a separate building, 70 comfortable bedrooms and an indoor swimming pool with sauna. Since 1976 it has also become a centre of attraction in the spa, whilst sill maintaining the traditional atmosphere and firstclass service.

Le »Jagdhaus Eiden«, à Bad Zwischenahn, sur les rives du Zwischenahner Meer, est depuis longtemps synonyme de »très grande cuisine«. Mais Gerd zur Brügge voulait faire encore mieux. Dans la partie avant de sa magnifique maison à colombage, il construit, à côté de sa Jäger- et Fischerstube (sale des chausseur et de pêcheurs) dans laquelle on peut déguster de très excellentes spécialités du Nord de l'Allemagne, un restaurant de toute première classe et lui donna le nom d'»Apicus«. On peut dire, sûrement sans exagérer, que le »Jagdhaus Eiden« est devenu enpeu le temps l'un des meilleurs établissements gastronomiques de toute l'Allemagne du Nord et un véritable temple pour les gourmets.

Au service de l'hôtel se trouvent également des salles de conférence, une piste de bowling et 70 chambred dans l'hôtel en annexe équipé d'une piscine et d'un sauna. Il reste à signaler que la Restaurant Romantik »Jagdhaus Eiden am See« abrite depuis de 15 janvier 1976 le Casino de Bad Zwischenahn devenu en si peu de temps un lieu de convergence de la haute societé. Venez dons séjourner dans cette confortable et stylé où l'on mise au plus haut niveau sur la satisfaction de l'hôtel même le plus exigeant. Cela en vaut la peine.

120	6-60		3 km
63			
93 - 129 DM	P	U	Nichtraucherzimmer Fahrradverleih Babysitterdienst
143 - 206 DM	P	Am Ort	
7			
		20 km	

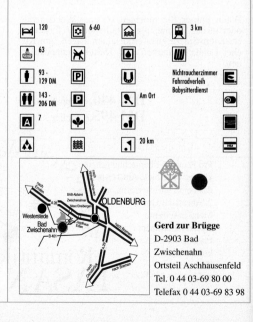

Gerd zur Brügge
D-2903 Bad
Zwischenahn
Ortsteil Aschhausenfeld
Tel. 0 44 03-69 80 00
Telefax 0 44 03-69 83 98

Romantik Hotel
„Jagdhaus Eiden am See"

Bad Zwischenahn (D)

Ammerlandtrip
Anreise sonntags bis 18.00 Uhr, Abreise dienstags bis 12.00 Uhr.
Am 1. Abend servieren wir Ihnen ab 19.00 Uhr ein regionales Dreigangmenü mit Aperitif, Wein und Kaffee.
Am 2. Abend nehmen Sie am „Romantik Menü" teil, inclusive der dazu passenden Getränke.
Der Pauschalpreis pro Person beträgt 285,- DM (Nebensaison 270,- DM) für zwei Übernachtungen mit Romantik-Frühstücksbüffet sowie zwei Mahlzeiten incl. Getränke.
An anderen Wochentagen, bzw. wenn Montag oder Dienstag auf einen Feiertag fallen, beträgt der Pauschalpreis 315,- DM (Nebensaison 300,- DM). EZ-Zuschlag 15,- DM pro Tag.

Gourmetwochenende in Bad Zwischenahn
Am Freitagabend servieren wir Ihnen in unserer Fischerstube ein viergängiges Menü bei Kerzenlicht (mit Aperitif, Wein und Kaffee).
Am Samstagabend sind Sie zu Gast in unserem Gourmetrestaurant »Apicius«, wo wir Ihnen ein sechsgängiges Schlemmermenü inclusive der zugehörigen Getränke servieren.
Der Pauschalpreis pro Person für zwei Übernachtungen incl. Frühstück sowie zweier Abendessen mit Getränken

beträgt 445,- DM (Nebensaison 420,- DM), EZ-Zuschlag 15,- DM pro Tag.

1000-Kalorien-Woche
Für Übernachtung incl. 1000-Kalorien-Pension zahlen Sie pro Person und Woche
im Januar	620,- DM
im Februar und März	700,- DM
im April bis 31. Dezember	850,- DM

EZ-Zuschlag 15,- DM pro Tag

14 Tage wohnen, aber nur 13 Tage bezahlen
vom 1. April 1993 bis zum 31. Oktober 1993

7 Tage wohnen, aber nur 6 Tage bezahlen
vom 30. Dezember 1992 bis zum 31. März 1993
vom 1. November 1993 bis zum 29. Dezember 1993
und vom 30. Dezember 1993 bis zum 31. März 1994

Weihnachten in Bad Zwischenahn
Am 24. Dezember servieren wir in festlicher Atmosphäre ein Abendessen für unsere Hotelgäste.
An beiden Feiertagen sowie zwischen den Festtagen bieten wir ein kleines Rahmenprogramm und verwöhnen Sie in unseren Restaurants.
Zum Jahresabschluß findet wieder unser großer Silvesterball statt.

Dänemark

Denmark

Romantik Hotel
„St. Binderup Kro"

Aars (DK)

Denne hyggelige stråtækte kro ligger i Himmerland, trafikalt velbeliggende mellem Ålborg og Viborg i nærheden af mange seværdigheder, blandt andet den herlige rosenpark i Ålestrup (ca. 5 minutters kørsel). Desuden er området rigt på skove med mange åer, hvor der er gode muligheder for at fiske. Fra 1749 har den gamle kro været kongeligt privilegeret. Den er blevet moderniseret, så den svarer til nutidens krav om komfort og service. Køkkenet tilbyder især danske retter, men også specialiteter som f.eks. stegt ål med kartofler i flødesovs samt et godt vinkort.

Dieser gemütliche, strohgedeckte Kro liegt im Himmerland, verkehrsgünstig zwischen Aalborg und Viborg und bietet viele Sehenswürdigkeiten, unter anderen einen sehr schönen Rosenpark in Aalestrup (ca. 5 Min. Fahrt). Außerdem ist die Gegend reich an Wäldern mit vielen Bächen, wo es sehr viele Angelmöglichkeiten gibt. Seit 1749 ist der alte Krug königlich privilegierter Kro. Er wurde modernisiert, so daß er den heutigen Komfort- und Serviceansprüchen entspricht. Die Küche bietet hauptsächlich dänische Gerichte, aber auch Spezialitäten wie gebratener Aal mit Kartoffeln in Sahnesoße, dazu eine gute Weinkarte.

This cosy, straw-thatched kro is located in Himmerland, in an easily accessible location between Aalborg and Viborg, and offers many sightseeing attractions, among others a lovely rose park in Aalestrup (about a 5 minute drive). In addition, the region is rich in woods with many brooks where there are many opportunities for fishing. The old inn has been a kro by appointment to the royal court since 1749. It was modernized in such a way that it meets modern standards of comfort and service. The kitchen offers many Danish dishes, but also specialities such as roast eel with potatoes in cream sauce, complemented by a good wine list.

Ce «kro» agréable au toit recouvert de chaume se trouve dans le Himmerland, entre Aalborg et Viborg. Il permet de visiter de nombreuses curiosités situées non loin de la, parmi lesquelles il faut citer la magnifique plantation de roses à Aalestrup (environ 5 min en voiture). En outre, la région est très riche en forêts et en rivières, qui offrent la possibilité de se livrer à la pêche. Depuis 1749, le «vieux pichet» est un «kro» jouissant du privilège royal. Il a été modernise de sorte à répondre à toutes les exigences modernes en matière de confort et de service hôtelier. La cuisine propose surtout des plats danois, mais également des spécialités telles que l'andouille grillée, accompagnée de pommes de terre et de sauce à la crème. Sans oublier la carte des vins, qui est excellente.

🛏 60	♿
🚿 30	🅿
🚶 300 - 420 Dkr	⬛ 25 km
🚻 425 - 583 Dkr	◉
⚠	Ⓦ
❋ 40	

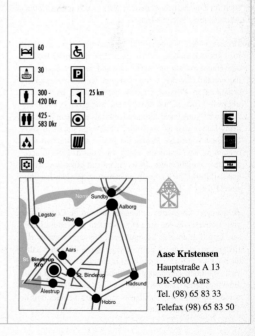

Aase Kristensen
Hauptstraße A 13
DK-9600 Aars
Tel. (98) 65 83 33
Telefax (98) 65 83 50

DK Farum

Romantik Hotel „Bregnerød Kro"

Kun få kilometer nor for København, ligger en smuk gamel kro rødmalet og med stråtag. Kroen er fra 1705, genopbygget efter den kro der i år 1700, under Store nordiske Krig, blev nedbrændt af svenske tropper. Sit Kgl. Privilegium modtog kroen første gang i 1713. Kroen har udover sine hyggelige restaurationslokaler, selskabslokaler i forskellige størrelser, samt ni hotelværelser, der trods de kun er nogle få år gamle, er indrettet, så at de falder ind i miljøet. Kroen ligger direkte i skovbrynet, med udsigt over åbne marker, og i en meget lille landsby, der dog kun er få minutter fra Farum, og den motorvej der furbinder København med Hillerød, og alle Nordsjællands seværdigheder.

Nur wenige Kilometer nördlich von Kopenhagen liegt dieser schöne alte Kro von Freddie Jakobsen. Das niedrig gezogene Strohdach läßt einen gemütlichen Kro erwarten so ist es denn auch. Kleine gemütliche Stuben, in denen eine herzhafte dänische Küche serviert wird und die gerne von kleinen Gesellschaften für Feste genutzt werden, die man in Dänemark gerne feiert.
Die wenigen Zimmer in Bregneröd Kro sind mit modernen aber gemütlichen dänischen Holzmöbeln sehr wohnlich ausgestattet.
Von Farum kann man in wenigen Autominuten nicht nur Kopenhagen erreichen, sondern auch die herrlichen Königsschlösser in Nordseeland. Somit sowohl für Urlauber als auch für Geschäftsreisende eine gute - auch preiswürdige - Alternative zu Kopenhagen.

Bregnerød Kro is a delightful thatched inn set on a country road just half an hour's drive from Copenhagen, its location convenient to both the capital city and some of Denmark's most remarkable castles and museums. The inn reopened as a restaurant in 1705 after being burned down by Swedish troops in 1700. Its first Royal licene was given in 1713. The inn is well-known and commended for its excellent food, and many Danes visit the inn with their foreign guests to show them how a genuine Danish inn looks. An attractive wing containing nine bedrooms which was built in 1985 to accomodate overnight guests, looks out into an expanse of woods and parkland. The inn has been owned by Freddie Jacobsen since 1974.

A quelques kilomètres seulement au nord de Copenhague vous trouverez le très beau et ancien Kro de Freddie Jacobsen. Le toit de chaume à longue pente laisse présager un Kro chaleureux, et il en est ainsi. Il se compose de petites salles charmantes où l'on sert une cuisine danois savoureuse. On y vient volontiers en compagnie célébrer les fêtes, ainsi qu'on aime le faire au Danemark. Les quelques chambres du Bregnerød Kro sont très accueillantes avec leurs meubles bois de caractère danois moderne.

De Farum il est possible d'atteindre une voiture, en quelques minutes, non seulement Copenhague mais aussi les splendides châteaux royaux du Nordseeland. Pour le vacances ou voyages d'affaires une alternative très valable, aussi au plan des prix, à Copenhague.

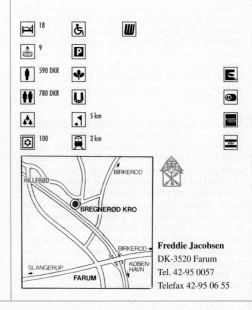

Freddie Jacobsen
DK-3520 Farum
Tel. 42-95 0057
Telefax 42-95 06 55

204

Romantik Hotel
„Lynæs Kro"

Hundested

LYNÆS KRO, er en gammel Færgekro, Kgl. Privilligeret i 1822. Som med sin idylliske beliggenhed, i det nordvestlige hjørne af Sjælland, hvor 2 fjorde og et hav mødes, er en rigtig „Perle"at besøge.

Kroen står som oprindelig opført, uden skæmmende nybygninger, og har flere restaurationslokaler, med antikke møbler, og en atmosfære, fra de gamle dage. Desuden 5 værelser af sjælden høj standard.

Køkkenet er et godt dansk, med mange fiskeretter om sommenen. Kroens lidenhed, er gæsternes fordel. Kromanden og hans stab, lære hurtigt gæsterne og deres ønsker at kende, og kan dermed give en bedre og mere personlig service.

Lynæs ligger kun 70 km. fra København, og 2 km, fra færgen der sejler til Jylland.

LYNÆS KRO ist ein altes Fährgasthaus, dem 1822 das Prädikat „Kgl. Privilegeret"verliehen wurde. Mit seiner idyllischen Lage auf einer Landzunge im Norden Seelands, wo zwei Förden und das Meer zusammentreffen, ist es für Besucher eine wahre „Perle".

Das Gasthaus ist in seinem ursprünglichen Baustil ohne entstellende Um- und Anbauten erhalten geblieben und verfügt über mehrere Gasträume mit antiken Möbeln und dem Flair der guten alten Zeit. Fünf sehr komfortable Zimmer stehen für Übernachtungsgäste bereit.

Die Küche ist typisch dänisch, mit vielen Fischgerichten im Sommer. Die überschaubare Größe des Gasthauses kommt den Gästen zugute. Der Gastwirt und seine Mitarbeiter lernen die Gäste und ihre Wünsche schnell kennen und können sie so besser und persönlicher bedienen.

Lynæs ist nur 70 km von Kopenhagen und 2 km vom Fähranleger der Jütland-Fähre entfernt.

LYNÆS KRO is an old ferry inn which was granted a royal charter in 1822. With its idyllic location at the northwestern corner of Zealand, where 2 fjords and a sea meet, it is a real „pearl"to visit.

The inn remains as it was originally built, with no new buildings to spoil its looks, and has several restaurant rooms with antique furniture and an atmosphere form days gone by. It also has 5 rooms of an exceptionally high standard for overnight accomodation.

The inn offers good Danish cuisine, with lots of fish dishes in the summer. The smallness of the inn is to the advantage of guests. The innkeeper and his staff quickly get to know the guests and their wishes, thereby ensuring a better and more personal service. Lynæs is only 70 km from Copenhagen and 2 km from the ferry which sails to Jutland.

L'auberge LYNÆS KRO, ancien cabaret du bâtelier qui obtint le privilège royal en 1822, idéalement située dans le nord-ouest de l'île de Seeland dans une région où deux fjords et la mer se recontrent, est un endroit merveilleux qui mérite le détour.

Cette auberge telle qu'elle a été édifiée à l'origine n'est pas

défigurée par des constructions récentes. Elle réunit plusieurs petites salles de restaurant meublées à l'ancienne et d'où se dégage une atmosphère du bon vieux temps, ainsi que 5 chambres aux prestations de haut niveau.

La cuisine traditionelle danoise propose une été de nombreux plats à base de poissons. Les clients apprécient l'intimité de ce cadre. L'aubergiste et son personnel désireux de répondre à l'attente de leurs hôtes offrent un service personnalisé de grande qualité.

Lynæs n'est qu'à 70 km de Copenhague et à 2 km du bateau pour le Jutland.

🛏 10	♿	🎱
☕ 5	🅿	🚉
🍴 Dkr. 550	♣	E
🍴🍴 Dkr. 725	〰	◉
🔥	∪	◼
✳ 20	⚒	VISA

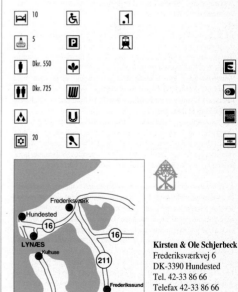

Kirsten & Ole Schjerbeck
Frederiksværkvej 6
DK-3390 Hundested
Tel. 42-33 86 66
Telefax 42-33 86 66

Romantik Hotel „71 Nyhavn"

71 Nyhavn Hotel er et 200 år gammelt Pakhus, som i 1971 blev ombygget til et moderne hotel. De gamle fyrretræsbjælker og de hvidkalkede mure medvirker til at bibeholde den ganske enestående atmosfære og charme, der kendetegner dette hus.

Hotellet ligger midt i hjertet af „det gamle København" ved Nyhavn kanal kun få minutter fra det kongelige slot Amalienborg og "Strøget". Vor velkendte gourmetrestaurant „Parkhuskælderen" har plads til 70 gæster og byder bl. a. hver dag på den imponerende frokost-buffet såvel som indbydende retter på det spændende dansk/franske a la carte spisekort. Hyggelig bar med plads til 20 personer og mødefaciliteter fra 2-24 personer.

Væsentlig prisreduktion hele juli måned samt i weekender (oct.-apr.)

Das Romantik Hotel „71 Nyhavn" ist ein 200 Jahre altes Warenhaus, das 1971 in ein Hotel umgewandelt worden ist. Dabei sind die alten Balken erhalten geblieben, die einen sehr schönen Kontrast zu dem sonst modern eingerichteten Hotel bilden.

Unmittelbar am Hafen im Herzen von „Alt-Kopenhagen" gelegen ist es ideal für einen Kopenhagen-Besuch, sei dies nun geschäftlich oder privat. Das Schloß Amalienborg und die berühmte Fußgängerstraße Strøget ist zu Fuß in wenigen Minuten zu erreichen und die Fähren nach Malmö und Oslo legen gegenüber dem Hotel an.

Das Hotel „Parkhuskælderen" ist bekannt wegen seiner guten Küche und bietet 70 Sitzplätze. Täglich wird ein sehr umfangreiches „Dänisches Buffet" und eine à la carte Auswahl von dänischen und französischen Gerichten geboten. Eine kleine Bar und ein Tagungsraum für 24 Personen vervollständigen das Angebot des Hotels.

Das „71 Nyhavn Hotel" ist ein Musterbeispiel dafür geworden, wie man aus einem alten Lagerhaus ein schönes und angenehmes Hotel machen kann. Wesentliche Ermäßigungen im Juli und an den Wochenenden (Okt.-Apr.).

71 Nyhavn Hotel is a 200 year-old converted warehouse which was transformed into a modern hotel in 1971, yet retaining the old pime beams, creating a unique atmosphere. Most of the rooms have splendid view of the Copenhagen harbour.

Situated in the very heart of the „Old Copenhagen", close to the royal residence "Amalienborg" and the pedestrian zone „Strøget". It is likewise a few minutes walk from the ferry to Oslo (Norway) and the hydrofoil to Malmø (Sweden).

The well-known restaurant „Parkhuskælderen" seats 70 persons. Every day an impressive luncheon buffet as well as an exciting Danish/French à la carte menu is provided. Cosy bar seating 20 persons and conference facilities for up to 24 persons. Substantial price reductions in whole month of July and week-end (Oct.-Apr.).

L'Hôtel Romantik »71 Nyhavn« est un ancien comptoir de commerce transformé en hôtel en 1971. Les anciennes poutres ont été conservées et forment un ravissant contraste avec le reste de l'hôtel aménagé par ailleurs de façon moderne. Depuis la plupart des chambres, on y a une vue magnifique sur le port de Copenhague.

Situé directement en bordure du port et au coeur du »Vieux Copenhague«, c'est un endroit idéal pour se rendre à Copenhague, qu'ils agisse d'un déplacement d'affaires ou d'une visite priée.

Le »71 Nyhavn« se situé à quelques minutes à pied du château Amalienborg et de la célèbre rue piétonne strøget. Les bacs en direction de Malmö et Oslo font ascale juste en face de l'Hôtel.

Le restaurant »Pakhuskælderen«, connu pour sa bonne cuisine, dispose de 70 places et sert chaque jour un très copieux buffet danois et un choix à la carte de mets danois et français.

Un petit bar et une salle de réunion pour 24 personnes complétent encore l'offre de l'Hôtel.

Le »71 Nyhavn« prouve parfaitement qu'à partir d'un vieil entrepôt on peut faire un bel et agréable hôtel. Des réductions considérables en mois de juillet et aux week-ends (Oct.-Avril).

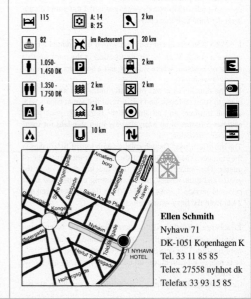

🛏	115	A: 14 / B: 25		🏌	2 km
	82	im Restaurant			20 km
🚶	1.050-1.450 DK	🅿		🚆	2 km
🚻	1.350-1.750 DK		2 km		
A	6		2 km	◎	
		U	10 km		

Ellen Schmith
Nyhavn 71
DK-1051 Kopenhagen K
Tel. 33 11 85 85
Telex 27558 nyhhot dk
Telefax 33 93 15 85

Romantik Hotel „Sophiendal"

Skanderborg

Med et jordtilliggende på 498 ha skov og agerjord, beliggende umiddelbart under Veng Kirkebakke, ud til brede eng - og sodrag, indrammet af skovlædte bakker, glider Sophiendal inf i et af de skonneste og mest karakterfulde jydske landskaber:
Den smukke park indbyder til spadsereture, hvor man bla kan opleve Rhododendron, som er 75-100 år gamle og på klare dage er udsigten til Himmelbjerdet en storslået oplevelse.
Man kan også lægge vejen forbi Veng Kirke, som er Danmarks ældste klosterkirke og et af vore ejendomme ligste arkitekturmindesmærker.
Den smukke restaurant med 50 pladser danner, sammen med slonen, hvor der er mulighed for lukkede selskaber op til 18 personer, de ideelle rammer om en kulinarsk oplevelse.
De gamle kældre under Sophiendal er i sig selv en spændende oplevelse. Her findes vinkælderen, hvor salg af udsogte kvalitetsvine og et stort udvalg af kinesisk of europæisk kunshåndværk gor kælderen til en helhed.
Sophiendal er for en stor del selvforsynende med råvarer til det dansk/franske kokken.

Mit 498 ha Boden - Forst, Ackerboden - unmittelbar am Fuße des Veng Kirchenhügels gelegen, von weiten Wiesen, Seen und waldbekleideten Hügeln umgrenzt, fügt sich Sophiendal in eine der schönsten und charaktervollsten jütländischen Landschaften ein.
Der hübsche Park lädt zu Spaziergängen ein, dort erlebt man u. a. 75-100 Jahre alte Rhododendren, und bei klarer Sicht ist die Aussicht auf die Anhöhe „Himmelbjerget" ein großartiges Erlebnis
Auch die Veng Kirche, die älteste Klosterkirche Dänemarks und eines unserer eigenartigsten Architekturdenkmäler, ist einen Besuch wert.
Das hübsche Restaurant mit 50 Plätzen bildet zusammen mit dem Salon, der geschlossene Gesellschaften bis zu 18 Personen aufnehmen kann, den ideellen Rahmen und ein kulinarisches Erlebnis.
Die alten Keller unter Sophiendal sind an sich selbst ein interessantes Erlebnis. Dort liegt der Weinkeller, wo der Verkauf erlesener Qualitätsweine und einer großen Auswahl chinesischen und europäischen Kunsthandwerks den Keller zu einer Gesamtheit vereint. Sophiendal ist zum großen Teil mit Rohwaren für die dänisch/französische Küche selbstversorgend, die ein großes und spannendes Angebot an Fleisch- wie Fischspezialitäten aufweist.

Sophiendal, with its approximately 1,350 acres of woodlands and fields situated at the foot of Veng Church hill and facing the lakeside meadows with a framework of wooded hills, has one of the finest settings in Jutland. The beautiful estate Park provides a direct invitation for a relaxing stroll. There are many attractive details, for example, the rhododendrons is are between 75 and 100 years old. On clear days, the view toward Himmelbjerget (the Sky Mountain), provides an unforgettable experience.
Veng Church, which is the oldest cloister church in Denmark and one of the country's most curious architectural monuments, is also well worht a visit.
The beautiful restaurant which accommodates up to 50 guests and the salon, which can accomodate private parties of up to 18 persons, provide the ideal settings for a culinary experience.
Sophiendal's age-old cellars also provide a memorable experience. The wine cellar, where one can purchase choice wines of high quality and the wide range of Chinese and European hanicraft, is a definite attraction.
Sophiendal is largely self-sufficient regarding the raw materials for the Danish/French cuisine with its widely varied and enticing selection of meat and fish specialities.

Situé tout au pied de la colline de Veng, entouré de vastes prairies, d'un lac et de collines boisées, Sophiendal et ses 495 hecatares de fôrets et de terres labourables s'intègrent bien à l'une plus belles et des plus typiques régions du Jutland.
Le beau parc vous invite à des promenades; vous y verrez entre,

des rhododendrons vieux de 75 è 100 ans. Lorsque le ciel est limpide, la vus sur la butte de »Himmelbjerg« est extraordinaire.
L'église de Veng, la plus ancienne église conventuelle du Danemark, et L'un de nos monuments architecturaux les plus curieux, vaut une visite.
Le beau restaurant, disposant de 50 places, ainsi que le salon qui peut accueillar des réunions jusqu'à 18 personnes, consituent le cadre idéal un événement culinaire.
Une visite dans les anciennes caves, situées en-dessous de Sophiendal, sera pour vous une expérience intéressants. Vour pourrez acquérir d'excellents vins ainsi que des produits variées de l'artisanat chinois et européen.
Sophiendal produit lui-même une grande partie des ingrédients employés dans les cuisines danoise et française, et offre un vaste choix de spécialités de viande et de poisson.

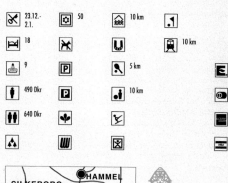

Klaus Mortensen
Låsbyvej 82, Veng
DK-8660 Skanderborg
Tel. 86 94 47 88
Fax 86 94 48 10

Frankreich

France

Romantik Hotel
„Le Relais du Lys"
Auberive-Vivey

Plongé longtemps dans un sommeil de belle au bois dormant Vivey et son château sont un lieu idéal pour gouter un repos réparateur des méfaits d'une vie stressante dans une nature inaltérée. Au «Relais du Lys» on se sent comme en visite chez des amis car tout est à échelle humaine, on aimerait dire intime. Une carte courte de bonnes choses pour la table, des chambres plaisantes et confortables, des promenades à pied ou à vélo dans la forêt proche, tel est le Château de Vivey; beau repaire solitaire pour un instant de paix retrouvée.

Nachdem Vivey und sein Schloß lange in einen Dornröschenschlaf versunken waren, sind sie nun der ideale Ort, um in unzerstörter Natur einen Erholungsurlaub von den Belastungen eines streßgeplagten Lebens zu genießen. Im „Relais du Lys" fühlt man sich, als ob man bei Freunden zu Besuch sei, denn alles hat menschliche, man möchte sagen, intime Ausmaße. Eine übersichtliche Karte mit guten Sachen für den Tisch, angenehme und komfortable Zimmer, Spaziergänge auf Schusters Rappen oder mit dem Fahrrad in den nahegelegenen Wald, das ist das Schloß von Vivey; ein schöner einsamer Schlupfwinkel für ein bißchen Frieden außerhalb der Hektik des Alltags.

Now that Vivey and its palace have awoken from their long, deep sleep, they are the ideal place for recovering from the burdens of stressful modern life in undefiled, natural surroundings. At "Relais du Lys", you will feel as if you are visiting your friends, because everything is on a human, even intimate scale. An easy-to-follow menu with good food and drink, pleasant and comfortable rooms, foot or bicycle tours in the nearby forest, that is Vivey Palace; a lovely, remote hideaway for a getaway from the everyday.

Halbpension mit Golf Green-Fee

Woche (Montag-Freitag)   p.P.
3 Tage ½ Pension + Green-Fee	1.815,— FF
3 Tage ½ Pension + Green-Fee +	
1 Diner Gastronomique + 1 Fl. Champ.	2.340 ,—FF
5 Tage ½ Pension + Green Fee	3.020,— FF
5 Tage ½ Pension + Green Fee +	
1 Diner Gastronomique + 1 Fl. Champ.	3.545,— FF

Wochenende (Samstag-Sonntag)

2 Tage ½ Pension + Green-Fee	1.575,— FF
2 Tage ½ Pension + Green Fee +	
1 Diner Gastronomique + 1 Fl. Champ.	2.100,— FF

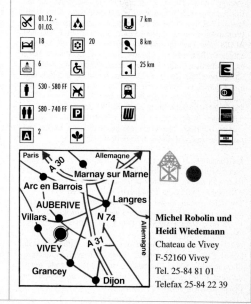

Michel Robolin und
Heidi Wiedemann
Chateau de Vivey
F-52160 Vivey
Tel. 25-84 81 01
Telefax 25-84 22 39

Romantik Hotel
»La Tonnellerie«

Beaugency

La Tonnellerie« est située en Val de Loire, à Tavers, petit village proche de la jolie ville médiévale de BEAUGENCY (nombreux monuments), exactement entre ORLEANS et BLOIS, par la RN 152. L'Hôtel est au centre du village. La majorité de ses chambres donne sur un beau jardin clos et sur la piscine. Il constitue (à 1 H 30 de PARIS par l'autoroute A 10 sortie »Meung« ou »Mer«) le point de départ idéal pour la visite des principaux Châteaux de la Loire (Chambord, Blois, Cheverny, Chaumont, Amboise, Chenonceaux, Sully, Chateaudun, etc ...) des villes historiques (Orléans, Blois) et de charmants petits châteaux souvent privés (Beauregard, Villesavin, Troussay, Le Moulin, Talcy, etc ...).
De plus, la Sologne toute proche propose de nombreuses possibilités de promenades pédestres ou cyclistes, plusieurs parcours de golf, des clubs équestres organisant des promenades en calèche, la pêche en rivières et étangs, et bien entendu, la chasse, dont elle est le terrain de prédilection. L'Hôtel est entièrement décoré de meubles anciens datant du siècle dernier, comme la maison elle-même. La carte du Restaurant comporte d'une part des spécialités régionales, et d'autre part des plats style »Nouvelle Cuisine«. Enfin, la cave est axée pincipalement sur les vins de la Vallée de la Loire.

„La Tonnellerie" liegt im Loire-Tal in TAVERS, ein kleines Dorf nahe der schönen mittelalterlichen Stadt BEAUGENCY zwischen ORLEANS und BLOIS an der NATIONALSTRASSE 152.
Das Hotel befindet sich im Zentrum des Dorfes neben der Kirche. Von den meisten Zimmern hat man den Ausblick auf einen schönen geschlossenen Garten und das Schwimmbecken. Die Lage des Hotels (1½ Stunden von Paris, A 10 Ausfahrt „Meung" oder „Mer") ist ein idealer Ausgangspunkt für die Besichtigung der bekanntesten Loire-Schlösser (Chambord, Blois, Cheverny, Chaumont, Amboise, Chenonceaux, Sully, Chateaudun etc.); der historischen Städte wie ORLEANS und BLOIS und der charmanten kleineren, und oft privaten Schlösser (Beauregard, Villesavin, Troussay, Le Moulin, Talcy etc.). Außerdem bietet die nahegelegene Sologne Möglichkeiten für Spaziergänge, Radtouren, Golfplätze und Reitclubs mit organisierten Kutschentouren, Fluß- und Teichfischen und natürlich Jagd, dessen Hauptrevier sie ist.
Das Hotel ist ausschließlich mit antiken Möbeln aus dem letzten Jahrhundert ausgestattet, aus welchem auch der Bau des Hauses stammt. Die Küche bietet teils regionale teils „neue Küche" und die Weine sind zum großen Teil aus dem Loire-Tal.

La Tonnellerie is situated in Val de Loire, at TAVERS, a little country village close by BEAUGENCY, an interesting medieval town with historic buildings at the same distance from ORLEANS and BLOIS (about 15 miles) by the main road N° 152.
The Hotel is in the center of the village. Most of the rooms are facing a beautiful flower courtyard and a swimming-pool. Only 1 1/2 hour from PARIS by the A 10 motorway (way out "Meung" or "Mer").
"La Tonnellerie" is the ideal starting point for visiting the main Loire Châteaux (Chambord, Blois, Cheverny, Amboise, Chenonceaux, Sully, Chateaudun etc ...) the historic towns (Orléans, Blois) and a lot of charming little private chateaux (as Beauregard, Villesavin, Le Moulin, Talcy ...).

Otherwise La Sologne, very nearly suggests many opportunities for pretty walks, cycling and several riding clubs organize horse-riding and horsedrawn trips. Moreover La Sologne is the favourite place for hunting and fishing (in rivers and pools).
Decoration is composed of antique furniture of the last century as well as the beautiful restored House. The Restaurant "carte" is made on the one hand of regional food specialities and on the other hand of "New Cooking Style" dishes. As for the wine-list, it is particularly centred on wines from LOIRE VALLEE.

🍴 1.1.-8.4.93 u. 10.10.-31.12.93	❀ 10/24	U 17 km	⇅
🛏 31	♿	⚲ 3 km	
🛏 20	🐎	⚲ 9 km	
🚻 795 - 1200 FF	P	🚆 3 km	
A 8	❧	◉	E
⛰	〰	⫴	VISA

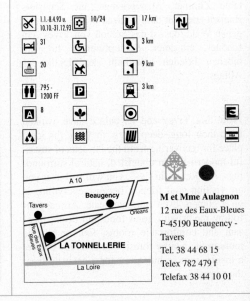

A 10

Tavers

Beaugency

Orleans

Rue des Eaux Bleues

LA TONNELLERIE

La Loire

M et Mme Aulagnon
12 rue des Eaux-Bleues
F-45190 Beaugency -
Tavers
Tel. 38 44 68 15
Telex 782 479 f
Telefax 38 44 10 01

Beaugency

Romantik Hotel
»La Tonnellerie« (F)

Die traumhaft schöne „Sologne"
bietet unglaubliche Möglichkeiten, wir helfen gerne unseren Gästen bei der Auswahl.

- Rundfahrt mit dem Geländefahrrad (Mountain Bike) einen halben oder einen ganzen Tag, mit Begleitung.
- Wandern durch die königlichen Wälder, eine der besten Jagdreviere Frankreichs, vorbei an wunderschönen Seen, dort können Sie auch segeln.
- Spazierfahrt mit einer Pferdekutsche oder einen Ritt durch die Anlagen des wunderbaren Schlosses „CHAMBORD".
- Für Golfer steht ein internationaler Golfplatz in unmittelbarer Nähe von unserem Romantik Hotel zur Verfügung.

UNSERE ANGEBOTE:

Unser kulturelles Erholungsangebot:

- 5 Übernachtungen m. Frühstück
- 5 Abendessen
- Besuch von 3 Privatschlössern
- einen halben Tag Mountain-Bike-Tour
- ein ganzer Tag Besuch im Schloß und Park CHAMBORD
- ein Weinkellerbesuch mit Weinprobe
- sowie eine Flasche Crémant der Loire, die Sie in Ihrem Zimmer erwartet

Preis pro Person: 995,- DM im Doppelzimmer mit Bad/WC. Auf Anfrage kann das Angebot auf 10 Tage erweitert werden.

Unser Prestige-Angebot:
- 2 Übernachtungen im Appartement mit Frühstück
- 2 Aperitif
- 1 gastronomisches Menu incl. Wein der Loire
- 1 Gourmand Menu incl. Wein der Loire
- sowie eine Flasche Champagner in Ihrem Appartement.

Preis pro Person: 700,- DM im Appartement

* Spezial Offerte an unsere Romantiker:
- Bei 4 Tagen Aufenthalt m. HP erwartet Sie am letzten Tag ein gastronomisches Menu (7 Gänge).
- Bei 7 Tagen Aufenthalt m. HP werden nur 6 Nächte berechnet.

Romantik Hotel „Doctrinaires"

Parmi les bâtiments les plus imposants que compte Beaucaire - au sud d'Avignon - se trouve sans aucun doute celui des Doctrinaires. A son arrivée, l'hôte est immédiatement frappé par la distinction de cet établissement situé élégamment en retrait de la rue principale, le Qúai Général De Gaulle, frappé par la distinction imposante de l'intérieur lorsqu'ily pénètre en empruntant le magnifique escalier.

Lorsque le »Doctrinaires« a été tranformé voici quelques années d'école conventionnelle en hôtel, le restaurant été conservés dans sou style d'origine alors que les chambres ont été conçues dans un style moderne.

Comme beaucoup d'endroits situés dans le triangle Avignon - Nîmes - Arles au si riche passé historique, Beaucaire, avec sa pléiade de monuments historiques, constitue un point de départ idéal pour découvrir la région et son histoire. Beaucaire est très bien placé aussi lorsqu'on veut faire des excursions en Provence ou sur la côte méditerranéenne.

Eines der eindrucksvollsten Gebäude in Beaucaire - südlich von Avignon - ist sicherlich das „Doctrinaires". Es liegt vornehm zurückgesetzt, an der Hauptstraße, dem Quai Général de Gaulle, und macht alleine schon dadurch einen distinguierten Eindruck auf den ankommenden Gast.

Dieser Eindruck setzt sich auch im Inneren fort, wenn man das Haus über eine herrliche Treppe betritt.

Das Restaurant ist stilecht erhalten geblieben, als man das „Doctrinaires" vor einigen Jahren von einer Klosterschule zu einem Hotel umgebaut hat, während die meisten Zimmer modern gestaltet worden sind.

Wie viele Orte im geschichtsträchtigen Dreieck Avignon - Nimes - Arles - ist auch Beaucaire voller historischer Bauten und ein idealer Ausgangspunkt, um diese Region und ihre Geschichte zu erkunden. Auch für Ausflüge ans Mittelmeer oder in die Provence bietet sich Beaucaire sehr gut an.

The „Doctrinaires" is without question one of the most impressive structures in the town of Beaucaire, located just south of Avignon.

The hotel makes a most distinguished first impression, set back at a noble distance from the main street, „Quai Général de Gaulle".

The same quiet elegance is reflected in the divin staircase and accompanies you throughout the house. The restaurant has been left as they were years ago when the „Doctrinaires" was still a convent school, while most of the guest rooms have been fully equipped with modern conveniences.

Like so many places in the Avignon-Nimes-Arles triangle, so rich in history, Beaucaire is full of historic buildings and is an ideal starting point to discover the surrounding area and its past. It is also a convinient place to begin a trip through the Provence or to the Mediterranean Sea.

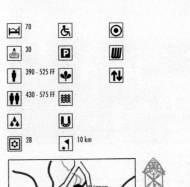

🛏 70	♿	◉
🛏 30	P	⦀
👤 390 - 525 FF	❀	⇅
👥 430 - 575 FF	≋	
⚜	∪	
✦ 28	⬕ 10 km	

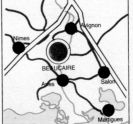

Mme. + M. Sauvage-Dijol
Quai Général de Gaulle,
32, rue Nationale
F-30300 Beaucaire
Tel. 66 59 41 32
Telex 48 07 06 f
Fax 66 59 31 97

Romantik Hotel
„Manoir Le Grand Vignoble"

Bergerac (F)

Niché au centre de la région du Périgord à la beauté incomparable, vous trouverez, loin de toute source de bruit et de trafic, un domaine paisible appelé «Grand Vignoble». Il s'agit d'une ancienne propriété viticole disposant encore de quelques vignes à l'heure actuelle et qui, voici quelques années, a été transformé en un hôtel confortable par la famille de Labrusse. Ceux-ci en ont fait un eldorado de 75 ha consacrés au sport et aux loisirs, équipé d'un excellent centre d'équitation dans lequel on peut également emmener ses propres chevaux. Il y a également des courts de tennis, un parc animalier et une piscine à l'air libre avec sauna. Le restaurant propose bien entendu les spécialités périgourdines: foie gras et truffes. Les excursions vers Bergerac, Périgueux et aux grottes de Lascaux, où se trouvent les peintures rupestres mondialement célèbres, sont hautement conseillées. UNE NOUVEAUTE: notre ferme beauté avec masseur et jacuzzi.

Mitten im einmalig schönen Périgord-Gebiet liegt abseits von irgendwelchen Verkehrsströmen in absoluter Ruhe das „Grand Vignoble". Es ist ein ehemaliges Weingut, das auch heute noch über einige Weinstöcke verfügt und vor wenigen Jahren von der Familie de Labrusse zu einem komfortablen Hotel umgebaut wurde. Es entstand in den letzten Jahren auf 75 ha ein Eldorado für Sport und Freizeit mit einer ausgezeichneten Reitanlage, auf der man auch seine eigenen Pferde mitnehmen kann, dazu Tennisplatz, einem Tierpark und einem Freischwimmbad mit Sauna. Das Restaurant bietet natürlich die Spezialitäten des Périgords: Gänseleber und Trüffel. Ausflüge nach Bergerac, Périgueux und zu den Grotten von Lascaux mit den weltberühmten Höhlenmalereien sind zu empfehlen. – NEU – unsere Beauté-Farm mit Masseur und Jacuzzi.

In the midst of the uniquely beautiful Périgord region, far off the beaten path in absolute tranquillity, you will find the ''Grand Vignoble''. It is a former wine estate which still has some vines even today and which the Labrusse family converted into a luxurious hotel just a few years ago. Over the past few years, the 750 acre estate has turned into a eldorado of sports and recreation opportunities including an excellent riding area where guests can also bring their own horses as well as a tennis court, a zoological garden, and an outdoor swimming pool and sauna. Of course the restaurant offers the specialities of the Périgord region: foie gras and truffels. Excursions to Bergerac, Périgueux and the Grottoes of Lascaux with their world-famous cave paintings are always worthwhile. – NEW – our beauty farm with masseur and jacuzzi.

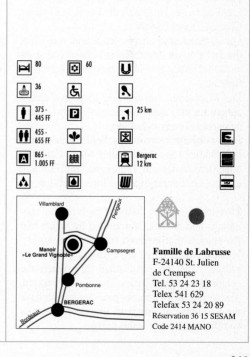

Famille de Labrusse
F-24140 St. Julien
de Crempse
Tel. 53 24 23 18
Telex 541 629
Telefax 53 24 20 89
Réservation 36 15 SESAM
Code 2414 MANO

Romantik Hotel
„La Terrasse du Soleil"

Sur les hauteurs de Céret, entre mer et montagne, en pleine nature, et dans les couleurs qui ont inspiré les plus grands peintres, deux grandes villas étagées à flanc de colline prolongent le vieux mas catalan qu' habita longtemps le célébre chanteur Charles Trenet. Les chambres sont agréables et lumineuses elles - béneficent toutes d' une vue grandiose et vous proposent un dévor clair et reposant. C' est sur une jolie terrasse encadrée de verdure qu' une cuisine fraîche et legère vous sera servie. La piscine chauffée bénéficie d' une vue superbe sur le mont Canigou, un court de tennis éclairé et un practice de golf sont à votre disposition.

Auf den Anhöhen von Céret, zwischen dem Meer und den Bergen, mitten in der Natur, und in den Farben, die die bedeutendsten Maler inspiriert haben, verlängern zwei große, terrassenförmig angelegte Villen am Fuß des Hügels das alte katalanische Mas (südfranzösisches Landhaus), das lange Zeit der berühmte Sänger Charles Trenet bewohnte.
Die Zimmer sind ansprechend und von Licht durchflutet; sie gewähren eine herrliche Aussicht und haben eine helle und gemütliche Einrichtung.
Die Mahlzeiten werden aus frischen Zutaten zubereitet und auf einer schönen, im Grünen gelegenen Terrasse serviert.
Der beheizte Swimming-Pool bietet eine traumhafte Aussicht auf den Mont Canigou; außerdem stehen ein Tennisplatz mit Flutlicht und ein Golfübungsplatz zu Ihrer Verfügung.

Overlooking Céret, halfway between the mountains and the sea, surrounded by nature and the colours that inspired some of the world's greatest painters, two big villas, nestling in the hilltop, flank this old catalan farm where the celebrated singer Charles Trenet once resided. The rooms are extremely pleasant and all have the advantage of a magnificent view whilst also offering a bright, calm decor.

It is on our beautiful terrace, with a spectacular backdrop, that you will be served our exquisite cooking. The heated swimming pool has the advantage of a surperb view of "Le Mont Canigou" while floodlight tennis and a golf practice are at your disposal.

3.1. - 6.3.93		Chauffée
66	84	
27		Eclairé
755 FF		Terrain de-Petanque Eclairé
815 FF		1 Trou-de Golf + 1 Practice de Golf
1		27 km Perpignan

M et Mme Leveille-Nizerolle
Route de Frontfréde
F-66400 Ceret
Tel. 68 87 01 94
Telefax 68 87 39 24

Romantik Hotel
„L'Auberge de Combreux"

Combreux ⟨F⟩

Dans un ecrin de verdure un petit coin de paradis à 1 h 30 de Paris - aux portes des Chateaux de la Loire entre Sully sur Loire et Orléans, l'etape idéale près de 5 Golfs, dans les 33.000 ha de la Forêt D'Orléans avec piscine chauffée, tennis, moutain bike practice de Golf a l'auberge.

Péche en Loire ou etang, equitation, jogging, chasse au canard ou à courre en saison a proximité.

L'auberge est une ravissante et très confortable demeure - ancien Relais de Poste - ou le decor raffine est agrémenté de meubles anciens, cheminées, chambres »cosy« toutes avec sanitaire récent et TV couleur, 2 ch avec jacuzzi.

Au restaurant ou sur la terrasse, tables rondes au linge fin et argenterie, cuisine recherchée et traditionelle.

Un meme esprit anime la direction et le personnel: »Accueillir chaleureusement et veiller au bien-etre des clients.«

Nördlich von Orleans liegt im größten Waldgebiet Frankreichs ein kleiner Ort mit Namen Combreux und inmitten dieses Ortes ein total umranktes Haus, das L'Auberge.

Genauso wie sich das Haus hinter den üppig wachsenden immergrünen Pflanzen verbirgt, verbirgt sich hinter den Mauern dieser einfach wirkenden Herberge eine kleine Oase gemütlicher Gastronomie. So stellt man sich ein kleines aber gutes Landhotel vor: kein übertriebener Luxus, sondern schlichte herzhafte Qualität. Eleganz würde hier fehl am Platze sein, doch die Leinentischdecken und die Natürlichkeit lassen die Frage aufkommen: Warum gibt es solche Plätze so selten.

Die Küche dieses Hauses bietet sehr geschmackvolle Gerichte in unverfälschter Qualität, während Chris Gangloff und ihre Tante ihre Gäste in einer ebenso unverfälschten Herzlichkeit betreuen.

Auch die Zimmer im Haupthaus und in den kleinen Häusern auf der anderen Straßenseite strahlen diese schlichte Herzlichkeit und Wärme aus, ohne daß es an Komfort fehlt, ja, sogar ein Freischwimmbad ist vorhanden und kleine Tagungsräume, was man kaum vermuten würde. 2 Zimmer mit Jacuzzi.

Es gibt wenige Häuser, die mehr halten, als sie versprechen. Die „L'Auberge" in Combreux gehört dazu. Es ist eine Freude, dort Gast zu sein.

The hotel is a comfortable and lovely divelling (a farmer mail post stop) where the setting is refined with the addition of antique furniture, open fire chimneys, cosy bedrooms with complete sanitation and colour T. V. 2 rooms with jacuzzi

Inside the restaurant or in the open, round tables with fine linen and silverware, refined and traditional cooking.

Both manager and employees work in the same spirit: warm welcome and constant alterness to the well-beeing of customers.

Nestled in green scenery, a corner of paradiese, about 1 1/2 hour from Paris.

In the vicinity of the Loire, valley and castles, situated between Sully-sur-Loire and Orléans.

This is the ideal stopping place, not far from 5 golfing grounds in the 1000 000 acres Orléans forest, with heated swimming pool, tennis, mountain bike and golf practice available at the hotel - fishing in the Loire river or in the large Combreux pond, horse-riding, jogging, duck-shotting and hunting in season in the nearby forest.

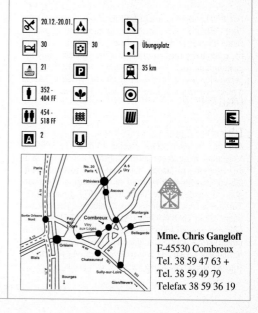

✂ 20.12.-20.01.	⛺	◗
🛏 30	❀ 30	⚐ Übungsplatz
♨ 21	🅿	🚉 35 km
🧍 352 - 404 FF	🌳	◎
🧍🧍 454 - 518 FF	🌊	Ⅲ
🅰 2	ᙀ	

Mme. Chris Gangloff
F-45530 Combreux
Tel. 38 59 47 63 +
Tel. 38 59 49 79
Telefax 38 59 36 19

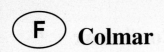

(F) Colmar

Romantik Hotel „Hostellerie le Maréchal"

L'HOSTELLERIE LE MARECHAL se trouve dans un des plus beaux sites du Vieux Colmar: La Petite Venise, un quartier aux allures de village sur l'eau avec son déluge de colombages. Les immeubles sont bâtis sur les fortifications du XIe siècle. En 1674, le Maréchal Turenne aurait séjourné dans l'hôtel qui s'appelait alors LE GASTHOF ZUM SCHWARTZENBERG. Les appartements sont équipés de bain jacuzzi, certaines chambres de douche massage ou sauna, et climatisées La Salle de Restaurant J. S. Bach et la Terrasse sont directement situées au bord de l'eau.

Eines der schönsten und meist fotografierten Viertel der Altstadt Colmar ist das Kleine Venedig. Dort befindet sich das Romantik Hotel LE MARECHAL, gebaut im Jahre 1565. Das Hotel ist ein Fachwerkhaus, die Zimmer sind ganz auf Nostalgie eingestellt, aber mit dem Komfort des 20. Jahrhunderts. Die Appartements haben eine Whirlpool-Badewanne, Himmel- oder Baldachin-Bett, mehrere Zimmer Massage- oder Sauna-Dusche usw. Über Winkel und Ecken geht es zu den Restaurants am Wasser gelegen, das ist der eigentliche Reiz dieses Hauses. Übrigens ist Mme BOMO Stuttgarterin.

Constructed in 1565 on the fortified walls which encircle Colmar the hotel LE MARECHAL welcomes you in the most attractive part of the old town: LITTLE VENICE. Therefore you will find there the comfort of the 20th Century: Jacuzzi bath in apartments and jacuzzi or sauna shower in the rooms. In cosy rooms overlooking the river and furnished in rustic styles you can enjoy the gastronomic and Alsatian Cooking. Mrs. BOMO will personally ensure your comfort. So the MARECHAL is a place where you can eat well and have a very pleasant holiday.

L'HOSTELLERIE LE MARECHAL e situata in uno dei più bei punti della vecchia Colmar: la «Piccola Venezia», un quartiere la cui atmosfera ricorda quella di un villaggio sull' acqua, con i suoi numerosi colonnati. Gli edifici sono stati costruiti su fortificazioni che risalgono al secolo XI. Sie dice che nel 1674 il maresciallo Turenne avesse soggiornato nell' albergo, che si chiamava allora GASTHOF ZUM SCHWARTZENBERG. Gli appartamenti sono dotati di bagni jacuzzi, alcune camere offrono doccia con idromassaggio o sauna e climatizzazione. La sala da pranzo J. S. Bach e la «Terrazza» sono situate direttamente sul bordo dell'acqua.

	38		30	U	
	30	P			Am Ort
	390 - 500 FF				8 km
	500 - 800 FF				
A	6 900-1.200 FF				

LE MARÉCHAL
■ Place des six montagnes noires
Grand-Rue
Strasbourg
Gare
Petite Venise
Rue du Manège
Boulevard St. Pierre

M et Mme Gilbert Bomo
Petit Venise
F-68000 Colmar
Tel. 89 41 60 32
Telex 88 09 49
Telefax 89 24 59 40
+ 89 23 73 61

Romantik Hotel
„Hostellerie le Maréchal"

Colmar  F

Schwergewicht in diesem Hause ist eindeutig das Restaurant. - Auch das Hotel genießt großen Ruf und gehört seit kurzem zu den auserwählten Hotels. So ist das „Maréchal" ein Ort, wo man herzhaft tafeln kann und sehr schöne Kurzurlaube verbringen möchte.

Zwei Tage Schlemmer-Tour im Elsaß

Verbringen Sie zwei herrliche Schlemmer- und kulturelle Tage in Colmar im Romantik Hotel „LE MARECHAL" mitten in der wunderschönen Altstadt am „Kleinen Venedig".
Lieben Sie alte Balken? Haben Sie die Nostalgie der Vergangenheit in sich? Dann werden Sie sich bei uns wohlfühlen.
Anreise an jedem beliebigen Tag (nach Voranmeldung).

Colmar, die Stadt, die es meisterhaft verstand, die alten Viertel zu sanieren und der Zukunft zu erhalten, können Sie mit einem Vierradross besichtigen und in der Fußgängerzone flanieren.
Halt machen müssen Sie dann um das zweit bestbesuchte Museum Frankreichs zu besichtigen, das Unterlinden Museum im Dominikaner Kloster. Hier sind die Schätze und wertvollen Zeugnisse der Vergangenheit vom Oberelsaß aufbewahrt und insbesondere der weltberühmte Altar von Matthias Grunewald. Ein wenig weiter durch die alten Gassen kommt das Geburtshaus von Bartholdi, dem Schöpfer der Freiheitsstatue von New York. Und diese Stadt mit ihrer großen Vergangenheit und Zukunft liegt auch noch so herrlich umgeben von schönen Winzerorten wie Requewihr und Eguisheim, die wir mit ins Programm eingeschlossen haben.

Unser Angebot umfaßt folgende Leistungen:

- 2 Übernachtungen im Doppelzimmer mit Bad oder Dusche und WC
- 2 Abendessen, ein großes elsässisches und das 8-Gang-Gourmet-Menü
- dazu servieren wir die Panoplie der elsässischen Weine
- Vierradross zum Promenieren in der Fußgängerzone
- Organisierter Weinkellerbesuch

Schlemmer - Angebot

Preis pro Person

Sonntag - Donnerstag	DM 490,-
EZ - Zuschlag	DM 35,-
Freitag - Samstag oder Feiertag	DM 510,-
EZ - Zuschlag	DM 50,-

F Gérardmer

Romantik Hotel „Des Bas Rupts"

Vous rêvez de vacances au rythme de la nature, d'un week-end »tonique« ... L'Hostellerie des Bas Rupts vous accueille en pleine montagne vosgienne dans un chalet où il fait si bon vivre que vous en oubliérez le temps qui passe. Vous partirez pour de longues promenades à travers les sentiers de montagne, les forêts de sapins, les prairies en fleurs, vous vous attarderez au bord des lacs.

Dès le printemps jusqu'aux premiers jours de l'automne, l'Hostellerie vous propose des forfaits tennis et, l'hiver, des forfaits ski de fond et alpin.

Les joies gourmands sont aussi au programme de votre séjour à l'hôtel. Et c'est toute une magie de saveurs, de délicatesse, d'élégance. Les cuisiniers exercent leur métier en »artistes«.

Ouvert toute l'année, cet élégant relais de montagne vous propose des chambres excellentes.

Située à 3 km de Gérardmer, »Perle des Vosges«, l'hostellerie vous promet de grandes joies dans cette station renommée: le lac, le casino, la piscine, la patinoire, le bowling, la planche à voile, etc.

Le bonheur d'admirer la nature, de flâner, de rêver ...

In den Vogesen, dem Wander- und Feinschmecker-Paradies im östlichen Frankreich, liegt im Ort Gérardmer ein Hotel im Chaletstil, die „Hostellerie Les Bas Rupts". Ob man im Sommer zum Wandern, Tennis oder Fischen in die Hostellerie fährt oder im Winter zum Skilaufen, das gastronomische Erlebnis ist stets ein Vergnügen. Die Michelin-besternte Küche, die wunderschönen Restauranträume und die schönen Zimmer lassen den Aufenthalt zu einem Erlebnis werden, das man noch lange in guter Erinnerung hat.

Es ist ein idealer Ort für einen Kurzurlaub oder kulinarisches Erlebnis-Wochenende ob mit Freunden oder ob man sich zu zweit etwas Gutes gönnen möchte.

Do you long for a holiday at nature's pace, or for a „health" weekend?

Come to the Hostellerie des Bas Rupts where life is good that you will forget time passing ... You can go on long walks along mountains footpaths, through pine forests and meadows full of flowers, you can linger by the lakeside. From spring to the first days of autumn, we offer you special tennis rates and, in winter, for Nordic and Alpine skiing.

the delights of good food are also in the programme of your stay. The cuisiniers seem to be artists as much as professionals. Enchanting flavours, delicacy and elegance are found in the cuisine.

Open all year round, this elegant mountain establishment offrers comfortable rooms with a so charming annex with its warmly decorated, painted wooden doors, flowers in every nook and cranny.

3 km away from the hotel you find the lake, casino, swimming-pool, ice-rink, bowling alley, windsurfing. Enjoy nature walking and daydreaming ... come to Gérardmer.

🏠 26	20	
14	P	
600 - 700 FF P		🚉 25 km
700 - 900 FF		
A 2		
	U 3 km	

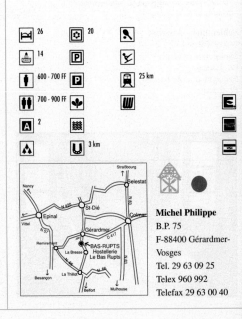

Michel Philippe
B.P. 75
F-88400 Gérardmer-Vosges
Tel. 29 63 09 25
Telex 960 992
Telefax 29 63 00 40

Romantik Hotel
„Hostellerie de l'Ancienne Gendarmerie"

Lantosque

L'Ancienne Gendarmerie est un établissement comprenant huit chambres et suites et le restaurant. Gendarmerie de montagne au XIXeme siècle, salle à été aménagée en charmante Hostellerie. Luxe, raffinement, calme et détente sont les atouts de cette maison qui est également un prestigieux rendez-vous gastronomique.
Elle est située dans magnifique région: la vallée de la Vésubie.
L'Hostellerie de l'Ancienne Gendarmerie est située entre mer et montagne, vous pourrez ainsi bénéficier d'activités très variées. Vous pourriez, par exemple, faire des excursions pédestres en montagne, visiter le Parc du Mercantour, sa Vallée des Merveilles et ses 40000 gravures repestres préhistoriques. Lantosque est situé 45 min de Nice.

Die „Hostellerie de l'Ancienne Gendarmerie" ist ein Hotel-Restaurant, das 8 Zimmer und eine exquisite Küche bietet. Im 19. Jahrhundert noch ein Gebirgsgendarmerieposten, ist es heute eine charmante Herberge. Luxuriosität, Eleganz, Ruhe und Entspannung sind die Attribute der Herberge, die auch ein angesehener gastronomischer Treffpunkt ist. Sie befindet sich im Hinterland der Französischen Riviera, dem Vésubie-Tal, etwa 45 Min. von Nizza.
Das Restaurant, die Räume, die Terrasse und der Swimmingpool überblicken den dahinströmenden Fluß und die herrliche Gebirgsszenerie.

Hostellerie de l'Ancienne Gendarmerie is a Hotel-Restaurant, offering 8 rooms and exclusive dining. Once a mountain gendarmerie post dating from the 19th century, it is now a charming Hostellerie, which is also a prestigious gastronomic rendez-vous. Situated in the back country of the French Riviera: the Vésubie valley, about 45 min from Nice.
The surrounding valleys reveal unrivalled possibilities for hiking – in the Mercantour park with it's 260 square mile flora & fauna nature reservation, and also the "Vallee des Merveilles" with it's 40,000 prehistoric stone engravings.

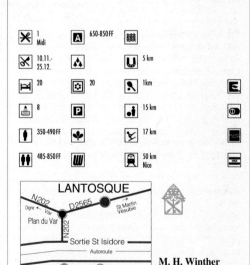

✗ 1 Midi	Ⓐ 650-850FF	▧
✗ 10.11.-25.12.	⌂	U 5 km
⊨ 20	❋ 20	✎ 1km
♨ 8	P	⚲ 15 km
♦ 350-490FF	✿	⚘ 17 km
♦♦ 485-850FF	∥∥	⊞ 50 km Nice

LANTOSQUE

N202 Digne ← Var D2565 St Martin Vésubie
Plan du Var
N202
Sortie St Isidore
Autoroute

Nice-Aéroport Nice

CÔTE D'AZUR

M. H. Winther
Le Rivet
F-06450 Lantosque
Tel. 93 03 00 65
Telefax 93 03 06 31

«**J**e traversais la beauté spacieuse. En la vallée humble et délicieuse» chantait le poète Marot. Montagnes, glaciers, forêts, monde merveilleux. Au cœur du vieux village haut-alpin, l'église du XVe vous acceuille, sentinelle. Nichée au pied du clocher, l'Auberge du Choucas pétille, ronronne, s'affaire, exulte et vous attend, sobres assoiffés mangeurs de Poésie. Amants des vieilles pierres, des fleurs des sentiers du bois, grimpeurs de Voies Lactées, à Vous! Nous vous restaurerons avec ce qui est bon, et délicat. Votre plaisir sera le nôtre.

„**I**ch schritt durch weite Schönheit. Im wundersam bescheidnen Tal..." So sang der Dichter Marot. Im Herzen des alten Hochalpenortes, neben der mittelalterlichen Kirche aus dem 15. Jahrhundert, wohlgeborgen zu Füßen des Kirchturms gelegen, ist die behagliche „Auberge du Choucas" lebhaft geschäftig an der Arbeit und erwartet Sie, die Sie nach Lauterkeit und Poesie dürsten. Liebhaber alten Gemäuers, Liebhaber von Blumen und Waldwegen, Milchstraßenbezwinger, wir bewirten Sie gut und köstlich. Ihre Freude wird die unsere sein.

"**I** went through open beauty. In the simple and delightful vale...", so sang poet Marot. In the heart of an old Alpine village, by the XVth cent. Church, nestling at the foot of the steeple, warm crackling like a fireplace, cosy purring like a cat, yet bustling about and joyful, the "Auberge du Choucas" is expecting you, the sober thirsty eaters of Poetry. Lovers of old stones, passionate flower seakers along the paths, climbers on the Milky Way, we will refresh you with what is nice, and delicate. Your pleasure will be ours.

✂	2.11. - 15.12.	◉	10 km
🛏	20	♨	400 m
🔼	12	✿	20 km
🚹	652 - 865 FF	〰 400 m	14 km Briançon
👫	714 -1.350 FF	U 5 km	
A	4	↘ 400 m	

«**A**ttraversavo la bellezza spaziosa. Nella valle umile e deliziosa...» cantava il poeta Clément Marot. Nel cuore di un vecchio paese alto alpino, vicino alla chiesa del Quattrocento, nidificata al piede del campanile, «l'Auberge du Choucas» frizza, fa le fusa, si affaccenda, esulta e ci aspetta, sobrii assetati mangiatori di Poesia. Amanti delle antiche pietre, dei fiori dei sentieri del bosco, scalatori di Vie Lattee, a Voi! Vi ristoreremo con quelle che è buono, e delicato. Il vostro piacera sarà il nostro.

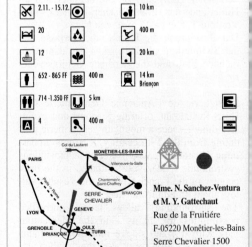

Mme. N. Sanchez-Ventura et M. Y. Gattechaut
Rue de la Fruitiére
F-05220 Monêtier-les-Bains
Serre Chevalier 1500
Tel. 92 24 42 73
Telefax 92 24 51 60

Romantik Hotel „3 Roses"
La Petite Pierre

Dans la partie Nord des Vosges si riches en belles forêts par monts et par vaux, vous deconvrirez l'Hôtel Romantik »Trois Roses« au centre du bourg médiéval La Petite Pierre, au coeur du Parc Naturel vosgien. Derrière une belle facade du XVIIIéme siècle, l'établissement possède plusieurs restaurants: salle d'auberge villageoise, restaurants rustiques chaudement lambrisés de bois, un élégant Salon et une magnifique terrasse sur laquelle il faut déguster un repas aux beaux jours de l'été. Chacun d'un style différent, tous cec restaurants jouissent d'une vue exceptionnelle sur la vaste vallée tranquille surplombée d'un vieux châteaufort.

La cuisine satisfait tous les goûts: de bons plats campagnards aux fines spécialités vosgiennes, choucroute garnie et foie gras, le tout en portions copieuses typiques de la région. Sans oublier à l'automne en particulier le fameux »Flämmekuchen«, servi dans le pittoresque caveau de l'établissement.

Les chambres dans l'aile ancienne de la maison sont accueillantes, celles construites dans l'aile neuve donnent toutes sur la vallée et sont aménagées en petites suites avec balcon.

In den waldreichen nördlichen Vogesen mit seinen Bergen und Tälern liegt in dem kleinen mittelalterlichen Städtchen La Petite Pierre, dem Zentrum des Naturparks Vogesen, das Romantik Hotel »Trois Roses«, mitten im Ort. Hinter der schönen Fassade aus dem 18. Jahrhundert findet der Gast eine Vielzahl unterschiedlicher Restauranträume, von der bürgerlichen Gaststube über rustikal holzgetäfelte Restaurants bis zum eleganten Salon und einer wunderschönen Terrasse, auf der es sich im Sommer herrlich speisen läßt. Alle Restaurants bieten einen einmalig schönen Blick in ein weites ruhiges Tal und auf die schöne alte Burg.

Die Küche bietet die typische herzhafte, deftige bis feine Vogeser Küche vom Choucroute garni bis zur Gänseleber in bekannt guten Portionen. Insbesondere im Herbst wird im urigen Kellerrestaurant der berühmte »Flämmekuchen« serviert.

Die Zimmer im alten Teil des Hauses sind wohnlich, die Zimmer im neuen Trakt sind alle zum Tal gebaut und als kleine Suiten mit Balkon eingerichtet.

In the well-wooded Northern Vosges, amidst the mountains and valleys, in the tiny mediaeval village of La Petite Pierre, the centre of the Vosges Nature Park, lies the Romantik Hotel Trois Roses, in the middle of the village. Behind the beautiful 18th century facade, the guest will find several different restaurants, ranging from the unpretentious dining room, through the rustic, wood panelled restaurant to the elegant salon and a lovely terace, where one can dine luxuriously in summer. All the restaurants have a uniquely fine view over the wide, quiet valley and towards the attractive old castle.

The cooking ranges from the generous square meals to the fine cuisine of the Vosges, from choucroûte garni (pickled cabbage) to pâté de foie gras in familiar ample helpings. A speciality in autumn is the famous „flamiche" (leek flan), served in the ancient cellar restaurant. The rooms in the old part of the house are large and comfortable, the rooms in the new extension all face towards the valley and have been made into little suites with balconies.

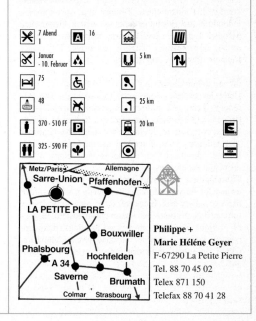

✕ 7 Abend 1	A 16	≋
✕ Januar - 10. Februar	⋀	U 5 km
⊨ 75	♿	⚒
🛗 48	✈	⚲ 25 km
👤 370 - 510 FF	P	🚆 20 km
👥 325 - 590 FF	✿	◉

Metz/Paris — Allemagne
Sarre-Union · Pfaffenhofen
LA PETITE PIERRE
Bouxwiller
Phalsbourg · Hochfelden
A 34 · Saverne · Brumath
Colmar · Strasbourg

Philippe +
Marie Héléne Geyer
F-67290 La Petite Pierre
Tel. 88 70 45 02
Telex 871 150
Telefax 88 70 41 28

NEU

Romantik Hotel „Des Tuileries"

Pour vos séjours à Paris vous serez les Bienvenus. Situation Privilégieé de l'Hôtel des Tuileries, demeure du 18ème siècle. Liée à l'Histoire de France – près du Jardin des Tuileries avec les Musées du Louvre, d'Orsay, de l'Orangerie, du Jeux de Paume, le Grand Palais, les Vitrines de Luxe, place Vendôme et Faubourg Saint Honoré; les distractions près de l'Opera, des Theatres.

Cet Hotel de Charme, propriété Familiale Poulle-Vidal depuis 3 générations abrite un petit jardin comme un écrin. Raffinement, Silence, confort chambres et appartements decorés différemment dans un souci d'élégance, meubles, tapis, tableaux d'époque, bien équipées les salles de bains en marbre, climatisation, TV 27 chaînes, coffre individuel, Mini Bar.

Für Ihre Aufenthalte in Paris sind Sie bei uns immer willkommen. Bevorzugte Lage des Hôtel des Tuileries, Wohnhaus aus dem 18. Jahrhundert. Eng mit der Geschichte Frankreichs verbunden – in der Nähe des Tuileriengartens mit zahlreichen Museen: Louvre, Orsay, Orangerie, Jeux de Paume; nicht weit entfernt vom Grand Palais, den Vitrines de Luxe, dem Place Vendôme und dem Faubourg Saint Honoré; Unterhaltungsmöglichkeiten in der Nähe: Oper, Theater.

Dieses charmante Hotel, seit 3 Generationen im Besitz der Familie Poulle-Vidal, umschließt einen kleinen Garten wie ein Schatzkästchen. Feine Lebensart, Ruhe, komfortabel eingerichtete Zimmer und Appartements, individuell und elegant gestaltet mit echten, historischen Möbeln, Teppichen und Bildern, anspruchsvoll ausgestattete Marmorbadezimmer, Klimaanlage, TV mit 27 Kanälen, Privatsafe und Minibar.

When in Paris, stay with us. The lovely and prestigious Hotel des Tuileries is perfectly located in the 18th Arrondissement. Tied to French history – near the Tuileries with the Louvre, the Musée d'Orsay, Musée de l'Orangerie, Musée du Jeux de Paume, the luxurious shop windows, Place Vendôme and the Faubourg Saint Honoré, the pleasant diversions in the vicinity of the opera and the theatres.

This charming hotel, which the Poulle-Vidal family has owned for three generations, surrounds a small garden like a jewellery box. Elegance, style, comfort, variously furnished guest rooms and apartments in tasteful elegance. Antique furniture, carpets, and paintings, richly-appointed baths of marble, air-conditioning, television with 27 channels, individual safe for valuables, minibar.

40	⚥	5 km
26	✕	5 km
790 - 1000 F	P	1 km
890 - 1380 F	❀	10 km
4	⇅	
⊙	U 5 km	

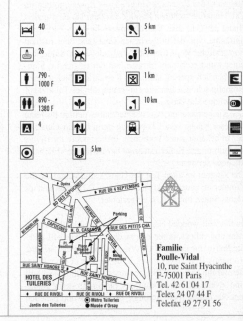

Familie
Poulle-Vidal
10, rue Saint Hyacinthe
F-75001 Paris
Tel. 42 61 04 17
Telex 24 07 44 F
Telefax 49 27 91 56

Romantik Hotel „Des Tuileries"

Paris (F)

Sur demande et confirmation écrite en dehors des salons nationaux et internationaux:
L'hôtel sera heureux de vous faire profiter d'un week-end Romantique pour 3 nuits à partir du vendredi soir, 1 nuit sera gratuite ainsi que romantiquement une promenade sur la Seine venez rever à Paris.

Auf Anfrage und nach schriftlicher Bestätigung außerhalb der Zeiten nationaler und internationaler Messen:
Das Hotel freut sich, Ihnen die Vorteile eines Romantik-Wochenendes für 3 Nächte ab Freitag abend anbieten zu können: 1 Nacht gratis sowie eine romantische Fahrt auf der Seine mit einem »bateau mouche«, einem der kleinen Vergnügungsdampfer. Kommen Sie nach Paris – zum Träumen!

On request and upon written confirmation during periods when there are no national or international fairs.
The hotel is pleased to be able to offer you the advantages of a Romantik weekend for 3 nights beginning Friday night: 1 night free and a romantic trip along the Seine with a "bateau mouche", one of the little pleasure boats. Come to Paris – to dream!

Romantik Hotel garni „La Ferme d'Augustin"

8000 m² de jardin à 100 m de la plage de »Tahiti« et à 5 mn. de centre de St.-Tropez. Les plus belles promenades à Proximité (à pied-velo-voiture). Practice de golf à proximité. Toutes nos chambres grand confort: avec vue mer, campagne ou parc, téléphone direct, coffrefort, télévision (sur demande), - refrigerateur mobilier rustique. Vous dégusterez votre petit déjeuner selon votre désir jusqu'à 12 h., dans votre chambre, sous un arbre ou sur la terrasse! NOUS AVONS UN SERVICE 24 H. SUR 24.
Un parking privé éclairé la nuit et surveillé.

Eingebettet in 8000 m² Parklandschaft, 100 m vom „Tahiti" Strand und 5 min. vom Zentrum von St.-Tropez entfernt. Zimmer mit großem Komfort, antik möbliert. Telephon mit Direktanschluß, Safe, Fernseher auf Anfrage, Blick aufs Meer oder den Park. Genießen Sie Ihr Frühstück bis 12 Uhr ganz nach Wunsch auf dem Zimmer, unter einem Baum oder auf der Terrasse! Bar- und Rezeptionsservice rund um die Uhr. Bewachter und beleuchteter Privatparkplatz, Golf am Hotel.

Surrounded by a 8000 m² park, only 100 m away from the „Tahiti" beach and 5 min. from the centre of St.-Tropez. Rooms with antic furniture offer every comfort, such as direct-dial telephone, safe, a view to the sea or the park, tv on request. Enjoy your breakfast till noon as desired in your room, under a tree or on the terrace! Bar- and reception-service around the clock. Illuminated and guarded private car-park; gold at the hotel.

18.10.92-17.3.93		Chauffée +28° Hydro Massage
		Proxi 200 m
34	P	Practice à Proximité
580 - 1.050 FF		
1.050 - 1.960 FF		
A		

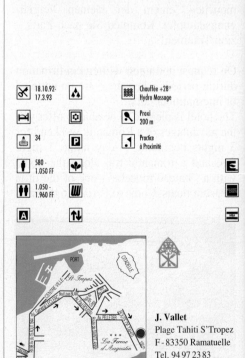

J. Vallet
Plage Tahiti S'Tropez
F - 83350 Ramatuelle
Tel. 94 97 23 83
Telefax 94 97 40 30

Romantik Hotel „de la Poste"

Saulieu (F)

Au coeur de la Bourgogne Romane, Saulieu, cité gastronomique, peut être à la fois une étape et le point de départ de nombreuses excursions à travers le Parc Naturel du Morcan ou le vignoble par la Route des Grands Crus.
L'Hôtel de la Poste vous propose le confort moderne de ses 48 Chambres au calme ou insonorisées. Monsieur et Madame Guy Virlouvet vous y réserveront le meilleur accueil, et vous apprécierez la qualité de la cuisine élaborée par Patrice Barré, lauréat du Concours de la Toison d'Or 1986, et le cadre agréable et chaleureux du restaurant gastronomique de cet ancien relais de diligence.

The Hotel de la Poste also offers the modern comfort of the 48 quiet or soundproofed rooms.

Im Herzen des romanischen Burgund ist Saulieu eine Etappe für Feinschmecker und gleichzeitig der Ausgangspunkt für zahlreiche Ausflüge quer durch den Naturpark von Morvan oder durch die Weinberge über die Weinstraße „Route des Grands Crus".
Das Hotel de la Poste bietet Ihnen außerdem den modernen Komfort seiner 48 Zimmer, die entweder ruhig gelegen oder lärmisoliert sind.
Sie werden die Qualität der Gerichte, die von Patrice Barré, Sieger des Wettbewerbs „La Toison d'Or 1986" bereitet werden, den angenehmen Rahmen und die herzliche Bedienung des Feinschmeckerrestaurants dieses ehemaligen Postkutschenrelais zu schätzen wissen.

Saulieu, a gastronomic town in the heart of Romanesque Burgundy, is both a stop-over place or the departure point of numerous excursions across the Morvan Nature Reserve or the vineyards on the Vintage Wine Trail.
You'll enjoy the fine quality of the cuisine, performed by Patrice Barré, prize winner of the 1986 Toison d'Or, and the friendly and pleasant setting of this old stage-coach inn's gastronomic restaurant.

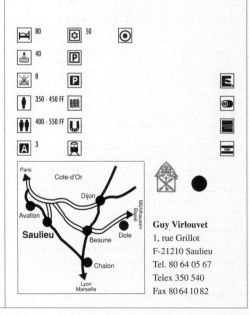

Guy Virlouvet
1, rue Grillot
F-21210 Saulieu
Tel. 80 64 05 67
Telex 350 540
Fax 80 64 10 82

Avant de quitter la magnifique Haute VALLEE de la BRU-CHE, arrêtez vous à BAREMBACH. Vous trouvez le Romantik Hôtel »CHATEAU DE BAREMBACH«. Petit château Renaissance construit en 1892 restauré avec beaucoup d'adresse et d'amour jusque dans les moindres détails et aménagé avec des meubles anciens, en une perle de l'hôtellerie.

BAREMBACH est situé au milieu de l'ALSACE, seulement à 40 km de Strasbourg par autoroute, croisement de principaux axes routiers traversant l'Alsace: venant du NORD-EUROPE vers les VOSGES, le centre de la France ou vers l'Europe du Sud.

Si vous désirez vous détendre vous trouverez un réel plaisir de rendre visite à la famille CLEMENT qui a transformé sa demeure privée en un attrayant hôtel en 1983. La famille CLEMENT vous recevra en personne avec plaisir en langue Danois, Anglais, Allemand ou Français.

BAREMBACH, écrin de verdure, de calme, pittoresque et coloré, est un centre touristique entouré de montagnes culminant 1100 M, couvertes de profondes forêts de sapins, offrant:
-en hiver, d'énormes possibilités de ski avec 160 km de piste de ski de fond,
-12 skilifts, - en d'autres saisons un paradis de randonnées.
Vous pourrez y jouer au tennis, pêcher la truite, ou vous détendre sur la terrasse du jardin, ou à l'intérieur de la très élégante demeure Jugendstyle.

Im Bruche-Tal liegt das Romantik-Hotel „CHATEAU DE BAREMBACH", ein Schlößchen von 1892 im Renaissancestil, das mit großer Akuratesse und mit viel Liebe zum Detail restauriert und mit alten Möbeln zu einem gastronomischen Schmuckstück ausstaffiert wurde.
BAREMBACH liegt im MITTELELSASS, über Autobahn nur 40 km von STRASSBURG entfernt. Hier kreuzen sich die Hauptrouten von Nordländern in Richtung VOGESEN, Zentralfrankreich oder Richtung Süd-Europa. Wenn Sie sich erholen wollen, gönnen Sie sich einen Besuch bei der Familie CLEMENT, die ihr Privathaus 1983 in ein einladendes Hotel umgebaut hat. Die Familie CLEMENT bemüht sich selbst um die Gäste des kleinen, vornehmen Hauses sowohl in Dänisch, Englisch, Deutsch oder Französisch. BAREMBACH, wunderschön gelegen, ist ein von 1100 m hohen Bergen umgebener Fremdenverkehrsort, der Ihnen vielfältige Möglichkeiten bietet:
-Wintersport mit 160 km gutausgeprägten Loipen für Langläufer und außerdem 12 Skilifte.
-Im Frühling, Sommer und Herbst kommen Wanderfreunde.
Sie können Tennis spielen, angeln oder sich ganz einfach auf der Terrasse im Garten oder im Inneren des sehr eleganten Anwesens erholen.

Before leaving the beautiful HIGH BRUCHE VALLEY you should certainly visit BAREMBACH. There you will find the Romantik Hotel „CHATEAU DE BAREMBACH", which is a little castle „RENAISSANCE" dating from 1892 and has been restored with great attention to detail, and much love, making it a gem of hostellery with its old furniture and gastronomic delights.
It is situated in the middle of ALSACE, only 40 km from

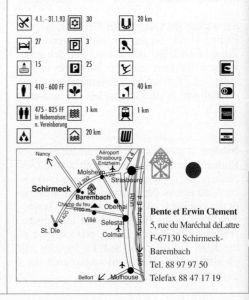

✗ 4.1. - 31.1.93	✿ 30	⊔ 20 km
🛏 27	Ⓟ 3	✎
🏛 15	Ⓟ 25	⚓ E
👤 410 - 600 FF	❀	⚐ 40 km ⬤
👫 475 - 825 FF in Nebensaison: n. Vereinbarung	≋ 1 km	🚆 1 km
⚕	≋ 20 km	⊞ 💳

Bente et Erwin Clement
5, rue du Maréchal deLattre
F-67130 Schirmeck-
Barembach
Tel. 88 97 97 50
Telefax 88 47 17 19

Romantik Hotel
„Château de Barembach"

Schirmeck   (F)

STRASBOURG by motorway, crossroad of the major main-routes connecting ALSACE - coming from Nothern countries - to VOSGES or going to center of FRANCE or SOUTHERN EUROPE countries.
If you want to relax, you will find it a great pleasure to visit the Family CLEMENT, who changed their private home, and opened it as an attractive hotel in 1983. They personally take care of you and will find a pleasure to welcome you in Danish, English, German or French language.
BAREMBACH is juwel of greenness, a calm, picturesque and colorful center surrounded by mountains culminating at 1100 m, covered by coniferous forests offering:
-in winter, tremendous skiing facilities with 160 km of nordic skiruns + 12 skilifts.
-In spring, summer and harvest a paradise of walking tours. You can also play tennis, go fishing or just relax on the terrace in the garden, or in the very elegant furnished Jugendstyle house.

Kurzurlaub im Elsaß
2 Übernachtungen in Romantik-Zimmern mit Frühstück. Begrüßungscocktail, 1 Elsaß-Menü, 1 Romantik-Menü, inkl. Rundfahrt mit dem Schiff. Museumsbesuch und Weinprobe pro Person im DZ 1.700 FF. jeder Verlängerungstag: 650 FF p.P., incl. Menü gourmet.

Short Holidays
2 nights incl. breakfast, welcome-drink, 1 Alsatian-menu, 1 Romantik-menu, a cruse to Strasbourg, a visit of museum, of a wine-cellar with wine-tasting. Price p.p. in a double room 1.700 FF. Additional day: 650 FF p.p. incl. menu gourmet.

Wanderwoche
7 Übernachtungen incl. Frühstück, Halbpension und Wanderkarte.

Pro Person:
1. 4. – 31. 7. 3.500–4.270 FF
1. 11.–31. 3. 3.150–3.920 FF
(EZ +125 FF pro Tag)

Hiking-Week
7 nights incl. breakfast, half-pension and hiking map.

Per person:
1. 4.–31. 7. 3.500–4.270 FF
1. 11.–31. 3. 3.150–3.920 FF
(singl. room +125 FF p. day)

Romantik Hotel „ti al lannec"

Sur la «Côte de Granit Rose», une des plus belles de Bretagne, Ti al lannec est un lieu comme en rêve, où l'espace n'est pas compté. Vous vous laisserez prendre par la magie de cet endroit privilégié en profitant du confort et du raffinement de la maison et en savourant une cuisine toute en fraîcheur devant un magnifique paysage marin et de somptueux couchers de soleil.

De plus, Gérard et Danielle Jouanny ont équipé pour vous leur «Espace Bleu Marine», ou vous trouverez sauna, hammam, spa, gymnase, solarium, lit shiatsu.

Et pour la beauté de votre corps, enveloppements et bains aux algues, massages, drainages – méthode Thalgo.

M. et Mme. Jouanny mettront tout leur coeur et leur savoir-faire pour la réussite de votre séjour.

An der rosa Granitküste, einer der schönsten der Bretagne, gelegen ist TI AL LANNEC, ein Ort, wie man ihn sich in seinen Träumen vorstellt, wo Räume grenzenlos sind. Lassen Sie sich gefangennehmen von der Magie dieses idealen Urlaubsortes und genießen Sie den Komfort und die Raffinesse des Hauses. Lassen Sie sich die Köstlichkeiten einer Küche, die ausgesuchte, frische Produkte verarbeitet, auf der Zunge zergehen: vor einer herrlichen Küstenlandschaft mit prachtvollen Sonnenuntergängen.

Außerdem haben Gérard und Danielle Jouanny ihren Badebereich für Sie mit Sauna im türkischen Stil, Thermalbad, Fitneß-Raum, Solarium und Shiatsu-Möglichkeiten ausgestattet. Verwöhnen Sie Ihren Körper mit Masken und Bädern in Algen, mit Massage, Drainage, Thalgo-Methode... Herr und Frau Jouanny bemühen sich mit viel Herz und ihrer gesamten Erfahrung darum, daß Ihr Aufenthalt ein voller Erfolg wird.

In addition, Gerard and Danielle Jouanny have fitted out their bathing area for you with a Turkish bath, thermal bath, fitness room, solarium, and the possibility of having a shiatsu massage. Pamper your body with masks and baths in algae, massage, drainage, thalgo method cures, ... Mr. and Mrs. Jouanny dedicate themselves and their wealth of experience to make sure that your stay will be a success.

Located on the pink granite coast, one of the loveliest in Brittany, TI AL LANNEC is the kind of place one imagines in dreams, where spaces are boundless. Let yourself be captivated by the magic of this ideal vacation spot and the comfort and refinements of the house. Allow the delicacies of a kitchen which only uses select, fresh products to melt in your mouth: all before the backdrop of a splendid seacoast with fabulous sunsets.

12.11.92 - 20.03.93	50	Dampfbad Whirlpool
60	♿	
29	P	
470 - 690 FF		200 m
720 - 1.070 FF		7 km
		12 km/ Lannion
		alle Wassersportmöglich.

Kurmittel und ärztliche Behandlung im Fitneßraum

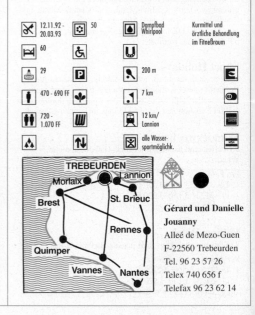

TREBEURDEN
Morlaix · Lannion
Brest · St. Brieuc
Rennes
Quimper
Vannes · Nantes

Gérard und Danielle Jouanny
Alleé de Mezo-Guen
F-22560 Trebeurden
Tel. 96 23 57 26
Telex 740 656 f
Telefax 96 23 62 14

Romantik Hotel „Le Beffroi"   Vaison la Romaine

L'Hostellerie »Le Beffroi« vous offre des chambres dont le vrai confort d'aujourd'hui pourrait vous faire oublier que vous habitez l'une des plus belles demeures du XVIéme siècle au coeur de la Haute Ville de Vaison ... si les meubles anciens et la vue dominante sur le pays alentour, les jardins en terrasse n'étaient là pour vous convaincre que l'Hostellerie »Le Beffroi« jouit d'un cadre exceptionnel, calme, reposant.

C'est aussi une bonne table où l'on tente d'accommoder avec esprit et originalité toutes les bonnes choses que le pays tout autour produit à l'envi. La Carte des vins que l'on vous y propose rassemble entre autres crus les meilleurs produits de Côtes du Rhône et du Ventoux.

Vaison la Romaine, située au coeur des vignobles des Côtes du Rhône à deux pas de Gigondas et Châteauneuf du Pape, aux pieds du Mont Ventoux (Géant de Provence), avec son passé historique, ses ruines Romaines, son Théatre lieu annuel de Festival en été, et des »Choralies« tous les trois ans, sa Cathédrale, son Musée, et son quartier Médiéval, font de l'Hostellerie »le Beffroi« un excellent lieu de séjour.

En voiture, à bicyclette, et même à pied vous pourrez découvrir Vaison la Romaine et la Provence, où »Le Beffroi« mettra son accueil, son confort et sa table à votre disposition pour rendre votre séjour au soleil des plus agréables.

Das Hotel „Le Beffroi" ist eines der schönsten Gebäude der Renaissance im Herzen der Altstadt von Vaison. Hier werden Sie in einem außergewöhnlichen Rahmen empfangen. Sie finden dort alles für Ihren Komfort. In behaglichen, ruhigen Zimmern mit herrlichen alten Möbeln, werden Sie sich wunderbar erholen können. Ein Garten mit duftenden Blumen umsäumt die Terrasse, von welcher aus Sie einen wunderschönen Ausblick auf die Umgebung und auf Vaison haben. Nicht zu vergessen ist die gute, individuelle Küche, von der Sie sich selbst überzeugen können; verführerisch zubereitet mit den besten Sachen, die in der Umgebung gedeihen. Zur guten Küche gehört natürlich ein guter Weinkeller. Sie werden die besten Weinsorten der Côtes du Rhône und der Côtes du Ventoux vorfinden.

To stay at „Le Beffroi", an inn dating from the XVIth century, with its stone floors and rooms full of character (each one is different, but with modern comforts) - in the center of the „old town" of Vaison la Romaine, with its stunning views terraced gardens, superb food and wines (culled with care from the region in the main) - is an experince not to be forgotten.

The historic world of Vaison, with its Romain ruins and theatre (second to that of Orange), its museum, the medieval quarter (where Le Beffroi is located) and the annual festival with international names is only a moment away on foot.

The world renowned vine-yards of Chateauneuf du Pape and the Rhone valley, are all a short drive away, along with the spectacular Mount Ventoux and the surrounding countryside.

Thus „Le Beffroi" provides a stepping stone, with all the necessary comfort for discovering the richness of history and culture of Vaison and Provence.

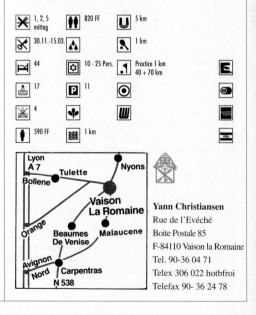

Yann Christiansen
Rue de l'Evéché
Boite Postale 85
F-84110 Vaison la Romaine
Tel. 90-36 04 71
Telex 306 022 hotbfroi
Telefax 90- 36 24 78

F # La Wantzenau

Romantik Hotel „Relais de la Poste"

Wantzenau, au Nord de Strasbourg, est un petit village alsacien pittoresque avec ses maisons à colombage, dont l'une, l'Hôtel Romantik »Relais de la Poste« se trouve au coeur même de la localité. Après une restauration du bâtiment très réussie, on devine tout de suite que l'intérieur est aussi plaisant que l'extérieur, avec sess salles agréablement accueillantes, toutes rénovées avec goût dans les dernières années.

A ce beau décor convient naturellement une très bonne cuisine qui, comme la plupart des restaurants alsaciens de renom confectionne des repas à la fois copieux et savoureux. L'hôtelier, Jérôme Daull, veille depuis ses fourneaux au bien-être des hôtes; auparavant chef de cuisine de l'hostellerie, il a repris l'établissement il y a quelques années et le gère avec Geneviève, sa charmante épouse. Le »Relais de la Poste« est donc un ravissant établissement dans lequel on a plaisir à se rendre. Et si le restaurant est accueillant, les chambres aussi sont très confortables et même aménagées pour bon nombre d'entre elles avec coin salon et chambre à coucher optiquement séparés. Autant de raisons pour que les hôtes apprécient un séjour de vacances prolongé dans ce bel établissement.

Nördlich von Straßburg liegt der kleine Ort La Wantzenau, eines der typischen Fachwerkdörfer im Elsaß mit sehr schönen Fachwerkhäusern.

Mitten im Ortskern liegt eines dieser Häuser, das Romantik Hotel „Relais de la Poste". Es ist sehr schön renoviert worden und läßt schon von außen erkennen, was man innen erwarten kann. Sehr gemütliche Räume, die alle in den letzten Jahren sehr geschmackvoll renoviert wurden.

Zu diesen Räumen gehört natürlich eine sehr gute Küche, die wie in den meisten angesehenen Restaurants im Elsaß den Wohlgeschmack mit einer guten Portionsgröße verbindet, und wo der Patron, Jérome Daull, selbst in der Küche steht. Er war früher Küchenchef der Hostellerie und hat dann den Betrieb vor einigen Jahren übernommen. Zusammen mit seiner charmanten Frau Geneviéve führt er dieses reizvolle Haus, in das man gerne einkehrt.

Und ebenso wie das Restaurant sehr gemütlich ist, sind auch die Zimmer sehr komfortabel und wohnlich ausgestattet. Viele haben einen optisch getrennten Wohn- und Schlafteil, so daß man hier auch einmal für eine längere Zeit seinen Urlaub verbringen möchte.

North of Strasburg lies the tiny village of La Wantzenau, a typical half-timbered Alsatian village with lovely black and white houses.

In the middle of the village stands one of these houses, the Romantik Hotel Relais de la Poste. It has been very well restored an even the outside gives an indication of what to expect within. Comfortable rooms, which have all been tastefully renovated in recent years.

Alongside these rooms, of course, belongs a very good cuisine, which, as in most notable Alsatian restaurants, combines good taste with ample portions and where the owner, Jèrome Daull, is himself in the kitchen. He was previously chef of the inn and took over the business a few years ago. Together with his charming wife, Geneviéve, he runs this delightful house, which is a pleasure to visit. And just as the restaurant is so cosy, so are the rooms comfortably and pleasantly furnished. Many of them have divided living and bedroom appearance, making for a longer and most enjoyable stay here.

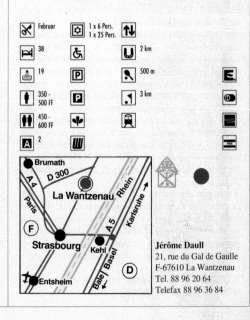

Februar	1 x 6 Pers. / 1 x 25 Pers.
38	
19	2 km
350 - 500 FF	500 m
450 - 600 FF	3 km
2	

Jérôme Daull
21, rue du Gal de Gaulle
F-67610 La Wantzenau
Tel. 88 96 20 64
Telefax 88 96 36 84

Großbritannien

Great Britain

GB Callander Scotland

Historic & Romantik Hotel „Roman Camp"

The „Roman Camp Hotel" lies in 20 areas of beautiful gardens and grounds beside the river Teith, only five minutes walk from the centre of Callander.
The building dates from 1625, a former hunting lodge of the Dukes of Perth, and is believed to be built on the site of an advanced post of Roman Legionaries.
Easy of find: enter the Hotel drive directly from the A 84 between two pink cottages at the East End of Callander. The surrounding countryside of „The Trossachs" is an area of outstanding natural beauty, and ideal for touring, hill-walking or pony-trekking.
Callander has its own 18-hole golf-course (1/4 mile from the hotel) and may famous courses lie within easy reach. It is only an hour by car from the cities of Edinburgh. Glasgow and 26 minutes form the historic town of Stirling, Callander lies at the „gateway to the Highlands".
Our dining-room menu regularly featurs Scottish Beef, Salmon, and Vension prepared with expertise. Our wine list featuring wines from many countries ensures a choice to complement the food.

Wie der Name schon sagt, befand sich dort, wo heute das Hotel steht, zu römischen Zeiten ein Camp. Das heutige Haus wurde im 17. Jahrhundert als Jagdsitz des Herzogs von Perth errichtet. Am Ufer des Flusses Teith in einem herrlichen parkartigen Garten gelegen ist das „Roman Camp" ein reizendes Hotel mit den in Schottland und England üblichen Lounges, in denen man genüßlich seinen Aperitif oder „After-Dinner-coffee" trinken und relaxen kann.
Die sehr gemütlichen Lounges mit der netten Hotelbar, in denen sich die Gäste vor und nach dem Essen treffen, um die Erlebnisse des Tages auszutauschen, sind sehr schön und einladend.
Das Restaurant ist vor einigen Jahren in einem etwas modernen Stil mit Bildern zeitgenössischer schottischer Künstler umgestaltet worden. Hier kann man herrliche Spezialitäten Schottlands wie Lachs und Lamm genießen.
Die reizvollen Zimmer sind komfortabel, sehr wohnlich und mit viel Liebe zum Detail ausgestattet.
Von Callander, das selbst ein ideales Feriengebiet zum Wandern, Angeln oder Golfen ist, kann man herrliche Ausflüge an die Westküste oder ins Hochland machen. Callander liegt nur eine Stunde Autofahrt von Edinburgh oder Glasgow und 25 Min. von der historischen Stadt Stirling entfernt.

Comme son nom l'indique, l'hôtel à l'emplacement d'un ancien camp romain. Le bâtiment actuel, érigé au XVIIème siècle, servait de pavillon de chasse au Duc de Perth. Situé sur les rives de la Teith, dans un magnifique jardin qu'on pourrait qualifier de parc, le »Roman Camp« est un ravissant hôtel aves les »lounges«

typiques en Ecosse et en Angleterre, où l'on peut prendre son apéritif en toute quiétude ou déguster son »after-dinner-coffee« en se relaxant.
Les très confortable lounges avec son bar ravissant, où les hôtes se rencontrent avant et après les repas pour échanger les évènements de la journée, sont très belles et accueillantes. Le restaurant a subi, il y a quelques années, une rénovation de style moderne et est décoré avec des tableaux d'artistes écossais contemporain. Ici on peut se délécter aux spécialités du pays comme le saumon et l'agneau.

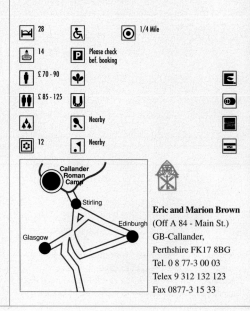

🛏 28	♿	◎ 1/4 Mile
🚿 14	🅿 Please check bef. booking	
👤 £ 70 - 90	❀	E
👥 £ 85 - 125	∪	ⓓ
⛷	Nearby	
✿ 12	Nearby	VISA

Callander Roman Camp

Stirling

Edinburgh

Glasgow

Eric and Marion Brown
(Off A 84 - Main St.)
GB-Callander,
Perthshire FK17 8BG
Tel. 0 8 77-3 00 03
Telex 9 312 132 123
Fax 0877-3 15 33

Historic & Romantik Hotel „Chedington Court"

Chedington Dorset (GB)

Chedington Court is a Jacobean style manor house situated high up, with magnificent views over the Dorset countryside. It stands in 10 acres of mature grounds with interesting trees and shrubs and a water garden, putting green and croquet lawns.

The large comfortable reception rooms and entrance hall have log fires and antiques. The court is a grand house where you can nevertheless relax completely. Our many regular customers return year after year to enjoy the food, the wine and the unique atmosphere of a house which is also a fine hotel.

Facilities include a full size billiard table, croquet and putting. A new 9 hole golf course and driving range built on 90 acres is a wonderful setting, providing a challenging and enjoyable sport for novices and players with handicaps alike. A professional is in attendance to give lessons.

Chedington Court ist ein Herrenhaus im Jakobinerstil, auf einer Anhöhe gelegen mit herrlichem Blick über das Land.

Es steht auf einem Grundstück von 40.000 m², inmitten urwüchsiger Natur mit interessanten Bäumen und Sträuchern, einem Wassergarten, einem Putting-green und Krocketfeldern.

Die großen, komfortablen Empfangsräume sowie die Eingangshalle sind mit offenen Kaminen und Antiquitäten ausgestattet. Chedington Court ist ein sehr weitläufiges Anwesen, in dem Sie sich trotzdem ausgiebig erholen und wohlfühlen können.

Unsere vielen Stammgäste, die Jahr für Jahr wiederkommem, genießen das Essen, den Wein und die einzigartige Atmosphäre eines Hauses, das ein erstklassiges Hotel ist. Zu den Einrichtungen gehört ein Billardtisch in Normalgröße und ein neuer 9-Loch-Golfplatz mit Drivingrange mit professioneller Betreuung auf einem Areal von 36.000 m². In einer wunderschönen Umgebung ist das ein faszinierender und vergnüglicher Flecken für Anfänger und Handikap-Spieler gleichermaßen.

Chedington Court est un manoir de premier ordre de style jacobin, situé sur une colline avec une vue magnifique sur le paysage.

Le manoir est situé sur un domaine de 4 hectares, au milieu d'une nature préservée avec ses arbres imposants, ses buissons surprenants, un jardin aquatique, un putting-green et des terrains de croquet.

Les salles de réception ainsi que le hall d'entrée sont dotés de cheminées et meublés exclusivement d'antiquités.

Chedington Court est une propriété très étendue, mais dans laquelle vous pourrez néanmoins vous détendre et vous sen-

laquelle vous pourrez néanmoins vous détendre et vous sentir à l'aise. Les nombreux clients qui nous font l'honneur de revenir chaque année, savourent nos spécialités, nos vins et l'ambiance particulière à notre maison. Vous pouvez disposer d'une table de billard de taille originale, d'un nouveau terrain de golf à 9 trous avec driving-range et de l'assistance d'un moniteur de golf professionnel sur un aréal de 36 hectares situé dans un région pittoresque. Vous serez dans un endroit fascinant et plaîsant aussi bien pour les débutants que pour les joueurs expérimentés.

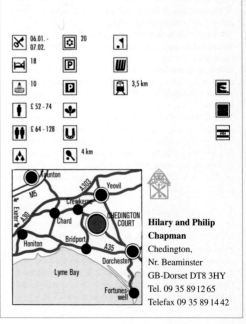

Hilary and Philip Chapman
Chedington,
Nr. Beaminster
GB-Dorset DT8 3HY
Tel. 09 35 89 12 65
Telefax 09 35 89 14 42

233

Chipping Campden

Historic & Romantik Hotel „Seymour House"

„Seymour House Hotel" is situated in one of the Cotswold's best-loved towns - Chipping Campden. The Hotel is set back from the ancient High Street, described by the Historian G. M. Trevelyan as „the most beautiful village street now left on the island". A listed Georgian buidling faced with warm Cotswold stone, the hotel offers an ideal combination of comfort and convenience in a beautiful and relaxing setting.

The hotel buildings date back from the early 1700's, and include the Malt House, one of the few original malt houses left in England. Now fully restored, this part of the hotel contains suites and syndicate rooms. Another special feature in the charming hotel entance, with its original fluted Tuscan-style columns.

Theatre-lovers can take advantage of the Seymour House Hotel's exclusive connection with the Royal Shakespeare Theatre, which enables us to make ticket reservations for our guests. Special arrangements can be made for guests to enjoy a waterside dinner in the theatre's popular Box Tree Restaurant before or after the performance".

Das „Seymour House Hotel" befindet sich in einem der beliebtesten Orte von Cotswold, in Chipping Campden. Das Hotel liegt zurückgesetzt von der ehemaligen High Street, die von dem Historiker G. M. Trevelyan als „schönste auf der Insel erhaltene Ortsstraße" beschrieben wird. Als ein unter Denkmalschutz stehendes georgisches Gebäude, verblendet mit den warmen Cotswoldsteinen, bietet das Hotel eine ideale Verbindung von Komfort und Annehmlichkeiten in einem schönen und entspannenden Rahmen.

Die Hotelgebäude stammen aus dem frühen 18. Jahrhundert und schließen eine der wenigen in England im Original erhaltenen Mälzereien mit ein. Mittlerweile vollständig restauriert, beherbergt dieser Teil des Hauses Suiten und Gemeinschafts-räume. Eine weitere Besonderheit ist der bezaubernde Hotel-eingang mit seinen original kannelierten Säulen im Toskanischen Stil.

Theaterliebhaber können die exklusiven Verbindungen des „Seymour House Hotel" zum Royal Shakespeare Theatre benutzen, die es möglich machen, für unsere Gäste Karten zu besorgen. Spezielle Arrangements können für Gäste getroffen werden, die ein Abendesen im populären, am Wasser gelege-nen Theater-Restaurant „Box Tree" genießen wollen, vor oder nach der Vorstellung.

Le »Seymour House Hotel" se trouve dans l'un des lieux les plus appréciés de Cotswold, à Chipping Campden.

L'hôtel est situé en retrait de l'ancienne „High Street", que l'historian G. M. Trevelyan décrit comme la plus belle rue conservée de l'île. Cet hôtel, installé dans un édifice de style géorgien et dont la façade est parée de pierres chaudes de Cotswold, offre une combinaison idéale de confort et de com-modité, dans un cadre superbe et décontractant.

Les bâtiments datant du début du 18e siècle et renferment l'u-ne des rares malteries de Grande-Bretagne, conservées dans leur état original. Complètement remise à neuf entre temps, cette partie de l'hôtel abrite des suites et des installations com-munes. Une autre particularité réside dans l'entrée charmante, avec ses authentique colonnes cannelées de style toscan. Les amateurs de théâtre pourront profiter des relations privilégiées du „Seymour House Hotel" avec le Royal Shakespeare Thea-tre, qui nous permettent de fournir des billets à nos hôtes. Des arrangements spéciaux peuvent être pris pour les hôtes qui veulent se régaler, avant ou après le repas, au „Box Tree", restaurant du théâtre bien connu, situé au bord de l'eau.

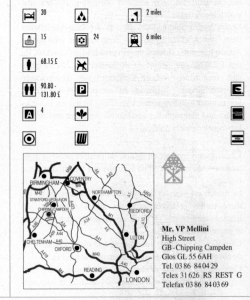

🛏 30	⛰	📞 2 miles
15	✿ 24	🚂 6 miles
🧍 68.15 £	✈	
🧍🧍 90.80 - 131.80 £	Ⓟ	E
Ⓐ 4	❀	
◉	⫿	VISA

Mr. VP Mellini
High Street
GB-Chipping Campden
Glos GL 55 6AH
Tel. 03 86 84 04 29
Telex 31 626 RS REST G
Telefax 03 86 84 03 69

Italien
Italy

(Acquafredda) Maratea

Romantik Hotel „Villa Cheta Elite"

Ricavata da una splendida villa stile Liberty, l'hôtel è oggi un punto di riferimento inconfondibile per il turismo più esigente cha ama il Sud d'Italia.
Ospitalità rarfinata ed efficiente diretta dai proprietari, con ambiente interni ed estern di insolata eleganza.
All interno copritavola di pizzo, chinz sofas ed una attenda scelta die pezzi d'epoca crea l'aria di una villa privata. Il numero limitato delle camere e il servizio ristorante particolarmente curato consentono un soggiorno di autentico e singolare relax.
Situata trai fiori della terrazze; dalle quali è possibile una bellissima vista della costa.
La spiaggia sottostante è raggiungibile in pochi minuti.
Maratea si trova a circa metà percorso dell'autostrada A3 NAPOLI-REGGIO CALABRIA. (Uscita Lagonegro Nord)

Es ist eine lange Reise nach Maratea in Basilicata, fast an der Stiefelspitze Italiens, doch wer diesen Weg auf sich genommen hat, wird begeistert sein.
Ein kleines wunderschönes Haus in einem kleinen Ort an den Hängen der Berge mit einem traumhaften Blick über das Mittelmeer.
Ein wunderschöner Garten mit üppigen Blumen und exotischen Bäumen umrahmt das Hotel. Auf der Terrasse wird nicht nur das Frühstück eingenommen, sondern an den meist warmen Tagen auch diniert. Eine regionale aber delikate Küche mit sehr schmackhaften Fischgerichten rundet den positiven Eindruck ab, den man beim Betreten der Jugendstil-Villa gewonnen hat. Auch die Zimmer sind sehr ansprechend und gepflegt, obgleich sie nicht besonders groß sind. Sie haben fast alle einen herrlichen Blick über das Meer und den Garten.
Die Gastgeber Frau und Herr Aquadro sind sehr charmant, doch sollte man italienisch können, wenn man sich mit ihnen unterhalten möchte. Da einige Mitarbeiter jedoch auch englisch sprechen, ist dies kein großes Problem. Die Villa Cheta Elite ist wirklich eine Urlaubsreise wert. Auf halbem Wege zwischen Neapel und Calabrien (A 3).

It is a long journey to Maratea in Basilicata, almost on the toe of Italy's boot, but anyone undertaking this trip will be enchanted.
A wonderful little hotel in a small village on the mountain slopes with an idyllic view over the Mediterranean.
A beautiful garden with luxurious plants and exotic trees surrounds the hotel. On the terrace you can have not only breakfast, but on the most warm days also dine there.
Regional though delicate cuisine with savoury fish dishes completes the favourable impression which one has gained on entering this Art Noveau style villa. The rooms too are appealing and well kept, although not particulary large. Almost all have a marvelous view over the sea and the garden.
The hosts, Signor and Signora Aquadro, are very charming, though you should be able to speak Italien if you want to conserve with them. However, since several of the staff speak English, this is no great problem.
The Villa Cheta Elite is really worth a holiday visit.

✂ 5.10. 92 / 25.3. 93	P 🚫
🛏 40	🌿
20	U 6 km
👤 85.000 - 100.000 Lit	🚶 1 km
👫 140.000 - 165.000 Lit	30 km
⚠	🚆 5 km

ROMA
NAPOLI — POTENZA
MARATEA

Marisa und Lamberto Aquadro
I-85041 Maratea (PZ)
Loc. Acquafredda
Tel. 0 9 73-87 81 34
Telefax 0 9 73-87 81 34

236

Romantik Hotel
„Le Silve di Armenzano"

Assisi

Nel cuore dell'Umbria, a soli 12 km da Assisi, sorge in posizione dominante un antico "ostello" del X secolo, oggi Hotel Le Silve. La secolare costruzione nell'accurato intervento di restauro conserva le antiche strutture, adeguate alle confortevoli esigenze della piu raffinata ospitalita albeghiera. L'arredamento delle camere e stato particolarmente curato con mobili antichi diversi in ogni stanza, tutte con vista panoramica sulle vallate. Tutti i prodotti genuini, provenienti dalla fattoria delle "Silve", sono espressioni della piu antica tradizione culinaria umbra. Gli ospiti, oltre ad apprezzare i comfort di un albergo di 1a categoria, riescono a trovare fra le pietre millenarie, gli antichi focolari, gli arredi d'epoca, il calore dell'antica ospitalita contadina.

Die jahrhundertealten Gebäude des Hotels aus dem Jahre 1000, im Herzen Umbriens, nur 12 km von Assisi entfernt, haben durch eine sorgfältige Restaurierung die antiken Strukturen beibehalten und sie bleibt den Ansprüchen einer raffinierten Gastherberge angepaßt. Die Zimmer sind unterschiedlich mit antiken Möbeln eingerichtet und haben alle eine wunderschöne Aussicht auf die Tallandschaft. Die verwendeten Lebensmittel stammen aus der Eigenproduktion des Landgutes „Le Silve" und verleihen der Küche ihre besondere Qualität und Atmosphäre. Neben dem Komfort eines erstklassigen Hotels finden die Gäste zwischen jahrhundertealten Steinen, alten Feuerstellen und antiken Möbeln die Wärme der ländlichen Gastfreundschaft wieder.

In the heart of Umbria, approx. 8 miles from Assisi on the top of a hill lies an ancient "hostel" from the 10th century. The secular complex although faithfully restored, still retains the charm of an ancient building, while it offers all the comfort of a first class Hotel. The bedrooms have been furnished, each one differently, with antique furniture and enjoy a beautiful view on the valley below. The genuine products used in the kitchen come from the "Le Silve" farm and create the quality and special atmosphere of the restaurant. The guests will be able to appreciate the comfort of a first class Hotel and at the same time find admidst ancient stones, old fireplaces and antique furniture, the warmth of rural hospitality.

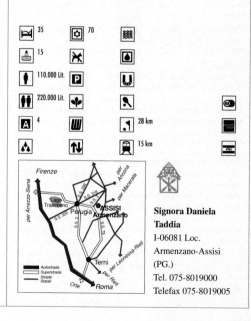

🛏 35	✿ 70
15	🐕
👤 110.000 Lit.	P
👥 220.000 Lit.	
A 4	
	🚂 15 km

28 km

Signora Daniela Taddia
I-06081 Loc.
Armenzano-Assisi
(PG.)
Tel. 075-8019000
Telefax 075-8019005

I Corvara

Romantik Hotel „La Perla"

„La Perla" - Promessa di poesia e di ospitalità.
Casa con atmosfera familiare, con tradizione e di classe, in un paradiso della natura.
Cento letti, stanze confortevoli, arredate con molto legno e materiali nobili. Lo stile della casa é caratterizzato da bellissime e autentiche stuben tirolesi del XV e XVI secolo.
Il piano bar, l'enoteca con più di 600 qualità di vini pregiati, il ristorante per buongustai in stile caratteristico, pasticceria, la boutique, galleria d'arte, parrucchiera, la sauna, il fitness, massaggi, la sala da gioco per bambini, i programmi giornalieri di sport e svago per gli adulti, nonchè il „Dolomiten Trekking" e le infinite possibilità invernali di Corvara e dei 1100 km, di piste collegate al comprensorio del DOLOMITISUPERSKIPASS.
Ecco „La Perla" per Voi.

La Perla - Versprechen aus Poesie und Gastlichkeit.
Seit Jahren, seit vielen Jahren als ein Hotel der Spitzenklasse geführt. Mit 100 Betten und komfortablen Zimmern - mit viel Holz und natürlichen Materialien. Der Stil des Hauses ist mitgeprägt von den wunderschönen Tiroler-Stuben aus dem 15. und 16. Jhdt. Die „Piano Bar", der urige Weinkeller mit mehr als 600 verschiedenen Weinen, das lauschige Restaurant, Konditorei, die Boutique, Kunstgalerie, Friseur, Sauna, Massagen und Fitness, Kinderspielraum, das Freizeitprogramm mit dem Dolomiten Trekking, die vielfältigen Skimöglichkeiten von Corvara und mit den 1100 km durch DOLOMITENSUPERSKIPASS verbundenen Pisten sind Einladungen von La Perla.
Von La Perla an Sie.

La Perla, the promise of a warm welcome.
For many years it has been a first class hotel with very comfortable furnishings and wood panelled rooms.
This outstanding house is in the style of 15th-16th century tyrolean inn.
The piano bar, the atmospheric wine bar with over 600 different wine labels, the cosy restaurant, coffeehouse, the boutique, art gallery, hairdresser, the sauna and fitnessroom, massage, the childrens playroom and leisure centre with trekking in the Dolomites. DOLOMITISUPERSKIPASS with 1.100 km.
La Perla welcomes you.

La Perla une promesse de poesie et d'accueil.
Depuis des années de très nombreuses années, un hôtel de toute première classe. 100 lits et des chambres confortables - une abondance de boiseries et materiaux naturels. Le style de l'etablissement est marque par le magnifique salon tirolean des 15 et 16ème siècles. Le »Piano Bar«, le caveau à vin et ses 600 crus, le restaurant intime, pâtisserie, laboutique, galerie d'art, coiffeur, le sauna, massages et fitness, la salle de jeu pour enfants et le programme de loisir, trekking dans les Dolomites, voila à quoi vous invite la Perla. DOLOMITISUPERSKIPASS avec 1.100 km.
De la Perla à vous.

... und in der stillen Saison

Goldenes Romantikwochenende...
zum Kennenlernen   L.198.000.
Für den kleinen Urlaub zwischendurch...
4 Tage zum Entdecken der Dolomiten   L.358.000.
... oder haben Sie 6 Tage Zeit? ... erlebnisreich, eindrucksvoll,
überwältigend   Wochenprogramm ab L.628.000.
Vorweihnachtsarrangement ... zum guten Start
in den Winter. HP pro Tag   3.12. - 19.12.   L.168.000.

Idyllisch:	Trecking Programme
Aktiver Erholungsurlaub:	geführte Tagestouren mit Hüttenzauber
Vielseitiges Sportangebot:	Klettertouren, Radtouren, Golf-Driving-Range
Zahlreiche Unterhaltungen:	Weinverkostungen, Musikabende, Freßtage

Familie Costa
Zentrum 44
I-39033 Corvara
Tel. 0 4 71-83 61 32
Telefax 0 4 71-83 65 68

Romantik Hotel
„La Perla"

Corvara \boxed{\text{I}}

Romantik Hotel
„Tenuta di Ricavo"

Un gruppo di case medievali, successivamente famosa residenza signorile nel'400, offrono oggi l'opportunità di un soggiorno tranquillo e distensivo all'insegna di un'antica e nobile ospitalità.
La Tenuta di Ricavo, con i suoi 160 ettari di parco naturale a circa 600 metri sul livello del mare e la piscina incastonata nel verde, consente un' indimenticablile vacanza nella natura incontaminata del Chianti.

Eine mittelalterliche Häusergruppe, die im 15. Jahrhundert ein berühmter Herrensitz wurde, bietet die Möglichkeit, einen ruhigen und entspannenden Aufenthalt, im Zeichen einer antiken und edlen Gastfreundschaft zu verbringen. Die Tenuta di Ricavo liegt auf ca. 600 m Höhe und bietet – verkehrstechnisch äußerst günstig gelegen – mit ihren 160 ha Naturpark die Möglichkeit – unweit der kulturell berühmten Stätten der nächsten Umgebung – einen unvergeßlichen Urlaub in der unberührten Natur des Chianti's zu erleben.

A group of medieval houses, formerly a distinguished residence in the 1400s, offer the perfect setting for a noble hospitality. The Tenuta di Ricavo, with it's 160 acres of natural park about 600 meters above sea level, set in natural surrounding – and yet very centrally located and close by to all major sights of the area – provides the ideal opportunity for an unforgettable vacation in the uncontaminated nature of Chiantishire.

✕ 1 + 2	🅐 5	♣
✕ Dez.-März	🄰	〰
🛏 50	✿	〰〰
⚱ 23	♿	Ⓤ 3 km
🧍 130 000 Lit	✗	Boccia
🚻 200 000 - 300 000 Lit	🅿	20 km

Firenze Certosa

AUTOSTRADA ROMA

San Donato

Ricavo

Castellina in Chianti

Siena

Famiglia
Alessandro Lobrano
Christina Lobrano-Scotoni
I-53011 Castellina
in Chianti/SI
Tel. 0577 - 740221
Telefax 0577 - 741014

Romantik Hotel
„Golf Hotel-Castello Formentini"

S. Floriano
del Collio-Gorizia

Posto sulla sommità del Colle di S. Floriano, nel cuore del Collio, l'Hotel è un raro esempio di raffinata ospitalità in un ambiente caldo e familiare: ricavato dalla ristrutturazione di due antiche case del borgo del Castello Formentini, è interamente arredato con mobili e stampe originali del 700 e 800. Orgni stanza ha una sua precisa e calda personalità senza rinunciare ai servizi di un Hotel di prima categoria: telefono, frigobar, TV color, cassetta di sicurezza.
Nella migliore tradizione del Collio e dei Conti Formentini, vignaioli dal 1500 ogni stanza porta il nome di uno dei prestigiosi vini di questa zona. Nel Castello il Ristorante, celebre ormai per i suoi banchetti medioevali.
Ogni sabato si ripete il rito: cibi preparati secondo le originali ricette medioevali, camerieri in costume, musiche dell'epoca ad attender Vi sul cancello due albardieri in corazza.
Le grandi sale sono spesso adibite a banchetti, convegni e simposi.
Il Collio una delle terre nobili del vino un dono che i Formentini hanno saputo rispettare e valorizzare, come testimonia l'interessante e ricco „MUSEO DEL VINO" a due passi dall'Hotel.
Gli ospiti dell'Albergo oltre all'ampio parco del Castello hanno a disposizione un campo da Golf a 9 buche (Par 3), due campi da tennis e d'estate la piscina.
Chiuso dal l gennaio al 15 febbraio.

Auf dem Gipfel des Hügels von „San Floriano", im Herzen der „Collio"-Gegend, liegt das Golf Hotel. Es ist ein kleines Hotel, das sich in zwei alten, renovierten Häusern an der Burg befindet. Es ist mit Originalmöbeln und Kupferstichen aus dem 18. und 19. Jahrhundert ausgestattet. Jedes Zimmer hat eine individuelle Ausstattung und alle haben Bad/WC, sowie TV, Minibar, Telefon und Schließfach.
Wie es die Tradition der „Collio"-Gegend und der Grafen Formentini (Winzer seit dem Jahre 1500) verlangt, trägt jedes Zimmer den Namen eines exzellenten Weines der Region.
In der Burg befindet sich das Restaurant, bekannt durch die dort stattfindenden mittelalterlichen Bankette. An jedem Samstag wiederholt sich der Ritus. Das Essen wird nach Originalrezepten aus dem Mittelalter zubereitet, die Kellner sind stilgerecht gekleidet, man hört mittelalterliche Musik und an der Eingangstür erwarten Sie zwei Hellebardiere in ihrer Rüstung.
In den großen Sälen finden oft Bankette, Kongresse und Symposien statt.
Die „Collio"-Gegend gehört zu den edelsten Weingebieten und ist ein Geschenk der Natur, welches die Familie Formentini zu schätzen und nutzen wußte. Das interessante und umfassend ausgestattete „Weinmuseum", das sich ganz in der Nähe des Hotels befindet, ist Zeuge dieser Geschichte.
Direkt an der Burg, inmitten der eigenen Weinberge, liegt ein 9-Loch Golfplatz und innerhalb der Burgmauern gibt es ein schönes Freibad.

Situated at the top of San Floriano Hill, in the Heart of the Collio region the Golf Hotel is a rare example of rafined hospitality in warm and familiar surroundings.
Two renovated houses of the Formentini Castle's village, the hotel is completely furnished with original 17th. ansd 18th: century furniture and prints. Each room has its own individual, warm style without forgoing the services offered by a first class hotel: telephone, frigobar, colour T. V., safe deposit box. In the best tradition of the Collio and the Formentini Conts, vine dressers since 1500, every room is named after one of the many prestigious wines of this region.
In the castle, there is the restaurant now famous for its medieval banquets. The tradition is relived every Saturday: food prepared according to original medievalrecipes, waiters in costume, medieval music and two sentries in armour at the gate to await you. The spacions rooms are often used for banquets, conferences and meeting.
The Collio, one of the „nobile" soils for grapegrowing, a gift that the Formentinis knew to respect and value, there is an interesting and rich „Wine Museum" a few steps away from the Hotel which can be visited.

Sur le sommet de la colline de »San Floriano« au coeur de la région »Collio« se trouve le »Golfhotel«. C'est un petit hôtel instllé dans deux anciennes maisons renovées près du château. Il est décoré avec des meubles et gravures d'origine du 18iéme et 19iéme siècles. Chaque chambre à un aménagement individuel et toutes ont salle de bains/toilettes, TV, minibar, téléphone et casier.
Comme le veut la tradition de cette région »Collio« et des ducs Formentini

(viticuleurs depuis 1550) chaque chambre porte le nom d'un vin excellent de la région.
Le restaurant se trouve au château connu pour ses banquets médiévals. Chaque samedi se répète le rite. Les repas sont préparés d'après les recettes originales du moyen-âge; les garçons sont habillés d'époque, onécounte de la musique moyennageuse et deux »Hellebardes« vous attendent à l'entrée dans leur cuirasse. Dans les grandes salles ont lieu souvent des banquets, congrès et colloques.
La région du »Collio« appartient aux domaines les plus exquis et est un cadeau de la nature que la famille Formentini a su apprécier et faire valoir. L'intéressant et vaste musée du vin, qui se trouve à proximité de l'hôtel, est témoin de cette époque. A proximité du château, au milieu des propres vignes, se trouve un terrain de golf à 9 tours et à l'intérieur du château est une très belle piscine en plein air.

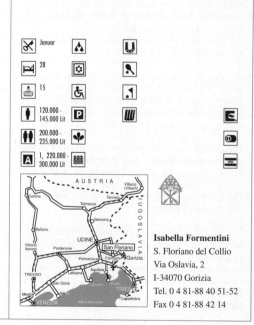

Isabella Formentini
S. Floriano del Collio
Via Oslavia, 2
I-34070 Gorizia
Tel. 0 4 81-88 40 51-52
Fax 0 4 81-88 42 14

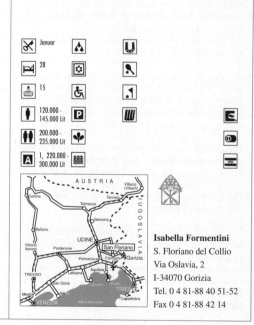

<!-- icon/info block -->

Januar
28
15
120.000 - 145.000 Lit
200.000 - 235.000 Lit
l, 220.000 - 300.000 Lit

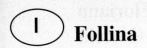

I Follina

Romantik Hotel „Abbazia"

Follina: un romantico hotel a due passi da Asolo. L'Hotel Abbazia, parte integrante di un complesso seicentesco, si trova nel centro storico di Follina, un piccolo paese dalle antiche origini.

La sua posizione favorevole consente adeguati collegamenti con i più importanti centri del Veneto come Cortina a Venezia, e insieme un soggiorno all'insegna del riposo e della tranquillità. L'accurata scelta dei materiali, l'attenzione per i particolari architettonici e la raffinata e preziosa eleganza dell'arredo studiato in ogni dettaglio, conferiscono all'Hotel Abbazia la calda ed esclusiva atmosfera di una casa privata.

L'hotel non dispone di ristorante. Suggeriamo «Da Gigetto» nelle vicinanze.

Ein Romantik Hotel in der Umgebung von Follina, einen Steinwurf von Asolo entfernt, in der Provinz Treviso.

Dank seiner günstigen geographischen Lage ist es nicht nur mit den bedeutenden Zentren Venetiens (Cortina, Venedig) verbunden, sondern bietet dem Besucher auch einen ruhigen und entspannenden Aufenthalt.

Sorgfältig ausgewählte Materialien, die Aufmerksamkeit, die der Architektur des Hauses gewidmet wurde, und die kultivierte Eleganz der Ausstattung geben dem Hotel Abbazia die warme und exklusive Atmosphäre eines privaten Heims.

Das Hotel hat kein eigenes Restaurant. Wir empfehlen das „Da Gigetto" ganz in der Nähe.

A romantic Hotel in the setting of Follina, a stone's throw from Asolo, in the province of Treviso.

Thanks to its favourable geographical position, it is not only well connected with the important centres of Veneto (Cortina, Venice), but also offers the visitor a peaceful and relaxing stay.

The careful choice of materials, the attention given to architectural features, and the refined elegance of the decor give the Hotel Abbazia the warm and exclusive atmosphere of a private home.

The hotel doesn't have a restaurant. We suggest the "Da Gigetto" nearby.

Un hôtel de style romantique qui se trouve à Follina, tout près d'Asolo, dans la province de Treviso.

Grâce à sa position géographique stratégique, l'hôtel est non seulement bien relié aux centres importants de la Vénétie (Cortina, Venise), mais il offre également au visiteur la possibilité d'y passer un séjour calme et reposant.

Le choix méticuleux des tissus, l'attention portée aux caractéristiques architecturales et l'élégance raffinée du décor confèrent à l'Hotel Abbazia l'atmosphère chaude et exclusive d'un intérieur privé.

L'hotel n'a pas de restaurant, aussi nous conseillons le «Da Gigetto», situé a proximità.

✕ 1 abends 2	✿ 30	⊠	
🛏 24	P	↗ 40 km	
🎂 12	♣	🚆 10 km	E
👫 180 000 - 230 000 Lit	🚾	Driving distance from:	ⓓ
A 3	≈ 10 km	Asolo 20 km Venezia 40 km Cortina 85 km	▣
⛰	U		VISA

Familie Zanon
Via Martiri della Libertà
I-31051 Follina (TV)
Tel. 0438 - 971277
Telefax 0438 - 970001

Romantik Hotel „Stafler"

Mauls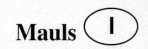

Traditionsreiche Gastfreundschaft finden Sie in einem der ältesten Gasthöfe des Eisacktales, dem Romantik Hotel „Stafler" – liegt 25 km südlich des Brenners – ideal für einen Zwischenstop auf dem Weg in den Süden.
In unseren komfortabel eingerichteten Zimmern erwartet Sie eine gemütliche familiäre Atmosphäre. Unser Ahnensaal eignet sich ganz besonders für festliche Anlässe – der Tagungsraum bietet den Seminarbesuchern ein angenehmes Arbeitsklima. Wir verwöhnen Sie gerne mit auserlesenen Weinen und heimischen Spezialitäten, welche hauptsächlich mit Produkten aus der eigenen Landwirtschaft zubereitet werden.
Wir freuen uns auf Ihren Besuch!

L'ospitalità ricca di tradizioni Lei la può trovare in uno degli alberghi più antichi della Val d'Isarco, nel Romantik Hotel "Stafler" – situato a 25 km a Sud del Brennero, l'ideale punto di sosta prima di proseguire per il Sud. Nelle nostre camere confortevolmente arredate L'aspetta un'atmosfera accogliente e familiare.
La nostra sala degli antenati è particolarmente adatta per festeggiamenti – la sala delle riunioni offre a chi partecipa ai seminari un piacevole clima di lavoro. Noi La vizieremo volentieri con vini pregiati e specialità locali, che vengono principalmente preparate con i prodotti della nostra azienda agricola.
Saremo lieti di averLa con noi come gradito ospite!

Hospitality steeped in tradition awaits you at one of the oldest inns in the Eisacktal, the Romantik Hotel "Stafler" – located 25 km south of the Brenner Pass – ideal for a stopover on your way south.
A cosy, family-style atmosphere awaits you in our comfortably furnished rooms. Our ancestral hall is particularly suitable for festive occasions – the meeting room offers seminar participants a pleasant working environment. Let us pamper you with select wines and local specialties which are prepared for the most part from products grown on our own farm.
We are looking forward to your visit.

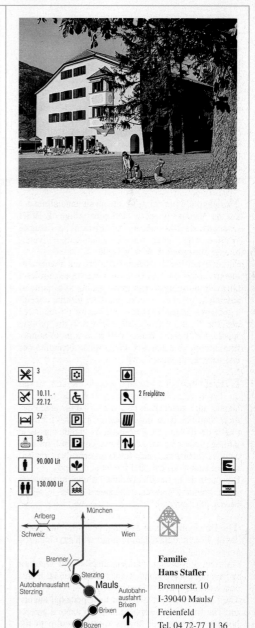

Familie
Hans Stafler
Brennerstr. 10
I-39040 Mauls/
Freienfeld
Tel. 04 72-77 11 36
Telefax 04 72-77 10 94

Marling / Meran

Romantik Hotel „Oberwirt"

Marling (365 m) liegt am Süd-Westhang über dem Weltkurort Meran (3 km), der Perle Südtirols.
Der „Oberwirt" ist ein Landgasthof aus dem 15. Jhdt, der von der Familie Waldner mit viel Liebe und Gespür für's Schöne zu einem ★ ★ ★ ★ Romantik-Hotel ausgebaut wurde.
Zimmer mit zeitgerechtem Komfort, Suiten, Gourmet-Restaurant, gemütliche Hausbar, Gastgarten, stilechtes Römerbad mit Sonnenwiese, Hallenbad, Sauna, Dampfbad, Massage, Fitness und Bio-Cosmetic.
Spaß am Tennis vermittelt ein junges Trainer-Team auf der hauseigenen Anlage mit 5 Sand-Freiplätzen und 2 Hallenplätzen.

Marlengo (365 m. s.l.m.) è situata su una collina a 3 km da Merano, la perla dell'Alto Adige. L'Hôtel Oberwirt, da 200 anni die proprietà della famiglia Waldner, dopo continui ammodernatmenti, è divenuto oggi albergo di ★ ★ ★ ★ stelle.
Pur offrendo ogni moderno confort, ha mantenuto integra la sua originalitè di ambiente tipico tirolese. Oltre ad un rinomato ristorante, l'albergo dispone di autentiche »Stube« tirolesi, giardino, piscina coperta e scoperta, sauna, solarime e 7 campi da tennis (2 copertie 5 all'aperto di cui 3 in terra) con propria scuola. La famiglia Waldner Vi aspetta in un'atmosfera intima, garantendovi una cordiale ospitelità per una vacanza di sogno.

L'Hotel Oberwirt à Marling, pres de Merano, au sud du Tyrol, offre le confort d'un Hotel de première classe, auié au charme et à accueil d'un etablissement familial pour qui l'hotelrie est une tradition vieille de 200 ans. Le Restaurant de grande classe, le jarding, deux piscines (dont l'une couverte), un sauna et les courts de tennis (avec un entraineur classé) offrant autant de centred d'intérèt et de repos.
L'accueil de la famille Waldner d'une amabilité et d'une grande dilligence, contribue à rendre le sèjour encore plus agréable.

The Hotel Oberwirt in Marling, near Merano, South Tyrol, is a first class family hotel with two hundred years of tradition.
Gourmet Restaurant, Garden, Indoor and Outdoor swimming pools, Sauna, Tennis (International tennis coach available).
The Family Waldner give you their personal attention. The friendly atmosphere helps to make a perfect holiday and you will always want to return to the Hotel Oberwirt.

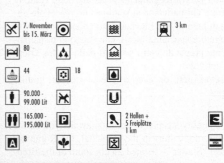

7. November bis 15. März		3 km
80		
44	18	
90.000 - 99.000 Lit		
165.000 - 195.000 Lit		2 Hallen + 5 Freiplätze 1 km
8		

Josef Waldner
I-39020 Marling,
Meran/Südtirol
Tel. 04 73-4 71 11
Telefax 04 73-4 71 30

Ein erstklassiges Haus mit großer Tradition heißt Sie herzlich willkommen. Im besonderen Ambiente eines Romantik Hotels mit seiner unverwechselbaren und heimeligen Ausstrahlung.

I Mira, Porte

Romantik Hotel „Margherita"

L'hôtel Villa Margherita e il Suo vicino omonimo, ristorante si affacciano su uno degli angoli piu'belli della Riviera del Brenta e sono circondati da parchi ed ampi spazi verdi. Situati a Mira Porte, sulla Statale No. 11, distano 10 km da Venezia, Gli affreschi alle pareti, i mobili in radiche e legni pregiati, il caminetto acceso, invitano alla lettura, alla conversazione, al sottile piacere della, vita. Tutte le diciannove stanze sono personalizzate da tessuti ricercati, quadri d'autore, tappeti persiani e ceramiche dipinte a mano. Ampi parcheggi, pontile privato sul fiume, fermata degli autobus di linea e turistici favoriscono qualisiasi spostamento. Il servizio raffinato la cnoscenza delle lingue straniere e una pista privata di jogging immersa nella campagna, veneta ne fanno un'oasi di sicurezza e tranquillità'.

Nelle sale calde ed accoglienti del ristorante Margherita, uno dei primi sorti in Riviera del Brenta si incontra una civiltà gastronomica basata su regole essenziali: il rispetto della tradizione, l'attenzione per la qualità, l'uso esclusivo di pesce freschissimo. Ristorante e Hotel Villa Margherita: **sintesi di quattro secoli di cultura e civiltà .**

10 km von Venedig entfernt, liegt das Hotel Margherita und das nahegelegene Restaurant gleichen Namens, inmitten großzügiger Parkanlagen, an einem der schönsten und unberührten Plätze der Riviera del Brenta. Ein brennender Kamin, die edlen Möbel und Wandmalereien laden zum Lesen und subtileren Freuden des Lebens ein. Jedes Zimmer ist individuell ausgestattet.

Eine private Anlegestelle und gute Linien- und Touristikbusse bieten die Möglichkeit für interessante Ausflüge. Sie erwartet eine sichere Oase der Bequemlichkeit: vorzüglicher Service und Fremdsprachenkenntnisse und eine private Jogging-Strecke.

Das gehobene Restaurant beruht auf grundlegenden Regeln; dem Respekt für Tradition, die sorgfältige, qualitative Wahl an frischen Produkten. Restaurant und Hotel Margherita: **Vier Jahrhunderte Geschichte und Kultur.**

10 km from Venice, is the Villa Margherita and its neighbouring restaurant of the same name, both face on to one of the most beautiful and bestpreserved tracts of the Riviera del Brenta. The place is surrounded by beautiful parks.

The fresques on the walls, the furniture made of valuable woods and the open fireplace create a pleasant atmosphere for reading, conversation and the subtle pleasures of life. All bedrooms are personalized with handpainted ceramics. A private mooring on the river and a mainline and tourist coach stop on the doorstep mean that transport is no problem.

Accurate service, knowledge of foreign languages, a private jogging course it an oasis of tranquillity. In the welcoming dining halls the quality of the restaurant is based on essential rules: respect for tradition, attention to quality and the exclusive use and fresh fish.

The Restaurant and the Hotel Villa Margherita are **a synthesis of four centuries of culture and civilization.**

À 10 km de Venise, l'Hôtel Villa Margherita et le Restaurant attenant se dressent en l'un des endroits les plus beaux et encore intacts de la Riviera du Brenta. Ils sont entourés de parcs d'immenses espaces.

Les fresques murales, les meubles en bois rarées, le feu ouvert, invitent à la lecture, à la conversation, aux doux plaisirs de la vie. Toutes les chambres sont personnalisées par des tissus nobles, des tapis et des ceramiques faites à la main.

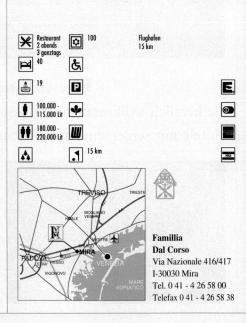

Un debarcadère privé sur le fleuve et l'arrét des autobus favorisent des escapades interessantes. Il y a nombre de raisons pour lesquelles l'Hôtel Villa Margherita est une oasis ou la tranquillité est garantie. Dans le restaurant, on fait la connaissance d'une civilisation gastronomique basée sur des règles essentielles: le respect de la tradition, la recherche de la qualité, l'utilisation exclusive de poissons frais.

Le restaurant et l'Hôtel Villa Margherita sont **la synthèse de quatre siècles de culture et de civilisation.**

Restaurant 2 abends 3 ganztags	100	Flughafen 15 km
40		
19	P	
100.000 - 115.000 Lit		
180.000 - 220.000 Lit		
	15 km	

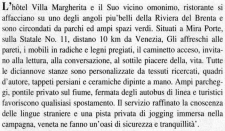

Famillia
Dal Corso
Via Nazionale 416/417
I-30030 Mira
Tel. 0 41 - 4 26 58 00
Telefax 0 41 - 4 26 58 38

Romantik Hotel „Margherita"

Mira, Porte

Ristorante ed Hotel Villa Margherita: sintesi di quattro secoli di cultura e civilta.

Restaurant und Hotel Villa Margherita: vier Jahrhunderte Geschichte und Kultur.

Restaurant and Hotel Villa Margherita are a synthesis of four centuries of culture and civilization.

Le restaurant et L'Hotel Villa Margherita sont la synthèse de quatre siècle de culture et de civilisation.

Saló

Romantik Hotel „Laurin"

L'Hotel Laurin, una stupenda villa in stile liberty trasformata in albergo dotato di ogni comfort, si trova in una posizione meravigliosa in prossimita di Saló, in direzione di Gardone Riviera. L'eccellente e rinomata cucina fa parte del «Ristorante Del Buon Ricordo». Una dependance sul lago annessa all'albergo offre la possibilita di praticare tutti i tipi di sport acquatico come: vela, surf, canottaggio, sci acquatico. I campi da tennis e un campo da golf si trovano a pochi minuti di automobile. Le numerose manifestazioni culturali, sportive e folcloristiche, in corso tutto l'anno sul lago di Garda, nonché la vicinanza di Gardone Riviera, Riva del Garda, Trento, Verona, Sirmione e Brescia invitano a numerose gite, anche nelle montagne vicine.

Das Hotel Laurin, diese wunderschöne, in ein Hotel umgewandelte Jugendstil-Villa, liegt am Rande von Saló, in Richtung Gardone Riviera, in herrlicher Lage mit jedem modernen Komfort. Die ausgezeichnete und renommierte Küche gehört zu den „Ristorante Del Buon Ricordo". Die dem Hotel angeschlossene See-Dependance ermöglicht die Ausübung aller Wassersportarten wie: Segeln, Windsurfen, Rudern, Wasserskifahren. Tennisplätze und ein Golfplatz können in wenigen Minuten per Auto erreicht werden. Die vielen kulturellen, sportlichen und folkloristischen Darbietungen, welche während des ganzen Jahres am Gardasee abgehalten werden, sowie die Nähe von: Gardone Riviera, Riva del Garda, Trento, Verona, Sirmione und Brescia, laden zu vielen Ausflügen auch in die nahen Berge ein.

The Hotel Laurin, a lovely art nouveau villa which has been transformed into a luxury hotel, is situated in a magnificent location on the outskirts of Saló in the direction of Gardone Riviera. The ''Ristorante Del Buon Ricordo'' is highly regarded for its fine cuisine. A seaside recreation center operated in conjunction with the hotel provides facilities for all kinds of aquatic sports, e.g.: sailing, windsurfing, rowing, water-skiing. Tennis courts and a golf course are just a few minutes away by car. The many cultural, athletic, and folklore events which are held throughout the year at the Lago di Garda, as well as the proximity to Gardone Riviera, Riva del Garda, Trento, Verona, Sirmione and Brescia provide many opportunities for excursions, even in the nearby mountains.

L'hôtel Laurin est une ancienne villa du style années 1900 transformée en hôtel au confort inégalé. Il est situé dans un cadre magnifique à proximité de Salò, en direction de Gardone Riviera. L'excellente cuisine très réputée est celle du «Ristorante Del Buon Ricordo». L'hôtel comporte également des installations permettant de se livrer à toutes sortes de sports aquatiques, tels que la voile, le surf, l'aviron, le ski nautique. Des courts de tennis et un terrain de golf sont situés à quelques minutes en voiture. Les nombreuses activités culturelles, sportives et folkloriques qui ont lieu tout au long de l'année près du lac de Garda, ainsi que la proximité de Gardone Riviera, Riva del Garda, Trento, Vérone, Sirmione et Brescia, sont autant d'invitations à de nombreuses excursions, même dans les proches montagnes.

20.12.-01.02   30   Brescia/Desenzano

66

37

140.0000 - 165.0000 Lit

200.000 - 280.000 Lit   1 km

2   Gardagolf/Bogliaco

Familie Rossi
Viale Landi No 9
I-25087 Saló - BS
Tel. 0 3 65-2 20 22
Telex 303342 Lautel I
Telefax 0 3 65-2 23 82

Particolare di vetrata liberty in una sala del Laurin

 Romantik Hotels und Restaurants
Personal Hospitality in Historic Houses

Romantik Hotel „Metropole"

Questi sono i principali ingredienti che fanno del «Metropole» forse il miglior «4 stelle» della città:
Un vecchio albergo completamente restaurato nel 1969/70 e 1991/92. La stupenda posizione a 3 minuti di passeggiata da Piazza S. Marco sul lungomare. La famiglia di veri albergatori che lo gestisce. Il Sig. P. L. Beggiato, il propietario, che reinveste tutto nell'albergo comperando antiquariato. La nuovissima aria condizionata, le stupende e romantiche camere che danno sul canale, sul giardino e sulla laguna. La «Trattoria al Buffet» di cui siamo orgogliosi dove potrete scegliervi da soli le specialità della cucina italiana e veneta (pranzo o cena Lit. 40.000 vino incluso). La ridente e luminosa sala la colazione col suo buffet vario ed appettitoso (incluso nel prezzo della camera). L'insolita entrata anche sul canale per arrivare direttamente col taxi-acqueo. Il garage gratuito (telefonare al momento dell'arrivo).

Hier sind die wichtigsten Zutaten, die das „Metropole" wahrscheinlich zur besten Wahl dieser Kategorie in der Stadt machen:
Ein altes Hotel, 1969–70 und 1991–92 vollständig renoviert. Hervorragende Lage, in 3 Minuten schlendern Sie am Wasser entlang zum Markusplatz. Geführt von einer Familie professioneller Hoteliers. Der Besitzer, P. L. Beggiato, investiert seinen Gewinn in das Hotel durch den Kauf von Antiquitäten (über 2000 Einzelstücke). Neue Klimaanlage, geschmackvoll eingerichtete Zimmer im romantischen Stil mit Blick auf den Kanal, den Garten und die Lagune. Besonders vorteilhaft im „Metropole" unsere „Trattoria al buffet", wo Sie sich für 40.000 Lire (Wein inklusive) selbst bedienen und . . . so oft Sie wünschen, einen Nachschlag holen können (exquisite Gerichte, einmalig in Venedig). Freundlicher und attraktiv gestalteter Frühstücksraum mit reichhaltigem und appetitanregendem Buffet (im Übernachtungspreis enthalten). Der ungewöhnliche Eingang am Kanal für die problemlose Ankunft mit dem Wassertaxi (Autos sind in Venedig nicht zugelassen). Kostenlose Garagenplätze (werden bei der Ankunft telefonisch organisiert).

Here are the main ingredients that make the "Metropole" probably the best choice in town in the category:
An old hotel completely restored in 1969–70 and 1991–92. The magnificent location 3 minutes stroll along the waterfront from St. Mark's Square. A family of professional hoteliers running it. Mr. P. L. Beggiato, the owner, who invests back into the hotel all his profits buying antiques (over 2000 pieces). The new air-conditioning, the lovely and romantic bedrooms overlooking the canal, the garden, the lagoon. The excellent value you get at the "Metropole" in our "Trattoria al Buffet" where for Lit. 40.000 (wine included) you may help yourself and . . . come back for more (exquisite meals, unique in Venice). The bright and attractive breakfast room with a generous and appetizing buffet (included in room price). The unusual canal entrance for trouble-free arrival by watertaxi (no cars allowed in Venice). Free garage (arranged by phone upon arrival).

VERY VERY SPECIAL
1. Januar bis 11. Februar und 24. Februar bis 31. März
15. November bis 27. Dezember und Juli und August
SINGLE LIT. 165.000, DOUBLE LIT 280.000
STAY 2 NIGHTS AND YOU ARE INIVITED TO A CANDLE-LIGHT-DINNER

 140   25 min

 74   45

230.000–290.000 Lit

320.000–390.000 Lit   P

A

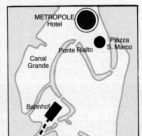

METROPOLE Hotel
Piazza S. Marco
Ponte Rialto
Canal Grande
Bahnhof

P. L. Beggiato
4149 Riva degli Schiavoni
I-30122 Venedig
Tel. 041-5 20 50 44
Telex 410 340
Telefax 041-52 23 679

Völs am Schlern

Romantik Hotel „Turm"

Die Ursprünge des Hauses gehen schon auf das 13. Jahrhundert zurück. Bereits 1153 wurde der Adelige V. Colonna vom Kaiser F. Barbarossa verbannt. Er zog nach Norden, setzte auf einem „Gebürg" einen Thurm, welchen er Vels nannte. Aus Vels wurde Völs am Schlern. Der wuchtige Turm wandelte sich im Laufe der Zeit vom Gericht zum Kerker, vom Dorfgasthaus zu einem behaglichen Hotel. Der Turmwirt ist Sammler, er hat aus seinem Haus ein erstaunliches Museum gemacht. Bei Tisch können auch anspruchsvolle Genießer Überraschungen erwarten. Der Juniorchef ist sein eigener Küchenchef. Im herrlichen Speisesaal dirigiert Walter liebevoll den Service. Völs liegt 900 m hoch im Naturpark, ein schönes Urlaubs- und Wandergebiet das ganze Jahr hindurch. Ideal auch für einen Zwischenaufenthalt in den Süden geeignet.

La casa risale al 13° secolo. Già nel 1153 il nobile V. Colonna fu esiliato dall'imperatore Federico Barbarossa. Egli si ritirò nel nord, costruì la sua torre su una montagna a cui diede il nome Vels. Da Vels diventò Völs sullo Sciliar. L'imponente torre è stata adibita nel corso dei secoli a tribunale, prigione e ad osteria, per diventare oggi un confortevole hotel. L'albergatore della torre è un collezionista, che ha trasformato la sua casa in un incredibile museo. Ma anche ai gaudenti particolarmente esigenti sono riservate delle sorprese. Il figlio del proprietario è lo chef in cucina. Nella stupenda sala da pranzo Walter dirige il servizio con tanto amore. Völs è situato nel parco naturale a 90 m di altitudine ed è una bellissima zona per trascorrerci le vacanze e per fare delle lunghe passeggiate. E' anche ideale per una breve pausa ed una piacevole interruzione di un viaggio verso il sud.

The hotel's origins can be traced all the way back to the 13th century. Already in 1153, the nobleman V. Colonna was banished by Emperor Friedrich Barbarossa. He moved north, built a tower on a "mountain" which he christened Vels. Vels became Völs on the Schlern. With the passing of time, the massive tower became a court, a prison, a village inn and finally a comfortable hotel. The tower innkeeper is a collector and has turned his place into an astounding museum. Even the most demanding of configures can expect a pleasant surprise at table. The assistant manager serves as his own chef. Walter directs the service in the magnificent dining room with loving care. Völs is located at a height of 900 meters [2952 feet] in the wildlife park, a lovely vacationing and hiking area throughout the year. Also ideal for a brief stopover in the south.

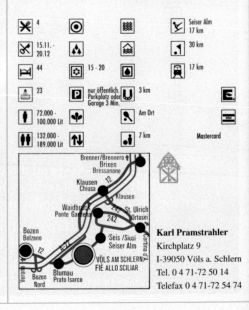

Karl Pramstrahler
Kirchplatz 9
I-39050 Völs a. Schlern
Tel. 0 4 71-72 50 14
Telefax 0 4 71-72 54 74

Romantik Hotel „Turm" Völs am Schlern

Einige Urlaubstips:

Im Mai:
Kochkurs-Wochen mit Juniorchef Stefan, Kräuterwanderung mit Kräuterspezialist (jeweils 6 Tage).

Im Juni:
Naturkostmonat vom 1. bis 30.
Der „Oswald von Wolkenstein-Ritt", ein mittelalterliches Reitspektakel im Naturpark Schlern (3 Tage).

Im Juni - Juli:
Völser Heubäder und Kräuterkuren.

Im Oktober:
Vom 1. bis 31. „Kuchlkastl" - einheimische Kost und vom Küchenchef ausgewählte Spezialitäten.

Angebot:
3 Tage als Feinschmecker im Romantik-Hotel Turm. (2 Degustationsmenüs und dazu passenden Wein)
Lire 390.000 p.P.

Luxemburg

Luxembourg

Romantik Hotel „Grunewald"

Luxembourg-Dommeldange

A la périphérie de Luxembourg-Ville, près de la forèt du Grunewald, se trouve l'Hostellerie du Grunewald, entièrement rénovée en 1984 et ainsi pouvant répondre aux plus hautes exigences en hotellerie ainsi qu'en qualité dans la restauration. En automne, le Chef de cuisine proposera ses spécialités de gibier tandis qu'au long de l'année ses préparations de homard et de crustacés sont appréciées unanimement. Riche cave en vins français et du pays. Arrangement de Flux 9.250 par personne, en chambre double pour 2 jours (sauf dimanche: restaurant fermé)

1er jour: Apéritif, menu gastonomique, logement et petit-déjeuner-buffet.

2eme jour: apéritif, menu à 4 plats, logement et petit-déjeuner buffet (pour single + 900 Flux).

Am Rand der Stadt Luxemburg, in der Nähe des Grunewalds liegt die Hostellerie du Grunewald, die 1984 vollständig renoviert wurde und somit höchsten Ansprüchen genügen kann, sowohl bei der Unterbringung als auch in der Qualität ihrer Küche.

Im Herbst empfiehlt der Küchenchef seine Wildspezialitäten, während im Lauf des gesamten Jahres seine Hummer- und Krustentier-Gerichte einhelligen Beifall finden. Reichhaltiger Weinkeller mit französischen und Landweinen.

Arrangement für Flux 9.250 pro Person im Doppelzimmer für 2 Tage (außer Sonntag: Restaurant geschlossen)

1. Tag: Aperitif, Feinschmecker-Menü, Unterkunft und Frühstücks-Buffet.

2. Tag: Aperitif, Vier-Gang-Menü, Unterkunft und Frühstücks-Buffet. (Für Single + 900 Flux)

On the outskirts of the City of Luxemburg, near Grunewald Forest is the Hostellerie du Grunewald, which was completely renovated in 1984 and thus is able to satisfy the highest demands both where the accommodations and the quality of its cuisine are concerned.

In fall, the chef recommends his wild game specialities, while his lobster and seafood dishes meet with approval the whole year around. Fabulous wine cellar featuring French wine and vin du pays.

Fixed price arrangement for lfr 9,250 per person in a double room for two days (excluding Sunday: restaurant closed).

Day 1: aperitif, gourmet menu, overnight stay, and breakfast buffet.

Day 2: Aperitif, four course menu, overnight stay, and breakfast buffet. (Add lfr 900 for single room)

6, bis 19 Uhr und 7 — 2 — 25

1.1.-22.1.93 nur Restaurant

48

25 — 15

3.500 - 3.800 FB — im Restaurant

4.700 - 5.500 FB — 1

Luise Decker
10-16 Route
D'Echternach
L-1453 Dommeldange
Tel. 43 60 62, 43 18 82
Telefax 42 06 46
Tel. 42 03 14 / Restaurant
Renate u. Walter Gerhards

Norwegen

Norway

Romantik Hotel „Park Pension"

Bergen

Hotel Park Pension har vært i drift i mer enn 25 år og holder til i en bygning reist ca. 1890.
Inærheten er Nygårdsparken, Universitetet og Grieghallen. Kort gangavstand til Bergen sentrum, jernbane og bussterminal. Bank, post op reisebyrå i samme kvartal.
Hotel Park Pension har 20 rom, alle med dusj og toalett, telefon med teletjenester, farge TV.
Hotel Park Pension er spesielt egnet for gjester som setter pris på rolige omgivelser og søker hjemlig atmosfære.
Parkering for gjester med egen bil. Vår gjestebok viser at hotellet har mange trofaste besokende.
Vi ønsker flere velkommen som våre gjester!

Julie Helene og Fredrik Klohs

Umringt vom Gebirge liegt in einem Tal die alte Hansestadt Bergen. Der Hafen in der historischen Stadt ist für jeden Besucher ein „muß", genauso wie der historische Stadtkern „Bryggen", der aus Lagerhäusern aus Holz besteht, die zu kleinen Läden und Restaurants ausgebaut wurden.
Sehenswert ist auch der Fischmarkt, der wochentags stattfindet.
Das Romantik Hotel „Park Pension" in Bergen liegt nur wenige Minuten zu Fuß von der herrlichen Innenstadt Bergens entfernt.
Nicht weit entfernt sind die Universität und die Grieghalle.
Das Hotel ist ein Gebäude, das ca. 1890 erbaut wurde. Damals war dieser Teil der Stadt im Besitz hochangesehener Familien der Stadt Bergen.
Das Hotel wird wie ein Privathaus geführt. Daher darf man sich nicht wundern, wenn die Haustüre erst nach dem Klingeln geöffnet wird.
Die Zimmer sind zum größten Teil 1988 renoviert worden und sind gemütlich ausgestattet.

The old Hansa twon of Bergen is surrounded by mountains. The harbour in the historic town is a „must" for every visitor, as is too the historic centre of the town „Bryggen", consisting of wooden warehouses which have been converted into little shops and restaurants.
The Romantik Hotel „Park Pension" in Bergen lies only a few minutes walk from the lovely town centre. Nearby are the University and the Grieg Hall. The hotel was built around 1890. Then this part of the town was owned by prestigious families of Bergen.
The hotel is run like a private house, so you should not be surprised that the doors are only opened after you have rung.
The rooms were mostly renovated in 1988 and are comfortably furnished.

De montagne entourré, repose l'ancienne ville hanséatique de Bergen. Le port dans l'ancienne ville est un »must« pour chaque visiteur, de même que »Bryggen« le centre historique avec ses entrpôts en bois, qui ont été restaurés en petites boutiques et restaurants.
Une autre curiosité est le marché au poisson qui se tient en semaine.
L'Hôtel Romantique »Parkpension« à Bergen n'est qu'à quelques minutes à pieds du centre. Tout proches aussi, l'Université et la salle Grieg.

L'Hôtel est situé dans un édifice construit aux alentours de 1890. Ce quartier hébergeait à l'époque les familles en vue de la ville. L'hôtel est conduit comme une maison privée. Il ne faut donc pas s'étonner si l'on ne vous ouvre qu'après que l'on ait sonné. La plupart des chambres ont été rénovées en 1988 et sont trés accueillantes.

22.12 - 2.01. Ostern	
34	P
20	
570 - 600 Nkr	
690 - 735 Nkr	

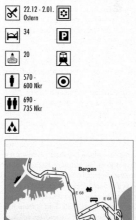

Familie Klohs
Harald Hårfagresgt 35
N-5007 Bergen
Tel. 05-32 09 60
Telex 40 365
Telefax 05-31 03 34

Saudasjøen, Sauda

Romantik Hotel „Sauda Fjord“

Sauda Fjord Hotel ligger innerst i Ryfylkefjorden, en passende dagstur fra Haugsund eller Stavanger. Vårt gamle herregårdshotell ble bygget i 1914 i gammel ærverdig, heeregåardstil for å friste rike turister til lakse-fiske og rekreasjon. Mye har hendt siden den gang, men hotellets herskapelige atmosfære og stil er beholdt. Etter meget omfattende restaurasjonsarbeider i 1984 under ledelse av den berømte norske arkitekt Hans Gabriel Finne, fremstår hotellet i dag som en hotellperle av de helt sjeldne.
I vinterhalvåret tilbyr vi fantastisk skiterreng og Rogalands største skitrekk - Svandalen - i umiddelbar nærhet. Etter en lang dag i bakken er det godt å vite at vårt utmerkede kjøkken serverer riklig, god mat fra vår a là Carte meny.
Om sommeren er det frodig og grønt i Sauda. Mange av våre gjester foretrekker å nyte stillheten og roen som hersker, andre prøver fiskelykken i nærliggende vassdrag.
Sauda Fjord Hotel er mye brukt som et intimt og særpreget kurssted. Våre grupperom og plenumsaler holder samme herskapelige standard som resten av hotellet. Det virker som at vår tro på ekte, personlig service og aktiv appfølding blir verdsatt av mange kursarrangører. At kunder kommer tilbake gang på gang skulle tyde på det.
Vi ønsker nye og gamle kunder velkommen til herskapelige Sauda Fjord Hotel!

Am Ende eines der schönsten Fjorde Norwegens liegt der kleine Ort Sauda. Zu erreichen ist der Ort entweder mit der Fähre von Stavanger (Fahrtzeit 2 Stunden 15 Minuten) oder aber über die Berge, was eine Fahrt auf kleinen Wegen bedeutet, die sich für jeden Besucher lohnt. Jede Kurve, jede Wegbiegung heißt, einen neuen, unvergeßlichen Eindruck von dem Land zu bekommen.
Das Romantik Hotel „Saudafjord Hotel“ liegt direkt am Ende des Ryfylkefjords und wurde 1914 erbaut für Touristen, die sich erholen und fischen möchten.
Die Zimmer wurden großzügig renoviert, und die Küche ist bekannt für Spezialitäten. Der Speisesaal, das à-la-carte Restaurant und die gemütliche Halle machen einen angenehmen Eindruck auf den Besucher.
Zu dem Hotel gehört ein eigener Tennisplatz, der von den Gästen benutzt werden kann. Im Sommer lädt der Garten zum Verweilen ein, im Winter gibt es ideale Möglichkeiten zum Skifahren.

Sauda Fjord Hotel is situated at the end of the Ryfylkefjord, only a few hours from Haugesund, Bergen or Stavanger. Our old beautiful hotel was built in 1914 in its characteristic style of dignity for the purpose of tempting rich tourists to come for recreation and salmon fishing. Much has changed since then, but we are proud to say that the characteristic style and atmosphere remain. After a thorough restoration in 1984 under the management of the famous Norwegian architect Hans Gabriel Finne, the hotel today appears as a rare pearl among hotels.
In the winterseason Sauda has fantastic skiing possibilities, and „Svandalen Skicenter" - the largest ski-town in Rogaland - is only a few minutes away. After a long day outdoors, our excellent kitchen will be pleased to serve you delicious courses from our à la carte menu.
The summer is very green and rich in Sauda. Some of our guests prefer to enjoy the peace and quietness of the area, others tempt their fishing luck in the surrounding lakes and rivers. Sauda Fjord Hotel is frequently used as a place for meetings and conferences. Our grouprooms and halls are held in the same high but intimate standard as the rest of the hotel. We believe that genuine, personal service is valued by our costumers, and the fact that they return again and again may serve as a confirmation of our belief.
We wish our new and old customers welcome to Sauda Fjord Hotel!

A l'embonchure de l'un des plus beaux fjords norvégiens se situe la petite localité de Sauda. On peut l'atteindre soit par le bac de Stavanger (traversée de 2 h 1/4) ou en venant des montagnes par de petites routes qui méritent que chaque visiteur les prenne. chaque virage, chaque courbe en chemin font naître une nouvelle impression inoubliable.
L'Hôtel Romantik »Saudafjord Hotel« est situé tout en bout du fjord Rykylke et fut construit en 1914 pour des touristes friands de pêche et de repos. Les chambres ont été très généreusement rénovées et la cuisine est renommée pour ses spécialités. La salle de restaurant, sa carte et le hall accueillant produisent une impression agréable sur l'hôte. L'Hôtel dispose d'un court de tennis dont les hôtes peuvent jouir. En été le jardin invite au repos, en hiver sont réunies les conditions idéales pour la pratique du ski.

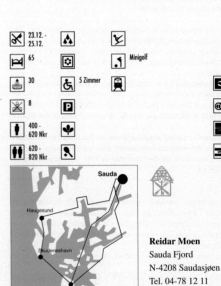

23.12. - 25.12.
65
30
8
400 - 620 Nkr
620 - 820 Nkr
5 Zimmer
Minigolf

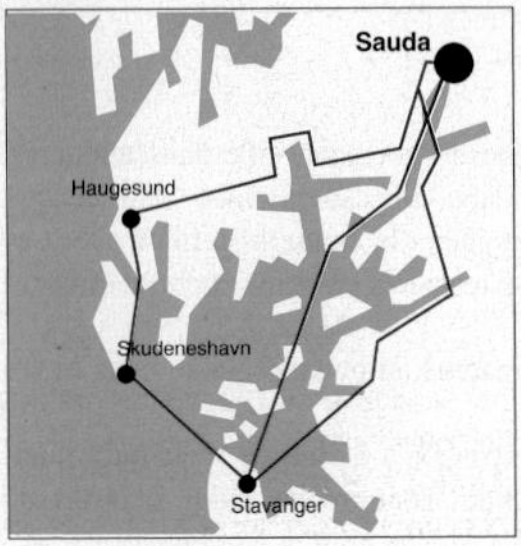

Reidar Moen
Sauda Fjord
N-4208 Saudasjøen
Tel. 04-78 12 11
Telefax 04-78 15 58

Romantik Hotel „Wassilioff"

Stavern

Det begynte året 1844 - da Michael Wassilioff gikk i land i Stavern. En russisk kontormann, som flyktet fra Riga, for å bli soldat i Tsarens hær.

Flukten gikk med en Stavernsskute til det nye fedrelandet. her startet hat en my tilværelse og grunnla Hotel Wassilioff. Datteren Tatjana og sønnen Ingebret førte familietradisjonen videre og gjorde hotellet til et tre-stjerners i eldre reisehåndbøker.

I dag er hotellet gått ut av slektens eie, men fortsatt er det „Tre-Stjerner" - som et moderne og komfortabelt hotell - med tradisjoner og særegen atmosfære. Michael ville nok likt seg på dagens Hotel Wassilioff.

Mange forbinder Stavern - Sol og Sommer.

Sevsagt, det også, men Stavern er noe langt mer. La oss bare kort nevne: Fredriksvern Festning, en gang den norske marines hovedbase. Like ved, omkranset av charmerende småby-bebyggelse, Hotel Wassilioff, med havn og havet rett utenfor sine cinduer. Vi tør si det selv: Det er noe eget med Wassilioff. Kombinasjonen av gammelt, som er pietetsfullt modernisert - og nyeste nytt, et hyggelig hotell i den middelstore klassen. Enhver gjest blir nesten som en personlig bekjent.

Dessuten: En smule behagelig luksus - og så denne spesielle atmosfæren som har trukket folk til Stavern og Wassilioff i mer enn et 145 år.

1844 kam ein russischer Seemann, der im Dienste des Zaren gestanden hatte, nach Stavern und ließ sich hier nieder. Er baute ein kleines Gasthaus und nannte es nach seinem Namen: Wassilioff. Heute gehört es zu den wenigen historischen Hotels in Norwegen und Stavern selbst gehört zu den schönsten historischen Orten des Landes. Kein Wunder also, daß Stavern nicht nur bei Norwegern sehr beliebt ist. Daher reichten auch die wenigen Zimmer im historischen Teil des Hauses nicht mehr aus, so daß sich Anne - Gerd und Gunnar Berseth vor einigen Jahren entschlossen haben, einen neuen Trakt in moderner Bauweise anzuschließen. Das helle freundliche Restaurant ist bekannt für seine norwegischen Fischspezialitäten und wer am Abend Durst hat, findet eine gemütliche Bar im Keller, in der sich auch das einheimische Publikum trifft. Stavern ist auch Ausgangspunkt für Fahrten entlang der Südküste Norwegens oder ins Seen- und Tälergebiet der Telemark.

In 1844 a Russian seaman who hat been in the service of the Russian czar came to Stavern and built a small guesthouse here and named it after himself, Wassilioff. Today it is one of the few historic hotels in Norway.

Stavern itself is one of the most attractive historic places in the country. No wonder that Stavern is very popular not only with Norwegians. For this reason the limited number of rooms in the historic old part of the house no longer sufficed. So a few years ago, Anne-Gerd and Gunnar Berseth decided to add on a new tract in modern design.

The bright, friendly restaurants is known for its Norwegian fish specialities, and whoever is thirsty in the evening will find a cosy bar in the cellar where the locals also get together.

Un marin russe qui avait été au service du tsar vint en 1844 à Stavern et s'y établit. Il y construisit une petite auberge à laquelle il donna son nom: Wassilioff. Le Wassilioff compte aujourd 'hui parmi les rares hôtels historiques de Norvège et la ville-

même de Stavern est l'une des plu belles cités historiques du pays. Les quelques chambres situées dans la partie historique du bâtiment ne suffisent plus. C'est la raison pour laquelle Anne-Gerd et Gunnar Berseth ont décidé il y a quelques années d'y joindre une aile de conception moderne. Le restaurant, amical et d'une lumineuse clarté, est connu pour ses spécialités norvégiennes de poisson et l'hôte qui veut se désaltérer le soir trouve au sous-sol un bar agréable volontiers fréquenté aussi par la population locale.

🛏 75	▦ 40 - 70 Pers.		
🛋 46	U		
✂ 2	⚒		
👤 590 - 690 Nkr	⬆ 5 km		
👫 690 - 790 Nkr	◉		
🅰	▨		

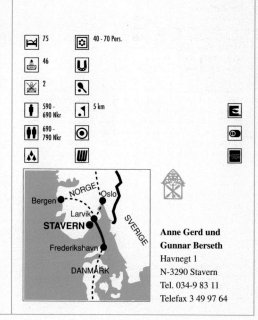

Anne Gerd und
Gunnar Berseth
Havnegt 1
N-3290 Stavern
Tel. 034-9 83 11
Telefax 3 49 97 64

Niederlande

Netherland

Romantik Hotel
„Het Hof van Holland"

Noordwijk NL

Al sinds 1609 wordt een gast in het Romantik Hotel „HET HOF VAN HOLLAND" als een persoonlijkheid beschouwd. De herberg van weleer is nu een eigentijdse onderneming, comfortabel en efficiënt geleid met een hollands-vriendelijke huiselijkheid.
Vlakbij de grote steden en Schiphol, aan de zoom van de Noordzee, in de geur van de bloemenvelden (Keukenhof) in de schaduw van de eeuwenoude lindenbomen in het schilderachtige Noordwijk-Binnen, is het Hof van Holland met zijn knus hotel, zijn charmant café, zijn riant specialiteitenrestaurant en de flexibele zalenaccommodatie een uniek thuis en treftpunt voor de veelsoortige particulariere en zakelijke activiteiten.
Diverse arrangementen en verdere informatie sturen wij U graag toe.

Schon seit 1690 wird ein Gast im Romantik Hotel „HET HOF VAN HOLLAND" als eine Persönlichkeit betrachtet. Das alte Haus ist heute ein zeitgemäßes Unternehmen, komfortabel und sachverständig geleitet mit einer freundlichen holländischen Gemütlichkeit.
In der Nähe der Städte Leiden, Den Haag, Haarlem, Amsterdam und dem Flughafen Schiphol, nicht weit entfernt von uralten Lindenbäumen des malerischen Dorfes Noordwijk-Binnen, liegt der Hof von Holland mit seinem gemütlichen Hotel, seinem charmanten Café, seinem renommierten Spezialitäten-Restaurant und seiner Vielfalt an Sälen.
Verschiedene Arrangements und weitere Informationen schicken wir Ihnen gerne zu.

Already since 1609 a guest of Romantik Hotel „HET HOF VAN HOLLAND" has been regarded as a personality. Now the former inn is a nowadays establishment, comfortable and efficient in a Dutch-friendly atmosphere. Close to the cities of Leyden, The Hague, Haarlem, Amsterdam and Airport Schiphol, close to the Northsea, in ther perfume of the bulbfields (Keukenhof) in the shade of the centuries old lindentrees in the picturesque village Noordwijk-Binnen, the Hof van Holland is located its cosy hotel, charming café, a restaurant for conoisseurs, banquetrooms with changeable dimensions.
Several arrangements and further information can be sent to you on request.

Déjà à partir de 1609 un hôte du Romantik Hotel »HET VAN HOLLAND« était considéré comme une personnalité.
L'Auberge d'autrefois est aujourd'hui un hôtel comfortable et efficae, mais qui réflète toujours la même hospitalité dans son style, son ambiance et sa cuisine excellente.

A proximité des villes Leyden, La Hayne, Haarlem, Amsterdam et Aéroport Schiphol, près de la mer du Nord, au milieu des champs de fleurs (Keukenhof), à l'ombre des tilleuls séculaires du village pittoresque de Noordwijk-Binnen, se trouve le Hof van Holland avec son hôtel comfortable, son charmant café, son restaurant de spécialités renommé et son accommodation de salles.
Plusieurs arrangements et plus information sera envoyé à vous volontièrement.

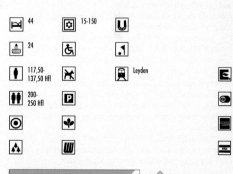

Joop SG. vd Anker
Voorstraat 79
NL - 2201 HP Noordwijk
Tel. 0 17 19 - 1 22 55
Telefax 0 17 19 - 2 06 01

261

Akkrum

Romantik Hotel „De Oude Schouw"

Als er een plek is waar het woord gastvrijheid tot leven is gekomen, is net Hotel Restaurant „De Oude Schouw" ****
Al sinds de 17e eeuw wordt De Oude Schouw door haar Gasten geroemd om het gulle, vriendelijke onthaal.
Al drie eeuwen lang weet De Oude Schouw zich daardoor verzekerd van een zonnig plekje in het hart van elke gast die haar bezoekt over het water, via de weg, voor zaken of puur plezier.
Dit historische Hotel Restaurant is uniek gelegen te midden van het Friese Merengebied, met een zeer sfeervol interieur en een geronommeerde keuken. Het terras geeft een prachtig uitzicht op de kruising van het Prinses Magrietkanaal en het riviertje de Boorne.
De luxueus ingerichte hotelkamers zijn alle voorzien van bad/douche-toilet-kleuren t.v.-radio-koelkast-safe en broekenpers.

Wenn es einen Ort gibt, wo der Begriff der Gastlichkeit mit Leben erfüllt wird, dann ist es das Hotel-Restaurant „De Oude Schouw". Schon seit dem 17. Jahrhundert wird „De Oude Schouw" von seinen Gästen für den herzlichen, gastfreundlichen Empfang gerühmt.
Dadurch hat sich „De Oude Schouw" schon seit 3 Jahrhunderten ein sonniges Plätzchen im Herzen aller Gäste erobert, die über das Wasser oder über die Straße, aus geschäftlichem Anlaß oder zum reinen Privatvergnügen zu Besuch kommen.
Dieses historische Hotel-Restaurant, inmitten des friesischen Seengebietes gelegen, ist stimmungsvoll eingerichtet und hat eine renommierte Küche.
Die Terrasse bietet Aussicht auf die Kreuzung des Princess Margriet Kanals und der Boorne.
Die luxuriös eingerichteten Zimmer sind alle mit Badezimmer/Dusche, W.C., Farbfernseher, Radio, Kühlschrank, Safe und Hosenbügelautomat ausgestattet.

If ever there was a place where the word 'hospitality' has been brought to life, it's the Hotel Restaurant „De Oude Schouw" ****. Since the 17th century „De Oude Schouw" has been famed amongst its guests for its warm and friendly reception.
For three centuries, „De Oude Schouw" has held a special place in the hearts of all those who have visited it by water or by road, for business of purely for pleasure.
Uniquely situated among the lakes of the Province of Friesland, this historic restaurant offers a stylish interior and a cuisine of renown.
The terrace overlooks the confluence of the Princess Margriet Canal and the Boorne.
The luxuriously furnished rooms are equipped with barth/shower, toilet, colour TV, radio, refrigirator, safe and trouser-press.

S'il existe un endroit où le mot hospitalité est une vérité bien vivante, c'est certainement l'hôtel-restaurant »De Oude Schouw«. Depuis le 17ième siècle déjà, »De Oude Schouw«

est vanté par ses hôtes pour son accueil et cordial.
C'est pour cette raison que depuis trois siècles »De Oude Schouw« est un lieu cher au cocur de tous ses visiteurs, qu'ils s'y rendent par voie d'eau ou par la route, pour leurs affaires ou tout simplement pour leurs plaisir.
Cet hôtel-restaurant historique est situé uniquement en plein coeur de la région des lacs de Frise, avec une ambiance chaleureuse et avec une cuisine renommée. Terasse avec vue sur le confluent de canal »Princes Margriet« et la Boorne.
Les chambres luxueusement aménagées sont toutes équipées de bain/douche, toilette, télévision couleur, radio, réfrigérateur, coffre-fort et presse-pantalon.

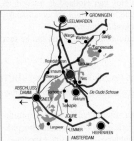

H.C.H. Gaarman
Oude Schouw 6
NL-8491 MP Akkrum
Tel. 05665-2125
Telefax 05665-2102

Romantik Hotel
„De Oude Schouw"

Akkrum

In de directe omgeving van ons hotel zijn mogelijkheden voor fietsen-wandelen-zwemmen-tennissen-paardrijden-midgetgolf-kleiduiven schieten en ballonvaren.
Natuurlijk zijn de mogelijkheden op watersporgebied zeer groot.

In der unmittelbaren Umgebung unseres Hotels gibt es Möglichkeiten zum Fahrradfahren, Wandern, Schwimmen, Tennisspielen, Reiten, Minigolf, Tontaubenschießen und Ballonfahren.
Natürlich sind auch die Möglichkeiten auf dem Gebiet des Wassersports unermeßlich.

The vicinity of our hotel provides opportunities for cycling, walking, swimming, tennis, horse riding, clay pigeon shooting and ballooning. Of course the opportunities for water sports are manifold.

Dans les environs proches de notre hôtel possibilité de faire la bicyclette, des randonnées, de la natation, du tennis, de l'equtation, du minigold, de faire un voyage en ballon et du tir aux pigeons d'argiles.

Naturellement il y a nombreuses possibilitées de pratiquer les sports nautiques.

Romantik Restaurant
„In de Kop'ren Smorre"

Dit restaurant bevindt zich in een eeuwenoude Saksische boerderij anno 1472. Nog steeds heerst hier de sfeer van weleer. U vindt er de antieke bruidskabinetten, schitterend gedecoreerde wandtegels en de vloeren zijn bedekt met in leem vastgelegde keitjes in diverse motieven. De menukaart biedt een keur aan binnen- en buitenlandse gerechten, waarin veelal kruiden en groenten uit eigen tuinen verwerkt zijn. Het restaurant leent zich uitstekend voor Uw zaken-en familiediners, recepties en party's. De koffie wordt geserveerd uit de oude koperen „koffiezetters", de smorren.
Sinds enkele jaren zijn de tuinen rond het restaurant verrijkt met meer dan 500 metershoge fuchsia's, kuip- en orangerieplanten. Deze planten tonen hun bloemenpracht van medio juni tot eind september. Het dorp Markelo biedt prachtig natuurschoon en legio mogelijkheden voor hen die hier langer willen verblijven. Zie ook de volgende pagina.

Dieses Restaurant befindet sich in einem historischen Bauernhof anno 1472 und ist mit sehr schönen alten Möbeln im Stil eines Twenter Bauernhauses eingerichtet. Die Menükarte bietet Ihnen viele holländische und französische Spezialitäten. In der Küche werden aus eigenen Gärten tagesfrische Gemüse, Kräuter und Obst verarbeitet. Kaffee wird in alten Kupferkännchen (smorre) serviert. Seit einigen Jahren kann man in den Gärten mehr als 500 Fuchsien ansehen. Diese Blütenpracht zeigt sich schon von Mitte Juni bis Ende September .. Das Restaurant eignet sich besonders für ein festliches Mittag- oder Abendessen, Ihr Hochzeitsfest oder einen Empfang. Das Dorf Markelo hat seinen ländlichen Charakter bewahrt und bietet viele Möglichkeiten für Gäste die einen oder mehrere Tage in Holland verbringen wollen.

This restaurant is in a historic farmhouse anno 1472 and is furnished with very old, beautiful furniture in the style of a Twenter farm. The menu shows you dutch specialities as well as international ones. The coffee is served in old copper pots, the „smorre". Only daily fresh products are used for preparing the dishes. Often the products are from own gardens, herbs, fruit and vegetables. The restaurants is an ideal location for your lunch or dinner, wedding-party or reception. In the gardens, surrounding the house, you will find a collection of more than 500 fuchsias, flowering from June till the end of September.
Markelo has preserved its rural character and offers you several possibilities to stay here for some days.

Ce restaurant a été situé installé dans une demeure historique. Il est décoré de très beaux et de très vieux meubles, dans le style d'une ferme de la Twente. Le café y est servi dans des cafetères a cuivre. La carte offre des plats règioneaux typiques. Les fines herbes et legumes du jardin prive relèvent les mets. Pendant l'été le jardin de fuchsia plus de mille pièces et les plantes méditerranée fleurie en pleine forme.

✕ 7, bis 16.00 1	⬡	🎣 2 km
⛺ 15	❀ 60	🚴 1 km
♨ 5	✕	⛷ 15 km
🚭 3	🅿	🚋 8 km
👤 50 - 80 HFL	❦	◎
👥 80 - 140 HFL	Ⓤ	☷

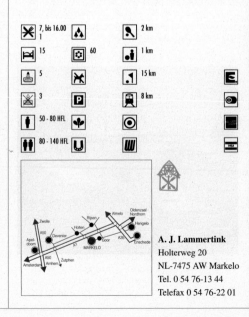

A. J. Lammertink
Holterweg 20
NL-7475 AW Markelo
Tel. 0 54 76-13 44
Telefax 0 54 76-22 01

Romantik Restaurant
„In de Kop'ren Smorre"

Markelo NL

De Gastenhof, behorende bij het restaurant, biedt modellijkheden voor logies voor een nacht of voor en langer verblijf, op basis van een tweetal arrangementen. Het mitweek-arrangement geldt van dinsdag tot vrijdag en omvat 3 overnachtingen met ontbijt en een dagelijks wisselend 4-gangen menu. Prijs 325,- Hfl. per persoon. Het weekend-arrangement geldt van vrijdag tot zondag en omvat 2 overnachtingen met ontbijt en 2 uitgebreide gourmet-meu's op vrijdag - en zaterdagavond. Prijs 300,- Hfl. per persoon.
Markelo en omstreken lenen zich goed voor hen, die de streek per fiets willen verkennen.
Bezienswaardigheden zijn er volop in de directe omgeving:
Kastelen en bijbehorende tuinen die te bezichtigen zijn: Kasteel Verwoolde te Laren, Paleis Het Loo in Apeldoorn (40 km), Kasteel het Weltdam te Markelo, Kasteel Warmelo te Diepenheim, Kasteel Twickel te Delden. Musea in de directe omgeving: Textielmuseum Enschede, Zoutmuseum te Delden. Voorts zou U Markelo als thuishaven kunnen gebruiken voor dagtochten naar bijvoorbeeld De Keukenhof (130 km), het Kröller-Muller museum en het nationaal Openluchtmuseum te Arnhem (75 km) en het Rijksmuseum te Amsterdam (120 km).

Das zum Restaurant gehörende Hotel, auf dem Terrain gelegen, bietet Möglichkeiten für einen längeren Aufenthalt, auf der Basis von zweierlei Arrangements. Das Midweek-Arrangement gilt von Dienstag bis Freitag und umfaßt 3 Übernachtungen mit Frühstück und ein täglich wechselndes 4-Gänge-Menü. Preis Hfl. 325,- pro Person. Das Wochenend-Arrangement gilt von Freitag bis Sonntag und umfaßt 2 Übernachtungen mit Frühstück und 2 schöne Gourmet-Menüs, Freitag- und Samstagabend Hfl. 300,- pro Person.
Markelo und Umgebung bietet sehr viele Möglichkeiten für die Gäste, die Markelo mit dem Fahrrad entdecken wollen. Sehenswürdigkeiten in der direkten Umgebung: Kasteel Verwoolde te Laren, Palast Het Loo in Apeldoorn (40 km), Kasteel Weldam in Markelo, Kasteel Warmelo in Diepenheim, Kasteel Twickel in Delden. Museen in der direkten Umgebung: Textilmuseum in Enschede, Salzmuseum in Delden. De Keukenhof (130 km), Das Kröller-Muller-Museum und das Openluchtmuseum in Arnheim (75 km) und das Rijksmuseum in Amsterdam (120 km).

If you want to stay one or more days in Markelo we offer you several possibilities in our Hotel, called de Gastenhof, which is situated near the restaurant. The midweek-arrangement start on tuedsay till friday, and contains 3 nights including breakfast and every evening a four courses menue. Price Hfl. 325,- per person.

The weekend-arrangement starts at friday till sunday and contains 2 nights including breakfast and both evenings a gourmet-menue. Price Hfl. 300,- per person. The region Twente, in which Markelo is situated, has a lot of castles and gardens which you can visit, perhaps by bicycle: Castle Verwoold ein Laren, Royal palais het Loo at Apeldorn (40 km), Castle Weldam at Markelo, Castle Warmelo at Diepenheim and Castle Twickel at Delden.
Also very interresting museums are located not so far from Markelo: Textile-Museum at Enschede, Salt-Museum at Delden the museum of modern and fine arts, called the Kröller-Muller museum at Arnhem (75 km), the Openluchtmuseum at Arnhem (75 km), the Rijksmuseum at Amsterdam (120 km) and the continous flowerexhibitions at the Keukenhof (130 km) are worth while to see once.

Schuddebeurs

Romantik Hotel
„Hostellerie Schuddebeurs"

HOSTELLERIE SCHUDDEBEURS is een 300 jaar oude herberg/theetuin die in 1977 volledig werd gerestaureerd en na uitbreiding nu beschikt over alle moderne comfort op hotelgebied.
In het oude gedeelte bevindt zich de gelagkamer met open haard en het romantische restaurant met een keur van regionale specialiteiten van veld en zee.
Schuddebeurs, een gehucht met 300 inwoners, is van oudsher het buiten van de historische havenstadt Zierikzee. In de donkere bossen liggen enkele prachtige landoederen als Heesterlust, Mon Plaisir en Zorgvlied.
Vanuit Schuddebeurs, het hart van Schouwen-Duiveland (Zeeland) kunt U vele interessante uitstapjes maken en zijn de brede stranden en het mooie duingebied op korte afstand. Ook een bezoek aan de afsluiting van de Oosterschelde, de grootste waterbouwkundige werken vn deze eeuw, mag op het programma niet ontbreken.

HOSTELLERIE SCHUDDEBEURS ist eine 300 Jahre alte Herberge/Gartenwirtschaft, die 1977 völlig renoviert wurde und jetzt nach Erweiterung über allen Komfort im Hotelbereich verfügt.
Im alten Teil befindet sich die Schankstube mit offenem Herd und das romantische Restaurant mit einer reichen Auswahl von regionalen Spezialitäten von Flur und Meer.
Schuddebeurs, eine Ortschaft mit 300 Einwohnern, ist von jeher der Landsitz der historischen Hafenstadt Zierikzee. In den dunklen Wäldern liegen einige wunderschöne Landhäuser wie Heesterlust. Mon Plaisir und Zorgvlied.
Von Schuddebeurs aus, dem Herzen der Insel Schouwen-Duiveland (Zeeland) können Sie viele interessante Ausflüge machen: kulturhistorisch gibt es sehenswerte Denkmäler, und was die Natur betrifft sind breite Strände und wunderschöne Naturgebiete, wie die Dünen, in der Nähe zu finden. Auch ein Besuch an die Abschlußwerke der Oosterschelde, die größten wasserbaukundlichen Werke dieses Jahrhunderts, dürfte in Ihrem Programm nicht fehlen.

HOSTELLERIE SCHUDDEBEURS is a 300-years old inn-cum-garden restaurant which was completely renovated in 1977 and now, following the building of an extension, can offer every comfort as a hotel.
In the old part there is the „Schankstube" (tap room) with an open fire and the romantic restaurant with a wide range of regional specialities from land and sea. Schuddebeurs, a village with 300 inhabitanes, was originally the site of the historic harbour town Zierikzee. In the shady woods lie several wonderful country houses, such as Heesterlust, Mon Plaisir and Zorgvlied.
From Schuddebeurs, the heart of the Schouwen-Dulveland (Zeeland) island, you can make a number of interesting excursions: in the cultural and historic field there are noteworthy monuments and, on the nature side, there are wide beaches and beautiful nature reserves, like the dunes nearby.
You should also not fail to visit to the dyke of Oosterschelde, the largest hydraulic engineering works of this century.

L'HOSTELLERIE SCHUDDEBEURS, vieille auberge avec restaurant dans le jardin, restaurée complètement et agrandie en 1977, dispose maintenant de tout le confort dans la partie hôtel.
Dans la partie ancienne se trouvent le débit de boissons avec poêle-cheminée et le romantique restaurant avec son riche assortiment de spécialités régionales du terroir et de la mer.
Schuddebeurs, une petite lócalité comptant 300 habitants, sert depuis toujours de résidence secondaire pour les citadins de la ville portuaire historique de Zierikzee qui y possédaient leur maison de campagne.

Au coeur de sombres forêts on découvre de magnifiques villas telles que Heesterlust, Mon Plaisir et Zorgvlied.
A partir de Schuddebeurs qui se situe au coeur de l'île de Schouwen-Duiveland (Zeeland), vous pouvez faire de belles excursions pour découvrir des monuments historiques intéressants au point de vue culturel et pour ce qui est de la nature, elle vous gâtera avec ses immenses plages de sable et ses merveilleuses réserves naturelles telles que les dunes des environs.
Une visite aux barrages sur l'Oosterschelde, travaux les plus gigantesques réalisés en ce siècle pour lutter contre la mer, ne doit pas non plus manquer à votre programme.

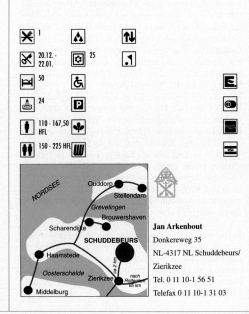

Jan Arkenbout
Donkereweg 35
NL-4317 NL Schuddebeurs/
Zierikzee
Tel. 0 11 10-1 56 51
Telefax 0 11 10-1 31 03

Romantik Hotel
„Hostellerie Schuddebeurs"

Schuddebeurs

NL

Zierikzee Zuid- en Noordhavenpoort

Zierikzee Zeelandbrücke

UNSERE EXKLUSIV ARRANGEMENTS

* 1 Tag Golf - Arrangement (incl. Green-Fee) HP   f 195,— p. P.
* 3 Tage Gourmet Kurzurlaub (Di - Frei)   f 397,50 p. P.
* 2 Tage Gastronomisch Wochenend (Frei - So)   f 360,— p. P.
* 3 Tage Gastronomisch Wochenend (Frei - Mo)   f 460,— p. P.

Abschlußwerke der Oosterschelde
(Delta Expo)

267

Schweden

Sweden

Autowandern in Schweden

Vorschläge zu 8 herrlichen Romantik-Rundreisen mit dem eigenen
Wagen und nach eigenem Wunsch.
Die Reisen führen in die schönsten Gegenden Schwedens.
Bitte fordern Sie ausführliche Unterlagen an.

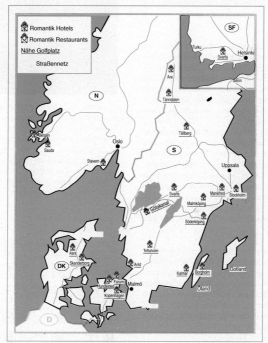

Motoring Holidays in Sweden

Suggestions for 8 wonderful Romantik-Tours with your own car
and according to your own wishes.
The routes take you to the most beautiful settings of Sweden.
Please ask for detailed information.

Romantik Buchung/Booking:
Adresse/Address: Molinsgatan 6, S-39233 Kalmar, Schweden
Tel. + 46 4 80 85 111, Fax: + 46 48 01 19 93

Romantik Hotel „Rusthållargården"

Rusthållargårdens äldsta del har tillkommit, på 1600-talet och blivit tillbyggd i mitten av 1800-talet. Den har pietetsfullt renoverats och moderniserats för att uppfylla alla de krav på komfort och service, som man kan ställa på en förstklassig hotellanläggning. Traditionen Förvaltas idag av fjärde generationen. Från såväl Hotell som Restaurang och Gästerumsvillor har Ni hänförande utsikt över den blånande Skälderviken och Kullabergs branta stup. Tack vare vårt välkända kök och den provinsiella miljön avlöser högtidsdagar och bröllopsfestligheter, såväl som mindre sällskap, varanda i de intima salongerna och gemaken, och många företag har här funnit ett riktigt smultronställe för sina kurser och konferenser.
Välkommen in Ni också!

In einem kleinen Fischerdorf, nur etwa 1/2 Stunde nördlich von Helsingborg, liegt das aus dem 16. Jahrhundert stammende Romantik Hotel „Rusthållargården". Dieses reizvolle Haus, mit einem herrlichen Blick über die Bucht über die Skälderviken, verfügt im Haupthaus über kleine, sehr schöne Zimmer, die im rustikalen Stil eingerichtet sind. Darüber hinaus über einige Ferienhäuser mit Luxusappartements für 5-6 Personen, die auch einen sehr schönen Blick auf das Meer haben.
Rusthållargården hat mehrere stilvoll eingerichtete Restauranträume, ebenfalls mit Blick aufs Wasser. Die Küche hat einen sehr guten Ruf und verarbeitet schwedische Produkte mit Nouvelle Cuisine Einschlag. Die ganze Halbinsel nördlich von Helsingborg ist ein Eldorado für Golfer, denn im Umkreis von einer halben Stunde Autofahrt befinden sich 12 Golfbahnen. Wie in den meisten schwedischen Romantik Hotels gibt es auch in „Rusthållargården" ausgezeichnete Tagungsmöglichkeit. Die Kombination "Tagen und Golfen" bildet die Grundlage für eine sehr gute Mitarbeitermotivation.

In a small fishing village, only about half an hour north of Helsingborg lies the 16th century Romantik Hotel Rusthållargården. This charming house, with a wonderful view over the Skälderviken Bay, offers small, very attractive rooms in the main building, as well as its own holiday chalets, each with 2 appartments, which also have a fine view over the sea. Rusthållargården has several tastefully furnished restaurants, also with a viw over the water. The cooking is renowned and provides Swedisch disches, together with touches of Nouvelle Cuisine.
The whole peninsula north of Helsingborg is a golfers' paradise, since there are 12 golf courses within half an hour's drive in the neighbourhood. Perhaps the best of these is in Mölle. As in most Swedish Romantik Hotels, in Rusthållargården too there are excellent conference facilities and the combination of "Convention and Golf" forms the basic for a very good staff meeting.

L'Hôtel Romantik Rusthållargården, dont l'historie remonte au 16ème siècle, se situe à seulement 1/2 heure environ au nord d'Helsingborg, dans un petit village de pêcheurs.
Cet établissement charmant avec vue panoramique sur la baie de Skälderviken dispose de très belles petites chambres et en plus de quelques bungalows de vacances avec chacun deux appartements, eux aussi avec belle vue sur la mer.
Rusthållargården compte plusieurs salles de restaurant aménagées avec style, également avec vue sur l'eau.

Sa cuisine, basée sur les produits suédois avec une prise ce cuisine nouvelle, jouit d'une très bonne réputation. Toute la presqu'île au nord d'Helsingborg est un véritable paradis pour les amateurs de golf qui y trouvent les 12 parcours appropriés à 1/2 h de voiture. Le plus beaux d'entre eux est peut-être celui de Modelle. De même que la plupart des Hôtels Romantik suédois, le Rusthållargården offre d'excellentes possibilités de réunion et un séjour combine »congres - golf« constitue une très bonnemotivation pour les employés congressites

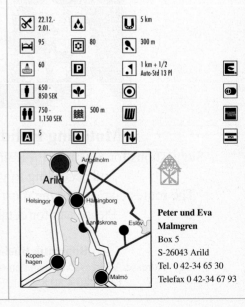

✂ 22.12.-2.01.	⚐	U 5 km
🛏 95	❄ 80	🔪 300 m
🍴 60	P	1 km + 1/2 Auto-Std 13 Pl
👤 650 - 850 SEK	❦	◎
👫 750 - 1.150 SEK	〰 500 m	〰
A 5		⇅

Peter und Eva Malmgren
Box 5
S-26043 Arild
Tel. 0 42-34 65 30
Telefax 0 42-34 67 93

Romantik Hotel „Rusthållargården"

Arild S

Det Skånska Köket

I det skånska köket har man tagit det bästa från de franska och de Skånska gästgivartraditionerna. Det är vad vi kallar „Tradition avec Qualité".

Närheten till de bästa råvarorna sporrar naturligtvis extra. De flesta primörerna kommer från åkrarna runt våra restauranger. Tänk bara på den första förskpotatisen och jordgubbarna, de största sommarprimörerna. Den färska fisken från vattnen runt „Kullen" är förstås ett ut av huvudnumren.

Varje säsong har sina kulinariska höjdpunkter.

Varför inte hälsa på oss, vi har alltid något speciellt på menyn Smaklig Spis.

Die Küche von Skane

In der Küche von Skane findet man das Beste aus Frankreich und der Gastgebertradition von Skane. Diese Mischung nennen wir „Tradition avec Quality".

Die Nähe der Einkaufsstellen für Gemüse, Fleisch und Fisch gibt uns die Möglichkeit, immer am besten zu sein. Das meiste Gemüse wächst in der Umgebung unserer Restaurants.

Wunderbar die Frühlingskartoffeln und die Erdbeeren Anfang Juni.

Frischer Fisch vom Kattegatt in der Nähe von „Kullen" ist natürlich Hauptattraktion unserer Restaurants. Jede Saison hat ihren kulinarischen Höhepunkt.

Besuchen Sie uns doch einmal, wir haben immer etwas Besonderes auf unserer Karte.

Guten Appetit!

Naturen, fjällen, stillheten och friheten. Alla årstider har något extra. På vintern den härliga skidåkningen, på hösten fjällvandring i sprakande höstfärger. På sommaren spelar Du golf i fjällmiljö eller fiskar i en kristallklar fjällsjö eller fors. Är Du mer lagd åt äventyr kan du hyra mountain-bike och cykla på fjället eller paddla forsränning. Åregården är ett klassiskt fjällhotell från sekelskiftet, med god komfort. Under vintersäsong även underhållning med dans till levande musik. Bra beläget vid torget i Åre by.

Die Natur, das Gebirge, die Stille und die Freiheit. Jede Jahreszeit bietet etwas Besonderes. Im Winter das herrliche Skilaufen. Im Herbst Gebirgswanderungen bei leuchtenden Herbstfarben. Im Sommer spielen Sie Golf umgeben vom Gebirge oder angeln in einem kristallklaren Gebirgssee oder reißenden Bach. Neigen Sie eher zu Abenteuern, können Sie ein Mountain-Bike mieten, um im Gebirge zu radeln, oder betreiben Sie Wildwasserrennsport. Åregården ist ein klassisches Gebirgshotel von der Jahrhundertwende, mit gutem Komfort. Während der Wintersaison auch Unterhaltung mit Tanz zu Livemusik. Gute Lage am Markt des Dorfes Åre.

Nature, mountains, tranquility, and freedom. Every season has a charm all of its own. In winter there is splendid skiing. In fall, mountain hiking amidst vibrant fall foliage. In summer you can play golf surrounded by mountains or go fisching in a crystal clear mountain lake or rushing stream. If you are more interested in adventure, you can rent a mountain-bike to pedal through the mountains or test the whitewater in your canoe or kayak. Åregården is a classic, comfortable, turn-of-the-century mountain hotel. During the winter season there is also live entertainment with dancing to live music. Good location at the village market in Åre.

La nature, les montagnes, le calme et la liberté. Chaque saison offre quelque chose de spécial. En hiver, c'est le ski auquel on se livre avec bonheur. En automne, ce sont les randonnées en montagne au milieu des couleurs lumineuses de l'automne. En été, vous pouvez jouer au golf en étant entouré de montagnes, ou pêcher dans un lac de montagne aux eaux limpides ou dans und une rivière tumultueuse. Si vous préférez l'aventure, vous pouvez louer un vélo tout terrain pour parcourir la montagne, ou encore faire du rafting. Åregården est un hôtel de montagne de style classique, datant du tout debut du siècle et proposant un bon confort. Durant l'hiver, vous pouvez danser ave un orchestre. Bien situé par rapport au marche du village d'Åre.

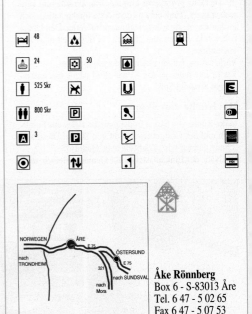

🛏 48			
24	50		
525 Skr			E
800 Skr	P		
A 3	P		

Åke Rönnberg
Box 6 - S-83013 Åre
Tel. 6 47 - 5 02 65
Fax 6 47 - 5 07 53

Romantik Hotel
„Halltorp Ölands Gästgiveri"

Borgholm

På 1600-talet var Halltorp en kungsladugård, som lydde under Borgholms Kungsgård. Idag är den gamla huvudbyggnaden förvandlad till ett modernt gästgiveri av högsta internationella klass. Rummen är inredda efter gammalt manér, men med högsta komfort. Restaurangen har alltid några kulinariska specialiteter på förslag, utöver den vaniga menyn.
Gästgiveriet, med utiskt över Kalmarsund, ligger 9 km söder om Borgholm vid vägen mot Solliden. Öland självt med sin underbara natur och kulturhistoriska bakgrund har blivit ett omtyckt semesterparadis.

Von Halltorp sagt man, daß es früher einmal eine Wikingersiedlung war, aber heute ist dieses alte Herrenhaus ein kleines Hotel, entzückend hergerichtet mit einem erstklassigen Restaurant und gemütlichen Zimmern. 9 km südlich von Borgholm in schöner Lage mit prächtigem Ausblick auf den Kalmarsund gelegen, ist es sowohl für Urlauber als auch für Geschäftsreisende eine stets gute Adresse. Öland kann man sehr leicht über die Brücke zum Festland erreichen. Diese Insel hat eine große geschichtliche Vergangenheit und die reizende Landschaft ist ein beliebtes Urlaubsparadies.

Halltorp is said to have been a Viking settlement in very early times, but today this old manor is a small hotel furnished with particular care and with an excellent restaurant and comfortable rooms. Situated 9 km south of Borgholm in a beautiful location with a marvellous view of the Kalmarsund, it is always a good adress for holidaymakers and businessman alike. Öland can now be reached easily via the bridge to the mainland, and this island with its charming cultural history and landscape is a popular holiday paradise.

Halltorp était, dit-on, il y a très longtemps, une colonie de Vikings, mais aujourd'hui, cette vieille maison domaniale est un petit hôtel, particulièrement confortable et intime, avec un excellent rstaurant et de jolies chambres. »Halltorp« est toujour une bonne adresse, pour vacanciers tout comme pour hommes d'affaires, au sud de Borgholm, avec ses environs charmants et sa vue panoramique sur le Kalmarsund. Depuis la construction du pont reliant l'île au continent, Öland est facilement accessible. Lieu de culture historique dans de beaux paysages, un paradis pour les vacances.

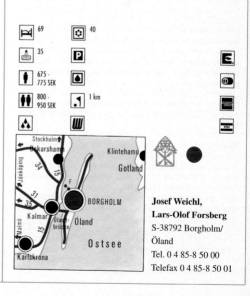

🛏 69	❄ 40	
🛋 35	🅿	
🍴 675 - 775 SEK		
👫 800 - 950 SEK	⌖ 1 km	

Josef Weichl,
Lars-Olof Forsberg
S-38792 Borgholm/
Öland
Tel. 0 4 85-8 50 00
Telefax 0 4 85-8 50 01

Ⓢ Göta Kanal

M/S Juno
M/S Diana
M/S Wilhelm Tham

Bli inte förvånade om Ni finnert en båt som är „Romantik Hotel & Restaurant". Dessutom inte bara en båt, utan faktiskt tre. Det är de historiska båtarna, som i över hundra år trafikerat Göta Kanal, en av världens vackraste kanaler, som förbinder Stockholm och Göteborg.
Vi har valt in dem i „Romantik Hotels Restaurants", eftersom vi är övertygade om att våra Romantik-gäster också älsk ar gamla vackra båtar. En resa på en av dessa båtar - M/S Juno redan 117 år - tar fyra dagar tvärs över Sverige mellan Stockholm och Göteborg. Man bor ombord - i ganska små kabiner - och äter utsökt och umgås, alltmedan det vackra landskapet sakta glider förbi, och man slussas igenom någon av de 58 slussarna.

Seien Sie nicht verwundert, daß Sie jetzt ein Schiff als „Romantik-Hotel" vorfinden und zwar nicht nur eines, sondern gleich drei!
Es sind die historischen Schiffe, die seit über hundert Jahren auf dem Göta-Kanal fahren, einem der wohl schönsten Kanäle der Welt, der Stockholm mit Göteborg verbindet.
Wir haben Sie als „Ehren-Mitglieder" aufgenommen, weil wir der Ansicht sind, daß unsere Romantik-Gäste auch solche schönen alten Schiffe lieben.
Eine Reise auf einem dieser Schiffe, die Juno von 1874 ist das älteste, dauert 4 Tage und führt von Stockholm nach Göteborg oder umgekehrt. Sie wohnen an Bord - in sehr kleinen Kabinen - und essen vorzüglich, während eine traumhafte Landschaft an Ihnen vorbeigleitet.

A cruise back in time.
The privately owned Göta Canal Steamship Company was founded in 1869. The fleet now consists of three of the original steamers: Juno, Wilhelm Tham and diana which make 4 and 5 days cruise with overnight stay onboard. The 13 person crew will do everything possible to provide their 60 guests with quality food and the best of the old-time style of living. Linen tablecloths, linen serviettes, table silver, velvet upholstery and fine wooden interiors are just some of the features of the original vessels, of which the Juno, built in 1874, is the oldest. The picturesque vessels offer by far the best way of experiencing the traditional Göta Canal journey - once the fastest means of travel between Stockholm and Göteborg.
Now several stops are added at places of historical interest.

Ne soyez pas étonnés de découvrir un navire et même en fait trois sous le sigle »Hôtel Romantique«.
Il s'agit des bâtiments historiques qui reliaient depuis plus de cent ans sur le canal Göta, l'un des plus beaux du monde, Stockholm à Göteborg.
Nous les avons accueillis comme »membres d'honneur« convaincus que nous sommes que nos hôtes romantiques aimeront ces vieux et magnifiques navires.
Un voyage sur l'un d'eux - le Juno fut construit en 1874 - dure quatre jours et conduit de Stockholm à Göteborg ou inversement. Vous habitez à bord, dans de toutes petites cabines, et dégustez une superbe cuisine pendant que défile sous vos yeux un paysage de rêve.

Season:	Mid May until Mid September
	4 departures a week
Saison:	Mitte Mai bis Mitte September
	4 Abfahrten in der Woche

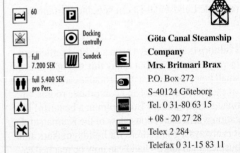

Göta Canal Steamship Company
Mrs. Britmari Brax
P.O. Box 272
S-40124 Göteborg
Tel. 0 31-80 63 15
+ 08 - 20 27 28
Telex 2 284
Telefax 0 31-15 83 11

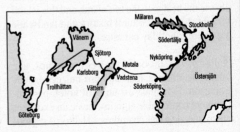

274

Unsere 4-Tages-Kreuzfahrt bietet verschiedene Stopps an historisch interessanten Stellen, die vom Kanal aus zu Fuß leicht erreichbar sind.
Die Schiffsreise führt Sie durch die Inselgruppe an der Ostküste, mit Ihren Tausenden von Felsriffen, über 7 Seen, sowie durch die großen Trollhätte-Kanal-Schleusen, über die die Handelsschiffe den See Vänern erreichen.

Todays 4-day cruise offers several stops en route at historically interesting places within walking distance from the canal.
The steamers will also take you through the east coast archipelago with its thousands of reefs and skerries, across 7 inland lakes as well as Trollhätte Canals large locks for commercial vessels heading for Lake Vänern.

Dagens 4-dagars kryssning erbjuder ett flertal stop vid historiska platser på gångavstånd från kanalen.
Resan går inte bara på smala kanaler utan också genom Östersjöns skärgård med tusen öar och skär, tvärs över 7 insjöar och genom Trollhätte Kanals slussar i sällskap med lastbåtar på resa till och från Vänern.

Sunst Lake Vänern
Solnedgång på Vänern

Over the road at Ljungsbro!
Över vägen i Ljungsbro

By the Vasa castle in Vadstena
Vid Vadstena Slott

The lift at berg
Lyftet i Berg

Romantik Hotel garni „Slottshotellet"

Slottshotellet är byggt 1864 och är omgivet av bebyggelse från 1600 och 1700-talet. Hotellet består av huvudbyggnad, annex och en paviljong. Inget av de 35 rummen är det andra likt.
De är individuellt inredda och har olika form och karaktär. Samtliga rum har egen dusch, toalett, TV, radio och telefon. Pa gården finns egen fri parkering. Slottshotellet är centralt beläget intill Slottet och Stadsparken - kalmarbornas oas -. Alldeles untanför dörren kan du börja din motionsrunda. Avsluta med att koppla av i hotellets bastu och solarium.
Strövområden och badplaster finns i närheten liksom båthamn. Med ett par minuters promenad når du köpcentrum.

Das Slottshotellet in Kalmar wurde 1864 erbaut und ist umgeben von Häusern aus dem 16. und 17. Jahrhundert. Das Hotel besteht aus Haupt- und Nebengebäude sowie Pavillion und verfügt über 35 Zimmer, von denen keines dem anderen gleicht. Individuelle Einrichtung und verschiedene Raumformen verleihen jedem Zimmer den ganz persönlichen Charakter. Sämtliche Zimmer sind mit Dusche, Toilette, Radio und Telefon ausgestattet.
Das Slottshotellet liegt zentral neben dem Schloß und dem Stadtpark - der Oase von Kalmar.
Treten Sie Ihren Trimm-Dich-Lauf gleich vor der Haustüre an und beschließen Sie ihn in herrlicher Entspannung in der hoteleigenen Sauna mit Solarium. In nächster Nähe befinden sich herrliche Grünanlagen für Spaziergänge und zum Shopping-Center sind es nur wenige Gehminuten.

Slottshotellet (Castle Hotel) was built in 1864 and is surrounded by 16th and 17th century buildings. The hotel consists of a main building, an annexe, a pavilion and its own car park. None of the 35 rooms is identical. They are all individually furnished and have different styles and atmosphere. Slottshotellet is centrally located, just beside Stadsparken (City Park) - an oasis in Kalmar. Just outside the door you can start jogging, finishing off in the hotel's sauna; our you can relax in our solarium. Close by you will find walks and bathing beaches, as well as a harbour. It is only a couple of minutes walk to the shopping centre.

Le Slottshotellet, construit en 1864 entre des maisons du 16è et 17è siècle, comprend un bâtiment principal, des bâtiments annexes et un pavillon. Il dispose de 35 chambres, toutes différentes les unes des autres.
La forme différente des chambres et leur aménagement individuel confèrent à chacune d'elle un caractère particulier.

Le Slottshotellet se trouve à un endroit central bien placé, à côté du Château et du Parc municipal, l'oasis de Kalmar. Vous empruntez le sentier sportif qui commence à la porte et vous ramène à l'hôtel où vous retrouvez le plaisir de la détente dans le sauna-solarium d l'hôtel. A proximité de votre hôtel, des zones vertes splendides vous accueillent pour la promenade et le shopping-center se situe à seulement quelques minutes à pied de l'hôtel.

60	
36	15/ Schloß Kalmar 60
1.000 - 1.200 SEK	
1.200 - 1.700 SEK	
2	

500 m | 200 m
1 km
1 km
700 m
500 m | 5 km

Sten und Birgitta Plantin
Slottsvägen 7
S-39233 Kalmar
Tel. 04 80 -8 82 60
Telefax 04 80-1 19 93

Romantik Hotel „Plevnagården"

Malmköping

Mitt i den vackraste Sörmlandsnatur ligger Plevnagården ... med slott, fiskesjöar, statsministerns Harpsund, Sömlandsleden, golf - och tennisbanor alldeles inpå knutarna.
På Plevnagården - det gamla militårsjukhuset från 1886 - bor man numera kungligt.
Maten på Plevnagården är en kulinarisk upplevelse och vinet är handplockat för våra gäster ... underbara årgångar från världens främsta "hus" kan avnjutas i vår separata vinkällare.
I vår 100-åriga Lanthandel har vi ett rikt urval från den gamla goda tidens lanthandlarsortiment. Genuin inredning och en härlig atmosfär bland sockertoppar och doftande kaffebönor.
Plevnagården erbjuder även konferensmöjligheter för 10 - 100 pers. i en kreativ miljö.

Mitten in der herrlichen sörmländischen Natur liegt das Hotel Plevnagården ... mit Schloß, fischreichen Seen, dem naturschönen Sörmlandspfad, Golfbahnen und Tennisplätzen direkt vor der Tür. Hier liegt auch Harpsund, die Repräsentations- und Erholungsresidenz des schwedischen Ministerpräsidenten.
Im Hotel Plevnagården - dem alten Militärkrankenhaus von 1886 - wohnt man heute wie die Könige.
Das Essen im Hotel Plevnagården ist ein kulinarisches Erlebnis. Der Wein für unsere Gäste wurde sorgfältig ausgewählt ... herrliche Jahrgänge aus den ersten Kellereien der Welt, den Sie in unserem eigenen Weinkeller genießen können.
Besuchen Sie den hundertjährigen Dorfladen im Haus, hier finden Sie die unverfälschte Einrichtung und die herrliche Atmosphäre der Zuckerhüte und den herrlichen Duft der Kaffeebohnen.
Plevnagården ist in jeder Hinsicht eine effektive Idylle, hier können auch Konferenzen bis zu 100 Personen abgehalten werden.

Plevnagården lies in the heart of the beautiful countryside of Sörmland, with its stately homes, its lakes full of fish, Harpsund - the residence of the Prime Minister of Sweden, the Sörmland way for walkers, and with golf courses and tennis courts all close by.
At Plevnagården, which was once military hospital from 1886, you live like a Prince!
The food at Plevnagården is always a culinary delight and our wines are hand picked for our guests special pleasure ... the very finest vintages from the worlds most famous vineyards. Why not enjoy a personal wine tasting in our winecellar?
In our 100 year old country store you will find a rich assortment from the good old days of the traditional country shop. The original atmosphere has been retained with all the details and fittings. Here you can still buy sugar tops and breathe the appetizing scent of roasting coffee beans.
Plevnagården is also a well equipped conference centre for up to 100 persons.

Au coeur de la merveilleuse nature du Sörmland, vous trouverez l' hôtel Plevnagården ... avec un château, des lacs poissonneux, le magnifique chemin en pleine nature du Sörmland, des terrains de golf et des courts de tennis juste à la porte de l' hôtel.
Yous y troverez également Harpsund, la résidence de' apparat et de repos du president du Conseil des ministres suédois.
On vit aujourd'hui à l' hôtel Plevnagården, l' ancien hôspital militaire de 1886, comme des rois. Les repas à l' hôtel Plevnagården sont un festival culinaire.
Le vin pour nos hôtes à été choisi avec soin ... des millésime merveilleux des premières caves du monde que vous pourrez goûter dans notre propre cave à vin.
Visitez chez nous l' épicerie villageoise centenaire; vous y découvrirez un ameublement authentique et l' ambiance extraordinaire des pains de sucre ainsi que l' arôme agréable des grains de café.
Plevnagården est à tous égards un lieu idyllique. Des conférences jusqu' à 100 participants peuvent y être organisées.

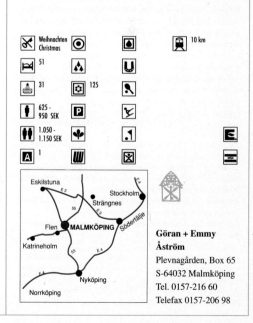

Göran + Emmy Åström
Plevnagården, Box 65
S-64032 Malmköping
Tel. 0157-216 60
Telefax 0157-206 98

Romantik Hotel
„Gripsholms Värdshus"

Intill Gripsholmsvikens strand, med utsikt över slottet, ligger Gripsholm Värdshus. Det har legat där, med olika innehavare, i närmare 400 år. Kvarteret har ännu äldre anor. Återöppnandet av Gripsholms Värdshus & Hotel, anno 1989, har skett efter ett minutiöst arbete.
Med stor omsorg har föremål och inredningar valts från värdshusets olika epoker och kombinerats med vår tids standard.
Restaurangdelen med tillhörande veranda mot Gripsholmsviken utgör, som sig bör, värdshusets hjärta. Här finner vi även den stora vinkällaren. Rummen och sviterna håller mycket hög standard - alla moderna bekvämligheter ingår. Generösa sällskapsutrymmen, bibliotek, biljardrum och musikrum samt en rymlig festvåning med veranda.
Gripsholms Värdshus & Hotel har förändrats men den unika historiska atmosfären har inte gått förlorad.

Wer das Buch von Tucholski über Schloß Gripsholm kennt, das auch ganz zauberhaft verfilmt worden ist, kann sich ein Bild von dieser herrlichen Landschaft und dem wunderschönen Schloß machen. Früher war das Värdshus eine Touristenherberge, die man nicht unbedingt empfehlen konnte. Das hat sich jedoch gewaltig geändert, nachdem es total renoviert worden ist. Jetzt kann man den ältesten Gasthof Schwedens wohl auch als eines der schönsten Landhotels bezeichnen. Es liegt direkt am See mit einem Blick auf das Schloß, ist mit großem Aufwand stilgerecht renoviert worden und ist sicherlich schöner als je zuvor. Man könnte meinen, es wäre aus einem Dornröschenschlaf erweckt worden.
Natürlich kann auch die Küche diesen hohen Standard erfüllen, wobei die Spezialität Wildgerichte sind.
Das Hotel hat außer sehr schönen Doppelzimmern auch 15 Suiten, von denen die Größte 80 qm groß ist.

Everybody who knows the book of Tucholski about Gripsholm Castle, which is also publish in a wonderful film, could imagine how beautiful is this area and how old is the history. You must see the castle.
In the town of Mariefred, by the lakeside and with a view of Gripsholm Castle, lies Gripsholms Värdshus, Swedens oldest inn. The reopening of Gripsholms Värdshus and Hotel, anno 1989, takes place after a period of very extension work. Four centuries of innkeeping, a virtually unbroken tradition, have been taken into account, providing a rich variety of interiors ans inspiration.
Furniture an dstyles of decoration have been carefully chosen from various eras of the inns history. Combined with the high standard of a contemporary hotel.
The restaurant is the heart of the hotel. The dining room, with an adjoining verande looking out over Gripsholm Bay and connected to a wine cellar. The hotel provides generous lounges, a billiard and a music room, as well as a spacious banqueting room, all individually furnished in styles taken from the treasure-chest of the past.
The rooms contain everyone modern facility and a high standard. There is also a recreation centre with a sauna and an ice-bath.
Gripsholm Värdshus tradition may be broken, but the unique atmosphere that pervades the hotel is not lost.

Celui qui a lu le livre de Tucholski sur le château de Gripsholm dont on a d'ailleurs fait un film, peut déjà se faire une idée de ce fabuleux paysage et de l'atmosphère qui regne dans les environs. Autrefois, le Romantik Hotel Värdshus était une auberge de touristes, pas vraiment recommandable. Tout cela a bien changé depuis que l'on a tout rénové.

Aujourd'hui, on peut compter cette très vieille auberge suedoise parmi une des plus belles du pays.
Elle donne directement sur la mer, avec une vue sur le château. Les renovations n'en ont en rien modifié le charme d'autrefois. C'est un peu comme si ce lieu s'était reveillé d'un profond sommeil. L'auberge est aussi belle et acceuillante que la cuisine est bonne, en particulier en ce qui concerne le gibier.
En dehors de très comfortables chambres, l'hôtel a aussi 15 suites dont la plus grande a 80 mètre carré.

🛏 90	❄ 60	✗
🛏 45	♿	🚆 4 km
👤 720 - 845 SEK	P	▦
👥 940 - 1.080 SEK	❀	↰↱
A 15	📷	
⛺	📶 500 m	

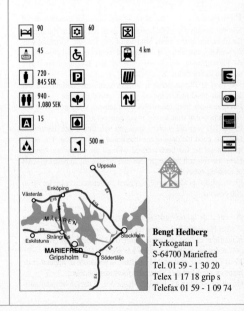

Bengt Hedberg
Kyrkogatan 1
S-64700 Mariefred
Tel. 01 59 - 1 30 20
Telex 1 17 18 grip s
Telefax 01 59 - 1 09 74

Romantik Hotel
„Svartå Herrgård"

Svartå Ⓢ

Omgiven av en stor parkliknande trädgard invid skog och sjö, ligger denna vackra herrgard hyggd 1782.
Den gamla miljön är alltigenom välbevarad men motsvarár även dagens krav pa komfort.
Hotellet har 40 vackra individuellt inredda gästrum med dusch eller bad i huvudbyggnad och 2 flyglar, flera moderna konferensrum för 10-60 personer och manga vackra sällskapsrum. I de vackra gustavianska matsalarna serveras fin husmanskost, såväl som festmåltider. Vänlighet och personlig omtanke om gästerna är familjen Frantzéns motto, hotellets ägare sedan 1946.

Dieses Herrenhaus aus dem Jahre 1782 liegt in einem schönen Park direkt an einem der herrlichen Seen in Mittelschweden. Der Charakter des Herrenhauses ist sehr gut gewahrt geblieben und man fühlt sich eher als Gast in einem Privathaus als in einem Hotel. Angenehme Aufenthaltsräume und komfortable Zimmer, alle mit Dusche oder Bad, sowie eine gute Küche runden das Bild eines großen Privathauses ab, in dem Familie Frantzén, Besitzer von Svarta Herrgard, ihre Gäste das ganze Jahr über liebevoll betreuen.

This beautiful manor house, built in 1782, is situated close to a forest and a lake and surrounded by a big garden.
The old atmosphere is well protected but meets also modern demands for comfort. The hotel has 40tastefully decorated rooms with shower or bath in the main building and the 2 wings, several modern conferencerooms for 10-60 persons and many beautiful lounges. In the late 18th century dining rooms we serve menyes as well as a la carte. Kindness and personal care of the guests is the rule of the family Frantzén, owner of Svarta Herrgard since 1946.

Ce manoir, construit en 1782, est entouré par un joli parc et est directement baigné par un des merveilleux lacs de la Suède centrale. Ce manoir a conservé sa personnalité et le visiteur s'y sent plus chez des amis que dans un hôtel. Des salons agréables, des chambres confortables ayant toutes douche ou bain, et une excellente cuisine complètent l'image d'une grande maison privée où M. et Mme Frantzén, propriétaires de Svarta Herrgard, choient toujours leurs hôtes.

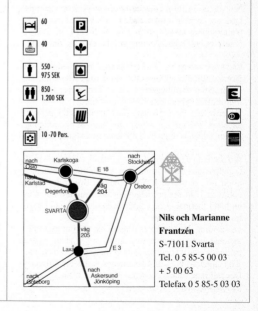

Nils och Marianne Frantzén
S-71011 Svarta
Tel. 0 5 85-5 00 03
+ 5 00 63
Telefax 0 5 85-5 03 03

Romantik Hotel
„Söderköpings Brunn"

Söderköpings Brunn ligger i landskapet Östergötland inte långt ifrån kusten och S:t Annas skärgård.
Brunnen erhöll kungliga privilegier år 1774. Dag ett modernt rekreations-och konferenshotell med gamla tradi tioner.
Gästrummen har hög internationell standard. I anslutning till receptions finns den gamla brunnskällan, där man fortfarande kan ta ett glas av „det hälsobringande vattnet". Bastu och motionsutrymmen ger möjlighet till avkoppling.
Det allra viktigaste är trots allt den personliga omsorg och service man möter på Söderköpings Brunn som inte minst är känt för „ett duktigt kök".

In der Landschaft‚Östergötland nicht weit von der Küste und den Schären von St Anna liegt Söderköpings Brunn.
Das Kurhaus erhielt im Jahre 1774 königliche Privilegien. Heute ein modernes Rekreations- und Konferenzhotel mit alten Traditionen.
Die Gästezimmer haben hohen internationalen Standard. Im Anschluß an die Rezeption liegt die alte Heilquelle, wo man nach wie vor ein Glas, des „gesundheitsspendenden Wassers" trinken kann. Die Sauna und die Trimm-Dich-Räume bieten Möglichkeiten zur Entspannung.
Das allerwichtigste ist aber trotz allem die persönliche Fürsorglichkeit und Bedienung, die man in Söderköpings Brunn findet, das auch nicht zuletzt für seine gute Küche bekannt ist.

Söderköpings Brunn lies in the countryside of Östergötland, not far from the coast and the rocks of St. Anna. The pumproom received a royal warrant in 1774 and today is a modern holiday and conference hotel in the old tradition.
The guest rooms are of a high international standard. Adjacent to the Reception is the old spring, where one can still take the "healthgiving waters". The sauna and fitness rooms offer opportunities for relaxation.
Nevertheless, the most important feature is the personal attention and service which one finds in Söderköpings Brunn, which is renowned not least for its good cooking.

Au coeur du paysage de l'Östergötland, pas loin de la côte pittoresque de St Anna avec ses milliers d'écueils si originaux, se trouve le Söderköpings Brunn. Le casino obtint en 1774 des privilèges royaux. Aujourd'hui, c'est un hôtel thermal et de conférences moderne qui cultive les traditions anciennes.
Le standing des chambres d'hôtes est d'un niveau international élevé. La réception donne sur la vieille source médicinale où on peut boire un verre de cette eau qui possède aujourd'hui encore les mêmes vertus bienfaisantes. Des salles de fitness et saunas offrent de bonnes possibilités de détente.

Et malgré tous ces avantages qu'offre le Söderköpings Brunn, connu en plus pour sa bonne cuisine, le plus important reste l'accueil et le service personnel et avenant qu'on reçoit.

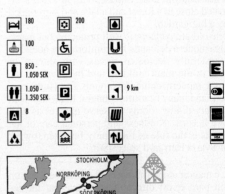

Fam. Ekblad S. und Whass
Skönbergagatan 35
S-61431 Söderköping
Tel. 01 21 - 1 09 00
Telex 6 42 62
Telefax 0 121-1 39 41

Romantik Hotel „Söderköpings Brunn"

Söderköping  (S)

Aktivurlaub im Herzen Schwedens

Söderköpings Brunn, inmitten der alten Kulturlandschaft Östergödland gelegen, bietet zahlreiche Möglichkeiten für Ausflüge in die Umgebung, beispielsweise zum 8 km entfernten Schloß Stegeborgs, das im Mittelalter zur Verteidigung Söderköpings erbaut wurde oder zum Kolmardens Tierpark - dem größten Europas - einem Vergnügen für die ganze Familie.

Auf dem in der Nähe des Hotels befindlichen „Göta Kanal" - das blaue Band Schwedens - lassen sich während des Sommers herrliche Bootsfahrten unternehmen, die an der Hotelrezeption gebucht werden können. Auch Kanus und Fahrräder können am Hotelempfang gemietet werden, um auf eigene Faust die reizvolle Umgebung zu entdecken.

Für Golfer und solche die es werden wollen, bietet das Hotel in Zusammenarbeit mit dem Golfclub „Hylingebana" (18 Löcher) Wochenkurse für Anfänger und Fortgeschrittene von Mai bis September an.

Der Kurs beginnt montags um 9 Uhr und endet freitags um 12 Uhr. Trainerstunden werden täglich von 9 bis 12 Uhr abgehalten.

Der Preis beträgt skr. 4500,- und beinhaltet:

7 Tage Übernachtung/Frühstück/Halbpension, Golfkurs sowie -ausrüstung, und die Teilnahme an 2 Miniwettkämpfen.

Empfohlener Anreisetag: Samstag oder Sonntag.

Herzlich willkommen im Romantik Hotel Söderköpings Brunn!

A Holiday Adventure in the Swedisch Heartland

Söderköpings Brun, set in the agricultural landscape of Östergötland provides an ideal base-camp for innumberable side trips into surroundings areas. One point of interest is the Stegeborg castle, some eight kilometers away, which has built to defent Söderköping back in the middle ages and Kolmarden's Animal Park, the largest in Europe, is a sure treat for the whole family.

During the summe season visitors can enjoy a boat ride down the „Göta Kanal"° - the Blue Ribbon of Sweden - quite near the hotel. Seats may be reserved. Those wishing to explore the area on their own can rent bicycles and canoes at the front desk.

For golfers, and would-be-golfers, the hotel offers a one-week-

course of beginning and advanced golfers from May to September in co-operation with the 18-hole Hylingebana Golf Club. The course begins Monday at 9:00 a.m. and ends Fridays at 12:00 noon. Private lessons are available from 9:00 a.m. to 12:00 noon.

The total price of the package is 4500,- skr. and includes: 7 days overnight/breakfast/half-pension/lessons/greenfees and equipment and participation in 2 mini-tournaments. Suggested arrival: Saturday or Sunday.

Welcome to Romantik Hotel Söderköpings Brunn!

Vacances actives au coeur de la Suède

Söderköpings Brunn, située dans le paysage de vieille culture de l'Östergötland, offre de multiples possibilitées d'excursions dans les environs; par exemple, à 8 km seulement, au Château Stegeborg construit au Moyen-Age pour défendre Söderköpings; au jusqu'au Parc Zoologique de Kolmarden - le plus grand d'Europe - pour le plaisir de toute la famille.

Sur le Göta Kanal - surnommé le Cordon Blue de la Suède - situé non loin de l'hôtel, on peut faire en été de fascinantes sorties en bateau, sorties qu'on peut du reste réserver à la réception de l'hôtel, de même qu'on peut louer à la réception des canoes et des bicyclettes si on préfère découvrir individuellement le beau paysage des environs.

Pour les amateurs de golf, l'hôtel offre de mai à septembre, en collaboration avec le club de golf Hylingebana (18 trous), des cours d'une semaine pour débutants et pour joueurs déjà perfectionnés.

Le cours hebdomadaire commence respectivement et lundi à 9.00 heures et se termine le vendredi à midi. Les heures dirigées par les moniteurs ont lieu tous les matins de 9.00 heures à midi.

Le prix du cours s'élève à 4500,- skr. et comprend:

7 jours avec nuit/petit déjeuner/demi-pension, cours de golf avec l'équipement adéquat et participation à deux petits matches amicaux.

Jour conseillé pour l'arrivée: samedi ou dimanche.

Nous vous souhaitons la bienvenue à l'Hôtel Romantik Söderköpings Brunn!

Romantik Hotel garni „Lady Hamilton"

„Lady Hamilton Hotel" är beläget bredvid Kungliga Slottet i Gamla Stan intill alla sevärdheter. Gästrummen är dekorerade med svensk allmoge och varje rum är uppkallat efter landskapsblomman som är handmålad på dess dörr. I entrén och frukostrummet finns en samling marina antikviteter och Lady Hamiltion memorabilia.
Små konferenser (upp till 18 personer) i medeltida luftkonditionerade valv. Lätta rätter serveras. Fullständiga rättigheter. Bastun har en medeltida brunn till avsvalkningspool.

Das „Lady Hamilton Hotel" ist neben dem Königlichen Schloß in der Altstadt im Zentrum aller Sehenswürdigkeiten gelegen. Die Gästezimmer sind mit schwedischen Bauernmöbeln dekoriert und jedes Zimmer ist nach der Provinzblume benannt, die sich handgemalt an deren Tür befindet. In der Eingangshalle und im Frühstücksraum sind eine Sammlung mariner Antiquitäten und Erinnerungsstücke an Lady Hamilton aufgestellt. Kleine Konferenzen (bis zu 18 Personen) können in mittelalterlichen, klimatisierten Kellergewölben abgehalten werden. Leichte Gerichte sind erhältlich. Schankkonzession. In der Sauna steht ein mittelalterlicher Brunnen als Erfrischungs-Pool zur Verfügung.

The „Lady Hamilton Hotel" is located in the Old Town beside the Royal Palace and a stone throw from all the points of interest. Each of the rooms is decorated in genuine Swedish Country Style and public areas are decorated with nautical antiques and Lady Hamilton memorabilia. Small conferences in the aiconditioned medieaval vaults (up to 18 persons). There is also a sauna bath with a medieaval well for cooling off in. Breakfast and light meals served. Fully licenced.

L'Hôtel »Lady Hamilton« est situé dans la vieille ville, tout près du Palace Royal et, à deux, se trouve le point de départ de tout les centres d'interets.
Chaque chambre est décorée dans un delicieux style medois et dans toutes les salles vous trouvez des antiquités natuiques et d'autres rappelant la mémoire de Lady Hamilton.
Les caves voutées moyenageuses de l'hôtel sont aussi aptes à recevoir de petites conférences. L'air conditionné fait que vous vous y sentez bien.
Vous trouvez à votre disposition un sauna et un bassin pittoresque pour votre refraichissement.
La cuisine, en dehors de ses plats traditionnels et variés, vous propose des repas légers.

✂ 23.12.- 27.12.	🎲 18	◉
🛏 59	✈	〰
🏢 34	☘	⇅
🚹 1.150 - 1.495 SEK	◐	
🚻 1.350 - 1.850 SEK	🚆	
🅰 3 Units	⊠	

Majlis Bengtsson
Storkyrkobrinken 5
S-11128 Stockholm
Tel. 08-23 46 80
Telex 104 34
Telefax 08-11 11 48

Romantik Hotel garni
„Lady Hamilton"

Stockholm Ⓢ

Romantik Hotel garni „Lord Nelson"

„Lord Nelson Hotel" på gågatan Västerlånggatan i Gamla Stan har troligen Stockholms bästa läge oavsett syftet med besöket. Priserna är en trevlig överraskning. Samtlige 31 rum är uppkallade efter den antika skeppsmodellen som finns att beskåda i rummet. En enorm samling Lord Nelsoniana pryder alla övriga utrymmen. Från takterassen ser man ut över takåsarna och Söderns höjder.
Konferensrummet tar upp till 18 personer. Bastu. Lätta rätter serveras. Fullständiga rättigheter.

Das „Lord Nelson Hotel" in der Fußgängerzone Västerlånggatan in der Altstadt erfreut sich wahrscheinlich Stockholms bester Lage - unbesehen vom Zweck des Besuches. Die Preise sind ebenfalls eine angenehme Überraschung. Sämtliche 31 Zimmer sind nach dem antiken Schiffsmodell benannt, das im Zimmer aufgestellt ist. Eine enorme Lord Nelson-Sammlung ziert alle anderen Räume. Von der Dachterasse aus hat man eine gute Aussicht über die Firste und Anhöhen Südstockholms. Im Konferenzraum können bis zu 18 Personen arbeiten. Sauna. Leichte Gerichte werden serviert. Schankkonzession.

The „Lord Nelson Hotel" is located on the traffic-free shopping street Västerlånggatan in the heart of the Old Town. The Royal Palace and other points of interest are just round the corner. Each room is named after the antique ship's model which can be found in the room. A large collection of Nelsoniana decorates all the public areas. The conference room can take up to 18 persons. Light meals are served. Fully licenced. Definitely the best location in Stockholm whatever the purpose of your visit. Surprisingly affordable prices.

L'Hôtel est situé dans la rue commerciale "Västerläggatan", facile d'accès, au coeur même de la vieille ville. Le "Royal Palace" et tout les autres centres d'attractions et d'interêts sont à 2 pas. Chaque chambre de l'etablissement porte un nom correspondant au modèle de bateau antique que l'on peut d'ailleurs admirer dans la pièce même.
Les salles mises à la disposition de nos hôtes sont pourvues d'impressionnantes collection d'antiquités rappelant l'époque de Nelson.
La chambre de conférence peut accueillir jusqu'à 18 personnes. Des repas lègers sont proposés. Quelque soit le but de votre visite, c'est vraiment le meilleur endroit où loger.
De plus, vous serez agréablement surpris par les prix très abordables.

40	
31	
895 - 1.200 SEK	
1.150 - 1.600 SEK	
15	

Majlis Bengtsson
Västerlanggatan 22
S-111 29 Stockholm
Tel. 08-23 23 90
Telex 104 34
Telefax 08-10 10 89

Romantik Hotel „Åkerblads"

Välkommen till Åkerblads i Tällberg – ett familjehotell med atmosfär och anor sedan början av 1500-talet. Släktgården har gått i arv sedan dess i rakt nedstigande led till den 19:e och 20:e generationen som nu driver hotellet. Gården ligger på en sluttning ner mot Siljan i byn Tällberg mellan Leksand och Rättvik. Under årens lopp har gården byggts om och byggts till. Farmors goda kök har ytterligare förbättrats, vi serverar hembakat bröd och hemlagade specialiteter. Ung och gammal kan känna sig lika hemma hos oss. Gör ett besök – vi skall ta väl hand om Dig.

Willkommen zu Åkerblads in Tällberg – einem Familienhotel mit Atmosphäre und Tradition, die auf den Anfang des 16. Jahrhunderts zurückgehen. Der Familienhof wurde seitdem in gerader Linie bis zur 19. und 20. Generation vererbt, die jetzt das Hotel betreiben. Der Hof liegt auf einem Abhang zum Siljan-See, im Dorf Tällberg zwischen Leksand und Rättvik. Im Laufe der Jahre wurde der Hof um- und angebaut. Großmutters gute Küche wurde zusätzlich verbessert, wir servieren hausgebackenes Brot und hausgemachte Spezialitäten. Jung und alt fühlen sich gleich wohl bei uns. Machen Sie einen Besuch bei uns – wir werden uns sehr um Sie und Ihr Wohlbefinden bemühen.

Welcome to Åkerblads in Tällberg – a family hotel with an atmosphere and tradition which go back to the early 16th century. The family estate was passed on by inheritance in direct lineage all the way down to the 19th and 20th generations, which now operate the hotel. The estate is located on a cliff above Siljan Lake, in the village of Tällberg between Leksand and Rättvik. Over time the estate has been remodelled and expanded. Grandmothers cuisine was improved even more, we serve home-baked bread and homemade specialities. Young and old feel equally at home here. Visit us soon – we will make every effort to ensure that your stay is a pleasant one.

Bienvenue à Åkerblads dans le Tällberg – un hôtel familial empreint d'atmosphère et de tradition, qui remonte au début du XVIe siècle. La ferme familiale a été transmise en droite ligne jusqu'à la 19e et la 20e génération qui gère maintenant l'hôtel. La ferme est située sur un coteau qui descend vers le lac Siljan, dans le village de Tällberg, entre Leksand et Rättvik. La demeure a été transformée et agrandie au cours des ans. La bonne cuisine de grand-mère a été affinée; nous servons du pain que nous cuisons nous-mêmes et des spécialités maison. Jeunes et vieux se sentent tout de suite bien chez nous. Rendez-nous visite – nous serons plein d'attention pour vous et votre bien-être.

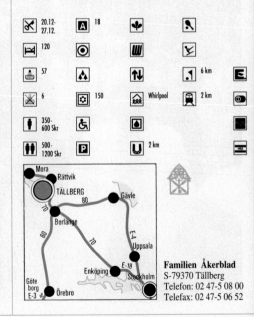

Familien Åkerblad
S-79370 Tällberg
Telefon: 02 47-5 08 00
Telefax: 02 47-5 06 52

Romantik Hotel „Åkerblads"

Tällberg (S)

Familie Åkerblad in Landestracht.
The family in the „Storstugu"

Winterstimmung im Garten
The garden in Wintertime

Rezeption mit 100 Jahre altem Kamin
Reception with the old 100 years „stonefire"

Altes Hochzeitszimmer
The old weddingssuite

Unser tägliches Lunchbuffet
Our daily lunchbuffet

Festliche Tafel
Diningroom ready for a dinner

Romantik Hotel „Tänndalen"

(S) **Tänndalen**

Tänndalen - 750 möh - i högfjällsterräng nära Hamrafjällets natur-reservat. Sommartid berömt för flora och spännande fauna - myskoxar, björn och rovfågel. Fiske, kanoting, 18-håls golf. Snösäker vinter med ett av Sveriges bästa utförsområden, turåkning i världsklass. En gammal kulturbygd, med fäbodar och renskötsel med 2 samebyar.
Hotell Tänndalen, helt byggt i traditionellt timmer, med bekvämt utrustade lägenheter med dusch, wc, kylskåp, telefon. I centrumbyggnaden finns allt för gästernas service - 2 restauranger med förstklassigt kök, sällskapsrum med god konst. Pool, bastu, solarium. Hotellet är väl rustat för konferenser i fin kulturmiljö.

Tänndalen - 750 m. ü. d. M. - liegt im schwedischen Gebirge nahe des Naturschutzgebietes Hamrafjäll. Im Sommer lockt die berühmte Orchideenflora und vielfältige Fauna mit Bären, Moschusochsen und Raubvögeln. Angeln, Kanutouren, Golfbahn. Schneesicherer Winter mit einer der besten Slalomanlagen Schwedens, zusammenhängendes Loipensystem von Weltklasse. Die gesamte Gegend zeugt von alter Bauernkultur mit noch bewirtschafteten Sennhütten, Rentierhaltung und Lappendörfern.
Hotel Tänndalen, eines der interessantesten Berghotels Schwedens, aus Holz gebaut und von Laubwald umgeben. Die Gäste wohnen in bequem eingerichteten Ferienwohnungen mit Dusche, WC, Telefon und Kochnische mit Eisschrank. Im Hauptgebäude finden unsere Gäste alles für ihren Service: Rezeption, zwei Restaurants mit erstklassiger Küche, gemütliche Gesellschaftsräume, Hallenbad, Sauna und Solarium. Das Hotel ist auch für Tagungen gut ausgerüstet.

Tänndalen - 750 m above sea level is situated in high mountain countryside close to the hamra Mountain National Park. Summer attractions include the famous orchids and exciting wildlife with musk-ox, bears and birds of prey. Fishing, canoeing, 18-hole golf course. In winter you can rely on the snow and enjoy Sweden's best downhill skiing installations. A worldclass cross-country track system. The whole region is a wealth of cultural traditions, with living chalets, and reindeer herds and two Lapp villages. Hotel Tänndalen, with it's fine wooden buildings and beautiful forest setting make this one of Sweden's most interesting mountain hotels. Guests stay in appartements equipped with every comfort including shower, wc, telephone, kitchenete with fridge. The main building houses all you could possibly want during your stay. Friendly reception desk, two fully-licensed restaurants offering superb cuisine, elegant lounge decorated with fine paintings. The bathing area has a pool, solarium and sauna. The Hotel is perfectly equipped for conferences in a fine cultural atmosphere.

Tänndalen est située à 750 m d'altitude dans les montagnes suédoises près du Parc Naturel de Hamrafjäll. En été, faune et flore, célèbres orchidées, ours, bisons et oiseaux de proie s' donnent rendez-vous pour faire le revissement des visiteurs. Pêche, canoe-kayak, parcours de golf sont aussi de la partie. Un hiver où la neige ne manque jamais, avec l'une des plus belles pistes de slalom de Suède et pour le ski de fond tout un réseau cohérent de parcours de niveau international. La région, restée un témoignage vivant de la culture paysanne d'antan, possède encore des bergeries en exploitation, des troupeaux de rennes et des villages de lapons.
L'Hôtel Tänndalen, construit en bois et encadré d'une forêt de feuillus, est l'un des hôtels de montagne les plus interessants de la Suède. Les hôtes y logent dans des appartements de vacances con-

fortablement aménagés avec douche, WC, téléphone et un coin-cuisine avec réfrigérateur. Dans le bâtiment principal, ils y trouvent à leur service: réception, deux restaurants avec cuisine de toute première classe, slles de séjour accueillantes, piscine couverte, sauna, solarium. L'Hôtel est également bien équipé pour congrès et sessions de travail.

Familie Mörtberg
S-84098 Tänndalen
Tel. 0684-2 20 20
Telex 9 361 herjeres
Telefax 0684-2 24 24

Romantik Hotel „Tänndalen"

Tänndalen Ⓢ

Utsikt över Tänndalen från Hamrafjällets Naturreservat
Aussicht über Tänndalen vom Hamrafjällets Nationalpark

Specialarrangemang under Sommaren 1993
Orkidée-vandringar i fjällnatur, med kunniga botanister i fantastisk blomsterprakt, under tiden 3. juli - 24. juli
Vandrarveckor med fantastisk utsikt över våra fjäll, under tiden 24. juli till 14. augusti
Helpension - från kronor 3920,-/vecka.

Spezial-Arrangement Sommer 1993
Orchideen-Wanderung in Bergnatur. Vom 3. Juli - 24. Juli können Sie durch die phantastische Blütenpracht zusammen mit erfahrenen Botanikern wandern.
Wanderwochen mit schöner Aussicht über unsere Berge vom 24. Juli bis 14. August.
Vollpension - pro Person SEK 3920,-/Woche

Unsere Zimmer und Appartments sind in Häuschen im Grasdächern und aus Holz gebaut. Dieses Haus hat den Namen „Ängstugan".
Hotellrummen ligger i stugor eller i lägenheter, alla med torvtak och byggda i timmer. Huset på bilden heter Ängsstugan.

„Fläckigt Nyckelblomster Dactylorhiza maculata". En av Tänndalens många orkidéer.

Eine von vielen Orchideen in Tänndalen

Ljusnedals golfbana. 18 hål, 14 km från hotellet
Ljusnedals Golfplatz mit 18 Löchern, 14 km vom Hotel

Romantik Hotel
„Toftaholm Herrgårdshotell"

Vackra Toftaholm Herrgård, – med ägarelängd från 1300-talet ligger i underbar natur vid Vidösterns strand, och har er lugn, sober herrgårdsmiljö, charmiga, bekväma rum, vackra salonger och ett av regionens bästa kök. Stor park med massor av blommor och en egen ö dit en liten bro leder. Bad (egen strand), båtar, kanoter, fiske, cyklar, utomhusspel. Vackert skogsområde inpå knuten för promenader eller cykelturer.
Toftaholm har en spännande 600-årig historia med kungar och Herrgårdsspöken, Riddarbröllop och hemliga gångar. Vi berättar gärna!

Toftaholm – schöner Landsitz mit Besitzertradition seit dem 14. Jahrhundert – inmitten einer wald- und wildreichen Natur am Strand des Vidösternsees gelegen. Die ruhige, gepflegte Herrenhausatmosphäre, behagliche Zimmer, charmevolle Salons sowie eine der besten Küchen der Region kennzeichnen das heutige Hotel. Großer Park mit einem Meer von Blumen; eine kleine Insel ist mit einer Brücke verbunden. Baden (eigener Strand), Boote, Kanus, Angeln, Fahrradfahren, ideal für Wanderer.
Toftaholm hat eine spannende 600 Jahre alte Geschichte, in der Könige, Gespenster, Ritterhochzeiten und geheime unterirdische Gänge vorkommen. Wir erzählen gerne mehr darüber!

Toftaholm – lovely country estate with a tradition of ownership since the 14th century – in a setting rich with woods and wildlife on the shore of Vidöstern lake. The peaceful, refined manor-house atmosphere, comfortable rooms, charming salons, and some of the best food in the region distinguish the modern-day hotel. Large park with a sea of flowers; a small island can be reached by a bridge. Swimming (own beach), boating, canoeing, fishing, bicycling, ideal for hikers.
Toftaholm has a captivating 600 year history in which kings, ghosts, knight's wedding celebrations and secret subterranean passageways all play a part. We'll be glad to tell you more about it.

Toftaholm – belle propriété terrienne dont les propriétaires perpétuent la tradition depuis le XIVe siècle – est nichée au cœur d'une nature sylvestre riche en gibier, sur la rive du lac Vidöstern. L'hôtel actuel se distingue par son atmosphère paisible et raffinée de manoir, ses chambres confortables, ses salons pleins de charme et l'une des meilleures cuisines de la région. Grand parc avec une mer de fleurs, petite île accessible par un pont. Baignade (plage privée), bateau, canoe, pêche, randonnées en bicyclettes, promenades.
L'historie fascinante de Toftaholm dans laquelle figurent rois, fantômes, mariages chevaleresques et galeries souterraines secrètes, remonte à 600 ans. Nous vous en raconterons volontiers davantage!

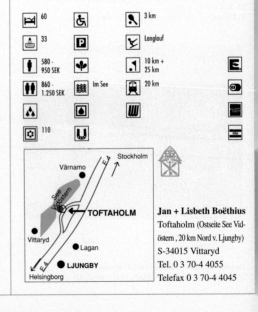

🛏 60	♿	🎿 3 km	
🛏 33	🅿	Langlauf	
🍴 580 - 950 SEK	❀	10 km + 25 km	E
👥 860 - 1.250 SEK	〰 Im See	20 km	◉
⛺	◻	〰〰	
✿ 110	⊔		VISA

Jan + Lisbeth Boëthius
Toftaholm (Ostseite See Vidöstern, 20 km Nord v. Ljungby)
S-34015 Vittaryd
Tel. 0 3 70-4 4055
Telefax 0 3 70-4 4045

Mitten im Herzen Smålands, östlich von Toftaholm, liegt das Reich des Glases. In einem Umkreis von einigen zehn Kilometern gibt es ganze 17 Glashütten, wo zartestes und schönstes Glas in Handarbeit geschaffen wird. In den Glashütten kann man nicht nur dabeisein und erleben, wie das Glas hergestellt wird, man kann außerdem zu günstigen Preisen in den hütteneigenen Läden einkaufen.

Around the Kingdom of Crystal
Deep in the heart of Småland, east of Toftaholm, lies the Kingdom of Crystal. Within a radius of only a few miles, 17 of Sweden's bestknown glassworks are concentrated in this area, producing some of the world's most beautiful and delicate hand-made glass.
Not only can you see the craftsmen at work but you can also buy glassware at bargain prices in the shops attached to the various glassworks.

Finland

Finland

Romantik Hotel

„Svarta Slott/Mustion Linna"

Svarta/Mustio

Svartå Slott ligger, i en gammal kulturbygd mellan Helsingfors och Åbo, i Finlands äldsta bruksbygd med anor från 1560-talet. Svartå Slott byggdes 1782-92, i gustaviansk stil och är idag ett privat museum som kan hyras för större fester eller högklassiga mindre luncher och middagar. Hotellrummen finns i de gamla omgivande arbetarbostäderna. Restaurangen är belägen i ett nygotiskt vagnsstall och har plats för ca 100 personer, sommarterrassen har plats för ytterligare 50 gäster. Hotellet och restaurangen ligger i en egen park på ca 10 hektar.

Das Landgut Svarta liegt in einem alten, kulturell interessanten Gebiet Finnlands, wo im Jahr 1560 die ersten Eisenhütten des Landes gegründet wurden.
Das Landgut selbst wurde 1782-92 im berühmten Gustavianischen Stil erbaut und ist heute ein privates Museum, das sowohl für große Parties als auch für eine kleines romantisches Abendessen gemietet werden kann.
Die Hotelräume befinden sich in Gebäuden aus dem 18. Jahrhundert. Das Restaurant ist in einem neugotischen Kutschenschuppen im Park eingerichtet.
Der Privatpark, der den Gutshof und die Hotelgebäude umgibt, bedeckt eine Fläche von ca. 10 ha.

Svartå Manor is situated in an ancient cultural part of Finland where the first ironworks in this country was founded in 1560. The Manor itself was built in 1782-92 in the famous „Gustavian Style" and is today a private museum which can be rented for big parties and also for small romantic dinners. The hotelrooms are situated in old 1800-century buildings. The restaurant, located in the park, is situated in a Neo-Gothic carriage-shed. The private park surrounding the Manor and the hotelbuildings has an area of about 10 hectares.

Le domaine rural de Svarta est situé dans une vieille région culturellement intéressante de Finlande, où été fondées en 1560 les premières usines métalurgiques du pays.
Le domaine a été construit de 1782 à 1792 dans le célèbre style gustavien. Aujourd'hui, c'est un musée privé qu'on peut louer pour de grandes fêtes comme pour un petit dîner romantique. Le hôtel se trouve dans des bâtiments du 18e siècle. Le restaurant est installé dans le parc dans une remise à coches néo-gothique. Le parc privé entourant le domaine et l'hôtel a une superficie d'environ 10 hectares.

Trout and salmon fishing in the river. Reduced hotelprices about 45%, starting June 15. to July 31.

Magnus C. Linder
SF - 10360 Svarta / Mustio
Tel. + 358 12 48611
Telefax + 358 12 48611

293

USA

USA

USA
Charlottesville, VA
NEU

Romantik Hotel
„Clifton", the Country Inn

Clifton is located 100 miles from Washington, D.C. in historic Charlottesville. Home of several U.S. Presidents and the University of Virginia (designed by Thomas Jefferson) Charlottesville is a magnet for European and American tourists. Clifton's own history is also extraordinary; owned by Thomas Jefferson's son-in-law, Thomas Mann Randolph, an early governor of Virginia, it also played an important role in Civil War. Today, the same wide plank floors and fireplaces that warmed Jefferson's family visits have been preserved intact to welcome you. In addition to unique and luxurious accomodations, dining at Clifton is an event. Creative and healthy cuisine has won Chef Craig Hartman superb reviews for his multi-course dinners. Clifton is truly an inn not to be missed.

Der Gasthof Clifton liegt etwa 150 km von Washington, D.C. entfernt im historischen Ort Charlottesville. Als Heimat mehrerer amerikanischer Präsidenten und der Universität von Virginia (entworfen von Thomas Jefferson) ist Charlottesville ein Hauptanziehungspunkt für europäische und amerikanische Touristen. Cliftons eigene Geschichte ist ebenfalls außergewöhnlich: Der Gasthof gehörte Thomas Jeffersons Schwiegersohn, Thomas Mann Randolph, einem der ersten Gouverneure von Virginia, und spielte auch eine bedeutende Rolle im amerikanischen Bürgerkrieg. Dieselben Fußböden mit breiten Holzdielen und dieselben Kamine, die Jefferson bei seinen Familienbesuchen wärmten, wurden in historischem Zustand erhalten, um Sie heute willkommen zu heißen. Zusätzlich zu den einzigartigen und luxuriös ausgestatteten Unterkünften ist die Gastronomie in Clifton ein Erlebnis. Der Küchenchef Craig Hartman hat mit seiner kreativen und gesunden Küche glänzende Kritiken für seine mehrgängigen Menüs erhalten. Clifton ist ein Gasthof, an dem man wirklich nicht vorbeifahren kann.

Clifton est situé à 160 km de Washington, D.C., dans la ville historique de Charlottesville. Berceau de plusieurs présidents américains et de l'Université de Virginie (créée par Thomas Jefferson), Charlottesville constitue un pôle d'attraction pour les touristes européens et américains. La propre histoire de Clifton est elle aussi remarquable. Propriété du gendre de Thomas Jefferson, Thomas Mann Randolph, ancien gouverneur de Virginie, Clifton joua également un rôle important au cours de la guerre de Sécession. Aujourd'hui, les parquets ainsi que les cheminées auprès desquelles se réchauffaient les visiteurs de la famille Jefferson ont été gardés intacts, afin de vous offrir le meilleur accueil possible.

Vous aurez non seulement à votre disposition des chambres luxueuses au style original, mais vous pourrez également vivre l'expérience unique de dîner à Clifton. En effet, la cuisine créative et saine du chef cuisinier Craig Hartmann, caractérisée par des repas à plusieurs plats, lui a déjà valu d'excellentes critiques dans la presse. Une visite à Clifton n'est donc à manquer à aucun prix.

✗ 1, 2, 7	🅰	▥	⊠ nearby
🛏 26	❀	▨	🔊 nearby
⌨ 13	♿	Ц	🚆 7 km
👫 138-198 $	✈	✎	
🅰 188 $	🅿	⬗ nearby	
◉	❦	🦌 30 km	▭

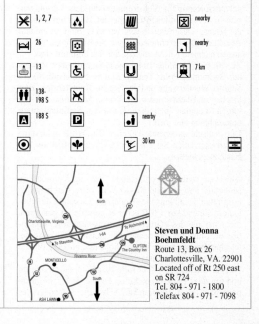

Steven und Donna Boehmfeldt
Route 13, Box 26
Charlottesville, VA. 22901
Located off of Rt 250 east
on SR 724
Tel. 804 - 971 - 1800
Telefax 804 - 971 - 7098

USA
Chittenden, Vermont

Romantik Hotel
„Mountain Top Inn"

Centrally located in picturesque Vermont, Mountain Top Inn and Resort offers its guests true New England hospitality. This, 1,000-acre-resort commands spectacular views of the surrounding Green Mountains which are steeped in American history. Of post-and-beam construction, the Inn offers well-appointed guest rooms and cottages. Guests may choose to relax in front of the large stone fireplace in the living room or enjoy the entertainment in the Inn's intimate lounge. Dining is always special in the charming candlelit dining room where excellence of cuisine and service are renowned.

Resort amenities include an outdoor swimming pool, tennis, horseback riding, pitch 'n putt golf, golf school, walking trails, and the lake for boating, fishing and swimming. In winter, Mountain top offers 110 km of cross country skiing, ice skating, horsedrawn sleighrides and more.

German-speaking innkeeper Bill Wolfe and his staff welcome you to sample Vermont hospitality at its best.

Im malerischen Vermont zentral gelegen, bietet das Mountain Top Inn and Resort seinen Gästen die echte Gastfreundschaft Neuenglands. Von diesem 1.000 acre (ca. 400 ha) großen Anwesen genießt man atemberaubende Anblicke auf die umliegenden Green Mountains, eine für die Vereinigten Staaten historisch bedeutsame Gegend. Das Hotel in Holzbalkenkonstruktion bietet gut ausgestattete Gästezimmer und Hütten. Gäste haben die Wahl zwischen der Erholung vor dem großen aus Stein gebauten Kamin im Wohnzimmer oder dem Vergnügen, sich in der gemütlichen Longue des Hotels unterhalten zu lassen. Das Abendessen ist stets eine besondere Attraktion im kerzenbeleuchteten Speisezimmer, wo die ausgezeichnete Küche und der Service berühmt sind.

Zu den Vorzügen des Hotels gehören ein außen gelegener Swimming Pool, Tennis, Reiten, Mini-Golf, Golf-Schule, Wanderwege und der See für Bootsfahrten, zum Fischen und Schwimmen. Im Winter kann man auf 110 km Ski-Langlauf betreiben, Eislaufen, Schlittenfahrten unternehmen und mehr.

Der deutsch sprechende Hotelier Bill Wolfe und seine Mitarbeiter laden Sie ein, die Gastfreundschaft auf das Beste zu genießen.

Situé au coeur du pittoresque état du Vermont, le Mountain Top Inn and Resort vous offre l'authentique hospitalité de la Nouvelle-Angleterre. Ce centre de villé-giature s'étend sur 1,000 acres et possède un panorama incomparable des »Green Mountains« qui sont imprég-née de l'histoire américaine. De construction rustique, les chambres ainsi que les pavillons de l'auberge ont été aménagés avec beaucoup de soin.

Pour la détente, il y à la salle de séjour ou crépite un bon feu dans l'âtre de piette ou encore, le bar intimiste pour plus de divertissement. A la salle à manger, les soirées s'agrémentent d'un dîner aux chandelles où l'excellence de la table et du service n'est plus à faire.

Votre forfait comprend l'accès à la piscine, au court de tennis, à la randonnée équestre, au mini-golf, école de golfe, aux sentiers pédestres et tous les sports nautiques. En hiver, l'auberge Mountain Top vous offre un circuit de 110 km de pistes de ski de fond, une patinoire, des ballades en traineau et bien plus encore!

L'aubergiste, Bill Wolfe et son personnel, vous invitent à veni découvrir l'hospitalité si typique du Vermont et aussi, on y parle l'allemand.

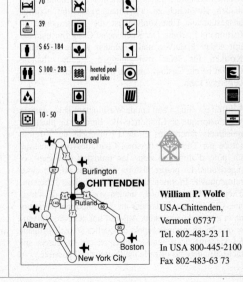

William P. Wolfe
USA-Chittenden,
Vermont 05737
Tel. 802-483-23 11
In USA 800-445-2100
Fax 802-483-63 73

Romantik Hotel
„Mountain Top Inn" Chittenden, Vermont

Mountain Top Inn
A N D   R E S O R T

DRIVING DISTANCES FROM:

Boston	3 1/2 hrs.	125 mi.	200 km
Burlington	1 1/2 hrs.	60 mi.	96 km
Montreal	3 hrs.	120 mi.	192 km
New York City	5 1/2 hrs.	200 mi.	320 km

Romantik Hotel
„Queen Anne Inn"

Enter this romantic place of timeless tranquility and complete relaxation. Enjoy its character and charm of more than 140 years. Find delight in its beautiful antiques, the privacy of your lodgings and the excellent cuisine. Enjoy a set of tennis on our new, private clay courts; or catch the sea breeze on one of the inn's boats, while water skiing or exploring the coast line. Feel at ease. Enjoy our hospitality and personal service. Let us be your home while you discover old Cape Cod - its beatches, unique sights and its friendly people.

Cape Cod ist die berühmte Halbinsel südlich von Boston, wo die Pilgrim-Väter gelandet sind, also die Wiege der "Neuen Welt".
In dem kleinen Ort Chatham, heute ein Sommerdomizil für Betuchte aus New York und Boston, gehört das "Queen Ann Inn", des gebürtigen Österreichers Günther Weinkopf, zweifellos zu den besten Häusern mit einer der besten Küchen der Region.
Es ist schon 140 Jahre alt, hat schöne, mit Antiquitäten ausgestattete Zimmer, während in den Restaurationsräumen der alte Stil erhalten geblieben ist.
Eigene Tennisplätze und eine Motorjacht, auf der Günther Weinkopf auch seine Gäste mit auf Ausflüge oder zum Wasserski nimmt, sind ideale Voraussetzungen, um einen Urlaub oder Kurzurlaub erlebnisreich zu gestalten.

Cape Cod est la célèbre presqu'île au sud de Boston où sont accosté les émigrés du Pilgrim, c'est le berceau au Nouveau Monde.
A Catham, une petite localité, résidence d'été de riches New Yorkais et Bostonniens le »Queen Ann Inn« de Günther Weinkopf, un autrichien d'origine, se compte parmi de meilleurs adresses et possède une des cuisines les plus reputées de la région.

L'hôtel a plus de 140 ans, ses belles chambres sont meublées d'objects anciens, la salle de restaurant a conservié, elle, la sobiéte du style d'origine.
Des cours de tennis, un yacht sur lequel Günther Weinkopf embarque ses hôtes pour faire des randonnées ou faire du ski nautique sont des prémices idéales pour les vacances ou un court séjour réussi.

Günther Weinkopf
USA-Chatham,
Cape Cod, MA 02633
Tel. (508) 9 45 03 94
Telefax (508) 9 45 48 84
In USA I-800-545-Inns

Romantik Hotel
„Asa Ransom House"

Clarence, NY

Asa Ransom founded the town of Clarence in 1799 and built the first grist mill in 1803, just behind the Inn. Each guest room is uniquely different with antique and period reproductions. Beds vary from a canopy, cannonbell, or iron bras. Each room has a private bath and is air conditioned. Enjoy our cozy library with fireplace, chess board, checkers, puzzles or many fine books. Our menu reflects a real New York farmland feeling with such items as Country Inn veal, fricassee chicken with biscuits, smoked corned beef with apple raisin sauce, fresh baked fish, steak and Raspberry chicken, and many more. Soup is served from the kettle, and our own-made breads and muffins form a calico chicken basket. Fresh vegetables complement each dinner.

Wer Bob und Judy Lenz und ihr „Asa Ransom House" kennengelernt hat, wird nicht mehr wissen, was echte Gastfreundschaft und Gastlichkeit sein kann, sondern auch nie mehr etwas Negatives über „amerikanische Küche"sagen: hier fühlt man sich einfach rundherum wohl.

Das wissen auch die Stammgäste von Bob und Judy und sie reservieren daher schon tagelang vorher, um einen der 75 Plätze zu bekommen, zumal der Betrieb nur 5 Tage abends und mittags nur Sonntags und Mittwochs geöffnet hat.

Erstklassige Frischprodukte nach alten Rezepten mit Kräutern aus eigenem Garten zubereitet, liebevoll wie in alten Zeiten serviert unter der Obhut der beiden Gastgeber, gebem dem Gast das Gefühl, bei Freunden zu Gast zu sein.

4 zauberhafte komfortable Zimmer, eine kleine Geschenkboutique und eine uralte Aperitifbar vervollkommnen dieses Kleinod nicht weit von Buffalo. Wer also einen Abstecher in die reizvolle Kleinstadt Niagara-on-the-Lake auf der kanadischen Seite machen möchte, in der jeden Sommer ein „Shaw-Festival"stattfindet, ist im „Asa-Ransom-House" sehr gut aufgehoben.

A l'»Asa Ransom House", vous découvrez la véritable hospitalité et ne pourrez plus rien dire ne négatif sur la cuisine américaine, car chez Bob et Judy Lenz, vous vous sentez parfaitement bien.

Les habitués la savent bien qui réservent l'une des 75 places plusieurs jours à l'avance, d'autant plus que l'entreprise n'est ouverte que 5 soirs par semaine et le dimanche et mercredi à midi. Produits frais de toute

première qualité, cuisinés selon d'anciennes recettes avec fines herbes du jardin, servis avec amour comme au temps jadis, deux hôtes attentifs, tout cela vous donne l'impression d'être reçus par des amis. 4 chambres charmantes et confortables, une petite boutique-cadeaux et un bar ancestral complètement ce joyau pas loin de Buffalo. Si vous souhaitez visiter les chutes du Niagara, voire faire un petit détour à Niagara-on-the-Lake où se déroule chaue été un »Shaw-Festival«, vous serez en de très bonnes mains à l'»Asa Ransom House«.

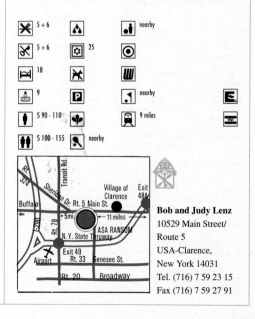

Bob and Judy Lenz
10529 Main Street/
Route 5
USA-Clarence,
New York 14031
Tel. (716) 7 59 23 15
Fax (716) 7 59 27 91

„Inn at the Opera"
Built in 1927 - the hotel has long been a convenient address for visitors, patrons of the arts and visiting artists performing at the Symphony, Opera and Ballet all located in Beaux Art Civic Center Complex, where activities abound almost every night of the year. Most in demand are April through December. It is during these months that guests are likely to run into many internationally acclaimed composers, conductors or performers such as Placido Domingo and Mikhail Baryshnikov among many have stayed at the hotel.
Inn at the Opera has been recreated out of it's musical heritage and it's original mission is to serve a special kind of guest who seeks comfort and luxury in a home away from home.
The Inn at the Opera has 48 classically-designed rooms and suites. Each includes: queen size beds, wet bars with refrigerators, and selected amenities. Robes, hairdryers and bath scales are provided for use during your stay. A European Style full service hotel, the Inn provides same day laundry and valet, concierge, complimentary over night shoe shine, traditional evening turn down service, packing and unpacking service upon request, complimentary light pressing on arrival, perpetual room service, and complimentary Continental Breakfast delivered to your room each morning. Also provided are special services for the Business Traveler.
It is the home of ACT IV; one of San Francisco's most celebrated restaurants. A pianist entertains at dinner, Tuesday-Saturday.

„Inn at the Opera"
Das Hotel, das 1927 erbaut wurde, ist seit langer Zeit eine beliebte Adresse für Besucher, Kunstmäzene und Künstler von Symphonie, Oper und Ballett, die im Beau Art Civic Center Complex auftreten, in dem fast allabendlich Veranstaltungen stattfinden. Am gefragtesten sind die Monate April bis Dezember. Während dieser Monate treffen die Gäste wahrscheinlich auf viele international anerkannte Komponisten, Dirigenten oder Künstler wie Placido Domingo und Mikhail Baryshknikow, von denen viele schon im Hotel gewohnt haben.
Das „Inn at the Opera" hat sein musikalisches Erbe übernommen und seine wichtigste Aufgabe besteht darin, besonderen Gästen, die Luxus und Komfort suchen, ein Heim fern von ihrem Zuhause zu bieten.
Das „Inn at the Opera" verfügt über 48 klassisch eingerichtete Zimmer und Suiten. Dazu gehören große Betten, Zimmerbar mit Kühlschrank und ausgewählte Annehmlichkeiten. Morgenmäntel, Haartrockner und Badeaccessoires werden für die Aufenthaltsdauer bereitgestellt. Das Hotel im europäischen Stil bietet einen kompletten Service wie Waschen und Reinigen am gleichen Tag, Empfangschef, Schuhreinigung über Nacht, Spätabend-Service, Ein- und Auspackservice auf Wunsch, kostenlosen Beleuchtungsservice bei Ankunft, ständigen Zimmerservice und Continental-Breakfast (europäisches Frühstück, im Preis inbegriffen) jeden Morgen auf Ihrem Zimmer. Für den Geschäftsreisenden werden spezielle Dienstleistungen angeboten.
Es ist das Zuhause von „ACT IV", einem der bekanntesten Restaurants San Franciscos. Von Dienstag bis Samstag unterhält ein Pianist die Gäste während des Abendessens.

Inn at the Opera
L'hôtel, construit en 1927, est depuis longtemps une adresse en vogue chez les touristes, les mécènes et les artistes sinfoniques, d'opéra et de ballet qui se produisent au »Beau Art Civic Center Complex« où on donne des représentations presque tous les soirs. Les mois d'avril à décembre sont les plus recherchés. Pendant ces mois, nos hôtes auront l'occasion de recontrer de nombreux compositeurs, chef d'orchestre ou artistes mondialement reconnus, tels que Placido Domingo et Mikhail Baryshnikov, dont un grand nombre ont déjà séjourné à l'hôtel. L'»Inn at the Opera«, nous avons repris la tradition musicale de l'établissement, et mettons notre point d'honneur à faire en sorte que les hôtes qui recharchent luxe et confort, se sentent comme chez eux.
L'»Inn at the Opera« dispose de 48 chambres et suites, d'un style classique équipées entre autre de grands lits, d'un minibar avec réf-

rigérateur et de tous les éléments de confort. Des robes de chambre, un sèche-cheveux et des accessoires de bains seront mis à votre disposition pendant votre séjour. L'hôtel de style européen offre un service complet tel que lavage et nettoyage dans la journée, chef de réception, cirage des chaussures pendant la nuit, service de nuit, service de bagages à la demande, service d'éclairage complémentaire, service de chambre jour et nuit et petit déjeuner continental (petit déjeuner continental, à titre gracieux), servi dans la chambre.
Des services spéciaux son offerts aux hommes d'affaires. L'hôtel abrîte »Act IV«, l'un des restaurants les plus fameux de San Francisco. Du Mardi au Samedi, vous prendrez vos dîners en musique grâce à nôtre pianiste.

⌘	✳
⌂ 30	♿
⛎ 110-205 $	Ⓟ 15 $ day
⛎⛎ 130-210 $	⇅
Ⓐ 18	⊡
◉	

Th.R. Noonan
333 Fulton Street
USA-San Francisco,
CA 94102
Tel.(415) 863-8400
Toll-free 800-325-2708
Fax (415) - 861 0821

Romantik Hotel „Madrona Manor"
Healdsburg, CA

There are over 100 wineries within a radius of 35 km of this magnificent country inn. Explore California's premium wine region from this extremely comfortable base. Madrona Manor is situated on 8 acres of landscapred and woodes grounds overlooking the Dry Creek Valley of Sonoma County. Just 1 1/2 hours north of San Francisco. Built in 1881 the majestic 3 story, 15 rooms, victorian mansion contains many of the original antique furnishings and persian carpets. The Mansion has 9 bedrooms, the Carriage House and two other cottages provide an additional 9 bedrooms and 3 suites. Innkeepers John and Carol Muir restored all of the buildings and opened in early 1983. Their youngest son perfoms the function of maintenance and new construction. Truly a family endeavour.

The nationally acclaimed restaurant offers superb California cuisine nightly and Sunday brunch. The Chef, Todd Muir, is another son of the Innkeepers. Todd is a graduate of the California Academy and worked at Chez Panisse, the internationally famed forerunner of California Cuisine. This is one of those rare kitchens that uses only fresh (never frozen) ingrediants. The smoking of meat, fish and fowl, the making of sausage, breads, pastries and ice creams is all done on the premise. The wine fist features the finest wine available from the region and its change frequently to showcase outstanding new releases. A full German-style breakfast is included in the room rate.

Gourmet magazine proclaimed Madrona Manor „one of the loveliest country inns in California".

Inmitten der Weinregion Kaliforniens, eine gute Autostunde nördlich von San Francisco, liegt das Madrona Manor in Healdsburg. Es ist ein altes Victorian-Patrizierhaus aus dem Jahre 1881 inmitten eines großzügigen Parks gelegen, das früher einmal ein Weingut war. Die Zimmer im Haupthaus und in den Nebengebäuden sind sehr geräumig und mit Antiquitäten ausgestattet. Das Restaurant hat sich in der gesamten Region einen ausgezeichneten Ruf geschaffen. Es wird die leichte, neue amerikanische Küche praktiziert, die nur frische Produkte und Gewürze aus dem eigenen Garten verwendet.

Von Healdsburg aus kann man sehr schöne Tagesausflüge durch die Weinregionen Kaliforniens machen, nach San Franzisco unternehmen oder an die einmalig schöne Pazifikküste fahren.

Für sportlich Interessierte gibt es Golf, Tennis, Fischen, Kanufahren oder Wandern in der nahen Umgebung.

C'est au coeur de la région viticole de Californie que se trouve, à une bonne heure de voiture au nord de San Francisco, le Madrona Manor de Heraldsburg. Ancienne maison patricienne de style victorien datant de 1881, il est entouré d'un vaste parc qui fut jadis un vignoble. Les chambres du bâtiment principal et des ailes annexes sont très spacieuses et aménagées avec des meubles anciens de style. Le restaurant s'est acquis dans toute la région une excellente réputation. Dans le style de la nouvelle cuisine américane légère, on n'y utilise seulement des produits frais et des fines herbes et épices du jardin de l'établissement.

Depuis Healdsburg, on peut faire de très belles excursions d'une journée dans les vignobles californiens, à San Francisco ou à la côte pacifique dont la beauté n'a pas d'égale. Les amateurs de sport y trouvent dans les environs proches golf, tennis, pêche, conoë-kayak ou randonnées.

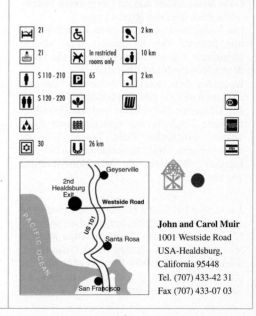

John and Carol Muir
1001 Westside Road
USA-Healdsburg,
California 95448
Tel. (707) 433-42 31
Fax (707) 433-07 03

Hood River, OR

Romantik Hotel „Columbia Gorge"

The Columbia Gorge Hotel was built in 1921 by Oregon lumber magnate Simon Benson. It is nestled on a cliff atop the spectacular 208 foot Wah-Gwin-Gwin waterfall overlooking one of the most picturesque views of the Columbia River Gorge.

The Valentino Lounge is named after Rudolph Valentino who was a frequent guest as were Myrna Loy and Presidents Roosevelt and Coolidge. The Columbia Gorge Hotel still maintains it's original air of romance and elegance.

The Hood River community and the Columbia Gorge Hotel offer a vast array of activities that are sure to satisfy any taste: windsurfing, golf, tennis, swimming, sailing, white water rafting, the Mt. Hood Railroad, Maryhill Museum, hiking and nature walks and both alpine and nordic skiing.

Das Columbia Gorge Hotel wurde im Jahre 1921 durch den Holzmagnaten Simon Benson erbaut.

Das Hotel schmiegt sich an die Klippe des spektakulären, ca. 70 m tiefen Wah-Gwin-Gwin Wasserfalles an und bietet einen malerischen Blick über den River Gorge.

Die Valentino Lounge ist nach Rudolf Valentino benannt, der in diesem Haus ebenso Stammgast war wie Myrna Loy und die Präsidenten Roosevelt und Coolidge.

Es gelang dem Hotel bis heute das Flair von Romantik und Elegance zu bewahren.

Die Gemeinde Hood River und das Hotel bieten viele Möglichkeiten verschiedenster Aktivitäten: Windsurfen, Golf, Tennis, Schwimmen, Segeln, Wildwasserfahren, Alpin-Ski, Langlauf, Wandern, die Mt. Hood-Railroad und ein Museum.

Le »Columbia Gorge Hotel« a été construit en 1921 par Simon Benson, le magnet du bois.

L'hôtel se blottit dans les rochers qui jouxtent les spectaculaires chutes Wah-Gwin-Gwin, d'une hauteur d'environ 70 m, et offre une vue pittoresque sur les gorges de la rivières. Le Salon »Valentino« doit son nom à Rudolf

Valentino qui était un habitué de cette maison comme Myrna Loy et les deux présidents Roosevelt et Coolidge.

L'hôtel a réussi conserver jusqu'à nos jours une ambiance faita de romantisme et d'élégance. La commune de Hood River et notre hôtel offrent un grand choix d'activités très variées: planche à voile, golf, tennis, natation, voile, rafting, ski alpin, ski de fond, promenades ou randonnées, chemin de fer du Mt. Hood et un musée.

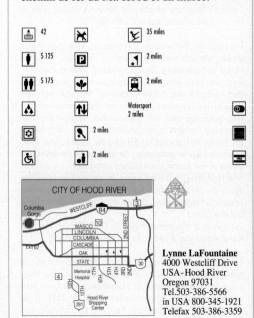

42		35 miles
$ 125	P	2 miles
$ 175		2 miles
		Watersport 2 miles
	2 miles	
	2 miles	

Lynne LaFountaine
4000 Westcliff Drive
USA-Hood River
Oregon 97031
Tel.503-386-5566
in USA 800-345-1921
Telefax 503-386-3359

Romantik Hotel „Rose Inn"

Ithaca, NY (USA)

One of the most romantic and beautiful inns, the only Mobil ★★★★ and AAA ♥♥♥♥ country inn in New York, and selected as one of the Ten Best Inns in America. Located half-way between NY City and Niagara Falls in the heart of the Finger Lakes, Rose Inn is situated in a lovely rural setting on its own 20 acre park. Built in the 1840's, the Italianate mansion – an architectural gem – contains some of the most beautiful woodwork, its central focus being a fabulous circular staircase of mahogany that whirls upwards three stories to the cupola. Antique furnished guestrooms, all with private baths, enjoy pastoral views. Three suites have jacuzzis for two. Formal dining (with advance reservations) is a memorable experience. A selective wine list accompanies dinner.

Eines der romantischsten und schönsten Hotels im Landhausstil, das einzige Mobil ★★★★ und AAA ♥♥♥♥ Landhotel in New York, und als eines der zehn besten Landhotels von Amerika ausgezeichnet. Rose Inn liegt etwa auf halber Strecke zwischen New York City und den Niagarafällen, im Herzen der Finger Lakes, in einer reizvollen ländlichen Gegend inmitten eines eigenen 8 ha großen Parks. Das herrschaftliche Landhaus im italienischen Stil – ein architektonisches Juwel – wurde um 1840 erbaut und enthält einige wunderschöne Holzarbeiten; den Mittelpunkt bildet eine einzigartige Wendeltreppe aus Mahagoni, die sich drei Stockwerke bis zur Kuppel emporwindet. Die Gästezimmer sind mit antiken Möbeln ausgestattet, verfügen alle über eigene Badezimmer und bieten einen herrlichen Ausblick. Drei Suiten verfügen über Whirlpools für zwei Personen. Ein festliches Abendessen (mit vorheriger Reservierung) wird zu einem unvergeßlichen Erlebnis für Sie. Das Abendessen wird durch eine Weinkarte mit auserlesenen Weinen ergänzt.

L'un des Inns les plus romantiques et merveilleux, le seul country inn Mobil ★★★★ et AAA ♥♥♥♥ de New York, sélectionné comme l'un des dix premiers Inns d'Amérique. Situé à michemin entre NY City et les Chutes du Niagara, au cœur des Finger Lakes, le Rose Inn est entouré d'un Parc de 20 acres dans un site champêtre. Edifiée dans les années 1840, cette demeure italienne – un joyau d'architecture – est ornée d'un splendide ouvrage en bois dont le centre est constitué par un escalier en acajou qui s'élève en spirale sur trois étages, jusqu'à la coupole. Les chambres sont meublées de mobilier ancien, toutes avec bain, ravissantes vues pastorales. Trois suites ont des jacuzzis pour deux personnes. Le dîner (réservations à l'avance) est un évènement mémorable. Une carte de vins sélectionnés accompagne le dîner.

✕ 7 + 1 nur Restaurant	✿ to 60
⊨ 30	✕
♨ 15	P
✝ S 160 - 190	✿
✝✝ S 170 - 200	U	E
♠	⚵	VISA

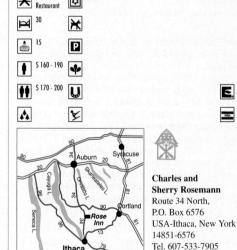

Charles and
Sherry Rosemann
Route 34 North,
P.O. Box 6576
USA-Ithaca, New York
14851-6576
Tel. 607-533-7905
Fax 607-533-4202

ANSE CHASTANET HOTEL is in a romantic resort setting amidst a 400 acre secluded estate with 2 of the most beautiful beaches on the island and surrounded by St. Lucia's virgin coral reefs – ideal for honeymooners, romantics, snorkelers, nature lovers, birdwatchers and all those who wish to get away from it all.
The major ly of ANSE CHASTANET's 48 spacious rooms is scattered about a lush hillside with stunning views of the Caribbean Sea and St. Lucia's famous Pitons mountains. 100 steps lead down to the beach where another 12 rooms are nestled within a tropical garden just a few steps from the water's edge. At beach level, there also is another restaurant and bar, as well as watersport facilities and ANSE CHASTANET'S PADI 5 Star scuba centre SCUBA St. Lucia

ANSE CHASTANET HOTEL ist direkt am karibischen Meer inmitten eines 1 km großen idyllischen Landsitzes gelegen, mit zwei der schönsten Strände der Insel und umgeben von St. Lucia's schönsten Korallenriffen. Die ideale Urlaubslage für Romantiker, Naturliebhaber, Flitterwöchner, Taucher und alle diejenigen, die den üblichen touristischen Großanlagen entgehen möchten.
Die Mehrzahl der 48 sehr geräumigen Zimmer befindet sich auf einem Hang mit phantastischem Meer- oder Pitonsblick. Vom Hang und vom Hauptrestaurant führen 100 Stufen zum Strand, wo ein weiteres Restaurant, Bar und 12 Strandzimmer innerhalb eines tropischen Gartens nur wenige Schritte vom Meer entfernt liegen.
Zum ANSE CHASTANET gehört auch die aus dem 17. Jahrhundert stammende Kolonialplantage ANSE MAMIN mit verschiedenen historischen Gebäuderesten.

ANSE CHASTANET est situé au milieu d'une propriété privée de 400 hectares avec deux plages et avec un ràcife coralien à 10 metres de la plage.
La plupart des 48 chambres sont disseminées sur le versant d'une colline avec une vue magnifique des fameux Pitons de Ste Lucie. 12 chambres se trouvent dans un jardin pres de la plage. Il y a deux restaurants et bars, avec cuisine creole et internationale. Il y a aussi une ancienne plantation coloniale française du Baron Y'Voléy.
ANSE CHASTANET est situé a proximité de la petite ville de Soufriére au pied des Pitons, et toutes les attractions touristiques de Ste Lucie comme les eaux thermales et la forêt Tropicale se trouvent aux environs immediats. Des excursions sont organisées reguliérement.

48

105-130 $

160-180 $

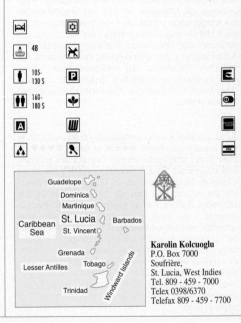

Karolin Kolcuoglu
P.O. Box 7000
Soufrière,
St. Lucia, West Indies
Tel. 809 - 459 - 7000
Telex 0398/6370
Telefax 809 - 459 - 7700

Romantik Hotel „Anse Chastanet"

St. Lucia West Indies

ANSE CHASTANET liegt im landschaftlich schönsten Teil der Insel, in allernächster Nähe der majestätischen Pitons, des malerischen Städtchens Soufriére, der Schwefelquellen und der Mineralbäder. Der tropische Regenwald ist nur 20 Minuten vom Hotel entfernt, und dort kann man mit etwas Glück den seltenen St. Lucia Papagei finden.
Schnorcheln, Windsurfen, Mini-Segeln und Tennis sind im Preis inbegriffen. Ausflüge in alle Teile der Insel mit dem Schnellboot, hoteleigener Segeljacht oder Taxi werden regelmäßig organisiert. Es gibt vielerlei Wandermöglichkeiten innerhalb der Hotelanlage und in allernächster Umgebung, teils sogar mit Führung.
Die schönsten Korallenriffe der Insel umgeben ANSE CHASTANET und bieten ideale Tauchgründe für Anfänger und fortgeschrittene Taucher. ANSE CHASTANETs eigene Tauchbase, SCUBA ST. LUCIA, ist auf höchstem technischen Niveau und ist eine international anerkannte PADI 5 Sterne Anlage. Das gesamte Unterwassergebiet wurde unter Naturschutz gestellt, wo Harpunieren, das Brechen von Korallen und Ankern auf dem Riff verboten sind.

ANSE CHASTANET is located on the part of the island that has the best scenery of all. Close to the majestic Pitons, the picturesque town of Soufrière, the sulphur springs and the mineral baths. It only takes twenty minutes to get to the tropical rain forest from the hotel. With a little bit of luck, one can find the rare St. Lucia parrot there!
Snorkelling, windsurfing, mini-sailing and tennis are included at no extra charge. Excursions to all parts of the islands by speedboat, with the hotel-owned sailing yacht or by taxi are arranged on a regular basis. There are many opportunities for hiking both on the hotel grounds and in the immediate vicinity; some tours are even guided.
The island's loveliest coral reefs surround ANSE CHASTANET and offer an ideal diving area for beginning and advanced divers. ANSE CHASTANET's own diving station, SCUBA ST. LUCIA, is an internationally accredited, PADI five-star facility. The entire underwater region has been designated as a nature preserve where harpooning, breaking off coral and anchoring near the reef are prohibited.

USA Rockport, MA

Romantik Hotel „Yankee Clipper Inn"

In 1946 Fred and Lydia Wemyss bought a lovely ocean front mansion in the beautiful „artist colony", Rockport, Massachusetts. They named their home „The Yankee Clipper Inn" and opened it to guests. Now their daughter and son-in-law, Bob and Barbara Ellis, manage the Inn.
The Inn now consists of three converted private estate buildings in a residential area and is ideal for those who prefer a non-commercial atmosphere. All 27 rooms have private baths. Most have antique furnishings and are named after American Clipper ships. A heated, outdoor salt water pool (open in season) is set in beautifully landscaped gardens and grounds. Tennis, golf, boat rides, whale-watch trips, woodland trails for hiking and, when there is snow, cross-country skiing are nearby. The ocean front dining room specializes in New England cuisine. Since 1865 Rockport has been a „dry" town. Therefore the Inn cannot sell or serve alcoholic beverages. But you can bring your own wine. In the winte=akfeast. Located one hour from Logan International Airport in Boston, Rockport is convenient to many historic locations in New England.

1946 erwarben Fred und Lydia Wemyss eine hübsche, am Meer gelegene Villa in der herrlichen „Künstlerkolonie" Rockport, Massachusetts. Sie nannten das Haus „The Yankee Clipper Inn" und eröffneten es als Gästehaus. Mittlerweile haben Tochter und Schwiegersohn Barbara und Bob Ellis die Leitung übernommen.
Heute besteht das in einem Wohngebiet gelegene Hotel aus 3 umgebauten Häusern in Privatbesitz und ist geradezu ideal für solche Gäste, die eine lockere, ungezwungene Atmosphäre bevorzugen. In den wunderschön gestalteten Gärten und Anlagen liegt ein beheiztes Meerwasserschwimmbad (während der Saison geöffnet). Sportmöglichkeiten wie Tennis und Golf befinden sic hin der Nähe, ferner werden Bootsfahrten, Walbeobachtungstouren, Waldwanderungen und, bei Schnee, Skilanglaufloipen angeboten. Im Speisesaal mit Blick auf die Küste (Bewirtung von Mitte Mai bis 2. Oktoberhälfte) werden typisch neu-englische Gerichte serviert. Seit 1865 ist Rockport „trocken", daher können alkoholische Getränke weder verkauft noch angeboten werden. Sie können jedoch Ihre eigene Flasche Wein mitbringen. Im Winter sind zwei Gebäude des „Yankee Clipper Inn" geöffnet, dort wird ein kontinentales Frühstück serviert. Das Hotel liegt eine Autostunde vom Logan International Airport, Boston, entfernt und bietet sich also als Ausgangspunkt zum Besuch vieler historischer Stätten in Neu-England an.

C'est en 1946 que Fred et Lydia Wemyss ont acheté une jolie villa au bord de la mer le magnifique „Colonie des artistes" à Rockport, Massachusetts. Ils baptisèrent cette maison „The Yankee Clipper Inn" et cuvrirent un hôtel. Entre temps, ce sont Barbara et Bob Ellis, la fille et le beau-fils, qui en pris la direction.
Aujourd'hui, l'hôtel se trouve dans un quartier résidentiel et se compose de 3 bâtiments privés. C'est l'idéal pour les hôtes préferant une atmosphère détendue et simple. Une piscine d'eau de mer chauffée (ouverte durant la saison touristique) se trouve parmi des jardins magnifiquement aménagés. Il est possible de pratiquer le tennis et le golf dans les onvrions, de faire des promenades en

bateua, d'observer les baleines, de se promener en forêt et quand il y à de la neige, de faire du ski de fond. Depuis 1865, Rockport est une ville „sèche", aucune boisson alcoolisée n'est dans vendue ou proposée. Il vous est toutefois possible d'amener votre propre bouteille de vin. En hiver, deux bâtiments du „Yankee Clipper Inn" sont ouverts. On y sert petit déjeuner continental. L'hôtel se trouve à l'heure de voiture de l'aérodrome logan international Airport de Boston et est le point de départ idéal pour visiter les nombreaux lieux historiques de la Nouvelle Angleterre.

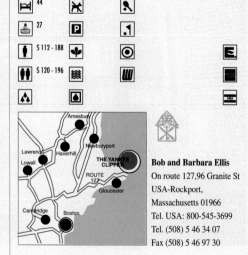

Bob and Barbara Ellis
On route 127,96 Granite St
USA-Rockport,
Massachusetts 01966
Tel. USA: 800-545-3699
Tel. (508) 5 46 34 07
Fax (508) 5 46 97 30

Romantik Hotel
„The Lodge on the Desert"

Tucson  (USA)

For more than fifty years The Lodge on the Desert has been a heaven of quiet and seclusion for knowledgeable travelers from around the world. The Lodge is one of the few remaining owner-operated resorts in the country having been startet by the Liningers in 1936 and since 1947 is owned and operated by their son, Schuyler W. Lininger.

The atmosphere of The Lodge is the old-world charm of a Spanish hacienda with adobe-style casitas and ocotillo-shaded verandas overlooking spacious lawns and colorful, flower-filled gardens. A beautiful heated swimming pool, shuffleboard, ping-pong, croquet and a fine library provide a choice of recreation right on the grounds. Superb golf and tennis facilities are within one mile.

The Lodge is located in a fine residential area in central Tucson, just four miles east of downtown Tucson. The many activities of cosmopolitan Tucson are convenient when you want them - theatre, symphonies, ballet, museums, shopping and sports exhibits. Trips can be arranged to nearby Mexico, Tombstone and to the multitude of scenic, historic, Indian and nature areas of Southern Arizona - including some of the best bird watching locations in the nation.

Our cuisine is considered exellent. Breakfast is served in your own room, prepared to individual order. Luncheon and dinner are served in our attractive Mexican tiled dining rooms.

„The Lodge on the Desert" ist seit mehr als 50 Jahren für Reisende aus der ganzen Welt ein Ort himmlischer Ruhe und Abgeschiedenheit. Die Lodge ist eine der wenigen privat geführten Resorts auf dem Land, 1936 gegründet von Familie Lininger und seit 1947 von deren Sohn Schuyler W. Lininger übernommen und geführt.

Die Atmosphäre der Lodge ist die einer altertümlich-charmanten spanischen Hacienda mit Lehmziegelhäuschen und ocotillo-farbenen Verandas, von wo aus man weitläufige Rasenflächen und farbenprächtige Blumengärten überblicken kann. Ein wunderschöner, beheizter Swimmingpool, Shuffleboard, Tischtennis, Krocket und eine umfangreiche Bibliothek gewährleisten eine natürliche Entspannung. Hervorragende Golf- und Tennisanlagen sind weniger als 2 km entfernt.

Die Lodge befindet sich in einer besonders schönen Wohngegend im Zentrum von Tucson, ungefähr 6 km östlich des Stadtkerns. Das kosmopolitische Tucson bietet bei Bedarf reichlich Abwechslung wie Theater, Symphonien, Ballett, Museen, Einkaufsmöglichkeiten und Sportveranstaltungen. Ausflugsfahrten in das nahegelegene Mexico, nach Tombstone und zu den vielfältigen, sehenswerten historischen Indianer- und Naturreservaten im Süden Arizonas, einschließlich der besten nationalen Vogelbeobachtungsstation, können arrangiert werden.

Unsere Küche wird als excellent bezeichnet. Das Frühstück wird nach individuellen Wünschen zusammengestellt und in Ihrem Zimmer serviert. Mittag- und Abendessen werden in unseren attraktiven, mit mexikanischen Kacheln ausgestatteten Speiseräumen serviert.

„The Lodge on the Desert" est depuis plus de 50 ans un lieu de solitude et de calme souverain pour les voyageurs du monde entier. Le Lodge est l'un des rares hôtels de province gérés par le secteur privé. Il a été fondé en 1936 par la famille Lininger et repris en 1947 par leur fils Schuyler W. Lininger, qui le dirige depuis cette date.

L'ambience du Lodge est celle d'une charmante hacienda espagnole ancienne, avec une petite maison en briques de terre rouge et des verandas de couleur ocotillo, qui offrent une vue splendide sur des grandes prairies et des jardins remplis de fleurs aux merveilleux coloris.

Une très belle piscin chauffée, des installations de shuffleboard, de tennis de table et de croquet ainsi qu'une importante bibliothèque permettent une détende naturelle.

A moins de 2 km, vous trouverez d'excellent terrains de golf et de tennis.

Le Lodge est situé dans un très quartier résiential du centre du Tucson, à anviron 6 km à l'est du coeur de la ville, Tucson, ville cosmopolite, voue offre, selon vos désire, un choix varié de loirirs tels que théâtre, concerts symphoniques, ballets musées, shopping et spetacles sportifs.

Il est possible d'organiser des excursions au Mexique voisin, à Tombstone, dans les intéressantes et nombrauses réserves historique indiannes, ainsi que Jans les réserves naturelles du Sud d l'Arizona, où se trouve la meilleure station nationale d'observation des oiseaux.

Notre cuisine jouit d'une excellente réputation. Le petit déjeuner est composé selon vos désirs et servi dans votre chambre. Le déjeuner et le dîner sont servis dans nos agréables salles à manger décorées de carrelages mexicains.

🛏 40	✿	🌲
🏨 38	♿	Ⓤ 17 km
🚹 $ 48-159	🅿	🎿 2 km
🚻 $ 52-171	🌿	⛷ 30 km
◎	⚏	🏹 2 km
⛰	≋	🚆 8 km

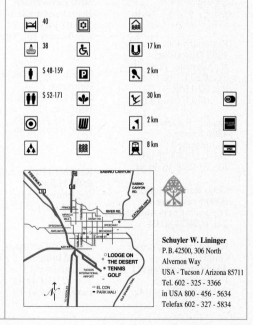

Schuyler W. Lininger
P.B.42500, 306 North
Alvernon Way
USA - Tucson / Arizona 85711
Tel. 602 - 325 - 3366
in USA 800 - 456 - 5634
Telefax 602 - 327 - 5834

Romantik Hotel Agenturen

Romantik Zentrale
Romantik Hotels &
Restaurants
Postfach 1144
8757 Karlstein/Main
Tel. 0 61 88/50 20+60 05-6
Telex 4 184 214
BTX *Romantik #,
Fax 0 61 88/60 07

EEST Reisen
8900 Augsburg
Grottenau 6
Tel. 08 21/51 25 04

Reisebüro West
1000 Berlin 31
Westfälische Str. 27
Tel. 0 30/8 92 67 11

RB H. Brinck & Co.
5300 Bonn 1
Rochusstr. 174
Tel. 02 28 /62 40 40
Fax 02 28/62 54 96

Reisebüro Globus
3300 Braunschweig
Langer Hof 6-8
Tel. 05 31/4 06 98
Fax 05 31/4 29 33

Reisebüro Jonen
4000 Düsseldorf
K.-Adenauer-Platz 11
Tel. 02 11/1 60 61 00
Fax 02 11/36 91 97
        02 11/16 15 41

Essener Reisebüro
4300 Essen
Hollestraße 1
Tel. 02 01/81 06 00
Fax 02 01/8 10 60 54

Geno Reisen GmbH
6000 Frankfurt 1
Friedrich-Ebert-Anlage 2-14
Tel. 0 69/74 80 04

Reisebüro J. Hartmann
GmbH
4048 Grevenbroich 1
Breite Straße 4-6
Tel. 0 21 81/50 41-42

Reisebüro Lührs KG
2000 Hamburg 70
Litzowstraße 13
Tel. 0 40/68 29 81 51

Reisebüro Hauck
7500 Karlsruhe
Bahnhofstraße 11-13
Tel. 07 21/35 75 50
Fax 07 21/3 22 07

Reisebüro Dr. Junges
5400 Koblenz
Altlöhrtor 6
Tel. 02 61/1 21 11

Reisebüro Esser
4150 Krefeld
Rheinstraße 106
Tel. 0 21 51/8 11 12

Reisebüro Hebbel
5090 Leverkusen
Berg. Landstraße 149-151
Tel. 02 14/56 01 7
Fax 02 14/5 10 23 8

Thüringisch-Fränkisches
Reisebüro
8620 Lichtenfels
Badgasse 12
Tel. 0 95 71/50 55
Fax 0 95 71/50 59

Reisebüro Poppe & Co.
6500 Mainz
Eppichmauergasse 8
Tel. 0 61 31/20 12 44

RB Horst Denkhaus
4330 Mülheim
Wallstraße 9-13
Tel. 02 08/4 44 44
Fax 02 08/4 41 40

Kammerloher
8000 München 90
Tegernseer Landstr. 18
Tel. 0 89/6 91 62 13

Schielein Reisen
8500 Nürnberg 1
Karolinenstr. 43-45
Tel. 09 11/2 07 71

Krüger Reisen
4200 Oberhausen 11
Steinbrinkstraße 195
Tel. 02 08/66 50 44

Reisebüro
Matthias Tonnaer GmbH
4030 Ratingen
Oberstraße 2/Marktplatz
Tel. 0 21 02/2 30 50-58

RB Schmidt GmbH+Co KG
5630 Remscheid
Alleestraße 29
Tel. 0 21 91/20 60

Reisebüro Skandinavienkai
2400 Travemünde
Skandinavienkai 1
Tel. 0 45 02/66 88

RB Bartholomae GmbH
6200 Wiesbaden
Wilhelmstraße 8
Tel. 0 61 21/1 34-0

Reisebüro Schambach
6520 Worms
Am Marktplatz
Tel. 0 62 41/62 22
Fax 0 62 41/62 88

Reisebüro Baedeker
5600 Wuppertal
Neumarktstraße 36
Tel. 02 02/49 50

Romantik Hotel Agenturen

Italien
Viaggi Vietti
Via G. Washington 17
I-20146 Milano
Tel.02/4 98 87 51
Fax 02/48 19 42 52

Spanien
Viajes Norda
Carrera de San Jeronimo, 44
E-28014 Madrid
Tel. 91 4292244
Fax 91 4299527

Frankreich
Sept et demi
promotion touristique
22, rue Godot de Mauroy
F-75009 Paris
Tel. (1) 42652229
Fax (1) 49249088

Niederlande
Accent Reisen
Keizersgracht 701
1017 DW Amsterdam
Tel. 20-22 43 43
Fax 20 20 95 15

Norwegen
Color Line
Frau J. Schick
Postboks 1422 Vika
N-0115 Oslo 1
Tel. 22944400
Fax 22830776

Dänemark
FDM Reisebüro
Firskovvej 32
DK-2800 Lyngby
Tel.45930800
Fax 45930444

Schweden
Romantik Buchung
Molinsgatan 6
S-39233 Kalmar
Tel. +4648085111
Fax +4648011993

Great Britain
Representation Plus
306 Upper Richmond Road West
London SW 14 7 J G
Tel. 81 3 92 15 89
Fax 81-39 213 18#

DER Travel Service
18 Conduit Street
GB-London WIR 9TD
Tel. 071-4 08 01 11
Fax 071-6 29 74 42

Malta
E. C. Travel Services
Nazju Ellul Street
Malta-Gzira
Tel. 6 342759
Fax 6 336897

USA
Romantik Hotel reservations
can be made through AAA travel
agencies throughout the U.S.

DER Tours
11933 Wilshire Blvd.
Los Angeles CA 90025
Tel. 1-800-421-4343
Tx 182 085 DER LAX
Fax 310 479 2239

MLT Vacations
5130 Highway = 101
Minnetonka,
Minnesota 55345
Tel. 612-474-2540
Reservations:
Tel. 1-800-362-3520
Fax (612) 474-9730

Kanada
DER TOURS
904 The East Mall
CDN-Etobicoke
Ontario M9B 6K2
Tel. 416 695 14 49
Fax 416 695 14 53
Telefax 6217578

Mexico
Destinos Mundiales   0
Insurgentes Sur 559-6   Piso
Col. Napoles
03810 México, D.F.
Tel.5/5 36 48 44
Fax 543 19 61
   56828992

Israel
Natour
Ben Yehuda St.
Tel Aviv 63806
P.O. Box 26252
Tel. 5449494
Fax 5279550

Australien
Nordic Travel
629 Military Road
Mosman NSW 2088 Australia
Tel. (02) 968 17 83
Fax (02) 968 19 24

New Zealand
Eurolynx (Tours) LTD
3RD Floor
20 Fort Street
Auckland 1 New Zealand
Tel. (09) 799716
Fax (09) 798874

Entfaltung in historischem Ambiente

…DAZU LADEN SIE
UNSERE KOMFORTABLEN TAGUNGSHOTELS MIT
HOHEM GASTRONOMISCHEN NIVEAU EIN.

Gäste in historischen Häusern

**BITTE FORDERN SIE
UNSEREN TAGUNGSKATALOG AN!**

ROMANTIK HOTELS
& RESTAURANTS

INTERNATIONAL

ZENTRALE: ROMANTIK HOTELS & RESTAURANTS INTERNATIONAL
HÖRSTEINER STRASSE 34 · D-8757 KARLSTEIN/MAIN
TELEFON 0 6188 / 60 05 / 60 06 / 50 20 · TELEFAX 0 6188 / 60 07

Select brings you exotic gems of the South Pacific.

The choice of the South Pacific

- Australia, New Zealand and Asia -

is yours with Select Hotels and Resorts.

Seas of deepest blue.

Golden skies.

And sunshine playing on the scene,

to tantalize all your senses.

Select locations are unique.

Unspoiled places,

with atmosphere of true adventure...

where you can enjoy sound, sea and nature,

with special touches of luxury.

Every Select Hotel and Resort has

been carefully planned to suit

a particular location -

from a country retreat to an idyllic island,

from a tropical paradise to a historic manor.

Each has the commitment to excellence

that puts it - and keeps it

on the gold standard.

Select
HOTELS & RESORTS INTERNATIONAL

Please phone for reservations or a **free** copy of the Select Guide:

United Kingdom	**Europe**	**Australia**
Asia Voyages	Knecht Reisen Australian department	Select Reservations
Tel: 44-932-82 0050	Tel: 0041-56-221222	Tel: 61-2-360 6663
Fax: 44-932-82 0633	Fax: 0041-56-228120	Fax: 61-2-283 2313

Turtle Island

Seven Spirit Bay

Silky Oaks Lodge

Ambua Lodge

Planet Downs

Huka Lodge

Thorngrove Country Manor

Orpheus Island

Kupu Kupu Barong, Ubud

Okiato Lodge

Coral Princess

Powerscourt Country House